PÄPSTE UND PAPSTTUM

IN VERBINDUNG MIT
REINHARD ELZE · ODILO ENGELS · WILHELM GESSEL
RAOUL MANSELLI · GERHARD MÜLLER · TORE NYBERG
WALTER ULLMANN · ERIKA WEINZIERL · PETER WIRTH
UND HARALD ZIMMERMANN HERAUSGEGEBEN
VON
GEORG DENZLER

BAND 12, II

ANTON HIERSEMANN STUTTGART
1977

PÄPSTE UND PAPSTTUM

ISSN 0340-7993

PIUS IX. (1846-1878), PÄPSTLICHE UNFEHLBARKEIT UND 1. VATIKANISCHES KONZIL

DOGMATISIERUNG UND DURCHSETZUNG EINER IDEOLOGIE

VON

AUGUST BERNHARD HASLER

II. HALBBAND

ANTON HIERSEMANN STUTTGART
1977

CIP-Kurztitelaufnahme der Deutschen Bibliothek

Hasler, August Bernhard

Pius IX. [der Neunte] (1846—1878) [achtzehn-
hundertsechsundvierzig bis achtzehnhundertachtund-
siebzig], Päpstliche Unfehlbarkeit und 1. [Erstes]
Vatikanisches Konzil. Dogmatisierung u. Durchsetzung e. Ideologie. — Stuttgart: Hiersemann.

Halbbd. 2. 1. Aufl. — 1977
(Päpste und Papsttum; Bd. 12)
ISBN 3-7772-7711-8

ISBN 3-7772-7709-6 (Werk), 3-7772-7711-8 (2. Halbband)

Schrift: Monotype Extended. Satz und Druck: Großdruckerei Erich Spandel, Nürnberg.
Bindearbeit: Großbuchbinderei Ernst Riethmüller, Stuttgart. Einbandgestaltung von Alfred
Finsterer, Stuttgart.

Printed in Germany

INHALTSVERZEICHNIS

II. HALBBAND

DRITTER TEIL: Die Unterwerfung der Minoritätsbischöfe 401

I. Zur Geschichte der bischöflichen Unterwerfung 402
   1. Widerstandspläne der Minorität 402
   2. Aktionen von Papst und Kurie zur Durchsetzung des neuen Dogmas   415
      A. Antonellis Brief an die Nuntien 415. — B. Aufforderung zur nachträglichen
      Zustimmung 416. — C. Die Bischofskonferenz von Fulda 428. — D. Entzug von
      Vollmachten und Vergünstigungen 431. — E. Der Widerruf der Konzilsschriften
      438. — F. Rücktritt von Bischöfen erzwungen 439.
   3. Der Druck von Klerus und Volk 444

II. Die Motive der Unterwerfung 447
   1. Die Inopportunismus-These 448
   2. Sachliche Bedenken behoben? 456
   3. Autorität und Einheit der Kirche 467

III. Nur äußerliche Unterwerfung? 474
   1. Interpretation als Ausweg 474
   2. Doppeltes Maß 484
   3. Gehorsam statt Glaube 491

IV. Der Widerstand der Professoren 505

V. Gelenkte Geschichtsschreibung 512
   1. Die »offiziellen« Historiker des Konzils 512
   2. Die Hilfestellung der Indexkongregation 518
   3. Die Archivpolitik 520

Rückblick: Vatikanum I und Ideologiekritik 527

Quellen und Literatur 539
   1. Unedierte Quellen 539
   2. Edierte Quellen und Literatur 543

Abkürzungen 577

Berichtigungen zum I. Halbband 580

Register 581

DRITTER TEIL

Die Unterwerfung der Minoritätsbischöfe

I.

ZUR GESCHICHTE DER BISCHÖFLICHEN UNTERWERFUNG

1. Widerstandspläne der Minorität

Je näher die ausschlaggebende Abstimmung heranrückte, um so größer wurde die Belastungsprobe für die Einheit der Minorität. Manche zogen es vor, der Entscheidung aus dem Weg zu gehen und abzureisen[1]. Andere begannen »diplomatisch« krank zu werden, um ihre Abwesenheit am »großen definitiven Tag« plausibel machen zu können[2]. Wieder andere bereiteten sich innerlich darauf vor, doch noch ihr Placet zu geben[3]. Am Schluß der Unfehlbarkeitsdebatte schlug sich eine ganze Reihe ehemaliger Opponenten auf die Seite der Majorität[4].

Dennoch stimmten am 13. Juli 1870 zur allgemeinen großen Überraschung 88 Konzilsväter mit »Non placet« gegen die Konstitution »Pastor Aeternus«, 62 gaben ein »placet iuxta modum« ab, Voten, die im Sinne eines extremen Infallibilismus wie auch der Konzilsminderheit gemeint sein konnten. Die Ja-Stimmen beliefen sich lediglich auf 451. Von den 1084 zur Teilnahme am Konzil Berechtigten[5] war das nicht einmal die Hälfte, von den am Anfang des Konzils regelmäßig anwesenden 700 Bischöfen weniger als Zweidrittel[6].

---

[1] Am 25. Juli 1870 schrieb Odo Russell an Clarendon: »Leave of absence is therefore granted to any bishops of the opposition who apply, and I regret to say that many avail themselves of this method of evading the responsibility of a vote« (BLAKISTON: *The Roman question* 449). Vgl. den Bericht des Luzerner Nuntius Agnozzi an Antonelli vom 12. Juli 1870 über die Bischöfe Greith und Purcell (ASV, Segreteria di Stato, 1870, Rubrica 1, reg. Nr. G 59 629), ebenso den Bericht des spanischen Geschäftsträgers Ximenes vom 24. Mai 1870 (AMAE, Madrid, Bericht Nr. 81).

[2] ISTR, Manoscritti 668, Bericht vom 31. Mai 1870.

[3] Dupanloup notierte z. B. am 27. Juni 1870 in sein Tagebuch: »Mgr. d. M[érode] vient souper ... cherche à dire son Placet ... c'est évident« (ASSTS, Journal, fol. 64; vgl. 4. Juli 1870, fol. 66).

[4] Z. B. Kardinal Guidi, die Erzbischöfe Tarnóczy von Salzburg, Landriot von Reims, Bernadou von Sens, Dubreil von Avignon, Abt De Vera. Zu De Vera vgl. QUINTAVALLE: *Conciliazione* 330 f. Tarnóczy blieb seit Wochen den Versammlungen der Minderheit fern (BGSTA, MA I 639, Dok. 364, Depesche Nr. 161/341 XXXIV vom 11. Juli 1870). In persönlichen Notizen schrieb er, keine dogmatischen Bedenken zu haben und sich Parteizeloten beider Richtungen fernhalten zu wollen (AICHINGER: *Tarnóczy* 152). Wenig vorher hatte aber auch Tarnóczy von Schwierigkeiten gesprochen und fügte hinzu: »Wenn aber dennoch die Definition erfolgen soll, so muß eine gründliche, erschöpfende Diskussion über alle Schwierigkeiten vorhergehen. Ohne sie wäre eine solche Definition ein unverantwortlicher Leichtsinn, eine nie wieder auszulöschende Schmach für das Verfahren des Konzils« (AICHINGER: *Tarnóczy* 253; vgl. 150). Ob er den Eindruck hatte, dies sei geschehen?

[5] Vgl. AUBERT: *Vatican* I 98.

[6] Vgl. KÜPPERS: *Die Altkatholische Position* 137 f.

In der Zeit bis zur öffentlichen Generalkongregation am 18. Juli 1870, auf der das Unfehlbarkeitsdogma feierlich verkündet wurde, schlugen alle Vermittlungsversuche der Minorität fehl. Auch eine Delegation von sechs Erzbischöfen und Bischöfen richtete beim Papst nichts mehr aus[7]. Die Minorität wollte sich nur mit einer Formel zufriedengeben, die die Zustimmung der Kirche miteinbezog[8]. Im Gegensatz dazu wies Pius IX. Kardinal Bilio, Präsident der Glaubensdeputation, an, die Formel weiter zu verschärfen[9].

Nachdem bereits manche Mitglieder der Minorität abgereist waren, wiederholten am 17. Juli 1870 55 Bischöfe ihr »Non placet«; gleichzeitig schrieben sie, aus Pietät gegenüber dem Heiligen Vater an der öffentlichen Sitzung des kommenden Tages nicht teilnehmen zu wollen[10]. Auf der letzten Abstimmung erhöhte sich zwar die Zahl der Ja-Stimmen auf 535, aber immer noch verblieb eine bedeutende Minderheit von gegen 20%, die durch Fernbleiben ihren weiter anhaltenden Bedenken Ausdruck gab[11].

Die Opponenten hatten noch einen anderen Grund, auf der feierlichen Sitzung vom 18. Juli zu fehlen. Sie fürchteten, gleich anschließend an die Dogmenverkündigung ein neues Glaubensbekenntnis, ergänzt durch die vatikanischen Dekrete, ablegen zu müssen[12].

---

[7] GRANDERATH: *Geschichte* II 480 f.

[8] Mansi 52, 1321 B—1322 D; ASSTS, Procès-verbaux de la Minorité française, 16. Juli 1870, Bogen 60, S. 2; vgl. 5. Juli 1870, Bogen 56, S. 3; 14. Juli 1870, Bogen 59, S. 2.

[9] AUBERT-MARTINA: *Il pontificato* I 547 Anm. 205; Mansi 52, 1262 A—1262 D. P. VALLIN vertritt die Ansicht, die Delegation der Minorität habe doch noch einen Erfolg verbuchen können, da sie die schärfere Formel »quin sit necessarius consensus episcoporum sive antecedens, sive contomitans, sive subsequens« verhinderte. Nur die Notwendigkeit des consensus consequens sei zurückgewiesen worden (*Pour l'histoire du Concile du Vatican I.* In: RHE 60 (1955) 844—848). Außer der schwachen Beweislage krankt Vallins Behauptung daran, daß nicht einzusehen ist, wie lediglich der consensus consequens ausgeschlossen sein soll. Der Text der Konstitution macht keine derartigen Unterscheidungen.

[10] Mansi 52, 1325 A—1328 C.

[11] Vgl. KÜPPERS: *Die Altkatholische Position* 137 f.

[12] Odo Russell berichtet dem britischen Außenminister Earl Granville am 12. Juli 1870: »The Bishops of the Opposition think it not impossible that they may be called upon the Pope once more before they leave, and after the definition of the new Dogma, to renew their Profession of Faith as on the 6th of January last, in which case the new Articles of Faith would probably be added to the Creed of Pius IV. The object of this measure would be to remove any lingering remnant of the heretical opinions uttered or published by the Bishops of the opposition before the Definition of the Dogma, and render it doubly difficult for them to question the Oecumenicity of the Council« (PRO, FO 43/108, fol. 225 f. Nr. 3). Vgl. PRO, FO 43/108, fol. 260, Bericht Nr. 4 vom 14. Juli 1870; APA, Rom, Correspondance d'Alzon, an P. Bailly, 15. Juli 1870. Am 15. Juli 1870 schreibt Tkalac an den italienischen Außenminister: »Mgr. Hefele a appris que le Pape s'est proposé de faire distribuer dans la séance solennelle à chaque évêque deux formulaires imprimés, dont l'un contiendrait l'acceptation absolue et irrévocable du

Am 17. Juli verließen sie Rom, ein Großteil noch keineswegs mit dem Willen, sich den Konzilsbeschlüssen zu unterwerfen. Am gleichen Tag hatten sie auf Antrag von Bischof Haynald auf der letzten Sitzung des internationalen Komitees beschlossen, gemeinsam vorzugehen und vor Entscheidungen sich mit Schwarzenberg, Rauscher und Simor ins Einvernehmen zu setzen[13].

Trotzdem setzten sich die Auflösungstendenzen der Minorität weiter fort. Bereits am 17. Juli 1870 scherten Erzbischof Melchers von Köln[14] und Bischof Ketteler von Mainz[15] aus, indem sie dem Papst gegenüber in eigenen Schreiben von vornherein ihre Bereitschaft erklärten, die Konzilsbeschlüsse anzunehmen.

Den meisten Oppositionsbischöfen wollte ein so schneller Richtungswechsel nicht gelingen. In großer Erregung verließen sie Rom, wütend über die Unfehlbarkeitsdefinition[16]. Professor Michelis in Braunsberg bezeichnete in einem Manifest

---

dogme de l'Infaillibilité, et l'autre la renonciation de l'évêque à son siège« (TAMBORRA: *Tkalac* 317). Vgl. Hefeles Brief vom 20. März 1871 an Reusch (MENN: *Aktenstücke Hefele und die Infallibilität betreffend* 674).

[13] Den Beschluß, gemeinsam vorzugehen, bezeugen z. B. Dinkel (MIKO: *Die Publikation* 46), Hefele (MIKO: *Die Publikation* 34; 49 f.), Forwerk (MIKO: *Die Publikation* 44 f.), Stroßmayer (SCHULTE: *Altkatholicismus* 255) und Maret (APB, Rom, Fonds Maret, Affaires Générales 1870—72. Autobiographie 27).

[14] Mansi 52, 1324 AB; Coll. Lac. VII, 993 d.

[15] Mansi 52, 1324 BC; Coll. Lac. VII, 994 a.

[16] Am 22. Juli 1870 berichtete der Wiener Nuntius Antonelli: »Persone di fiducia ed autorevoli mi dicono, che i Vescovi dell'Impero reduci da Roma quasi tutti sono *furiosi* contro la definizione della Infallibilità. Quei pochi che mi hanno visitato non hanno osato far parola del Concilio« (ASV, Segreteria di Stato, 1870, Rubrica 1, reg. Nr. 59744). Nicht weniger bezeichnend ist der Bericht an Antonelli vom 25. Juli 1870: »I vescovi reduci dal Concilio sono già tutti partiti da Vienna dopo avere scandalezzato coi loro discorsi contro Roma gli ecclesiastici e i secolari, coi quali han parlato: e particolarmente in due Vescovi il furore e quasi l'eccitamento febrile era a tal grado, che hanno osato dire, doversi di nuovo discutere e correggere la definizione del Dogma dell'Infallibilità. Le persone, che han parlato coi Vescovi, han raccolto che *molti* di essi non hanno intenzione di recarsi più in Roma durante il Concilio, e credono che non vi torneranno« (ASV, Segreteria di Stato, 1870, Rubrica 1, reg. Nr. 59779). Zwei Tage später beklagte sich der Nuntius, Rauscher sei ohne ihn zu besuchen in die Ferien gefahren. Um die Würde des Hl. Stuhls zu bewahren, habe auch er bei Rauscher keinen Besuch gemacht (ASV, Segreteria di Stato, 1870, Rubrica 1, reg. Nr. G 59811). Vgl. HHSTA P. A. XI, 215, fol. 89—91ᵛ, vertrauliches Postscriptum zum Bericht Trauttmansdorffs Nr. 84 A vom 18. Juli 1870. — Am 12. Juli 1870 schrieb der Luzerner Nuntius Agnozzi über Erzbischof Purcell von Cincinnati an Kardinal Antonelli: »Sembra che col Greith abbia viaggiato Mgr. Arcivescovo di Cincinnati. Questo Prelato infatti Domenica continuando il viaggio pervenne da Brunnen a Lucerna, e per buona fortuna jeri mattina ne è partito alla volta del Belgio. Ho detto per buona fortuna, poichè ho avuto il dispiacere di conoscere, che detto Prelato quantunque straniero a questo paese, nelle poche ore che vi è rimasto si è permesso di parlare poco favorevolmente di Roma, tantochè qualche secolare si è assai meravigliato, che un Vescovo non siasi creduto obbligato di aver un poco più di riguardo alla sua dignità ed alla

Pius IX. als »Häretiker und Verwüster der Kirche«. Kardinal Schwarzenberg und Bischof Hefele widersprachen ihm nicht[17]. Viele befreundeten sich nur sehr langsam mit dem Gedanken einer Unterwerfung, und manche dachten immer noch wie schon während der Konzilszeit an Resignation[18].

Die traurige und ausweglose Lage, in der sich viel Minoritätsbischöfe befanden, kommt am deutlichsten in ihren Privatbriefen zum Ausdruck. Die sachlichen Schwierigkeiten waren für viele nicht ausgeräumt, wie etwa für Bischof Hefele, der äußerte, er könne nicht etwas, das nicht wahr sei, als göttlich geoffenbart anerkennen[19]. Zunächst dachte er noch an aktiven Widerstand. Am 10. August 1870 meinte er seinem Freund Döllinger gegenüber:

> »Was ich zu thun habe, ist mir nicht unklar, und ich bin darin in Übereinstimmung mit Domcapitel und Fakultät. Ich werde pro primo mit einer Antwort mich nicht beeilen und alles thun, um einen Zusammentritt der deutschen Freunde ins Leben zu rufen. Weiterhin aber werde ich das neue Dogma ohne die von uns verlangten Limitationen nie anerkennen und die Gültigkeit und Freiheit des Concils leugnen. Mögen mich die Römer suspendiren und excommuniciren und einen

---

Santa Sede. — Mi duole assai di riferire questi fatti all'Eminenza Vostra; credo però non potermene dispensare salvo l'adempimento fedele dei doveri del mio officio« (ASV, Segreteria di Stato, 1870, Rubrica 1, reg. Nr. G 59629). In seiner Antwort vom 20. Juli 1870 sprach Antonelli von »incidenti disgustosi« (ASV, Segreteria di Stato, 1870, Rubrica 1, Nr. 59630).

[17] Am 16. August 1870 schrieb Schwarzenberg darüber an Rauscher: »Doktor Michelis fällt leider mit der Thür in's Haus durch sein Urtheil, das er über den heil. Vater ausspricht, wodurch er seiner Sache sehr schadet. Durch eine gründliche Erwägung des Gewichtes der Minorität und durch eine geschichtliche Erörterung der Wichtigkeit, welche in allen Concilien der Minorität zuerkannt worden ist, dürfte mehr geleistet werden können« (EA, Wien, Bischofsakten Rauscher). Auch Hefele meinte, Prof. Michelis habe der Sache nach Recht, aber die Form sei zu heftig (im Brief vom 16. September 1870 an Schwarzenberg (ASV, Fondo Concilio Vaticano, Varia, Schwarzenberg, Lettere dalla 4ª sessione in poi, Nr. 14), ebenso im Brief vom 10. August 1870 an Döllinger (SCHULTE: *Altkatholicismus* 222). Michelis erhielt bald auf römische Anordnung Schreibverbot (FRIEDBERG: *Aktenstücke* I 130 Anm. 124).

[18] So z. B. Erzbischof Förster von Breslau (ASV, Fondo Concilio Vaticano, Varia, Schwarzenberg, Lettere, Förster an Schwarzenberg, 10. September 1870; vgl. ASV, Segreteria di Stato, 1870, Rubrica 247, Nuntius Falcinelli an Antonelli, 12. September 1870, Nr. 60274), Erzbischof Haynald (ASSTS, Fonds Dupanloup, Concile II, Haynald an Dupanloup, 24. Februar 1871; ANDRIÁNYI: *Ungarn* 509), Bischof Hefele (ASV, Fondo Concilio Vaticano, Varia, Schwarzenberg, Lettere, Hefele an Schwarzenberg, 19. November 1870 (1975 nicht mehr auffindbar); GRANDERATH: *Geschichte* III 560; SCHULTE: *Altkatholicismus* 220 f.; REINHARDT: *Deutsche Theologen nach dem Vatikanum* I 282; vgl. den Bericht des französischen Geschäftsträgers in München an den französischen Außenminister vom 11. Mai 1870, Döllinger glaube, Hefele werde abdanken (AMAE, Paris, Papiers d'Ollivier, Varia, vol. 2, fol. 58—61ᵛ)) und Kardinal Schwarzenberg (GRANDERATH: *Geschichte* III 572; WOLFSGRUBER: *Schwarzenberg* III 258 f.; vgl. OER: *Zwerger* 233).

[19] Am 14. September 1870 schrieb er aus Friedrichshafen an Döllinger: »Mit Ihrem letzten Brief traf ich in Friedrichshafen zugleich ein Schreiben des Kölners und den Fuldaer Entwurf. Ich antwortete sogleich wieder ganz entschieden ablehnend. Ich kann zu Ja nicht Nein sagen

Administrator der Diöcese bestellen. Vielleicht hat Gott bis dahin die Gnade, den Perturbator ecclesiae vom Schauplatz abzurufen. ... Was aber jetzt zu geschehen hat, ist:
1) dass möglichst viele deutsche, österreichische, ungarische Bischöfe die Unterwerfung verweigern und
2) dass zugleich von den Gelehrten die Verbindlichkeit der Concilsbeschlüsse beanstandet wird, sowohl wegen mangelnder Freiheit, als wegen mangelnder Unanimität[20].«

Bereits einen Monat später sprach Hefele nur noch von passiver Resistenz[21]. In Deutschland äußerten die Bischöfe Förster[22], Deinlein[23] und Krementz[24] ähn-

---

und vice versa. ... Etwas, was an sich nicht wahr ist, für göttlich geoffenbart anerkennen, das thue wer kann, non possum« (SCHULTE: *Altkatholicismus* 223). Noch deutlicher sprach Hefele in seiner Antwort vom 11. November 1870 auf eine Anfrage des Bonner Komitees gegenüber Prof. Bauerband:»Ich kann mir in Rottenburg so wenig als in Rom verhehlen, dass das neue Dogma einer wahren, wahrhaftigen, biblischen und traditionellen Begründung entbehrt und die Kirche in unberechenbarer Weise beschädigt, so dass letztere nie einen herberen und tödlicheren Schlag erlitten hat als am 18. Juli d. J.« (FRIEDBERG: *Aktenstücke* II 326; SCHULTE: *Altkatholicismus* 223—225; vgl. dazu Hefeles Erklärung vom 15. Oktober 1872 (SCHULTE: *Altkatholicismus* 232 f.) sowie die Stellungnahme dazu von Prof. Reinkens (FRIEDBERG: *Aktenstücke* II 328—332 f.). In Briefen an Staatsminister von Golther vom Oktober und Januar 1870/71 meinte Hefele:»Ich sehe kein anderes Mittel als den Kelch zu trinken, denn ich kann einen Glaubenssatz nicht lehren, den ich nicht glaube. — Habe ich früher der staatlichen Bureaucratie gegenüber für die Gewissensfreiheit gekämpft, so will ich jetzt der römischen Tyrannei gegenüber mein Gewissen auch frei erhalten...« (Bericht des bayerischen Gesandten Gasser in Stuttgart an König Ludwig II., 20. April 1871, zit. bei REINHARDT: *Unbekannte Quellen* 73 f.).

[20] SCHULTE: *Altkatholicismus* 222.

[21] Hefele schrieb am 16. September 1870 an Kardinal Schwarzenberg:»Eure Eminenz erinnern sich, daß ich wie Hochdieselbe in Rom von Resignation sprach. Aber wie Eure Eminenz, so habe auch ich erkannt, daß dadurch große Konfusion in die Diözese kommen und nichts gewonnen würde. Nach gepflogener Beratung mit meinen hiesigen Freunden scheint mir nun folgendes rätlicher: Solange Rom die Publikation nicht fordert, verhalte ich mich einfach ruhig; auch hat von meinen Diözesanen, selbst den Feuerreitern, noch niemand die Publikation verlangt. Wenn aber einmal Rom fragliches Ansinnen stellt, dann muß ich heraus mit der Farbe. Ich werde erklären: ›Non possumus‹. Darauf wird Suspension erfolgen. Sei es. Ich will kein Schisma veranlassen. Es mag dann ein Administrator bestellt werden, ich werde ihm keine Schwierigkeiten machen, mich aber auch in meinem Gewissen ob solcher Suspension oder Exkommunikation nicht zu Tode grämen ... Ich kann unrecht haben, aber ich will als ehrlicher Schwabe, wenn auch suspendiert in die Grube fahren, lieber als daß ich aus Menschenfurcht falsches Zeugnis gebe« (GRANDERATH: *Geschichte* III 560; vollständiger Text in: ASV, Fondo Concilio Vaticano, Varia, Schwarzenberg, Lettere dalla 4ª sessione in poi, Nr. 14; vgl. auch den früher ebenda liegenden Brief Hefeles an Schwarzenberg vom 19. November 1870).

[22] Erzbischof Förster schrieb am 28. August an Erzbischof Melchers von Köln:»... mein Standpunkt ist unverrückbar derselbe geblieben, den ich in Rom eingenommen, ja er ist durch die Verschärfung, die man dem Dogma gegeben, noch fester geworden. Ich kann mich schweigend unterwerfen, allenfalls das, was durch 8 Monate im Konzil geschehen ist, in historischer Form meinem Klerus mitteilen, aber das Dogma von der persönlichen Infallibilität des Papstes

liche Bedenken wie Hefele. Auch anderswo zögerten die Bischöfe mit der Unterwerfung, wie in Frankreich[25], England[26], Amerika[27], Ungarn[28], in der Schweiz[29]
und im Orient[30].

---

absque omni consensu ecclesiae — und die Gültigkeit des Konzils verteidigen, das kann ich
nicht. ... Ich weiß mich in der neuen Aera nicht zurecht zu finden, womit Pius IX. die Kirche
beglückt hat, und habe darum meine Abdikation an Se. Heiligkeit eingesandt und allerunter-
tänigst gebeten, sie in Gnaden anzunehmen« (MIKO: *Zur Frage der Publikation* 40). Am
22. August 1870 hatte Förster an Melchers geschrieben: »Ich bin dabei noch in der üblen
Lage, daß ich meine Zweifel gegen die Ökumenizität des Vatikanischen Konzils nicht überwinden kann, denn ich weiß die Einwürfe gegen die Vorbereitungen zum Konzil, gegen die
Geschäftsordnung, gegen die Leitung der Verhandlungen und den zwingenden Einfluß auf
die Abstimmungen wie gegen die Beschlußfassung nach Stimmenmehrheit nicht zu widerlegen« (MIKO: *Zur Frage der Publikation* 38).

[23] In seiner Antwort vom 8. September 1870 auf den Entwurf des Fuldaer Hirtenbriefs an Melchers zeigte er eine unsichere, abwartende Haltung: »Wäre ich nicht in Rom gewesen, die
Fassung meines Entschlusses würde mir sehr erleichtert sein. Nach den gemachten Erfahrungen aber kann ich, nach meinen bisherigen historischen Studien, *zur Zeit*, diesem Entwurf
noch nicht beistimmen. Ich werde fortan meine Studien diesem Punkte zuwenden, und später
mit Freuden beitreten, wenn meine Überzeugung eine andere werden sollte« (MIKO: *Zur
Frage der Publikation* 45). Zu diesem Schreiben meint BRANDMÜLLER: »Schrieb Deinlein, er
könne nach seinen in Rom gemachten Erfahrungen und seinen bisherigen historischen Studien zur Zeit diesem Hirtenschreiben noch nicht beistimmen, so war es wohl mehr die tiefgehende
Enttäuschung über die Praktiken mancher Matadoren der Majorität, die er noch nicht hatte
überwinden können, als theologische Bedenken, die ihn dazu veranlaßten« (*Die Publikation
des 1. Vatikanischen Konzils* 219). — Auch wenn Deinlein bald nach dem Brief an Melchers
eine Wendung vollzog und am 21. März 1871 Döllinger gegenüber behauptete, bereits im Juli
des vorigen Jahres nach gründlichen Studien »zu der vollsten Überzeugung« gelangt zu sein,
»daß die Lehre des Vatikanum in Schrift und Tradition wohlbegründet sei« (BRANDMÜLLER:
Die Publikation des 1. Vatikanischen Konzils 604 f.), ist der Text Deinleins doch so klar, daß
die Interpretation Brandmüllers nicht als möglich erscheint.

[24] Er schrieb am 7. August 1870 an Simor: »Mir fällt es schwer, das in Rom Beschlossene mit
meiner bisherigen Theologie und mit den Thatsachen der Geschichte in Einklang zu bringen«
(ANDRIÁNYI: *Ungarn* 491, Dok. 44).

[25] Noch am 26. Januar 1871 schrieb Erzbischof Dechamps über Dupanloup an Kardinal Bilio:
»Quant à Mgr. Dupanloup, il n'a dit qu'un mot qui promet, une sorte de mot préface, mais
l'acte attendu ne vient pas. Deux fois pauvres français!« (ASV, Spoglio Card. Bilio).

[26] CWIEKOWSKI: *English Bishops* 286 f.

[27] S. MILLER: *Peter Richard Kenrick*. In: RACHS 84 (1973) 3—163; J. HENNESEY: *The first
Council of the Vatican*. New York 1963. Zu Kenrick vgl. DÖLLINGER: *Briefwechsel* III 12.

[28] G. ANDRIÁNYI: *Ungarn und das I. Vatikanum*. Köln—Wien 1975.

[29] Bischof Greith von St. Gallen wich anfangs den Aufforderungen zu einem Hirtenbrief über
die Unfehlbarkeit durch Nuntius Agnozzi in Luzern aus. Er berichtete darüber am 22. September 1870 an Schwarzenberg (GRANDERATH: *Geschichte* III 586).

[30] Mehrere Bischöfe der unierten Riten lehnten die vatikanischen Beschlüsse ab, besonders Mgr.
Hatem, Erzbischof der unierten Griechen. Der französische Konsul Bertrand in Aleppo be

Am wenigsten von allen nahm wohl Bischof Stroßmayer von Diakovar ein Blatt vor den Mund. Am 23. Januar 1871 ließ er Bischof Dupanloup von Orléans wissen:

»Meine Meinung ist dies: Das Vatikanische Konzil war ganz offensichtlich nicht frei und deshalb nicht berechtigt, Dogmen zu erlassen, durch die das Gewissen der ganzen Welt gebunden wird. Das Vatikanische Konzil definierte endlich in einer ganz offenkundigen Petitio principii und beging den Irrtum eines Zirkelschlusses; es dogmatisierte, was es ganz von Anfang an als definiert und festgelegt voraussetzte. Der Papst benahm sich vom Beginn bis zum Ende als persönlich Unfehlbarer, um sich endlich selbst als unfehlbar zu definieren; dadurch degenerierten alle Unternehmungen und Tätigkeiten des Konzils zu einer Art von — venia sit verbo — entehrendem Spiel. Der legitime Charakter dieses Konzils kann daher in keiner Weise anerkannt werden, ohne daß sich daraus die schwerwiegendsten und traurigsten Folgen ergäben[31].«

Am 4. März 1871 schrieb er an Döllinger:

»Man kann sich nichts gebundeneres und unfreieres denken als das Concil war... Unmöglich hundert Mal wiederhole ich es, unmöglich kann Gott einem Werke, das auf solche Weise zu Stande kam, seinen Segen geben[32].«

Angesichts einer solchen Stimmungslage erstaunt es nicht mehr, daß eine ganze Anzahl Bischöfe bemüht war, den Widerstand zu organisieren. Im Zentrum solcher Bestrebungen standen vor allem Kardinal Schwarzenberg und Bischof Dupanloup. Beide führten mit ihren bischöflichen Kollegen eine ausgedehnte Kor-

---

richtete am 22. August 1870 nach Paris: »Actuellement, depuis peu de jours surtout, Mgr Hattem déclare que la convocation du concile fut un piège tendu à la déférence de l'épiscopat envers les désirs et les ordres du St-Siège, que contre l'attente générale, les délibérations de l'auguste assemblée ne furent libres qu'en apparence, que toutes les propositions soumises pour la forme aux Pères de l'Eglise étaient résolues d'avance par une majorité préparée, gagnée et déterminée à tout enlever de haute lutte, que par conséquent les décisions du concile ne sauraient obliger la conscience, que ces décisions d'ailleurs en tant que non conformes aux préceptes évangéliques, aux traditions apostoliques, aux croyances séculaires de la chrétienté, sont entachées d'hérésie. Déplorant hautement les troubles apportés dans l'Eglise par le nouveau dogme, Mgr Hattem croit voir dans ce trouble la nécessité d'un nouveau concile, qui pense-t-il, ferait table rase de tous les sujets passés de controverses et retournerait à la simplicité primitive des origines du christianisme« (HAJJAR: *L'episcopat catholique oriental* 778). Bertrand berichtet weiter, ein armenischer Bischof, der für die Unfehlbarkeit gestimmt habe, müsse sich still verhalten; Priester und Bischöfe würden diese Lehre offen angreifen.

[31] SCHULTE: *Altkatholicismus* 258 f. Am 27. August 1871 schrieb Stroßmayer an Acton: »Es ist unläugbar, dass das Concil von Anfang an bis zu seinem Ende unfrei war, und daß die alte katholische Regel: quod semper, quod ubique, quod ab omnibus in demselben offenbar verletzt war« (SCHULTE: *Altkatholicismus* 261).

[32] SCHULTE: *Altkatholicismus* 254; vgl. auch die weiteren Briefe an Döllinger vom 10. Juni und 10. Juli 1871 (SCHULTE: *Altkatholicismus* 255—258; 261), ferner sein Schreiben an Prof. Reinkens vom 27. November 1870 (SCHULTE: *Altkatholicismus* 251—254).

respondenz. Während sich Dupanloup mehr um Information bemühte[33], ließ Schwarzenberg Pläne für das weitere Vorgehen der Minoritätsbischöfe ausarbeiten. Er selbst wurde mehrfach von seinen Kollegen aufgefordert, die Initiative zu ergreifen und zu gemeinsamen Beratungen der bischöflichen Konzilsopposition aufzurufen[34]. Schwarzenberg zeigte sich solchen Appellen gegenüber nicht unempfänglich und regte seinerseits vertrauliche Beratungen der Opposition an. Am 10. September 1870 verriet er dem St. Galler Bischof Greith: »Höchst wünschenswerth wäre es deshalb, wenn jene Oberhirten, welche sich dem Beschlusse der vierten Sitzung in ihrem Gewissen nicht unterwerfen können und überzeugt sind, daß die Verkündigung der bewußten dogmatischen Dekrete keine guten Früchte bringen wird, recht bald gründliche Vorbereitungen und vertrauliche Berathungen unter einander einleiten würden bezüglich ihrer Stellung, welche sie bei der Fortsetzung des Concils einzunehmen hätten[35].«

In Frankreich zeigten sich neben Dupanloup vor allem der Pariser Erzbischof Darboy und Bischof Maret, Dekan der theologischen Fakultät der Universität Sorbonne, an einem Übereinkommen der Minorität interessiert[36].

Die Minderheitsbischöfe gedachten ihren Widerstand gegen das 1. Vatikanische Konzil vor allem durch Bestreitung der Freiheit und Ökumenizität fortzusetzen. Dies zeigen bereits die zitierten Briefe von Hefele und Stroßmayer. Auch zwei im Auftrage von Kardinal Schwarzenberg ausgearbeitete Gutachten gewähren solchen Überlegungen einen breiten Raum. Der erste Gutachter spricht die Überzeugung aus, »daß die Bischöfe der Opposition das Recht und die Pflicht haben, bei der *Wiederaufnahme der Conciliarberathungen* die *Nichtanerkennung* des 4ten Sitzungsbeschlusses als eines *ökumenischen Concil* selbst feierlich kundzugeben«[37]. Dieses Urteil wird vom zweiten Gutachter unterstützt. Auch er sieht

---

[33] Am 7. Januar 1871 richtete Dupanloup an verschiedene Minoritätsbischöfe des Auslandes einen Rundbrief, in dem er besonders nach Informationen über einen eventuellen Dispensenentzug durch Rom fragte (ASSTS, Fonds Dupanloup, Concile, Lettres I). Am 11. Mai 1872 bat er seine französischen Kollegen um die Vervollständigung der Liste der Pastoralschreiben über das 1. Vatikanische Konzil (ASSTS, Fonds Dupanloup, Concile I).

[34] ASV, Fondo Concilio Vaticano, Varia, Schwarzenberg, Lettere dalla 4ª sessione in poi, Nr. 12, Forwerk an Schwarzenberg, 8. September 1870 [dieser Teil des Briefes wurde von GRANDERATH nicht veröffentlicht (*Geschichte* III 558)]; Nr. 21, Stepischnegg an Schwarzenberg, 19. Oktober 1870; Nr. 3, Krementz an Schwarzenberg, 6. August 1870.

[35] STB, St. Gallen, Akt Bischof Greith; vgl. EA, Wien, Bischofsakten Rauscher, Schwarzenberg an Rauscher, 16. August 1870.

[36] BN, Paris, Fonds Dupanloup, n. a. fr. 24710, fol. 434, Maret an Dupanloup, 7. September 1870.

[37] ASV, Fondo Schwarzenberg, Series III, fasciculus 2, Nr. 3, Gutachten A, jetzt nicht mehr aufzufinden. Zur Frage der Ökumenizität führt Gutachter A aus: »Zunächst werden die hochwürdigsten Bischöfe *sich* über die Anerkennung oder Nichtanerkennung der *Oecumenicität*

des Concils, und speziell des Dekretes der 4ten Sitzung schlüssig machen müssen. Ist der Beschluß ökumenisch, so entfällt jedes weitere Bedenken über die Aufnahme des Dekretes: aber auch, wenn der ökumenische Character des Beschlusses geläugnet wird, kann man sich über die Infallibilität, über den *Inhalt* des Textes, noch verschieden entscheiden und demgemäß handeln. In betreff des ökumenischen Charakters des Vaticanums kann nur *das* Erfordernis in Frage kommen, welches Liebermann (I p. 487 ed. Mogunt. 9na ad 4^{tas} anführt: ›ut *legitime procedatur, libera* sint *suffragia, causa diligenter expendatur.*‹ Auch die *acceptatio* ›ex universali consensione epporum‹ (Lieb. ib.) würde hieher gehören, insofern (Lieberm. I. p 492) die Frage, *ob* man debitâ diligentiâ etc. vorangegangen, gerade durch die approbatio u. receptio Ecclesiae sicher gestellt wird. In der Frage, ob dieses 4te Erfordernis vorhanden, erwarten wir vor allem das Zeugnis und den Ausspruch des Episcopats (auf diesem Grunde beruht auch die famose Schlußerklärung des Concils-Praesidiums). Spricht sich die ›Opposition‹ hierüber nicht aus, so bleibt es der Theologie unbenommen, aus den bekannten Thatsachen ihre Folgerungen zu ziehen, resp. den legitimus procedendi modus, die libertas suffragiorum, das diligens examen zu bezweifeln oder zu negiren. Sogleich nach Veröffentlichung der Geschäftsordnung, nach Vornahme der Commissionswahlen mußte man sich entscheiden, ob unter diesen Modalitäten ein legitime procedere, libere suffragari, diligenter expendere, *möglich* oder zu *erwarten* sei. Meiner Ansicht nach war es das Beste, sofort hier ein entschiedenes ›Nein‹ zu sagen, und eventuell das Konzil zu verlassen. Damit wäre alle betrübenden späteren Ereignissen vorgebeugt, oder wenigstens die *Nicht-Anerkennung* des ökumenischen Charakters klar gestellt worden. Nachdem aber die Bischöfe blieben, somit für *möglich* oder auch für zu *erwarten* erachteten, die hinreichend freie Berathung und Votation werde desungeachtet statt haben: so können sie von diesem Augenblick an den ökumenischen Charakter der Synode aus diesem Grunde nicht mehr im *Allgemeinen* beanstanden, sondern nur, insofern *in einem einzelnen Falle* entweder *gegen* die Geschäftsordnung gehandelt oder diese aus besondern Gründen als unzureichend erfunden würde. Letzteres ist, wie ich glaube, rücksichtlich der Infallibilität nachweisbar. Die bekannten Momente sind: Herausreißen dieser einzelnen Frage aus dem natürlichen Zusammenhange — Einfluß des Papstes auf die Stimmung Einzelner — Unfreiheit in der Darlegung abweichender Ansichten — einseitige Berücksichtigung der eingebrachten Emendationen (am Rande: Abbrechen der Generaldebatte — Unmöglichkeit der weiteren Spezialdebatte wegen der Hitze) — usw. und namentlich die voreilige, der Geschäftsordnung widersprechende Abstimmung über die letzte Gestalt des Cap. IV (über den ganz neuen Absatz pag. X u. sonstige Änderungen scheint gar nicht berathen worden zu sein), der Mangel an nöthiger Überlegung bei Pius IX. (s. folg.) — endlich vor allem der besondere Charakter dieses Lehrpunktes (s. unten) —. Man kann daher sehr wohl *für* die Oecumenicität der Synode im Allgemeinen, und doch *gegen* den ökumenischen Charakter einer einzelnen Verhandlung und eines Beschlusses sein. *Anmerkung.* Es ist nicht Zufall, sondern gehört zur providentiellen Leitung des Concils, daß der hl. Vater den Mangel an nöthiger Erwägung des Dekretes seinerseits selbst öffentlich kundgegeben, indem er (nicht privatim, sondern vor fünf authentischen Zeugen) wenige Tage vor der Proklamation, also *nachdem das Dekret* schon *formuliert und gedruckt war,* erklärte, es noch nicht gelesen zu haben. Für mich ist dieses eine Faktum entscheidend. Der besondere Charakter dieses Lehrpunktes liegt darin, daß man es mit einer Theorie zu thun hat, deren Gegenteil *anerkanntermaßen* bisher in der Kirche *frei* gelehrt werden durfte. Die Frage, ob bei den Concilsentscheidungen in dogmaticis Stimmen*einhelligkeit* erforderlich sei oder nicht, wird gewöhnlich einseitig, weil ohne Rückgriff auf den *Gegenstand* der Entscheidung, behandelt. Bei offenbarer Häresie (z. B. Arianismus) wird sie niemand fordern: die Widersprechenden sind eben schon als Häretiker gekennzeichnet. Allein die Infallibilität des Papstes allein, war bisher nur eine

als einen möglichen Weg der Minorität, »den öcumenischen Charakter der dogmatischen Dekrete der IVten Conciliarsitzung zu bestreiten, wozu sie meiner
Meinung nach ausreichende Tatsachen vorzubringen im Stande sind[38]«.

Kardinal Schwarzenberg und manche andere Minoritätsbischöfe waren mit
solchen Auffassungen durchaus einverstanden[39]. Schon während der Konzilszeit
hatte die Minderheit die Ökumenizität dogmatischer Konzilsbeschlüsse, die nicht
auf moralischer Einmütigkeit beruhten, in Frage gestellt. Das internationale
Komitee ließ in diesem Sinn eine Broschüre abfassen und unter die Konzilsväter
verteilen[40]. Die Majorität lehnte eine solche Meinung als unerhörte Neuerung ab.

Meinung der Schule, welcher die entgegengesetzte, wenn nicht gleichberechtigt, doch frei und
öffentlich entgegentrat. Was in Deutschland, Österreich etc. frei gelehrt wurde, dafür genügt
der riesige Liebermann (am Rande: p. 484 u. ff. (I p. 497—503 ed. Mog. nona), dessen Verbreitung in 9 Auflagen bei Kuchheim allein Zeuge ist, daß das Subjekt der Infallibilität in
diesen Theilen der Kirche in der definitio ex cathedra (im römischen Sinne) nicht gesucht,
nicht gelehrt, nicht geglaubt wurde. Zu einer solchen Glaubensbestimmung ist die ausdrückliche Zustimmung des betreffenden Episcopates doch unbedingt nothwendig — freilich aber
bei solcher Regelung nicht leicht möglich. Bei der Immaculata Conceptio lag die Sache ganz
anders. Das Gegentheil durfte eigentlich *niemals* (im Mittelalter lagen dem anscheinenden
Gegenteile anthropologische Irrthümer zu Grunde) und in bestimmtester Weise *nicht* seit dem
Tridentinum gelehrt werden: und das Dogma liegt in dem Satze, daß von der B. V. M. *jede*
Sünde fern zu halten, schon drin. — In die beweisenden Stellen für den Primat aber wird die
Infallibilität erst hineingetragen und dann herausdemonstriert. Mit dem Gesagten begründe
ich meine Ansicht und Überzeugung, daß die hochw. Bischöfe der Opposition das Recht und
die Pflicht haben, bei der Wiederaufnahme der *Conciliar-Berathungen* die *Nichtanerkennung*
des 4ten Sitzungsbeschlusses *als eines ökumenischen* im *Concil* selbst *feierlich* kundzugeben.«

[38] ASV, Fondo Schwarzenberg, Series III, fasciculus 2, Nr. 3, Gutachten B, jetzt nicht mehr
auffindbar.

[39] ASV, Fondo Concilio Vaticano, Varia, Schwarzenberg, Lettere, Förster an Schwarzenberg,
10. September 1870. Am 16. August 1870 schrieb Schwarzenberg an Rauscher: »Ohne Zweifel
wird früher oder später die Oekumenizität des Concils angestritten werden, und ich gestehe,
daß ich die Einwendungen gegen die Vorbereitungen zum Concil, gegen die Geschäftsordnung,
gegen die Leitung und den Gang der Verhandlungen, wie gegen die Beschlußfassung durch
Stimmenmehrheit zu widerlegen mir nicht zutraue« (EA, Wien, Bischofsakten Rauscher).
Acton berichtet über eine ähnliche Äußerung Darboys (DÖLLINGER: *Briefwechsel* II 422).

[40] *De l'Unanimité Morale nécessaire dans les Conciles pour les définitions dogmatiques*, Mémoire
présenté aux Pères du Concile du Vatican. Neapel 1870. Tauffkirchen meldete am 26. Mai 1870
nach München: »Die Broschüre der internationalen Kommission über das Erforderniss moralischer Einstimmigkeit bei dogmatischen Beschlüßen ist heute vertheilt worden« (BGSTA,
MA I, 639 Dok. 331, Bericht Nr. 126/270 XXI; vgl. MA I, 638, Depeschen vom 18. (Dok.
226, fol. 269 f., Bericht Nr. 69/148) und 19. März (Dok. 229, fol. 276 Bericht Nr. 70/149)
und vom 3. April 1870 (Dok. 265, fol. 378 f. Beilage zum Bericht Nr. 84/183). Russell schrieb
am 31. Mai 1870: »This manifesto [De l'Unanimité morale] drawn up by Bishop Hefele and
Dupanloup and signed by all the Bishops of the Opposition was an answer to the Report of
the Conciliar Committe ›de Fide‹: ›Relatio de Observationibus Patrum in Schema Romani

Es komme nur auf die sanior pars an, und diese sei immer dort, wo sich der Papst befinde[41].

Die beiden Gutachter Kardinal Schwarzenbergs sehen jedoch noch eine andere Möglichkeit, sollte der Versuch, die Ökumenizität zu bestreiten, scheitern. Sie meinen den »ärmlichen Ausweg« der Interpretation. Der erste Gutachter schreibt dazu:

> »Verzichten aber die hochwürdigsten Bischöfe auf jeden Einspruch, u. erkennen sie somit ausdrücklich oder stillschweigend die Legitimität u. Oecumenizität des in Rede stehenden Beschlusses an: so erübrigt bei der *Annahme des Dekretes* nur der vor der Hand ärmliche Ausweg, bei der *Interpretation* des Dekretes einen von der römischen Majorität nicht beabsichtigten Sinn desselben festzuhalten, worauf das ›pro suprema sua auctoritate — definit‹ usw. (mit Rücksicht auf das Vorhergesagte) als auf dem Votum der Ecclesia dispersa oder der Concilien oder der Provinzbischöfe etc. basierend u. dieselben bestätigend, erklärend usw. gedacht würde. Damit würde die Hoffnung verbunden sein, daß im Fortgang des Concils dies noch genauer, namentlich in der Lehre de episcopis entwickelt und festgestellt wird.
>
> Auch in *diesem Falle* erscheint mir unumgänglich *notwendig*, daß die Opposition beim Wiedereintritt in das Konzil *ausdrücklich erklärt*, den *Beschluß anzunehmen, jedoch in keinem anderen Sinn, als daß eine Mitwirkung des Episcopates* zur definitio ex cathedra *in irgendeiner Weise stattfindet*[42].«

Der zweite Gutachter fordert, falls die Ökumenizität nicht bestritten wird, »eine Zustimmung der Minorität zu den Dekreten der IVten Sitzung ohne Inkonsequenz und Schädigung der von ihr bisher vertretenen dogmatischen und kirchlichen Interessen[43]«. Ferner sollen die Minoritätsbischöfe einen Kommentar zum Passus »Ex sese, non autem ex consensu Ecclesiae« verlangen und dadurch eine »radikale Sanation« des Dekretes der IV. Sitzung erreichen. Bei einer erneuten Zusammenkunft des Konzils habe die Minderheit auf »eine wesentliche, die Freiheit der weiteren Conciliaractionen garantierende Abänderung der bisherigen Geschäftsordnung« zu dringen, Protest gegen die am 16. Juli ausgesprochene Verurteilung von Broschüren zu erheben und die Zuziehung von theologischen Fachmännern aus aller Welt zu verlangen[44].

Beide Gutachter machten Kardinal Schwarzenberg konkrete Vorschläge für die Organisation der Beratungen. In der ersten Note heißt es:

Pontificis primatu‹, in which Tradition confirmed by Authority was declared to be more important and necessary than moral Unanimity in defining Dogmas« (PRO, FO 43/108, fol. 99, an Clarendon, Nr. 122).

[41] So z. B. D'Avanzo in seiner Rede auf der Generalkongregation vom 20. Juni 1870 (Mansi 52, 765 C); vgl. S. 57 ff.

[42] ASV, früher Fondo Schwarzenberg, Series III, fasc. 2, Nr. 3, Gutachten A.

[43] ASV, früher Fondo Schwarzenberg, Series III, fasc. 2, Nr. 3, Gutachten B.

[44] ASV, früher Fondo Schwarzenberg, Series III, fasc. 2, Nr. 3, Gutachten B.

»Zu wünschen ist, daß die Vorbereitungen hinzu nicht bis zur Zusammenkunft in Rom verschoben, sondern schon jetzt getroffen werden. (Die Initiative kann meines Erachtens von Euerer Eminenz nicht wohl ausgehen; allein sehr wohl könnte und sollte einer der hochw. Herren, die in Rom mehr im Hintergrund blieben, etwa der Hr. Fürstbischof von Olmütz oder Hr. Fürstbischof von Breslau, die Frage, was bei der *eventuellen Wiederankunft in Rom* in betreff des letzten Sitzungsbeschlusses zu *veranlassen*, unter ausführlicher Darlegung der Gründe gegen dessen Oecumenicität, an die drei HH. Kardinäle von Prag, Wien und Besançon richten, welche dann zunächst unter sich, hierauf mit ihren Gesinnungsgenossen hierüber verhandeln würden. Wie ich glaube, würden die 56 Unterschriften wohl noch durch einige vermehrt werden[45].«

Der zweite Gutachter schlägt vor, daß die Bischöfe Hefele, Dinkel und Eberhard mit der ganzen Aktion beginnen und das Ergebnis ihrer Beratungen dann einem weiteren Kreis mitteilen würden, nämlich den Erzbischöfen von Prag, Olmütz, Gran und Kalocsa, ferner den Bischöfen von Mainz, Breslau, Gurk und Diakovar. Aufgrund von ausführlichen Vorschlägen aus diesem Gremium sollten die drei erstgenannten Bischöfe ein detailliertes Programm ausarbeiten, für eine Übersetzung ins Lateinische sorgen und es dem Internationalen Komitee mitteilen, z. B. den Erzbischöfen von Mailand und Turin, Erzbischof Ginoulhiac, Bischof Dupanloup und Erzbischof Mac Hale[46].

Verständlicherweise raten beide Gutachter bei solchen Auffassungen von der Publikation der Konzilsdekrete ab. Auch darin stoßen sie auf das Verständnis der Bischöfe[47]. In mehreren Privatbriefen äußerten sich diese dahin, eine Veröffentlichung sei in keiner Weise angezeigt[48], so daß die Nuntien in München und Paris nicht zu Unrecht den Eindruck bekamen, die Bischöfe der Opposition hätten sich darüber abgesprochen und beabsichtigen damit, die Gültigkeit der Dekrete in der Schwebe zu lassen[49].

---

[45] ASV, früher Fondo Schwarzenberg, Series III, fasc. 2, Nr. 3, Gutachten A.

[46] ASV, früher Fondo Schwarzenberg, Series III, fasc. 2, Nr. 3, Gutachten B.

[47] Am 10. September 1870 schrieb Förster an Schwarzenberg: »Das verehrte Schreiben vom 6. d. M. [September] geht mir so eben zu und ich eile, meinen wärmsten Dank dafür auszusprechen. Auch ich stimme denselben im wesentlichen bei und finde beide Ausarbeitungen vortrefflich, namentlich die sub No. B, wegen ihrer Gründlichkeit und Mäßigung« (ASV, Fondo Concilio Vaticano, Varia, Schwarzenberg, Lettere).

[48] Am 31. Oktober 1870 meldete Schwarzenberg Ginoulhiac: »Exinde in praesenti omnem promulgationem de rebus hucusque in Concilio decretis impossibilem censeo, atque hanc omissionem vel exinde formaliter justam esse arbitror, quod Concilium neque suspensum, neque prorogatum aut clausum, neque etiam finitum est, Tridentina decreta vero non post singulas Sessiones et interpretationes, sed finito demum Concilio publicata fuerunt. Habente et exeunte praesente Syonodo tempus etiam consilia congrua adferet. Decreta concilii Vaticani hucusque edita foliis dioecesanis nudo latino textu, absque versione, declaratione literisque pastoralibus inserere, res in utramque partem claudicans mihi esse videtur, quae clerum in exercenda cura pastorali difficultatibus dubiisque majoribus exponeret« (ASSTS, Fonds Dupanloup, Concile II, Kopie).

[49] Der Münchener Nuntius Meglia schrieb am 5. August 1870 Staatssekretär Antonelli: »Non sarebbe impossibile, che esistesse fra alcuni Vescovi un' accordo di non publicarla [Konsti-

So wohldurchdacht der Widerstand der Minorität im einzelnen auch sein mochte, er fiel in wenigen Monaten zusammen. Grund dafür war nicht nur die innere Schwäche der Opposition. Kaum hatte das Konzil die Unfehlbarkeit des Papstes proklamiert, brach der deutsch-französische Krieg aus und lähmte die Kommunikation zwischen den zwei wichtigsten Zentren des Widerstandes gegen die Konzilsbeschlüsse. Die kriegerischen Ereignisse lenkten das öffentliche Interesse von den kirchlichen Problemen ab[50]. Um so größere Chancen erhielt die Kurie, den neuen dogmatischen Bestimmungen ungestört Nachachtung zu verschaffen. Sie setzte eine ganze Maschinerie in Bewegung, um zögernde Bischöfe zur Unterwerfung zu bringen. Vor allem gelang es ihr, mit der Konferenz der deutschen Bischöfe Ende August 1870 in Fulda eine Bresche in den episkopalen Widerstand zu schlagen. Nicht weniger geschickt war es, durch die Suspension des Konzils den Opponenten erst gar keine Möglichkeit mehr zu geben, sich zu treffen. Die Begründung, das Konzil könne wegen der italienischen Besetzung Roms unmöglich fortgeführt werden, bot sich dabei unmittelbar als willkommener Vorwand an[51].

Der Widerstand einiger Bischöfe zog sich zwar noch lange hin, aber der Opposition war die Spitze abgebrochen. Die Bischöfe wurden nun »einzeln abgeschlachtet«, wie Hefele sich ausdrückte[52]. Eine Ausnahme bildete lediglich der ungarische Episkopat. Er blieb geschlossen und zögerte fast ein Jahr lang die Unterwerfung

---

tution Pastor Aeternus]. Fin quà dei Vecovi tedeschi, il solo Arcivescovo di Colonia ha pubblicato dal pulpito questa interessante costituzione, accompagnando questo atto con analogo discorso. Forse non sarebbe inutile il far tenere in maniera officiale a ciascuno di questi Vescovi una copia della medesima Costituzione. Ciò varrebbe almeno a rimuovere il pretesto di non averne avuto officiale notizia« (ASV, Segreteria di Stato, 1870, Rubrica 1, Nr. 643 (reg. Nr. G 59904)). Der Pariser Nuntius berichtete am 2. August 1870 über die französischen Minoritätsbischöfe: »... si sono intesi a insinuare e enunziare il parere che il respettivo decreto dommatico non sia stato ancora pubblicato canonicamente, lasciando intendere che non è ancora obbligatorio« (ASV, Segreteria di Stato, 1870, Rubrica 1, fol. 83, Nr. 1643; veröffentlicht bei Mansi 53, 913 D f.).

[50] Ungarns Primas Simor sprach deshalb in einem Brief vom 23. August 1870 an Krementz vom großen Glück des deutsch-französischen Krieges für die Kirche (ANDRIÁNYI: *Ungarn* 492 f., Dok. 46).

[51] Die Garantieerklärungen der italienischen Regierung für die volle Freiheit des Papstes und des Konzils stellen die Stichhaltigkeit der kurialen Argumente in Frage (vgl. Coll. Lac. VII, 1738 cd; PRO, FO 43/110, Jervoise an Granville, 23. Oktober 1870, Nr. 76). LILL schreibt dazu:» Das kurz darauf wegen des deutsch-französischen Krieges suspendierte Konzil ist nicht wieder aufgenommen worden, nicht nur, weil die Besetzung Roms durch die Italiener seine Fortsetzung fast unmöglich machte, sondern mehr noch, weil nach der Meinung des Papstes und der Mehrzahl der Bischöfe die wichtigste Aufgabe des Konzils mit der Definition der Unfehlbarkeit erfüllt war« (*Zur Verkündigung des Unfehlbarkeitsdogmas* 469).

[52] ASV, Fondo Concilio Vaticano, Varia, Schwarzenberg, Lettere dalla 4ᵃ sessione in poi, Nr. 26, Hefele an Schwarzenberg, 19. November 1870.

hinaus. Ende 1871 war das Unternehmen praktisch abgeschlossen. Mit ganz weni-
gen Ausnahmen hatten alle Minoritätsbischöfe ihre Zustimmungserklärungen in
Rom eingereicht[53]. So konnte 1875 Pius IX. David seine Genugtuung ausdrücken:
»Ihr habt Euch alle unterworfen; das ist gut[54].«

2. Aktionen von Papst und Kurie zur Durchsetzung des neuen Dogmas

A. Antonellis Brief an die Nuntien

Einige Bischöfe der Opposition verschanzten sich zunächst hinter der Aus-
flucht, die Dekrete des Vatikanischen Konzils seien noch nicht kanonisch publiziert und deshalb nicht verpflichtend. Der Pariser Nuntius Chigi, der darüber am
2. August 1870 an Kardinal Staatssekretär Antonelli berichtete, erwähnte in diesem Zusammenhang besonders die Bischöfe von Paris, Verdun und Dijon[1]. In
einem Rundbrief vom 11. August 1870 an die Nuntiaturen von Paris, Brüssel,
München und Wien erklärte Antonelli, das Konzilsdekret vom 18. Juli 1870 habe
selbstverständlich bereits in der ganzen Kirche Rechtskraft und bedürfe keiner
weiteren Publikation; es sei durch den Papst selbst in Gegenwart von über 500 Bischöfen verkündet und außerdem durch Anschläge an den üblichen Orten in Rom
bekanntgemacht worden[2].

Nuntius Cattani von Brüssel erhielt mit dem Rundschreiben zugleich die Auf-
forderung, das Dokument auf anonyme Weise in einer dafür günstigen Zeitung
zu veröffentlichen[3]. Daraufhin ließ er das betreffende Aktenstück nicht nur ohne
Verzögerung in der »Gazette de Liège« abdrucken[4], er sorgte auch dafür, daß der
Text sofort in die Hände Louis Veuillots, des Chefredakteurs der ultramontanen
Zeitung »Univers« kam[5]. Ebenso bediente er Erzbischof Manning von West-

---

[53] Eine Ausnahme bildet Bischof Stroßmayer von Diakovar. Erst im Januar 1875 schloß er —
ohne eigentliche Unterwerfung — mit Pius IX. Frieden (Suljak: *Strossmayer* 476 f.). Zu einer
Art Zustimmung bequemte er sich im Jahr 1881 unter Papst Leo XIII. (Suljak: *Strossmayer*
477).

[54] David in einem vertraulichen Brief vom 19. Juli 1875 an Dupanloup (BN, Paris, Fonds Dupanloup, n. a. fr. 24681, fol. 269ᵛ).

[1] Mansi 53, 913 D—916 A. In Rom äußerte Mgr. Vecchiotti gegenüber Bischof Freppel Zweifel
an der Verpflichtung, die Unfehlbarkeit des Papstes zu glauben (Terrien: *Freppel* I 644).

[2] Mansi 53, 916 A—C.

[3] ASV, Archivio Nunz. Bruxelles, Nr. 32, Pos. 31, Ser. 7, N. 4, 11. August 1870, Nr. 59877.

[4] ASV, Archivio Nunz. Bruxelles, Nr. 32, Pos. 31, Ser. 7, N. 4, Cattani an Antonelli, 22. August
1870, Nr. 345/346.

[5] Bischof Montpellier von Liège schickte das Rundschreiben Antonellis aus Angst vor Ver-
zögerungen durch den Kriegszustand in Frankreich Veuillot direkt zu, bat ihn aber, als Quelle

minster, der sich beeilte, den Rundbrief Antonellis allen seinen Kollegen in ge-
druckter Form zukommen zu lassen[6].

Das etwas zwiespältige Vorgehen Roms ließ Erzbischof Melchers von Köln
an der Authentizität des in der »Gazette de Liège« abgedruckten Rundschreibens
zweifeln. Auf eine entsprechende Anfrage erhielt Melchers von Nuntius Cattani
postwendend eine authentische Kopie des Briefes[7].

B. Aufforderung zur nachträglichen Zustimmung

Monate bevor die päpstliche Unfehlbarkeit zum Dogma erhoben war, galten
den Infallibilisten die gegnerischen Ansichten bereits als häretisch. Dennoch mußten sie diese »schlimmen« Reden noch lange über sich ergehen lassen. Sie sehnten
sich darnach, diesem Zustand ein Ende zu bereiten. Den Infallibilisten schwebte
jedoch nicht nur eine einfache Unterwerfung der Minorität unter die Konzilsdekrete vor, sie verlangten für die in ihren Augen skandalösen Aussagen während
des Konzils eine Art Genugtuung. Vor allem Pius IX. dachte so. Während des
Konzils habe er dagegen nichts tun können, aber es komme die Zeit, Rechenschaft
über den gegebenen Skandal zu verlangen[1]. Kurz vor der Definition, am 12. Juni
1870, vertraute er Louis Veuillot an, jeder, der dem Glauben der Kirche wider-
stehe, werde getroffen werden (sarà colpito)[2]. Am 30. September 1870 schrieb
Pius IX. eigenhändig an Msgr. Jacobini, Subsekretär des Vatikanischen Konzils:

---

die »Gazette de Liège« anzugeben. Antonellis Rundschreiben finde anderswo als in Belgien seine
Anwendung, aber aus Rücksicht auf Empfindlichkeiten habe man vermieden, es ihm direkt
zuzusenden (BN, Paris, Fonds Veuillot, n. a. fr. 24 229, fol. 471 f., Montpellier an Veuillot,
17. August 1870.

[6] In seinem ebenfalls gedruckten Begleitbrief schrieb er: »The following letter from His Eminence Cardinal Antonelli has been communicated to me by the Apostolic Nunzio at Brussels.
The importance of it at this moment is so obvious, that I lose no time in placing it in your
hands (ASV, Archivio Nunz. Bruxelles, Nr. 32, Pos. 31, Ser. 7, N. 4; AAW, London, Bishops
I, 1858—1881, Printed circulars, Faculties).

[7] ASV, Archivio Nunz. Bruxelles, Nr. 32, Pos. 31, Ser. 7, N. 4, Melchers an Cattani, 23. August
1870; Entwurf der Antwort Cattanis, 24. August 1870.

[1] »A proposito di fare qualche dimostrazione contro i Prelati che dissero in Concilio e fuori e
cogli opuscoli vere eresie e insolenze grevi contro il papa ecc., dice [Pius IX.] che ora non
si è potuto fare e che potrà venir tempo di chiedere ragione dello scandalo dato« (FRANCO:
Appunti, 13. Juli 1870, 328).

[2] »Pie IX sait qu'il a dans sa main la foudre et qu'il doit s'en servir. Je l'ai vu hier. Il m'a gardé
une bonne demi-heure. Il avait vu le matin l'archevêque de Paris. Il était grave, mais tran-
quille. Il m'a dit en propres termes, avec un geste doux et royal, que celui qui résisterait à la
foi de l'Eglise serait frappé: Sarà colpito! J'ai entendu la voix; j'ai vu le geste et je t'assure
que le coup ne se fera pas attendre« (Brief vom 13. Juli 1870 an seinen Bruder Eugène (VEUIL-
LOT: *Oeuvres complètes* XXIV 299)).

»Auch der Bischof von Cincinnati, Purcell, hat sich unterworfen. Aber es fehlt die Wiedergutmachung des Skandals, von der Kanzel gegen das Dekret gesprochen zu haben... [3]«.

Pius IX. war persönlich über die Minoritätsbischöfe verärgert und erzürnt[4] und verlangte deshalb für seiner Meinung nach ihm persönlich zugefügte Unbill eine Entschädigung. Die am 2. August 1870 geleistete Unterwerfungserklärung von Kardinal Mattei brachte ihn offenbar auf den Gedanken, von allen Opponenten einen solchen Akt zu verlangen[5]. Er und seine Kurie waren bemüht, den Zustimmungserklärungen der einzelnen Bischöfe den Charakter einer Retraktion, einer Unterwerfung zu geben[6].

Den päpstlichen Zorn bekamen zunächst die am römischen Hof lebenden Prälaten zu spüren, die es gewagt hatten, gegen die päpstliche Unfehlbarkeit zu opponieren. Pius IX. erklärte, er wünsche in seinem Hause keine Häretiker zu haben[7]. Seinen Almosenmeister, Erzbischof De Mérode — er war der feierlichen Sitzung vom 18. Juli 1870 ferngeblieben—, zwang er nach einer aufregenden Audienz, sich den vatikanischen Dekreten zu unterwerfen. De Mérode wollte zunächst nicht hören. Das veranlaßte den Papst, erregt hervorzustoßen, es handele sich hier nicht mehr um Kindereien (»non sono più cose di fanciulli«); er, De Mérode, habe

---

[3] Auf der Rückseite des Unterwerfungsschreibens von Erzbischof Nazari di Calabiana von Mailand, 12. September 1870 (ASV, Fondo Concilio Vaticano, Adhaesiones 1870).

[4] Tkalac berichtete am 19. Juli 1870 nach Florenz, der Papst sei über die beiden am 18. Juli neinstimmenden Bischöfe sehr verärgert und habe sofortige Absetzung dieser beiden »porchi f...ti« verlangt (TAMBORRA: *Tkalac* 334).

[5] HHSTA, P. A. XI, 215, fol. 239 f., Palomba an Beust, 27. August 1870, Nr. 96 C.

[6] Bischof Errington schrieb am 19. Februar 1872 an Bischof Clifford: »The misinterpretation which has been given to the so called letters of adhesion would make me hesitate to adopt that form of expressing my belief in the doctrines of the Catholic Church, & my fidelity to the Holy See. — I have observed in the Tablet (which in matters of this kind generally follows the leading foreign Catholic journals) that the expressions of adhesion given by those who did not vote for the ›infallibility‹, are characterized as ›retractions‹, [illegible], ›submission‹, ›corrections of judgement‹, ›supplementary votes‹ etc. This suggestion that there was something wrong in voting against the proposed article, & that those who so voted might without some evidence to the contrary, be suspected of adhering to their opinions after the contrary had become an article of faith, of course, I cannot admit, & should be unwilling to countenance by any spontaneous act« (CWIEKOWSKI: *English Bishops* 306). Auf diesem Hintergrund ist die Nachricht des Assumptionistenbegründers d'Alzon über derartige frühe Pläne nicht mehr so unwahrscheinlich; bereits am 12. Juni 1870 schreibt er, die Reden der Minorität seien im Archiv aufbewahrt, und man werde sie benützen, um Retraktationen oder wenigstens Explikationen zu verlangen (APA, Rom, Correspondance d'Alzon, Brief vom 12. Juni 1870, veröffentlicht in der »Gazette du Midi« vom 19. Juni 1870).

[7] PRO, FO 43/109, Jervoise an Granville, 8. August 1870, Nr. 18.

einen Glaubensakt zu setzen. Doch der Erzbischof äußerte seine Absicht, abzu-
warten, was die anderen Minoritätsbischöfe tun würden. Pius IX. wies ihm darauf
die Tür[8]. Als der »Corriere delle Marche« am 28. Juli 1870 berichtete, Erzbischof
De Mérode wolle sich nicht unterwerfen, da er das Unfehlbarkeitsdogma für
absurd und schädlich halte, dementierte die offizielle päpstliche Zeitung »Giornale
di Roma« am 2. August 1870 diese Nachricht und fügte hinzu, De Mérode habe
dem neuen Dogma seine volle, explizite und klare Zustimmung gegeben[9]. De

---

[8] Am 29. Juli 1870 schrieb P. Galabert an P. Vincent de Paul: »Mgr. l'archevêque de Mélitène
[De Mérode] est allé le mardi ou mercredi après la définition auprès du St-Père pour son
audience comme grand aumônier. — Après avoir dit placet juxta modum à la Congregation
générale, il s'était abstenu d'assister à la session. Il rendi compte à Sa Sainteté des affaires
concernant son aumônerie: Pie IX lui demande amicalement: Vous n'avez plus rien à me dire.
— Non, St-Père, répondit le grand aumônier; et l'on parla d'autres choses; Pie IX revient une
seconde fois à la charge avec une intonation particulière de voix: Vous n'avez plus rien à me
dire, et comme l'archevêque donnait la même réponse, Sa Sainteté prenant un ton solennelle
et sérieux: Votre Excellence doit savoir que vous avez quelque chose à faire. — Quoi, St-Père,
reprend l'autre un peu déconcerté. — Il ne s'agit plus d'enfantillages ici: Non sono più cose
di fanciulli, vous avez un acte de foi à faire. — Quand pensez-vous remplir ce devoir? Le
grand aumônier aurait eu l'audace de répondre: Je veux voir ce que feront les autres évêques
qui se sont abstenus. — Après cette réponse le Pape aurait pris un ton solennel et sévere, et
après une verte semonce, aurait congédié son grand aumônier par ces mots: *Andate fuori* ou
andate via. — Le fait m'a été certifié authentiquement par des personnes dignes de foi, qui le
tenaient d'un évêque auquel Sa Sainteté aurait elle-même daigné raconter cette scène« (APA,
Rom, Correspondance du P. Galabert), Ähnlich berichten über diesen Vorfall Dupanloup
(ASSTS, Journal, 13. April 1874, fol. 7), Kulczycki (MAEAS, Concilio Ecumenico N. 209,
Bericht vom 25. Juli 1870) und Palomba (HHSTA, P. A. XI, 215 fol. 181ᵛ, Bericht Nr. 89 C
vom 6. August 1870). Ein wenig anders stellt Jervoise den Vorfall dar: »Among those Prelates
who absented themselves from the 4th Public Session of the Council on the 18th ultimo was
Monsignor De Merode, Archbishop of Melitene ›in partibus‹ and Almoner to His Holiness.
A few days ago business connected with this Office compelled him to seek an Audience of the
Pope, who received him with extreme coldness. When the Archbishop was on the point of
retiring the Pope addressed him and enquired wether he had no further communication to
make: — receiving a negative answer the Pontiff repeated his question, and on being met
with the same reply sternly desired the Prelate to go to his own apartements, where he would
find something for his consideration. Accordingly Monsignor De Merode shortly received a
copy of the ›Constitutio Dogmatica Prima De Ecclesia Christi‹ together with a copy of the
Syllabus accompanied by an intimation that he would do well to sign both: an injunction
which I understand he has complied« (PRO, FO 43/109, Bericht Nr. 13 vom 1. August 1870).
[9] »Nel *Corriere delle Marche*, dei 28 del trascorso luglio, si legge: ›Monsignor de Merode non
vuole aderire al dogma della Infallibilità, perchè lo crede assurdo e dannoso. Io non nego
questa opinione del de Merode e degli altri Prelati che la dividono.‹ Sappia però il *Corriere
delle Marche* che Monsignor de Merode ha pienamente, esplicitamente e chiaramente aderito
al Dogma suindicato. Chiunque operasse nel senso espresso in quel Giornale non apparter-
rebbe più alla Chiesa cattolica« (Giornale di Roma, 2. August 1870, Nr. 172).

Mérode und seine Freunde faßten diese offizielle Bekanntgabe einer erzwungenen Unterwerfung als Beleidigung auf[10].

Noch größerer Unmut entlud sich über dem päpstlichen Hofprediger und Kapuziner-Erzbischof Puecher-Passavalli. Auch er hatte gegen das neue Dogma opponiert und bei dessen Verkündigung gefehlt. Der Papst enthob ihn deshalb seines Postens als Vikar des Kapitels von St. Peter[11]. Die Unterwerfungserklärung stellte Pius IX. nicht zufrieden[12]. Das Vatikanische Konzil leitete eine lebenslängliche Entfremdung zwischen dem Papst und seinem Hofprediger ein[13]. Auch der Kanoniker Audisio bekam die Rechnung für seine Opposition präsentiert. Er verlor seinen Rechtslehrstuhl an der römischen Universität[14].

Die Unterwerfung der Hofprälaten konnte für den Papst kein ernstliches Problem darstellen. Mehr Geschick und Vorsicht erforderten die Kardinäle und Bischöfe, die vom Heiligen Stuhl unabhängiger waren. Der erste Schritt war, die Öffentlichkeit über die wirkliche Stärke der Opposition zu täuschen. Bereits am Tage der Definition verbreitete die offizielle päpstliche Zeitung »Giornale di Roma« die Nachricht, die große Mehrheit der 200 auf der feierlichen Sitzung vom 18. Juli abwesenden Bischöfe befürworte die definierte Lehre, und verschiedene hätten ihr Einverständnis auf schriftlichem Wege eingereicht[15]. Diese entstellende Berichterstattung[16] — der preußische Botschafter Arnim sprach von einer herzhaften Lüge[17] — nahm bald noch krassere Formen an. Am 22. Juli 1870 brachte die von Rom aus gesteuerte ultramontane Zeitung »L'Unità Cattolica« die Meldung, daß sich neben einigen Bischöfen auch alle Kardinäle der Opposition, nämlich Schwarzenberg, Mathieu, Rauscher und Hohenlohe, bald nach der Definition unter-

---

[10] HHSTA, P. A. XI, 215, fol. 182, Palomba an Beust, 6. August 1870, Nr. 89 C. Kulczycki berichtete am 2. August 1870 nach Florenz: »... et Mgr. de Mérode, humilié de l'article inséré au journal officiel pour proclamer aux quatres vents l'adhésion au nouveau dogme qu'on lui a fait signer, vient d'offrir sa démission de la charge de grand aumônier« (MAEAS, Concilio Ecumenico N. 209).

[11] PRO, FO 43/109, Jervoise an Granville, 8. August 1870, Nr. 18; MAEAS, Consilio Ecumenico N. 209, Bericht Kulczyckis vom 2. August 1870.

[12] HHSTA, P. A. XI, 215, fol. 182 f., Palomba an Beust, 6. August 1870, Nr. 89 C.

[13] PLONER: *Ricerche sull'arcivescovo Luigi Puecher-Passavalli* 138 f.

[14] PRO, FO 43/109, Jervoise an Granville, 8. August 1870, Nr. 18; MAEAS, Concilio Ecumenico N. 209, Bericht Kulczyckis vom 2. August 1870; *Dizionario Biografico degli Italiani* IV 576.

[15] »Crediamo opportuno notare che i Vescovi partiti dal Concilio per diverse ragioni legittimamente riconosciute, e che ascendono pressochè al numero di *duecento*, nella grande maggioranza ritenevano la stessa dottrina oggi solennemente definita, e che a questa pure diversi Vescovi, che similmente per cause legittime non son potuti intervenire al Concilio, hanno anticipatamente mandato in iscritto la loro adesione« (Giornale di Roma, 18. Juli 1870).

[16] HHSTA, P. A. XI, 215, fol. 127 f., Palomba an Beust, 21. Juli 1870, Nr. 85 A—B.

[17] AA, Bonn, PA, I A. B. e 46, Bd. 6, fol. 291, Arnim an Bismarck, 22. Juli 1870, Nr. 118.

worfen hätten. Am 29. Juli 1870 übernahm der »Osservatore cattolico di Milano«, am 22. August 1870 die offizielle päpstliche Zeitung »Giornale di Roma« diese Nachricht[18]. Dem zögernden ungarischen Primas Simor wurde der »Giornale di Roma« von anonymer Seite zugeschickt[19]. Die Zeitungsnachricht war im Falle der Kardinäle Schwarzenberg und Hohenlohe eine glatte Lüge[20], hinsichtlich Mathieu und Rauscher irreführend[21]. Kardinal Mathieu ließ erst am 11. August eine Art Unterwerfungserklärung nach Rom abgehen[22], und Kardinal Rauscher hatte zwar möglicherweise in seiner Abschiedsaudienz beim Papst am 17. Juli 1870 seine Bereitschaft ausgedrückt, die Beschlüsse des Vatikanischen Konzils anzunehmen, aber sowohl damals wie auch nachher keine förmliche Unterwerfungserklärung abgegeben[23].

---

[18] »E come già dicemmo dell' Emo e Rmo signor Cardinale Mattei, decano del Sacro Collegio, così ora ne piace aggiungere i nomi degli Emi Rmi signori Cardinali Schwarzenberg, Mathieu, Rauscher, d'Hohenlohe, come pure dell'Arcivescovo di Sirace di Rito Armeno e dei Vescovi di Valence, Cahors, Luçon, Chalons, Sant'Agostino« (Giornale di Roma, Nr. 189).

[19] Zweimal berichtete Simor darüber an Schwarzenberg. Am 6. September 1870 schrieb er: »Imo anonymus quidam misit ad me Roma numerum 189. ephemeridum officiosarum vulgo ›Giornale di Roma‹ ddto 22. Augusti h[ujus] a[nni] in quo ephemeridum numero, mox in articulo primo refertur, Eminentissimi Cardinales Schwarzenberg, Mathieu, Rauscher, Hohenlohe plenum mentis et cordis obsequium coram Sua Sanctitate praestiterint definitioni dogmaticae infallibilitatis Romani Pontificis. Dubio caret ephemeridum praedicatarum numerum iccirco mecum communicatum fuisse, ut vestigia premerem antelatorum DD. Cardinalium« (ANDRIÁNYI: *Ungarn* 498). Am 20. September kam er nochmals darauf zu sprechen (ASV, Fondo Concilio Vaticano, Varia, Schwarzenberg, Lettere dalla 4ª sessione in poi, Nr. 17, Brief an Schwarzenberg).

[20] Zu Schwarzenberg vgl. ASSTS, Fonds Dupanloup, Concile II, Schwarzenberg an Ginoulhiac, 31. Oktober 1870; STB, St. Gallen, Akt Bischof Greith, Schwarzenberg an Greith, 10. September 1870; GRANDERATH: *Geschichte* III 571—572. Mansi bringt des ungeachtet den Artikel des »Giornale di Roma« als Beweis für Schwarzenbergs Unterwerfung (53, 937 C). Zu Hohenlohe vgl. Brief des Kardinals an seinen Bruder vom 4. August 1870 (*Denkwürdigkeiten des Fürsten Hohenlohe* II 15 f.); FRIEDRICH: *Döllinger* III 561; FRIEDRICH: *Die Wortbrüchigkeit* 11.

[21] Das traf besonders für die Zeitungen »L'Unità Cattolica« und »Osservatore cattolico di Milano« zu. Beide berichteten bereits über die Unterwerfung Mathieus, als von ihm noch lange nichts vorlag.

[22] EA, Wien, Rauscher, Bischofsakten, Mathieu an Rauscher, 14. September 1870; Mansi 53, 939 A.

[23] WOLFSGRUBER: *Rauscher* 440; GRANDERATH: *Geschichte* III 568 f. Das Protokoll der französischen Minderheit spricht nur davon, Rauscher habe dem Papst am 17. Juli auf die Konsequenzen der Verschärfungen aufmerksam gemacht (ASSTS, Procès-verbaux de la Minorité française, 17. Juli 1870, Bogen 61, S. 3). SCHATZ bezweifelt deshalb die Berichte Wolfgrubers und Graneraths (*Kirchenbild* 456 Anm. 293). Vgl. ASCHST, Wien, Nachlaß Wolfsgruber, Anhang zum Tagebuch Mayer. Zur Geschichte der vierten Sitzung des Vaticanischen Concils, 26. Oktober 1870 — Richtigstellung.

Sicher waren die Zeitungsartikel ein Schachzug gegen die Kardinäle der Opposition. Diese gerieten damit in die unerquickliche Lage, sich nur noch durch ein offizielles Dementi vor der Meinung schützen zu können, die vatikanischen Dekrete bereits akzeptiert zu haben. In Rom verrechnete man sich nicht mit der Annahme, keiner der Kardinäle würde dazu den Mut finden. Wie erwartet, schwiegen sie. Weiter erreichte man damit, daß die anderen Bischöfe der Minorität in ihrem Widerstand verunsichert wurden, wie ihre vielen Anfragen bei Schwarzenberg, Rauscher und Mathieu zeigen[24]. Was sich bereits einmal so gut bewährt hatte, wollte Antonelli auf ähnliche Weise auch später angewandt wissen. Am 17. Dezember 1870 beauftragte er den Wiener Nuntius Falcinelli, anonym in einer Zeitung die Liste der Bischöfe zu veröffentlichen, die sich bereits unterworfen hatten, um die ungarischen Bischöfe indirekt zum Nachgeben zu bewegen[25].

Rom begnügte sich jedoch keineswegs mit solchen getarnten Druckmitteln. Vielmehr forderte es die säumigen Bischöfe ganz direkt zur Unterwerfung auf. Dabei kam den Nuntien eine wichtige Rolle zu. Zunächst ließen sie auf Anweisung Antonellis den Bischöfen in offizieller, aber diskreter Weise die Konstitution »Pastor Aeternus« zukommen und insinuierten deutlich eine Stellungnahme[26]. Nicht selten gaben sie jedoch dem Wunsche Roms gemäß diese reservierte Haltung auf und forderten ausdrücklich zur Zustimmung auf.

Am aktivsten von allen war der Wiener Nuntius, Erzbischof Mariano Falcinelli. In zahlreichen Briefen informierte er Kardinal Antonelli über Publikation und

---

[24] Auch im Falle von Hefele tauchen Zeitungsnachrichten auf, er habe sich bereits unterworfen. Am 19. November 1870 schrieb er an Schwarzenberg: »Die in mehrere Blätter übergegangene Nachricht, die Infallibilitätskonstitution sei in meiner Diözese verkündet worden, ist Fiktion, auf absichtlicher oder unabsichtlicher Verwechslung beruhend (ASV, Fondo Concilio Vaticano, Varia, Schwarzenberg, Lettere della 4ª sessione in poi, Nr. 26, fehlt jetzt im Archiv).

[25] »Per regione di buona regolarità e per motivo di esempio ad altri Vescovi che in caso di simile assenza della detta sessione, non hanno per anche esplicitamente documentato la loro adesione alla Costituzione sovraccennata, si ravvisa espediente che per mezzo di qualche [unleserlich] giornale si renda notoria l'adesione prestata da quanti trovansi notati nel suddetto elenco; ed è questo appunto il fine della communicazione che da me ne vien fatta a V. S. Illma e Rma col foglio già menzionato. Dalla pubblicazione poi ch'Ella procurerà per quella indiretta via che meglio Le sembri, sarà a Lei facile trarne l'opportunità di un abile insinuazione rispetto ai Vescovi dell'Ungheria, facendo loro sentire in bel modo, che ove essi, come finquì rappresentavano, abbiano tuttor ragione di temporeggiare alquanto nella pubblicazione del proclamato domma, converebbe che almeno si dessero intanto cura di far giungere rispettivamente alla S. Sede l'atto di loro adesione, siccome si è praticato da tanti altri loro confratelli« (ASV, Archivio Nunz. Vienna, 434, fol. 421).

[26] ASV, Archivio Nunz. Parigi, Antonelli an Chigi, 18. Juli 1870, Nr. 60001; Segreteria di Stato, 1870, Rubrica 1, Chigi an Antonelli, 2. September 1870, Nr. 1694; Archivio Nunz. Lucerna, 431, fol. 363 f., Agnozzi an Antonelli, 3. September 1870, Nr. 302; Segreteria di Stato, 1870, Rubrica 1, Nuntiatur von Wien an Antonelli, 31. Juli 1870, reg. Nr. G 59858.

Aufnahme der vatikanischen Dekrete in seinem Bereich, besonders jedoch in Ungarn[27]. Die ungarischen Bischöfe machten Rom ganz besondere Schwierigkeiten. Nur ein einziger von ihnen, Jekelfalusy, hatte auf dem Konzil für die Unfehlbarkeit gestimmt[28]. Lediglich er und Bischof Roskovány ließen am 18. Januar 1871 die vatikanischen Dekrete in ihren Diözesen verkünden[29]. Alle anderen warteten ab. Falcinelli nahm jede Gelegenheit wahr, den Bischöfen die Verpflichtung zur Publikation der Konzilsdekrete schriftlich und mündlich einzuhämmern[30]. Am 11. März 1871 beauftragte Kardinal Staatssekretär Antonelli den Nuntius, den ungarischen Bischöfen die französischen Führer der Opposition, Darboy und Dupanloup, die sich beide unterworfen hatten, als leuchtendes Beispiel hinzustellen[31]. Als alle derartigen Vorstöße nichts fruchteten und auch ein Versuch, die ungarischen Bischöfe auf ihrem Kongreß im April 1871 zu einer gemeinsamen Erklärung zu bewegen, vor allem am Widerstand Haynalds scheiterte[32], wies Antonelli den Wiener Nuntius an, alle säumigen ungarischen Bischöfe zur Unterwerfung aufzufordern[33]. Falcinelli tat das am 25. Mai 1871 und richtete unter dem Aktenzeichen 3052/1 ein entsprechendes Schreiben an 16 Bischöfe, darunter an Lipovnizcki[34], Szabó[35] und Kovács[36]. Der nicht gerade höflich abgefaßte Brief[37] verletzte manchen durch seinen Ton[38].

---

[27] Antonelli schreibt am 22. Oktober 1870 an Falcinelli: »Ed a questo proposito mi è d'uopo aggiungerLe, che andando cotesti Prelati Ungaresi ad adunarsi in conferenza, procuri Ella di profittare de si favorevole congiuntura per mettere in opera, ma nel suo particolare soltanto, quei mezzi che saranno in suo potere nello scopo d'influire o collettivamente o individualmente sui medesimi, affinchè si pronunziano in senso favorevole alla definizione dommatica della infallibilità del sommo Pontefice. — Importa quindi grandemente che Ella mi dia contezza circa l'effetto di tali pratiche, e non tralasci di tenermi spesso informato di qualunque loro atto o favorevole o contrario, come anche delle disposizioni del Clero e de' Laici sull'articolo di che trattagli« (ASV, Segreteria di Stato, 1870, Rubrica 1, Entwurf).

[28] Brief Jekelfalusys an den Wiener Nuntius Falcinelli (ROSKOVÁNY: *Romanus Pontifex* VII 887 f.). Aus Angst vor Verfolgung blieb Jekelfalusy deshalb bis anfangs 1871 in Rom.

[29] Brief Jekelfalusys an Falcinelli (ROSKOVÁNY: *Romanus Pontifex* VII 887 f.); Hirtenbrief Roskoványs (ROSKOVÁNY: *Romanus Pontifex* VII 868—869).

[30] Am 30. Oktober 1870 berichtete er Antonelli: »Quanto poi alla seconda, ossia alla pubblicazione della Costituzione Dommatica *Pastor aeternus*, l'Emza Vostra Rma può esser bene persuasa, che io non perdo occasione d'inculcare a voce ed in inscritto ai Vescovi che non l'hanno ancora pubblicata, e specialmente agli Ungaresi, l'obbligazione strettissima di farlo quantoprima« (ASV, Segreteria di Stato, 1870, Rubrica 247, reg. Nr. G 487). Vgl. ASV, Segreteria di Stato, 1870, Rubrica 1, Falcinelli an Antonelli, 5. November 1870, reg. Nr. G 489; Falcinelli an Antonelli, 20. November 1870; Segreteria di Stato, 1871, Rubrica 1, Falcinelli an Antonelli, 16. Januar 1871, reg. Nr. G 904; GRANDERATH: *Geschichte* III 569.

[31] ASV, Segreteria di Stato, 1871, Rubrica 1, Antonelli an Falcinelli, 11. März 1871, Nr. 1294, Entwurf.

[32] ASV, Segreteria di Stato, 1871, Rubrica 1, Falcinelli an Antonelli, 22. April 1871, Nr. 1732.

[33] ASV, Segreteria di Stato, 1871, Rubrica 1, Briefentwurf vom 12. Mai 1871.

Bei Erzbischof Haynald richtete der Nuntius auch damit nichts aus. Antonelli schickte Haynald im Juni 1871 nochmals ein »ziemlich kräftiges Schreiben[39]«; dieser beklagte sich über die sehr schweren Worte des Tadels, gab aber schließlich doch seinen Widerstand auf[40].

Den Münchener Nuntius Meglia ließen die Direktiven Roms mehr in den Hintergrund treten. Sein Wirken für die Unterwerfung war deshalb nicht weniger effektiv[41]. Besonders tätig wurde er im Falle des Bischofs Hefele. Mitte November 1870 übermittelte er diesem ein vom Papst eigenhändig unterzeichnetes Schreiben, in dem Pius IX. darüber klagte, daß Hefele noch keine Unterwerfungserklärung abgegeben habe, und die Hoffnung aussprach, dies möge nachträglich geschehen[42]. Auch Bischof Beckmann von Osnabrück erhielt aus der Münchener Nuntiatur eine Aufforderung zur Publikation der Konzilsdekrete[43].

In der Schweiz bemühte sich Nuntius Agnozzi, den St. Galler Bischof Greith zu einer ausdrücklichen Zustimmung zu bewegen, hatte aber lange Zeit keinen Erfolg damit[44]. Schließlich gelang es ihm, Greith durch die Mithilfe bischöflicher Kollegen zur Abgabe der gewünschten Erklärung zu bringen[45].

---

[34] Mansi 53, 1053 D.

[35] Mansi 53, 1057 A.

[36] Mansi 53, 1056 A.

[37] Falcinelli teilte allen Bischöfen, die ihre Zustimmungserklärung noch nicht abgegeben hatten, den Wortlaut des Schreibens Antonellis mit (ASV, Archivio Nunz. Vienna, 434, Nr. 3052/1; veröffentlicht bei ANDRIÁNYI: *Ungarn* 517 f. Dok. 62. Vgl. ASV, Segreteria di Stato, 1871, Rubrica 1, Falcinelli an Antonelli, 30. Mai 1871, reg. Nr. AA. EE. 1947.

[38] Vgl. Bischof Lipovniczki (Mansi 53, 1053 D).

[39] GRANDERATH: *Geschichte* III 577.

[40] Mansi 53, 967 B C. Falcinelli beklagte sich, daß Haynald ihn über diesen Akt nicht unterrichtete, obwohl er ihn doch dreimal zur Unterwerfung aufgefordert habe (ASV, Segreteria di Stato, 1871, Rubrica 1, Falcinelli an Antonelli, 2. November 1871, reg. Nr. AA. EE. 3321).

[41] Vgl. die S. 428; 445 f.; 488; 519.

[42] Brief Hefeles an Döllinger vom 17. Dezember 1870 (SCHULTE: *Altkatholicismus* 226); HAGEN: *Die Unterwerfung des Bischofs Hefele* 3.

[43] ASV, Segreteria di Stato, 1870, Rubrica 1, Meglia an Antonelli, 17. Februar 1871, Nr. 773; SCHULTE: *Altkatholicismus* 173; AkathKR 25 (1870) CXXXIV.

[44] Am 9. Mai 1871 schrieb er an Antonelli: »Monsignor Greith per quanto a mia insinuazione avesse sottoscritto nello scorso Dicembre una lettera dell' Episcopate Svizzero, diretta a Monsignor Lachat in approvazione della condanna de esso emessa contro l'eretico Giornale Lucernese la »Katholische Stimme«, che attacava il Domma in questione, pur tuttavia non aveva emesso alcun Atto di esplicita adesione. Ne' io poteva dubitare di ciò, poichè essendomi studiato per due volte di conseguire da Monsignor Greith un Atto di detta esplicita adesione, la prima volta a voce, mi avvidi che si sforzava di non comprendermi, e la seconda volta con poche linee di somma discrezione in scritto, e ne ebbi una risposta *in primo luogo assurda*, poichè vi si confondeva la domanda di sua adesione col fatto della publicazione del Domma nelle singole Diocesi, lasciato alla prudenza de' Vescovi; in *secondo luogo* poi poco *conveniente*

Im Zuständigkeitsbereich der Propaganda Fide sorgte vor allem Kardinal Barnabò, Präfekt dieser Kongregation, dafür, daß die Zustimmungsadressen in Rom einliefen. Am 12. Dezember 1870 richtete er beispielsweise ein entsprechendes Schreiben an alle orientalischen Bischöfe, die am 18. Juli ihr Placet nicht gegeben hatten [46].

Häufig jedoch schaltete Pius IX. alle diese Zwischeninstanzen aus und forderte persönlich widerspenstige Bischöfe zur Unterwerfung auf. Er tat das im Falle des Bischofs Hefele [47], des Primas von Ungarn, Simor [48], des Kardinals Hohenlohe [49],

---

alla sua condizione di Vescovo, e basata su false supposizioni. A tal lettera, per rispetto alla mia rappresentanza, non diedi alcun riscontro« (ASV, Segreteria di Stato, 1871, Rubrica 1, reg. Nr. A 1792).

[45] »In questo stato di cose adunque, profittando della Riunione de' Vescovi (che anche a questo scopo io desiderava che si riunisse al più presto) ho scritto a Monsignor de Preux, come anche a qualche altro, su questa malaugurata corrispondenza giornalistica a carico di Monsignor Greith, e messolo a parte della lettera scrittami da quel Prelato, l'ho interessato di volere far nascere, com'è naturale, una qualche interpellanza nel seno della Conferenza, onde in seguito di una discussione in proposito, il lodato Vescovo voglia finalmente comprendere, quale sarebbe la categorica e definitiva risposta, che esso dovrebbe dare a chi lo attacca nella fede, e togliere per tal modo ogni equivoco, che comincia ad eccitare una certa ammirazione, e forse potrà essere causa di dannosi dubbi nei fedeli cattolici della sua Diocesi e della Svizzera. — Io spero che Monsignor Greith s'indurrà a seguire il buon consiglio, che gli sapranno dare i suoi colleghi ora che sono congregati insieme a trattare specialmente della condotta che dovrà da essi tenersi per procedere di comune consenso, e perciò con maggior effetto, nella difesa delle definizioni conciliari e nella scelta dei mezzi che crederanno più efficaci all'intento. Riferirò quindi all'Eminenza Vostra quello che avranno essi risoluto, e ciò che sarà per fare Monsignor Greith per troncare efficacemente e subito ogni ulteriore osservazione a suo carico« (ASV, Segreteria di Stato, 1871, Rubrica 1, Agnozzi an Antonelli, 9. Mai 1871, reg. Nr. A 1792). Agnozzi gibt De Preux auch Ratschläge für den Schweizer Hirtenbrief über die päpstliche Unfehlbarkeit: »... e nel tempo istesso gli raccomandai che la lettera Pastorale dell'Episcopato, ben indicata a togliere equivoci specialmente sulla condotta fin qui tenuta da qualche Vescovo (Monsignor Greith) abbia a presentare una redazione ben precisa e positivamente istruttiva. Che perciò si procurasse d'indicare puramente e semplicemente la verità della dottrina cattolica nel supremo ed infallibile magistero del Romano Pontefice in Materia di Domma e di Morale, senza entrar molto in certe spiegazioni non necessarie al populo, che su questo punto interessantissimo della Fede Cattolica crede già fermamente, come sempre ha creduto, meglio assai che alcuni vescovi prima della celebre Definizione Dommatica« (ASV, Segreteria di Stato, 1871, Rubrica 1, Agnozzi an Antonelli, 10. Juni 1871, reg. Nr. AA. EE. 2143).

[46] NASRALLAH: *Mgr. Grégoire 'Ata* 121.

[47] SCHULTE: *Altkatholicismus* 226; HAGEN: *Die Unterwerfung des Bischofs Hefele* 3.

[48] ANDRIÁNYI: *Ungarn* 501—502, Dok. 52, Pius IX. an Simor, 31. Oktober 1870; vgl. ASSTS, Fonds Dupanloup, Concile II, Haynald an Dupanloup, 24. Februar 1871; AN, Paris, AB XIX, 524, Kovács an Dupanloup, 24. Januar 1871.

[49] Mansi 53, 941 C.

ferner der Bischöfe Jirsik[50], Zalka[51], Perger[52], Peitler[53] und Pankovićs[54]. Auch der Bischof von Yabroud erhielt in dieser Sache ein päpstliches Schreiben[55].

So deutlich der Tadel war, wenn Pius IX. die Bischöfe zur Unterwerfung aufforderte, so überschwenglich lobte er, wer ohne Einschränkung seine Zustimmung gab[56]. Besonderen Dank erhielt Erzbischof Scherr für sein Vorgehen gegen Döllinger[57].

In besonderen Fällen zog es Rom vor, den offiziellen Weg zu verlassen, und versuchte, mit Hilfe von Drittpersonen sein Ziel zu erreichen. So wurde Kardinal Mathieu am 11. August 1870 von einer hohen Persönlichkeit des Staatssekretariats bedeutet, wie froh der Papst unter den gegenwärtigen Umständen wäre, von ihm eine Adhäsionserklärung zu den vatikanischen Dekreten zu erhalten. Hinter dem Schreiben aus dem Staatssekretariat stand ohne Zweifel Pius IX. selbst[58]. Kaum hatte Mathieu dem Wunsche Roms entsprochen, bat ihn der Papst, nun seinerseits bei Bischof Dupanloup von Orléans auf eine Unterwerfung hinzuwirken. Mathieu schrieb Dupanloup in dieser Sache laut eigenen Angaben der Kriegswirren wegen sieben- bis achtmal, ehe er ihn endlich erreichte[59]. Um Erzbischof Puecher-Passavalli bemühte sich Bischof Canossa von Verona[60].

Besondere Sorge bereitete Rom Bischof Hefele von Rottenburg. Auch in diesem Fall bestand die kuriale Taktik darin, nicht direkt von der Nuntiatur aus bei Hefele zu intervenieren, sondern Drittpersonen einzuspannen. So forderte der

---

[50] Brief vom 17. Januar 1871 (Mansi 53, 1001 B—1001 D).

[51] Brief vom 1. Februar 1871 (Mansi 53, 1039 B).

[52] Brief vom 3. April 1871 (Mansi 53, 1051 A—1051 C).

[53] Brief vom 1. Juni 1871 (Mansi 53, 1014 C—1015 A).

[54] Brief vom 6. Juli 1871 (Mansi 53, 1037 C—1038 B).

[55] NASRALLAH: *Mgr Grégoire 'Ata* 121 f.

[56] Als Beispiele vgl. die Briefe des Papstes an Foulon (Mansi 53, 1041 D—1042 B), an David (ROSKOVÁNY: *Romanus Pontifex* VII 636—637) und an die Schweizer Bischöfe (ROSKOVÁNY: *Romanus Pontifex* VII 856—858).

[57] In der Ansprache des Papstes an die Kardinäle am 27. Oktober 1871 (*Pii IX Pontificis Maximi Acta* V 352—356; bes. 355). Erzbischof Scherr erhielt auch von Kardinal Pitra und seinen bischöflichen Kollegen manches Gratulationsschreiben (ROSKOVÁNY: *Romanus Pontifex* VII 806—809).

[58] Am 14. September 1870 berichtete Mathieu Rauscher: »Un personnage très important de la Secrétairerie d'Etat et intime du cardinal Antonelli m'a écrit pour me dire que le Saint Père recevrait volontiers mon adhésion et en serait consolé au milieu de toutes les amertumes. C'était évidemment une démarche faite de la volonté du Saint-Père, par l'entremise du Cardinal Antonelli« (EA, Wien, Bischofsakten Rauscher). Vgl. GUÉDON: *Autour du Concile* 330, Mathieu an Foulon, 2. September 1870; BESSON: *Mathieu* II 275; GRANDERATH: *Geschichte* III 591.

[59] ASSTS, Fonds Foulon, Lettres 1867—1872, Mathieu an Foulon, 3. April 1871.

[60] Mansi 53, 978 BC.

Münchener Nuntius Meglia Erzbischof Melchers von Köln auf, Hefele zu bearbeiten[61]. Als die Bemühungen des Kölners nichts fruchteten, wies das Staatssekretariat aufgrund eines Promemoria der speziell für die Konzilsangelegenheiten im Schoße der Inquisitionskongregation ernannten Kommission den Nuntius in München an, Weihbischof Kübel aus Freiburg auf Bischof Hefele anzusetzen. Kübel sollte dabei in keiner Weise merken lassen, in offiziellem römischen Auftrag zu handeln[62]. Der Nuntius selbst ließ in der Diözese verschiedentlich Nachforschungen anstellen[63].

Die Zustimmungserklärungen der Bischöfe bildeten eine wesentliche Komponente der nachkonziliaren kurialen Politik. Sie wurden nicht nur von allen neugeweihten Bischöfen verlangt[64], bereits 1872 ging man mit Hilfe der Nuntien daran, sie sorgfältig zu sammeln. Die Bischöfe sollten für die Zukunft gebunden werden[65]. Nicht weniger wichtig war es der Kurie, den Erweis der Vollständigkeit erbringen zu können. Der Wiener Nuntius Vannutelli stieß bei solchen Bemühungen

---

[61] Am 13. Oktober 1870 schreibt Melchers an Nuntius Meglia: »Quod attinet istum Antistitem [Hefele] qui hucusque Concilii Vaticani definitionibus submissionis signum nondum patefecit, Excellentiae Tuae desiderio satisfeci per literas confidentiales et amicabiles ad eundem scriptas, et precor Deum O. M. [?] ut gratia sua ipsis dare velit effectum prosperum« (als Beilage eines Briefes von Meglia an Antonelli vom 17. Oktober 1870, Nr. 686 (ASV, Segreteria di Stato, 1870, Rubrica 255)). Vgl. ASV, Segreteria di Stato, 1870, Rubrica 1, Antonelli an Meglia, 22. Oktober 1870, Nr. 197; Meglia an Antonelli, 9. November 1870, Nr. 709, beiliegend ein Brief Melchers' an Meglia vom 7. November 1870.

[62] »La Congregazione Particolare ha adottato le seguenti risoluzioni approvate da Sua Santità 1. Che dalla Segretaria di Stato si scriva a Monsr. Nunzio di Monaco all'effetto che questi, come ex se interessi Monsr. Lotario Kübel, Vescovo di Leuca in p. i. Vicario Cap[itu]l[ar]e ed Ausiliare di Friburgo ad interporre i suoi officii presso Monsr. Vescovo di Rottemburgo per indurlo a pronunciarsi sull'articolo dommatico della infallibilità Pontificia imitando la gran maggioranza dei Vescovi connazionali. Si fa credere che questo Vescovo abbia molta stima e deferenza verso il sumenzionato Monsr. Ausiliare« (ASV, Segreteria di Stato, 1870, Rubrica 1, Pro memoria per l'Emo Segrio di Stato (22. Okt. 70, 1870). Vielleicht handelte auch Bischof Ketteler im offiziellen Auftrag, als er am 16. Februar 1871 Schwarzenberg bat »die Concilsbeschlüsse mit voller Unterwerfung und in Apostolischer Demuth zu publiciren« (ASCHST, Wien, Nachlaß Wolfsgruber, Schwarzenberg, Abschrift).

[63] ASV, Segreteria di Stato 1870, Rubrica 1, Meglia an Antonelli, 10. September 1870, Nr. 660; Meglia an Antonelli, 11. März 1871, Nr. 788.

[64] ASV, Fondo Concilio Vaticano, Adhaesiones; ASV, Segreteria di Stato, 1871, Rubrica 1, Falcinelli an Antonelli, 6. Februar 1871, reg. Nr. G 1021. Am 26. Juni 1871 schreibt Falcinelli an Antonelli über den neuen Weihbischof von Zagreb: »... per la compilazione del processo canonico per prima cosa gli ho richiesto la sua adesione in iscritto ai Decreti del Concilio Vaticano, e specialmente a quelli della Sessione 4« (ASV, Segreteria di Stato, 1871, Rubrica 1, reg. Nr. AA. EE. 2323).

[65] Am 3. April 1879 schrieb der Wiener Nuntius an Kardinal Bilio, die Nuntien sammelten Material für die Edition der Akten des 1. Vatikanischen Konzils (*Acta Congregationum*

im Jahre 1883 auf Schwierigkeiten. Er mußte feststellen, daß es den drei Bischöfen Pankovićs, Smiciklas und Bonnaz gelungen war, sich stets vor einer schriftlichen Erklärung zu drücken. Die Herausgeber der vatikanischen Konzilsakten der Sammlung Mansi, L. Petit und J. B. Martin, vertuschten diesen Tatbestand[66].

Generalium quae a Patribus Sacrosancti Oecumenici Concilii Vaticani usque ad eius inter-missionem habitae sunt. Vatikan 1875—1884). Er suche im Archiv von Bischof Feßler nach einer Adhäsionserklärung Kardinal Rauschers und sammle die anderen Zustimmungserklä-rungen, soweit sie nicht bereits nach Rom geschickt worden seien (ASV, Segreteria di Stato, 1879, Rubrica 1, Nr. 12 787).

[66] Am 4. März 1883 meldete Nuntius Vannutelli Staatssekretär Jacobini über Pankovićs und Smiciklas: »Fatte le più accurate indagini nell'Archivio di questa Nunziatura, chiaramente risulta che i Vescovi di Munkács, nella Ungheria, e di Kreutz, nella Croazia, ambedue di rito greco-ruteno, mai fecero pervenire al Nunzio Apostolico di Vienna un *documento* qualsiasi da cui apparisce in modo chiaro ed esplicito sia la loro perfetta adesione al Dogma novella-mente definito della Infallibilità pontificia, sia il proposito di pubblicare nelle loro rispettive Diocesi i decreti del Concilio ecumenico Vaticano. — Nè è a dire che mancassero all'uno e all'altro particolari eccitamenti in questo senso da parte di Monsignor Falcinelli, cui era allora affidata la direzione di questa Nunziatura. A voce e per iscritto, direttamente e indi-rettamente, egli fece conoscere quali erano su questo grave argomento i desiderii della Santa Sede, e quali i doveri che incombevano a pastori di anime, più di ogni altro tenuti ad edificare gli altri, e specialemte il gregge alle loro cure affidato, con la parola e con l'esempio. Ma nè a Kreutz nè a Munkács i rispettivi Prelati si commossero punto a tali ammonimenti, e in questo Archivio non v'è la minima traccia di una loro qualsiasi riposta alla Circolare che, per ordine della Segreteria di Stato, Monsignor Falcinelli diresse, in data 25 Maggio 1871, a sedici Vescovi Ungheresi, i quali fino a quel giorno non avevano compiuto il loro dovere di chiara e manifesta sottomissione ai Decreti del Concilio Vaticano. In una lettera diretta al Commendatore Barluzzi, minutante di Segreteria di Stato, sotto la data del 23 febbraio 1872, Monsignor Falcinelli parlava di un colloquio avuto un mese innanzi col Vescovo di Munkács, recatosi a quei dì in Vienna, e si querelava che, malgrado la promessa fattagli verbalmente dal Prelato d'inviare la sua formale adesione al dogma dell'Infallibilità, tostoche fosse tornato in Diocesi, in fatto non aveva punto risposta alle parole. Dalla medesima lettera apparisce che Monsignor Pankovićs considerava come superfluo l'atto richiesto da Monsignor Falcinelli, avendo egli chiaramente e più volte (così diceva) manifestato al Papa ed al Cardinale Antonelli la sua piena adesione ai Decreti del Concilio. Per avere sul conto dell'uno e dell'altro Prelato una più completa notizia, mi sono rivolto all'attuale Vescovo di Munkács ed al Canonico Hranilović proposto non ha [unleserlich] per la sede vacante di Kreutz. — Nei qui uniti fogli troverà l'Eminenza Vostra Reverendissima le relative risposte, le quali confermano e completano le cose finquì narrate. — Sono alquanto curiose le ragioni onde i due firmatari della seconda lettera credono di potere giustificare l'attitudine negativa del defunto Vescovo di Kreutz. Per impedire che il nuovo futuro Vescovo ritenga come buona moneta quelle ragioni, ho creduto mio dovere di replicare e far comprendere ad ambedue che, per quanto lodevole sia il loro studio nel difendere la pietà e la perfetta ortodossia del defunto Vescovo, nel che ancor io ad essi volentieri mi associava, non era dall'altro conto possibile di accettare come buona la teoria che insegna di tenere celato il deposito delle verità cattoliche per la sola paura che altri ne resti spaventato« (ASV, Fondo Concilio Vaticano, Adhaesiones 1883).

C. Die Bischofskonferenz von Fulda

Einer der glücklichsten Schachzüge gelang der römischen Kurie mit der Fuldaer Bischofskonferenz Ende August 1870. Mit ihr wurde der episkopalen Opposition das Rückgrat gebrochen.

Bald nach der feierlichen Definition der päpstlichen Unfehlbarkeit trat der Münchener Erzbischof Scherr mit dem Vorschlag an Erzbischof Melchers und Bischof Ketteler heran, eine Bischofskonferenz nach Fulda einzuberufen, um zu einer gemeinsamen Erklärung in der Unfehlbarkeitsfrage zu gelangen. Alles deutet darauf hin, daß er dazu vom Münchener Nuntius Meglia angeregt worden war, obwohl doch gerade Scherr allen Grund gehabt hätte, wegen der Situation in München nichts zu übereilen[1]. Diese Vermutung erhält weiter Nahrung dadurch, daß die Konferenz offenbar schon länger vorbereitet war; Bischof Ketteler konnte bereits zwei gedruckte (!) Entwürfe nach Fulda mitbringen[2]. In der Korrespondenz zwischen Staatssekretariat und Nuntius Meglia finden sich allerdings keine Instruktionen, aber gerade für die entscheidende Zeit nach dem Konzil klafft in der Dokumentation eine große Lücke[3]. Andererseits wurde der Wiener Nuntius Falcinelli zweimal von Kardinal Staatssekretär Antonelli angewiesen, in Öster-

---

Zu Smiciklas druckten die Herausgeber des Mansi lediglich das erwähnte Schreiben von Hranilović und Posuricich ab, ohne die Bedenken des Nuntius zu erwähnen (53, 1008 C—1009 D). Auch im Falle des Bischofs Pankovićs vertuschen sie die Sachlage, indem sie nur einen Ausschnitt aus dem Brief des Nuntius Vannutelli zitieren (53, 1038 A B). Zu Bischof Bonnaz schrieb Vannutelli am 19. Juni 1883 an Staatssekretär Jacobini: »Incaricai confidenzialmente un ottimo canonico di cinque chiese di verificare e riferirmi [unleserlich] se Monsignor Alessandro Bonnaz, Vescovo di Csanad, avesse fatto mai pubblicare nella sua Diocesi i decreti del Concilio Ecumenico Vaticano o se in altra guisa avesse dato publicamente a conoscere la sua piena adesione ai decreti anzi detti. — Fatte le debite indagini e invocato a tal scopo eziando l'industrioso concorso di un altro distinto sacerdote di quella Diocesi, il prefato canonico mi ha fatto sapere che mai i decreti del Concilio Vaticano vennero pubblicati nella Diocesi di Csanad e che il solo atto publico, da cui si può dedurre la piena adesione del prelato diocesano a quei decreti consiste in una circolare a stampa in data 17 marzo 1871 No. 616, con la quale si prescriveva la nuova formula da adottarsi nella professione di fede. ... Benchè questa circolare porti la firma del Vescovo Ausiliare Mons. Nemeth, non è possibile il supporre che questo abbia agito senza espresso mandato dell'ordinario« (ASV, Fondo Concilio Vaticano, Adhaesiones 1883, Nr. 4630); vgl. Mansi 53, 1016 D—1017 C.

[1] Miko: *Zur Frage der Publikation* 30.

[2] Schatz: *Kirchenbild* 230; vgl. Mansi 53, 916 D. Michelis glaubt, daß der Fuldaer Hirtenbrief in seinem Kern bereits in Rom von den Jesuiten entworfen wurde (*Der neue Fuldaer Hirtenbrief* 10 ff.).

[3] Für die ganze Zeit vom 7. Juli bis 28. Juli gibt es im Archiv des Staatssekretariates, 1870, Rubrica 1, keinen einzigen Bericht des Münchener Nuntius. Die Berichte zwischen den Nummern 625 bis 638 fehlen. Es ist zu vermuten, daß die Dokumente im Archiv der »Congregazione degli Affari Ecclesiastici Straordinari« liegen, das nach wie vor nicht zugänglich ist.

reich-Ungarn ei.ie der Fuldaer Konferenz ähnliche Bischofsversammlung anzu-
regen[4].

In Fulda gelang es nicht nur, Bischöfe der Majorität und Minorität an einen
Tisch zu bringen, sondern auch, sie zu klaren Aussagen über die Ökumenizität des
Konzils und den Verpflichtungscharakter seiner Dekrete zu bewegen[5]. An die in
Rom am 17. Juli 1870 gemachte Vereinbarung, nur nach gemeinsamer Beratung
Entscheidungen zu treffen, konnte sich keiner der in Fulda teilnehmenden Bi-
schöfe mehr erinnern[6].

Der Papst zeigte sich in einem öffentlichen Brief vom 28. Oktober 1870 hocherfreut über diesen Schritt, ließ aber keinen Zweifel daran, daß er von allen deutschen Bischöfen Anschluß an den Fuldaer Hirtenbrief erwartete[7]. Besonderes Lob
erhielt Erzbischof Melchers von Nuntius Meglia für die Einberufung der Konferenz[8]. Über Bischof Hofstätter von Passau beklagte sich Pius IX. mit heftigen
Worten, da er in Fulda nicht teilnahm und auch sonst zum neuen Dogma schwieg.
Er habe doch allen Grund, eifriger als andere zu sein, da er nicht am Konzil teilgenommen habe[9].

Was in Deutschland so gut gelungen war, sollte auch in anderen Ländern versucht werden. Am 31. Oktober schickte Antonelli dem Pariser Nuntius Chigi das
päpstliche Lobesschreiben mit der Bemerkung, Pius IX. wünsche, daß das Beispiel von Fulda von allen Ordinarien befolgt werde[10]. In Frankreich kam jedoch
nichts Ähnliches zustande, sowenig wie in Österreich. Der Wiener Nuntius Falcinelli hielt einen gemeinsamen österreichisch-ungarischen Hirtenbrief für un-
realistisch, arbeitete jedoch in den einzelnen Kirchenprovinzen auf gemeinsame
Erklärungen hin[11]. Aber seine Versuche scheiterten in Salzburg am Widerstand

---

[4] »In seguito ai due remi dispacci No. 154 e 231 ho l'onore di communicare all'Eminenza
Vostra Reverendissima che non ho creduto tentare, perchè impossibile, un congresso dei Vescovi dell'Impero sul tenore di quello tenuto a Fulda, essendochè sono sempre in vigore le due
ragioni della scissione ognora esistente fra provincia, e la somma inerzia di muoversi da un
luogo all'altro specialmente nell'inverno. Per altro ho fatto un tentativo più eseguibile, quale
è quello di radunarli per province, e già ne hanno dato il bell'esempio la Dalmazia e Salzburg,
dei quali congressi presieduti dai due ottimi Arcivescovi, è a sperare qualche cosa di buono. I
Vescovi di Ungheria sono riuniti a congresso, ed ora sto attendendo il resultato dei primi due,
onde muovere le altre province, se non lo faranno prima« (ASV, Segreteria die Stato, 1870,
Rubrica 1, Falcinelli an Antonelli, 20. November 1870).
[5] Mansi 53, 917 A—920 A, bes. 919 AB.
[6] Mansi 53, 916 CD.
[7] Mansi 53, 920 D—923 A, bes. 921 BC; *Pii IX Pontificis Maximi Acta* V 257—262.
[8] ASV, Archivio Nunz. Monaco 129, Briefentwürfe vom 21. September und 9. Oktober 1870.
[9] BRANDMÜLLER: *Die Publikation des Vatikanischen Konzils* 604; 214 f.
[10] ASV, Segreteria di Stato, 1870, Rubrica 1, Antonelli an Chigi, 31. Oktober 1870, Nr. 231.
[11] ASV, Segreteria di Stato, 1870, Rubrica 1, Falcinelli an Antonelli, 20. November 1870.

der Bischöfe Wiery von Gurk und Stepischnegg von Lavant[12], in Ungarn vor allem am Einspruch von Erzbischof Haynald von Kalocsa[13]. Nur in der Schweiz hatten die Bemühungen des Luzerner Nuntius Agnozzi, die Bischöfe zu einer gemeinsamen Erklärung zugunsten der päpstlichen Unfehlbarkeit zu bewegen, Erfolg[14].

Das Vorgehen deutscher Bischöfe in Fulda erschien selbst manchem ihrer bischöflichen Kollegen unerhört. Dieser Gesinnungswandel über Nacht war ihnen unbegreiflich und galt ihnen als das größte Unglück für die Minorität[15]. Stroßmayer empfand diesen Schritt für absurd[16]; die Erklärung von Fulda sei »insensata«[17]. An Professor Reinkens, den späteren altkatholischen Bischof, schrieb er am 27. November 1870: »Die Fuldaer, so wie sie weise vor dem Concil waren, so unweise und thöricht handelten sie nach dem Concil. Keiner Macht der Welt wird's je gelingen können, der Welt die Überzeugung beizubringen, dass das Concil wirklich frei war[18]«. Noch deutlicher drückte er sich in einem Brief vom 3. November 1870 an Kaplan Thürlings in Heinsberg (Erzdiözese Köln) aus: »Es ist in hohem Grade zu bedauern, daß die Herren in Fulda jenen Weg der Wahrheit und Entschiedenheit, den sie vor dem Concil betreten hatten, in der jüngsten Zeit verlassen, und so die Christenheit um die gute Hoffnung, daß es besser werden wird, ärmer gemacht haben. Der neue Schritt der Fuldaer ist nach meiner innigsten Überzeugung unklug, ungerecht und greift in unverzeihlicher Weise den Plänen der göttlichen Vorsehung vor[19].« Der Eindruck, in Fulda sei die Ehrenhaftigkeit zu Grabe getragen worden, war verbreitet[20].

---

[12] ASV, Segreteria die Stato, 1870, Rubrica 1, Falcinelli an Antonelli, 1. Dezember 1870; 5. Dezember 1870, reg. Nr. B 579; ANDRIÁNYI: *Ungarn* 510—511, Dok. 57, Wiery an Simor, 22. März 1871; vgl. AICHINGER: *Tarnóczy* 161.

[13] ASV, Segreteria die Stato 1871, Rubrica 1, Falcinelli an Antonelli, 22. April 1871, Nr. 1732.

[14] Greith an Schwarzenberg, 22. September 1870 (GRANDERATH: *Geschichte* III 586). Bereits am 29. September 1870 macht Bischof Lachat Greith den Vorschlag, die Schweizer Bischöfe sollten eine ähnliche Erklärung abgeben wie die Fuldaer Bischofskonferenz (STB, St. Gallen, Akt Bischof Greith). Der Hirtenbrief der Schweizer Bischöfe kam erst im Juli 1871 zustande. Vgl. den Text bei ROSKOVÁNY: *Romanus Pontifex* VII 816—855.

[15] ASV, Fondo Concilio Vaticano, Varia, Schwarzenberg, Lettere, Förster an Schwarzenberg, 10. September 1870; Lettere dalla 4ª sessione in poi, Nr. 14, Hefele an Schwarzenberg, 16. September 1870 (teilweise veröffentlicht bei GRANDERATH: *Geschichte* III 560); Nr. 26, Hefele an Schwarzenberg, 19. November 1870, fehlt jetzt im Archiv.

[16] Stroßmayer an Döllinger, 4. März 1871 (SCHULTE: *Altkatholicismus* 255).

[17] Brief an Vorsak, 24. September 1870 (SULJAK: *Strossmayer* 442).

[18] SCHULTE: *Altkatholicismus* 252.

[19] FRIEDRICH: *Tagebuch*, Handexemplar, Universitätsbibliothek München, 382/383 a—382/383 b. Gegenüber Döllinger meint er am 4. März 1871: »Das Benehmen eben der oppositionellen Bischöfe nach dem Concil ist wahrhaft absurd und unbegreiflich. In unserer letzten

D. Entzug von Vollmachten und Vergünstigungen

Nicht alle Bischöfe zeigten sich so willig, daß sie allein mit Lob und Tadel wieder auf die rechte Bahn gebracht werden konnten. Nachdem der Opposition aber einmal das Rückgrat gebrochen war, gab sich die Kurie in diesen Fällen zuversichtlich. Sie ließ zwar keinen Zweifel daran, bei Bischöfen, die sich nicht unterwerfen würden, bis zum Äußersten zu gehen. Aber sie vermied begreiflicherweise den Eklat. Tatsächlich gelang es ihr, auf Bischofsebene in allen Fällen die härtesten Strafen der Suspension und Exkommunikation zu vermeiden. Mildere Mittel genügten, die Bischöfe zur Nachgiebigkeit zu bewegen. In Frankreich erleichterte der Belagerungszustand der Kurie die Arbeit wesentlich. Die Bischöfe waren häufig isoliert, wenig informiert und vermochten, allein gelassen, dem Druck nicht zu widerstehen[1].

Sitzung haben wir auf Antrag des Erzbischofs von Colosca, Haynald, beschlossen, nichts *einzeln* zu unternehmen, sondern uns stets im Einvernehmen zu erhalten und solidarisch zu handeln. Und trotzdem wie unwürdig, wie tyrannisch benehmen sich gerade Bischöfe der Minorität!« (SCHULTE: *Altkatholicismus* 255).

[20] Am 21. September schrieb P. Ambrosius Käss, Subprior des Karmeliterklosters in Würzburg, an Kardinal Schwarzenberg: »Es hatte sich so bei mir die Überzeugung gebildet, daß das Concil, besonders betreff der Unfehlbarkeit weder ökumenisch noch frei war u. darum im Gewissen nicht verbindlich. Da kommt die Erklärung einer Anzahl von Bischöfen aus Fulda, wo auch ein Bischof von *Augsburg* und von Trier unterzeichnet hat, das hat mich erschüttert. Ist es nicht genug, den Kampf u. die Uneinigkeit in den Schoß der Kirche zu tragen, muß man auch noch die Ehrenhaftigkeit zu Grabe tragen? Hat es je eine so traurige Zeit in der Kirchengeschichte gegeben wie jetzt? Wie stolz und hoffnungsreich schauten wir nicht zum deutschen Episkopate empor u. jetzt erklärt der eine für frei, was der andere für unfrei, der eine für wahr, was der andere für unwahr erklärt. Wäre es noch ein Bischof von Regensburg und Paderborn, so würde es uns nicht wundern; allein nun treten auch die Bischöfe der Minderheit über. Ich verstehe es, wenn man sich einem Conciliumsbeschluß unterwirft und seinem Verstand gebietet, daß er im Namen Gottes Ja und Amen sagt; allein hier, wo die triftigsten Gründe gegen die Ökumenizität u. Freiheit sprechen, so ohne Alles Ja zu rufen, kann ich weder als recht noch ehrenhaft erkennen« (ASCHST, Wien, Nachlaß Wolfsgruber, Anhang zum Konzilstagebuch von Salesius Mayer). Der Dompropst und spätere Bischof von Laibach, Pogačar, meinte am 22. Dezember 1870 gegenüber Kardinal Schwarzenberg: »Die Verwirrung ist ja aufs höchste gestiegen. Das Vorgehen der Fuldaer Bischöfe und die Maßregelung der Professoren in Köln, München und Breslau sind ganz danach angethan, um die Denkenden in dem Glauben zu befestigen, daß es bei den Bischöfen selbst keine Überzeugung mehr gibt« (ASCHST, Wien, Nachlaß Wolfsgruber, Schwarzenberg). FR. MICHELIS wirft den Bischöfen vor, Gewissen und Überzeugung aufzugeben und sich dem kurialistischen Absolutismus zu unterwerfen (*Der neue Fuldaer Hirtenbrief in seinem Verhältnis zur Wahrheit*. Braunsberg 1870).

[1] Am 1. Februar 1871 meldete Madame de Forbin d'Oppède an Lady Blennerhassett: »Rome cherche en ce moment à exercer une effroyable pression sur les évêques français de la Minorité, tous les moyens sont bons pour les obliger à fléchir; on profite de ce qu'ils ne peuvent ni s'entendre ni communiquer entre eux pour les prendre séparément et un à un dans l'espoir

In den französischen Diözesen scheint das Mittel, besondere Vollmachten vor-zuenthalten, bis die Unterwerfung vorlag, ziemlich allgemein angewandt worden zu sein[2]. Bischof Dours von Soissons beklagte sich am 7. Januar 1871, die Fakul-täten, die der Papst alljährlich am 15. November den einzelnen französischen Bi-schöfen übermittelte, noch nicht erhalten zu haben[3]. Zwei anderen Bischöfen wurde bedeutet, sie hätten mit Schwierigkeiten bei der Erteilung von Ehedispensen zu rechnen, falls sie sich nicht zur Unterwerfung bereit fänden[4]. Aber das waren offenbar nicht alle Fälle, in denen Rom die Dispensvollmacht entzog oder damit drohte[5].

Auch in anderen Ländern litten einige Bischöfe unter dieser Maßnahme. Bischof Hefele bezeichnete die Verweigerung der Fakultäten als einen Haupthebel, der gegen ihn in Bewegung gesetzt werde[6]. Durch den Entzug der Vollmacht, Ehe-dispensen zu erteilen, konnten in seiner Diözese bereits 16 Paare nicht mehr heiraten[7].

---

d'en avoir meilleur marché; on leur dit: vous êtes seul, toute l'Allemagne a cédé, ceux qu résistent encore sont sur la voie de la soumission, ne soyez pas le dernier à faire ce que les plus résolus ont déjà souscrit, etc., et ces pauvres évêques n'ont pas même les moyens de s'assurer de l'état véritable des choses … il y en [a] pourtant quelques-uns en France qui tiennent bon, mais, je vous le répète, ils sont en ce moment *sous le pressoir*. Je crois, qu'il faudrait surtout chercher à gagner du temps: les plus longs pontificats ne sont pas cependant éternels, et si on arrive au sucesseur de Pie IX sans avoir fait aucune démarche décisive, tout peut être sauvé et l'Eglise se reconstituer« (PALANQUE: *Les amitiés européennes* 131). Vgl. den Brief vom 7. März 1871 (PALANQUE: *Les amitiés européennes* 132).

[2] Maret schrieb in seinen Notizen zum Konzil: »Le S. Pontife, depuis que ces paroles ont été écrits, a exigé l'adhésion, en managant les évêques qui avaient pas adhérer de leur rendre im-possible l'administration de leurs diocèses, par le refus de l'*Indult* qu'on appele de *Novembre*« (APB, Rom, Fonds Maret, Affaires Générales (1870—1872), Concile du Vatican, Le Décret du 18 juillet).

[3] Mansi 53, 1030 A—1031 B; 1031 A.

[4] In einem Rundbrief vom 7. Januar 1871 an verschiedene Bischöfe, darunter an Greith und Purcell, bittet Dupanloup um Information über Bischöfe, die Schwierigkeiten haben, die für die Administration der Diözesen notwendigen Vollmachten zu erhalten. Über Frankreich be-richtet er: »En France je connais seulement deux Evêques, à qui on a fait savoir, par la voie indirecte d'un laique, agent d'affaire, que, s'ils ne faisaient pas une adhésion explicite, il y aurait *quelque difficulté* relativement à certaines dispenses de mariage qu'on ne leur accorderait pas si aisément« (ASSTS, Founds Dupanloup, Concile, Lettres I; vgl. STB, St. Gallen, Akt Bischof Greith; HENNESEY: *The first Council* 308 f.).

[5] Vgl. Anmerkung 2 dieses Abschnitts. Auch der österreichische Botschaftsrat spricht von Dis-pensverweigerungen gegenüber französischen Bischöfen (HHSTA, P. A. XI, 215, fol. 240, Palomba an Beust, 27. August 1870, Nr. 96 C).

[6] In einem Brief vom 10. März 1871 an Lord Acton (MC ELRATH: *Lord Acton* 210 f.).

[7] Am 25. Januar 1871 klagte Hefele einem Bonner Freund: »Gegenwärtig misshandeln mich die Römer durch Nichtertheilung der Facultäten zu Dispensen in Verwandtschaftsgraden. Sie molestieren damit meine Diöcesanen, veranlassen, daß Einzelne im Concubinat leben oder

In Deutschland wurden die gleichen Vollmachten auch Bischof Beckmann vorenthalten[8].

Ähnlich hart wie Hefele wurde Stroßmayer angefaßt. Auf verschiedene dringende Gesuche erhielt er von Rom keinen Bescheid. Sein römischer Vertrauensmann gab ihm zu verstehen, er habe so lange keine Antwort zu erwarten, bis er die Konzilsdekrete gehorsam annehme[9]. Auch gegenüber anderen Bischöfen Österreich-Ungarns wollte die römische Kurie die gleichen Sanktionen ergreifen. Dem österreichischen Botschaftsrat Giuseppe Palomba Caracciola gelang es jedoch, unter Hinweis auf den guten Willen der Prälaten diese Maßnahme abzuwenden. Hinter dem harten kurialen Kurs der Verweigerung der Ehedispensen stand Pius IX. persönlich. Der Subdatario Msgr. Gori verriet Palomba, er brauche mindestens drei Audienzen, um den Papst von seiner Haltung in der Frage der Ehedispensen abzubringen[10]. Schließlich ließ sich Pius IX. durch Msgr. Gori und Msgr. Marini, Substitut des Kardinal Staatssekretärs, im Falle von zwei ungarischen Bischöfen doch umstimmen. Erzbischof Fürstenberg von Olmütz hingegen verweigerte er weiter mehrere Dispenserlaubnisse[11]. Auch der bayerische Gesandte Tauffkirchen berichtet, hinter dem Entzug der Ehedispens stehe vor allem der Papst; er sei nur mit Mühe von strengeren Maßregeln wie Suspension oder gar Kirchenbann abzuhalten[12].

Anderen Bischöfen wurden die Vollmachten gewährt. Pius IX. hoffte jedoch, sie mürbe zu machen, indem er ihnen Gunstbeweise vorenthielt. Als Kardinal Schwarzenberg am 20. Oktober 1870 um die Ernennung eines Weihbischofs bat,

---

Civilehen eingehen; aber was kümmert man sich in Rom um das Gewissen der Leute, wenn man seine Herrschsucht befriedigt?« (SCHULTE: *Altkatholicismus* 228). Am 11. März 1871 ließ er Döllinger wissen:»Anhaltspunkt und scheinbaren Beweis dafür [daß er, Hefele, bereits exkommuniziert sei] liefert die Thatsache, dass mir von Rom beharrlich die üblichen Facultäten verweigert werden. So können viele Leute in allen Theilen der Diöcese (bereits 16 Paare) nicht heirathen und die Pfarrer benutzen es, um das Volk gegen mich zu hetzen« (SCHULTE: *Altkatholicismus* 228). Vgl. HAGEN: *Die Unterwerfung des Bischofs Hefele* 10 f.

[8] AA, Bonn, P. A., I A. B. e 53, fol. 88ᵛ, Tauffkirchen an Bismarck, 15. März 1871, Nr. 27.

[9] Stroßmayer meinte am 23. Januar 1871 gegenüber Dupanloup:»Intentio curiae Romanae, per subtractionem debitarum dispensationum episcopos ad submissionem cogendi abusus est, veri nominis tyrannidem redolens. Potestas ecclesiae data est in aedificationem, non autem in destructionem« (SCHULTE: *Altkatholicismus* 259 f.). Vgl. Stroßmayers Brief vom 2. Oktober 1871 an Reinkens (SCHULTE: *Altkatholicismus* 263). GRANDERATH weist die Anschuldigungen Stroßmayers zurück. Die Verzögerung der erbetenen Fakultäten sei wohl das mildeste Mittel gewesen, das man in Rom habe anwenden können, um die wenigen noch rückständigen Bischöfe zur Besinnung zu bringen (*Geschichte* III 583).

[10] HHSTA, P. A. XI, 215, fol. 239 f., Palomba an Beust, 27. August 1870, Nr. 96 C.

[11] HHSTA, P. A. XI, 215, fol. 285 f., Palomba an Beust, 10. September 1870, Nr. 100 C; vgl. fol. 371 f., Palomba an Beust, 21. September 1870, Nr. 101 K.

[12] AA, Bonn, PA, I A. B. e 53, fol. 89, Tauffkirchen an Bismarck, 15. März 1871, Nr. 27.

wurde ihm bedeutet, seinem Gesuch könne nur stattgegeben werden, wenn er und sein zukünftiger Weihbischof eindeutig zugunsten der vatikanischen Dekrete Stellung nehmen würden[13]. Bischof Stroßmayer verweigerte Rom für seine Diözese die Dispens vom Fastengebot, weil er sich den vatikanischen Dekreten nicht unterwarf[14]. Auch anderen Bischöfen wurden wegen ihrer Haltung zum ersten Vatikanischen Konzil Bitten abgeschlagen[15]. Aus den gleichen Gründen verloren Minoritätsbischöfe ihre Jurisdiktion über religiöse Kongregationen, wie Bischof Lecourtier von Montpellier[16] und Bischof Ramadié von Perpignan[17].

Zuweilen nahm die Diskriminierung kleinliche Formen an. Im Mai 1871 ließ der Papst den Nuntien Gedenkmedaillen an das Konzil zukommen. Sie sollten nur den Bischöfen überreicht werden, die am Konzil teilgenommen und ihre Zustimmung zu den vatikanischen Dekreten erklärt hatten[18]. Während der Wiener Nuntius Falcinelli diese Anweisungen offenbar weit auslegte und wohl aus taktischen Gründen sogar Stroßmayer eine Konzilsmedaille zukommen ließ[19], enthielt sie der Luzerner Nuntius Agnozzi auf Anweisung Antonellis dem St. Galler

---

[13] Brief des Papstes vom 28. November 1870 an Schwarzenberg (WOLFSGRUBER: *Schwarzenberg* III 264 f.). Schwarzenberg schrieb am 25. Januar 1871 darüber an Dupanloup (GRANDERATH: *Geschichte* III 574).

[14] Tauffkirchen schrieb am 15. März 1871 an Bismarck: »Nicht ohne Interesse ist, was in dieser Beziehung dem kroatischen Bischof Stroßmayer, einem der Führer der Opposition im Concil widerfahren ist. Der Papst hatte bei Beginn des Concils auf Vorstellung der ungarischen Bischöfe aus Sanitätsrücksichten ›ganz Ungarn‹ vom Fasten am Samstage dispensiert. Stroßmayer, Mitglied der kroatischen Opposition, nahm Anstand bei diesem Anlaß seine Diözese als einen Theil Ungarns anzuerkennen und wandte sich deshalb mit der Bitte an den Papst, den Dispens bei völliger Gleichheit der Gründe, auch auf seine Diözese auszudehnen. Nach langen Ausflüchten wurde endlich dem Bevollmächtigten Stroßmayers in Rom, der mir die Sache selbst erzählt hat, mündlich geantwortet: Stroßmayer solle seine Submission unter das Dogma erklären, dann werde seine Diözese den Dispens erhalten — früher nicht« (AA, Bonn, PA, I A. B. e 53, fol. 89ᵛ f., Bericht Nr. 27). Vgl. SULJAK: *Strossmayer* 456; MIKO: *Das Ende des Kirchenstaates* IV 93.

[15] Franchi berichtet noch am 16. August 1873 Nuntius Falcinelli von einem Bischof Österreich-Ungarns, »alle cui premure il S. Padre non volle aderire, per non aver questi fatto adesione al Concilio Vaticano« (ASV, Archivio Nunz. Vienna, 435).

[16] ASSTS, Dupanloup: Journal, 5. April 1872, fol. 12: »Missionaires de Montpellier ... exempté [sic], par l'abbé d'Alzon.« Vgl. APA, Rom, Correspondance passive d'Alzon, Abbé de Cabrières an d'Alzon, 11. August 1871.

[17] ASSTS, Dupanloup: Journal, 5. April 1872, fol. 2.

[18] ASV, Archivio Nunz. Vienna, 434, fol. 663, Antonelli an Falcinelli, 30. Mai 1871; ASV, Archivio Nunz. Bruxelles, Nr. 32, Pos. 31, Ser. 7, N. 4, Antonelli an Cattani, 22. Mai 1871, Nr. 1107.

[19] ASV, Archivio Nunz. Vienna 1872, 461, fol. 616, Stroßmayer an Falcinelli, 22. Februar 1872; SULJAK: *Strossmayer* 461 f.

Bischof Greith während eines ganzen Jahres vor[20]. Nuntius Chigi in Paris verteilte die Konzilsmedaille nicht an die Weihbischöfe und konnte damit dem Konflikt entgehen, Bischof Maret dieses päpstliche Präsent überreichen zu müssen[21].

Das Mißtrauen Roms bekamen die Minoritätsbischöfe noch lange zu spüren. Auch Jahre, nachdem sie sich unterworfen hatten, schloß sie der Papst systematisch von jeder Beförderung aus. Als der Bischofsstuhl von Paris frei wurde, gab Rom zu verstehen, daß man nie Dupanloup als Pariser Erzbischof akzeptieren würde[22]. Dieses Veto galt ebenfalls für Bischof Rivet von Dijon[23], ja für alle, die auf der letzten Sitzung des Konzils gefehlt hatten[24]. Ende 1873 lehnte es Rom ab, Rivet zum Kardinal zu erheben, da er auf dem Vatikanischen Konzil zur Minorität ge-

---

[20] ASV, Archivio Nunz. Lucerna 431, fol. 480 f., Agnozzi an Antonelli, 10. Juni 1871, Nr. 405. Am 19. April 1872 schrieb Agnozzi an Antonelli: »Nel Giugno dell'anno scorso nel dar conto all'Eminenza Vostra Reverendissima, col rispettoso mio foglio No. 405, della distribuzione da me fatta a questi Reverendissimi Vescovi Svizzeri della Medaglia commemorativa del concilio Vaticano, destinata dal Santo Padre a quei Prelati, che v'intervennero, ed aderirono alle già pubblicate costituzioni, ebbi il gran dispiacere di doverLe rassegnare, che in ragione delle condizioni ingiuntemi per tale distribuzione, non aveva potuto inviare detta Medaglia a Monsignor Greith Vescovo di S. Gallo. Esposi, com' era naturale, i motivi pei quali mi era creduto in dovere di regolarmi in tal guisa, e l'Eminenza Vostra pregata di Sue speciali istruzioni in proposito, degnavasi significarmi, con un venerato Dispaccio del 25 Giugno (senza Numero), che approvava tale mia riserva.
Da quell'epoca in poi Monsignor Greith si è mantenuto costantemente nel sistema di un studiato silenzio sulla promulgazione del Domma della Infallibilità Pontificia, e per quanto esso dica che la sua opposizione non riguardava che l'opportunità del Domma, pur tuttavia per effetto del sopradetto suo silenzio non si è ancora cancellata ne' suoi Diocesani e specialmente nel Clero la sfavorevole impressione fatta generalmente qui in Svizzera della condotta da esso tenuta al concilio, e dalla Sua partenza da Roma pochi giorni prima del 18 Luglio 1870.« Agnozzi zweifelt nun aber nicht mehr an der vollen Zustimmung Greiths zu den vatikanischen Dekreten, da er sich dem bischöflichen Protest gegen die Zeitschrift »Katholische Stimme« angeschlossen und den Schweizerischen Hirtenbrief vom Juli 1871 mitunterzeichnet habe. Er bittet deshalb Antonelli um die Erlaubnis, nun auch Greith die Konzilsmedaille übergeben zu können (ASV, Segreteria di Stato, 1870, Rubrica 1, Bericht Nr. 503). Am 30. April 1872 gab Antonelli Agnozzi seine Zustimmung, Greith die Konzilsmedaille zukommen zu lassen (ASV, Segreteria di Stato, 1870, Rubrica 1, Antonelli an Agnozzi, Nr. 5139).

[21] ASV, Segreteria di Stato, 1872, Rubrica 1, Chigi an Antonelli, 2. Dezember 1872, Nr. 1947.

[22] AMAE, Paris, Cor. Pol. 1051, fol. 129ᵛ, d'Harcourt an Jules Favres, 5. Juni 1871; ASV, Archivio Nunz. Parigi, Relazioni con la Segreteria di Stato 1869—1870, Antonelli an Chigi, 14. Juni 1871, Nr. 2007 (chiffriert).

[23] ASV, Archivio Nunz. Parigi, Relazioni con la Segreteria di Stato 1869—70, Antonelli an Chigi, 21. Juni 1871, Nr. 2064.

[24] »... Qu'il me suffise du vous dire que si l'Archevêque de Paris est choisi parmi les Evêques qui ont dit *non Placet*, ou, ce qui revient au même, se *sont abstenu à la dernière session du concile, il ne sera point préconisé. JE SUIS CERTAIN DE CE QUE JE VOUS DIS LÀ*, et vous ferez bien, pour prévenir un regrettable conflit, d'aviser à ce que le Ministre en soit informé« (AN, Paris,

hört habe[25]. Bei der Besetzung von Bischofsstühlen unterschied die Kurie nach wie vor zwischen Abstentionisten und Nicht-Abstentionisten[26]. Das Eis wurde erst im Dezember 1874 einigermaßen gebrochen, als Bischof Colet von Luçon zum Erzbischof von Tours befördert wurde[27].

Pius IX. verlor jedoch zeit seines Lebens das tiefe Mißtrauen gegenüber den Führern der Minorität nicht. Frauengeschichten über Bischof Stroßmayer schenkte er willig Gehör und schrieb ihm einen durch seine Ermahnungen peinlich wirkenden Brief[28]. Die päpstliche Mißgunst bekamen auch Kuriale zu spüren, die auf der

---

AP 87, Papiers Jules Simon, Carton 10 I/1, Extrait d'une lettre particulière écrite par Mgr. Forcade, Evêque de Nevers, Rome, 21 juin 1871). Bemerkung von anderer Hand: »Les renseignements du prélat concordent du reste avec les déclarations du Nonce« (ebda.). Der französische Kultusminister Jules Simon schrieb an den Präsidenten der Republik: »D'un autre côté, le nonce est venu chez moi me tenir le même propos, non seulement pour le siège de Paris, mais pour tous les autres diocèses. ›Prenez pour certain, m'a-t-il-dit, que le Pape ne préconisera aucun ecclésiastique dont le passé ne soit pas absolument rassurant‹« (AN, Paris, AP 87, Papiers Jules Simon, 10 I/2, Brief aus dem Jahre 1871, ohne Datum). Am 8. Mai 1871 übersandte Nuntius Chigi an Jules Simon eine Kandidatenliste für die französischen Bischofssitze, die sich ausschließlich aus Ultramontanen zusammensetzte. Zur Rechtfertigung schrieb Chigi: »Mais à cette objection, si jamais on voulait la soulever, je réponds: Que si de tout le temps cette distinction entre Ultramontain, et Gallican parmi les Membres du Clergé Français était absurde, elle devient impossible après les Définitions solennelles du Concile du Vatican, auxquelles chaque catholique est obligé de se soumettre« (AN, Paris, AP 87, Papiers Jules Simon, 10 I/2).

25 AMAE, Paris, Cor. Pol. 1057, fol. 449 f., Corcelles an Duc Decazes, 17. Dezember 1873.

26 AA, Besançon, Fonds Mathieu, A Rangée 3, n. 9, Place an Mathieu, 9. November 1874. Place berichtet, wie ein ehemaliges Minoritätsmitglied für den Bischofsstuhl von Reims vorgeschlagen, von Rom jedoch abgewiesen wurde.

27 Bischof Rivet von Dijon schrieb am 12. Dezember 1874 an Kardinal Mathieu: »Voici donc la glace rompue, et une brèche faite à l'obstracisme [?] dont étaient frappés nos 39 Collègues! Mgr. Colet enfin agréé pour Tours. Déjà, il est vrai Mgr. Simor avait vu s'abaisser la Barrière, qu'on pourrait croire infranchissable... Je m'en réjouis pour le close en elle-même, bien plus que pour Mgr. de Luçon et pour Mgr. Simor. Persévéra-t-on dans cette voie de conciliation? Dieu le veuille!« (AA, Besançon, Fonds Mathieu, A rangée 3, n. 9). Colet berichtete am 6. Dezember 1874 Mathieu, den Erzbischofsstuhl von Tours im Interesse der Minorität annehmen zu wollen (AA, Besançon, Fonds Mathieu, A rangée 3, n. 9).

28 Aufgrund eines Berichtes von Nuntius Falcinelli vom 9. September 1873 teilte der Papst Stroßmayer am 30. September 1873 mit: »Ecco in breve. Reca meravigli la frequenza di certe persone del sesso, le quali entrano nell'Episcopio anche in ore inopportune. Una di queste persone pare che eserciti qualche influenza nell'andamento di certi affari diocesani. Da qui deriva che l'amministrazione diocesana non è diretta collo Spirito che deve animare un Vescovo secondo l'insegnamento dell'Apostolo. Da questo poco, che ho detto, Ella che ha penetrazione e talento, conoscerà quel di più che potrei dire ...« (Beide Briefe in: ASV, Archivio Pio IX, Lettere Particolari, Austria, Nr. 16). Stroßmayer wurde zusammen mit Erzbischof Haynald bereits während des Konzils in dieser Sache verleumdet (FRANCO: Appunti 265 Nr. 514; vgl. 265 Anm. 334), ebenfalls unmittelbar nach dem Konzil (ASV, Archivio Particolare Pio IX, Nr. 2182).

falschen Seite gewesen waren, wie die Erzbischöfe Puecher-Passavalli, De Mérode[29] und Kardinal Hohenlohe[30].

Vieles deutet darauf hin, daß auch Bischof Dupanloup nach dem Konzil mannigfachen Sanktionen ausgesetzt war. Christianne Marcilhacy verweist auf den eigenartigen Umstand, daß Dupanloup ab 1871 in seiner Diözese weder firmte noch die Priesterweihe spendete, obwohl ihm ohne Zweifel an diesen wesentlichen Funktionen des Bischofsamtes viel gelegen war und er für 1871 bereits die Firmreise angekündigt hatte[31]. 1872 sprach Dupanloup von den »Traurigkeiten der Trennung von meiner Diözese«[32]. Wurde ihm von Rom aus zur Bestrafung seiner Tätigkeit auf dem 1. Vatikanischen Konzil das Recht auf die Ausübung wichtiger bischöflicher Handlungen verweigert[33]? Für diese Annahme spricht ebenfalls, daß ihm von Rom ein Koadjutor mit besonderen Rechten aufgezwungen wurde[34]. An Stichen fehlte es auch in der späteren Zeit nicht. Mit Einverständnis des Pariser Nuntius publizierte der Kanoniker Victor Pelletier aus Orléans ein polemisches Buch über Dupanloup[35]. 1878 verurteilte die Indexkongregation Dupanloups anonyme Schrift »La crise de l'Eglise«[36]. Der Papst hatte den Eindruck, Dupanloup konspiriere gegen ihn und die Kirche[37].

---

[29] Vgl. S. 417 ff.

[30] »Geht der arme Card. H[ohenlohe] wirklich nach Rom? Ich bedauere ihn aufrichtig wegen der Rolle, welche er dort wird spielen müssen. Entweder zeigt man ihm die wahre Gesinnung gegen ihn und verachtet ihn, oder man verstellt sich, was noch schlimmer und unerträglicher sein müßte« (ASV, Carte Theiner, Scatola 1, fol. 1166ʳ, Friedrich an Theiner, ohne Unterschrift, 8. Oktober 1872).

[31] *Le Diocèse d'Orléans* 446 f.

[32] ASSTS, Dupanloup: Journal, auf dem Umschlag zu den Notizen des Jahres 1872.

[33] MARCILHACY versprach sich von der Öffnung der Vatikanischen Archive mehr Klarheit in dieser Sache *(Le Diocèse d'Orléans* 448). Ich konnte bisher in der Korrespondenz zwischen der Pariser Nuntiatur und dem Staatssekretariat nichts finden und vermute, daß sich die Dokumente darüber im Archiv der Congregazione degli Affari Ecclesiastici Straordinari befinden, wohin viele vertraulichere Schriftstücke gelangten. Dieses Archiv ist bis heute nicht allgemein zugänglich. Einsicht wurde mir verweigert, mit der Begründung, das Archiv befinde sich »in riordinamento«.

[34] MARCILHACY: *Le Diocèse d'Orléans* 517. Die Abschrift eines Briefes Dupanloups an den Papst erweckt allerdings den Eindruck, die Initiative dazu sei von Dupanloup ausgegangen (Archives du Loiret, Orléans, 50 J 40, Abschrift ohne Datum).

[35] *Mgr. Dupanloup, Episode de l'histoire contemporaine 1845—1875.* Paris 1876. Vgl. MARCILHACY: *Le Diocèse d'Orléans* 517. Am 10. Juni 1875 beklagte sich Dupanloup bei Mathieu über die ultramontane Partei in der Kirche, die alle Mittel — auch höchst unmoralische — gegen ihre Gegner einsetze (AA, Besançon, Fonds Mathieu, A rangée 3, n. 9).

[36] MARCILHACY: *Le Diocèse d'Orléans* 517.

[37] ASSTS, Dupanloup: Journal, 16. Januar 1876, fol. 4. Auch der Luzerner Nuntius Agnozzi fürchtete die Konspiration Dupanloups. Er sei schon dreimal hier gewesen. Es möge Dupanloup von Rom aus doch bedeutet werden, zu Hause zu bleiben (ASV, Archivio Nunz. Lucerna 431, fol. 523 f., Agnozzi an Antonelli, 24. August 1871, Nr. 428).

E. Der Widerruf von Konzilsschriften

Die Stunde der Abrechnung galt besonders den Bischöfen, die es offen gewagt hatten, literarisch den Kampf gegen die päpstliche Unfehlbarkeit zu führen. Vor allem traf das für Bischof Maret, Dekan der theologischen Fakultät der Universität Sorbonne in Paris, zu. Obwohl er schon am 15. Oktober 1870 seine Zustimmung »pure, simpliciter, corde et animo« erklärt hatte[1], genügte das Rom nicht. Pius IX. forderte am 28. November 1870 von Maret die Desavouierung seines Buches »Du Concile général et de la paix religieuse«. Nur so könne er der Zensur der Indexkongregation entgehen. In einem langen Brief an den Papst versuchte sich Maret zu verteidigen. Er verlange, wie die anderen Mitglieder der Minorität behandelt zu werden; von ihnen fordere Rom auch nicht, ihre Reden und Schriften gegen die päpstliche Unfehlbarkeit zurückzuziehen. Es dürfe doch niemandem eine Meinung zu Last gelegt werden, so lange diese frei gewesen sei. Überdies stimme die These seines Buches mit der erfolgten Definition überein[2].

Der Versuch Marets war vergeblich. Man beschäftigte sich im Heiligen Offizium weiter mit ihm. Kardinal Patrizi, Chef der Inquisitionskongregation, ließ Maret am 6. April 1871 über den Pariser Nuntius Chigi erneut die Aufforderung zukommen, alles in seinem Buch zu verurteilen, was den Konzilsdekreten entgegengesetzt sei. Den Nuntius forderte er dabei auf, auch die Mithilfe einflußreicher Persönlichkeiten zu benützen, damit Maret mit der vom Papst erwarteten Gelehrigkeit den Forderungen des Briefes nachkomme[3]. In einem Schreiben vom 8. April 1871 wurde der Lyoner Erzbischof Ginoulhiac gebeten, bei Maret in diesem Sinn zu wirken[4]. Ein erster Widerruf befriedigte Rom nicht[5]. In Absprache mit Kardinal Patrizi leistete Maret am 15. August 1871 endlich die von Rom gewünschte Erklärung. Er distanzierte sich von seinem Buch und zog es aus dem Verkauf zurück. Nach dem Willen der Kurie wurde Marets Schreiben sogleich der Öffentlichkeit übergeben[6]. In Rom glaubte man, Maret habe das Urteil des

---

[1] Mansi 53, 1018 C—1019 A.

[2] Mansi 53, 1019 A—1025 C.

[3] ASV, Archivio Nunz. Parigi, Relazioni con la Segreteria di Stato 1869—70.

[4] BAZIN: *Maret* III 238; PALANQUE: *Catholiques libéraux et gallicans* 180.

[5] Maret hatte darin geschrieben: ».. . quidquid in opere meo huic Constitutioni et anteactarum Synodum Romanorumque Pontificum definitionibus et decretis adversari Sacra Congregatio judicaverit, prorsus rejicio. Insuper declaro quod opus meum venale desinet« (ASV, Fondo Concilio Vaticano, Adhaesiones 1871).

[6] Mansi 53, 1025 C—1026 A. Der entscheidende Text lautet: ».. . je désavoue entièrement tout ce qui, dans ce livre et dans la défense que j'en ai écrite, pourrait être ou est opposé soit à cette constitution, soit aux définitions et aux décrets des conciles antérieurs et des pontifes Romains« (Mansi 53, 1025 D). Zu den äußeren Umständen vgl. Bazin: Maret III 250 f.; PALANQUE: *Catholiques libéraux et gallicans* 180.

Hl. Stuhls über sein Buch akzeptiert, und gab sich zufrieden[7]. Wie gelehrig der Dekan an der Sorbonne geworden war, zeigte er noch im gleichen Jahr. Dem neuen Pariser Erzbischof Guibert teilte er am 27. Dezember mit, der erste Akt bei der Wiedereröffnung der theologischen Fakultät in Paris werde es sein, die Zustimmungserklärungen aller Fakultätsmitglieder in das Beratungsprotokoll aufzunehmen[8].

Besser erging es Erzbischof Kenrick von St. Louis. Seine »Concio habenda at non habita«[9] war ebenfalls dem Heiligen Offizium vorgelegt und einstimmig als häretisch erklärt worden. Von einer Indizierung wurde jedoch aus persönlichen Gründen vorerst abgesehen. Kardinal De Angelis legte Kenrick nahe, ihr durch einen eigenen Widerruf zuvorzukommen[10]. Kenrick gelang es jedoch, der Verurteilung zu entgehen, ohne förmlich zu widerrufen. Am 19. Juli 1871 beschloß die Inquisitionskongregation, nicht weiter zu insistieren[11].

F. Rücktritt von Bischöfen erzwungen

Trotz Unterwerfung traf einige Bischöfe für ihre Haltung auf dem 1. Vatikanischen Konzil und die Opposition zur ultramontanen Bewegung noch härtere Strafe: Sie verloren ihren Bischofsstuhl.

Bischof De Las Cases war durch den Krieg, die Schulden in seiner Diözese, vor allem aber durch die Ereignisse auf dem Vatikanischen Konzil derart in seinen Nerven angegriffen, daß er sich in eine Heilanstalt begeben mußte. In dieser Zeit reichte er nach eigenem Bericht in einem vorübergehenden Zustand der Exaltation seine Demission ein. Obwohl irregulär, habe sie Rom sogleich akzeptiert. Bereits nach acht Tagen habe er die Demission zurückgezogen, aber alles sei vergeblich gewesen[1].

---

[7] Unter den Adhäsionserklärungen des Jahres 1871 findet sich folgende Notiz: »Adesione di Mons. Ves⁰. di Sura. — Mons. Maret Vescovo di Sura i. p. i. nel giorno 15 Ottobre 1870 fece adesione pura e semplice ai decreti della Sess. IV del Concilio Vaticano intorno all'Infallibilità Pontificia, e nel 15 Agosto 1871 ronnovò la medesima adesione accettando il giudizio della S. Sede che riprovava la sua opera = Du Concile général et de la paix religieuse = « (ASV, Fondo Concilio Vaticano).

[8] PALANQUE: *Catholiques libéraux et gallicans* 180; GRANDERATH: *Geschichte* III 597 f.

[9] Mansi 52, 453 C—481 D.

[10] Brief Kenricks an Lord Acton vom 29. März 1871 (SCHULTE: *Altkatholicismus* 268). Vgl. GRANDERATH: *Geschichte* III 607 f.

[11] Notiz unter den Adhäsionserklärungen des Jahres 1871 (ASV, Fondo Concilio Vaticano).

[1] Am 1. 1. 1874 schreibt De Las Cases an den französischen Kultusminister Batbie: »Si les terribles préoccupations au milieu desquelles vous vivez, en vous dévouant à la chose publique, vous avait laissé le temps de jeter un coup d'oeil sur l'histoire de l'Episcopat français dans ces dernières années vous y auriez vu que l'ancien Evêque de Constantine et d'Hippone avait tout sacrifié, fortune, santé, son siège même, pour défendre ce que nous avions toujours cru être

Recht unklar sind auch die Umstände, die beim Bischof von Autun, Marguerye, zur Demission führten. Dansette schreibt, der Bischof sei vom Klerus zum Rücktritt gezwungen worden[2]. Äußerungen von Marguerye und von Erzbischof Ginoulhiac von Lyon lassen eher vermuten, daß der Pariser Nuntius und Rom die treibende Kraft waren[3].

Am besten sind die Hintergründe der Demission Bischof Lecourtiers von Montpellier geklärt. Lecourtier war Rom wegen seiner Opposition gegen die ultramontane Bewegung schon länger ein Dorn im Auge. Bereits 1863 und 1864 suchte ihn der Papst mit Hilfe des Pariser Nuntius Chigi und des Pariser Erzbischofs Darboy zum Rücktritt zu bewegen[4]. Während des Konzils vermehrte Lecourtier sein

---

les vrais principes. Ces principes ont été tellement méconnus à mon égard, que j'ai perdu le siège de Constantine. Sur une simple démission donnée irregulièrement dans un moment d'exaltation passagère, démission que sur les instances de mon clergé tout entier, je retirais huit jours après et qu'on ne considéra pas moins comme valide à Rome, en me répondant *courrier par courrier* qu'on l'acceptait. Ajoutez à cela que ma démission n'a jamais été remise entre les mains du gouvernement et qu'on n'en a pas moins passé outre« (AN, Paris, Dossier Mgr De Las Cases, F 19, 6177). Bischof Ramadié von Perpignan schildert den Vorfall Dupanloup am 8. November 1870 in ähnlicher Weise (BN, Paris, Fonds Dupanloup, n. a. fr. 24704, fol. 158 f.). Am 9. Dezember 1870 berichtete Abbé Tapie an Foulon: »Et Mgr de Las Cases? J'ai appris pendant mon voyage à Blois, que ses facultés étaient troublées. Est-ce possible? Il serait dans une maison de santé à Toulouse. Je n'ose croire à une si triste nouvelle, malgré que sa démission m'ait paru plus que singulière« (Archives Guédon, Paris) Vgl. Tapies Brief vom 2. November 1870 an Foulon (Archives Guédon, Paris); PALANQUE: *Les amitiés européennes* 131.

[2] »Quant à l'accueil du clergé français, l'aventure dont est victime un évêque anti-infaillibiliste en donne le ton. Lorsque, revenu dans son diocèse, après avoir voté contre la définition, Mgr de Marguerye, évêque, d'Autun, essaye d'expliquer son rôle au cours d'une retraite ecclésiastique, ›un mouvement général des pieds sous les bancs lui fait comprendre qu'il n'y a pas d'excuse plausible‹; il lui faut donner sa démission et aller finir ses jours en qualité de chanoine de Saint-Denis« (DANSETTE: *Histoire religieuse* I 418).

[3] In einem Brief vom 23. Dezember 1874 an Kardinal Mathieu spricht Marguerye von seiner »démission regrettable«. In seinen früheren Briefen an Mathieu beklagt er sich über den Pariser Nuntius Chigi (AA, Besançon, Fonds Mathieu, A rangée 3, n. 9). Am 21. Dezember 1872 schreibt Ginoulhiac an Maret: »L'ancien Ev. d'A. [utun] qui était venu me voir, lorsque sa démission eut été accepté, ne m'avait pas laissée soupçonner son arrière pensée. Il ne parlait que de la nécessité où il était, de se retirer, de ne rien faire ...« (APB, Rom, Fonds Maret, Correspondance passive, Lettres Evêques). Vgl. PALANQUE: *Catholiques libéraux et gallicans* 183 Anm. 34.

[4] Auf der Rückseite einer Beschwerdeschrift von Klerikern der Diözese Montpellier schrieb Pius IX. am 3. August 1863 mit eigener Hand: »Mr. Nunzio di Parigi si dia tutta la premura per promuovere l'allontamento di questo Vescovo dalla sua e da qualunque altra Diocesi P. Nono« (ASV, Spoglie Mons. Domenico Guidi). Am 24. November 1864 bat Pius IX. Darboy um Mithilfe in der gleichen Sache: »P. S. In questo momento Mi si presenta un pensiero che mira a rendere Lei l'istrumento nelle mani di Dio per fare un gran bene ad una chiesa di

Sündenregister um ein beträchtliches. Als Opponent der Unfehlbarkeitsdefinition schrieb er anonyme Artikel in Zeitungen und warf — wie schon erwähnt — seine Konzilsdokumente in den Tiber. Zudem gelangte kurz nach Konzilsschluß ein Brief an die Öffentlichkeit, den Lecourtier am 10. Januar 1865 an den französischen Kultusminister geschrieben und in dem er sich über Pius IX., den Syllabus und die ultramontane Partei beklagt hatte[5]. Rom begnügte sich in seinem Fall nicht mit der Veröffentlichung der Konzilsdokumente, sondern verlangte ausdrückliche Anerkennung der vatikanischen Dekrete und Genugtuung für die dem Hl. Stuhl zugefügte Unbill[6]. Als Lecourtier sich am 2. Juni 1871 in einem Zirkularschreiben an seinen Klerus zum Pontifikatsjubiläum deutlich zur päpstlichen Unfehlbarkeit bekannte, gab sich die Inquisitionsbehörde mit Dekret vom 22. November 1871 zufrieden[7].

Der kuriale Unwille schwelte jedoch weiter. Im Sommer 1873 ergab sich die günstige Gelegenheit, die in Rom schon lange gehegten Pläne in die Tat umzusetzen. Bischof Lecourtier wurde verleumdet, kompromittierende, unreligiöse

---

Francia. Mr Vescovo di Montpellier, non saprei ora dire per quali ragioni, si è reso per lo meno un Pastore inutile per quella Diocesi. Persone del Clero, del Laicato, Donne, Giovani sono stati concordi nel dirmi che Mons'. di Courtier non può fare più alcun bene nella Sua Diocesi. Io impegno Lei a fare in modo che quel Prelato s'induca a dare la sua rinunzia, e lo raccomandi al Governo Imperiale per fargli avere una provvista« (ASV, Archivio Pio IX, Lettere Francia, Particolari Nr. 168). In seiner Antwort gab Darboy dem Papst zu verstehen, er wisse nicht, wie er Lecourtier zur Demission bewegen könnte (ASV, Archivio Pio IX, Lettere Francia, Particolari Nr. 173). Zur Situation in der Diözese Montpellier vgl. G. CHOLVY: *Un aspect du catholicisme libéral sous le Second Empire: Les milieux néo-gallicans du diocèse de Montpellier.* In: Les catholiques libéraux 281—298.

[5] Abgedruckt im »Univers«, 13. Dezember 1870.

[6] Der Präfekt der Kongregation für die Bischöfe und Religiosen, Kardinal Quaglia, schrieb im Auftrag des Papstes am 6. März und 15. Mai 1871 in diesem Sinn an Bischof Lecourtier (ASV, Fondo Concilio Vaticano, Adhaesiones 1871). Beide Male informierte der Subsekretär der Kongregation für die Bischöfe und Religiosen, Mons. L. Trombetta, den Subsekretär des Konzils, Mons. L. Jacobini (ASV, Fondo Concilio Vaticano, Adhaesiones 1871, Briefe vom 10. März (Nr. 11607) und 27. Mai 1871 (Nr. 11607)).

[7] Unter den Adhäsionserklärungen von 1871 findet sich folgende Notiz: »Mons. Vescovo di Mompellier [sic] essendosi mostrato nel Concilio Vaticano contrario alla decisione dell'infallibilità, invitato ad emettere la sua adesione inviò un Mandement del 2 Giugno 1871 pubblicato in occasione del Giubileo Pontificio ove si dice = In questa circostanza solenne Vescovi, Preti e fedeli professiamo adunque una volta di più il Primato d'onore e di giurisdizione che il Romano Pontefice gode nella Chiesa universale, la di lui infallibilità quando Egli insegna ex cathedra ciò che ha rapporto alla fede ed ai costumi. Di tale dichiarazione contentassi la Suprema per decreto 22. Nov. 1871« (ASV, Fondo Concilio Vaticano). Im Dossier Adhaesiones 1871 fand sich bei einer ersten Durchsicht auch ein Schreiben der Inquisitionskongregation an Lecourtier. Später konnte ich es nicht mehr finden. Bezeichnenderweise veröffentlichte Mansi kein einziges Dokument zur Unterwerfungsgeschichte Lecourtiers.

Briefe an einen eben verstorbenen befreundeten Pfarrer geschrieben zu haben[8]. Offensichtlich mit dem Einverständnis Antonellis leitete Nuntius Chigi alles in die Wege, Lecourtier zur Demission zu bewegen[9]. Auf sein Geheiß beauftragte Kardinal Lavigérie Abbé Lamothe, der als sein früherer Generalvikar bei Lecourtier großes Vertrauen genoß. Er mußte dem Bischof von Montpellier klarmachen, daß der Papst ein weiteres Verbleiben in seiner Diözese für untragbar halte; zudem hatte er ihm mit kanonischem Prozeß und mit Absetzung zu drohen. Sein Nachfolger sei bereits gefunden. Als einziger möglicher Ausweg, den Skandal zu vermeiden, bleibe, die Demission selbst einzureichen. Pius IX. wünsche es zudem ausdrücklich — ein Punkt, auf den Lecourtier sehr ansprechbar war. Tatsächlich ließ sich der Bischof derart beeindrucken, daß er die Rücktrittserklärung, die Abbé Lamothe vorsorglich mitgebracht hatte, unterschrieb[10].

---

[8] ASV, Archivio Nunz. Parigi, Segreteria di Stato 1862—1874, Briefentwurf Chigis an Antonelli 13. Juli 1873, keine Nummer; AN, Paris, F 19, 6178, Dossier Lecourtier, Note Tardifs vom 29. November 1873 an den Kultusminister; Brief der Kanoniker von Montpellier vom 10. Juli 1873 an M. de Rodez-Benavent.

[9] Chigi arbeitete in dieser Sache mit dem französischen Kultusministerium zusammen. Am 6. Juli 1873 schrieb er an den Kultusminister:»Je m'occupe de l'affaire de Montpellier, mais pour réussir il me faudrait avoir quelque pièce ou Document en main dont je pourrais me servir auprès du Prélat pour le persuader à demander sa démission. J'ai fait prier M Tardif de me procurer ces Papiers et celui-ci en parlera à Votre Excellence. — Veuillez excuser Mr. le Ministre de cette lettre toute confidentielle que j'ose vous adresser à la hâte . . .« (AN, Paris, F 19, 6178, Dossier Maret). Am 22. August 1873 berichtete er nach Rom, der Kultusminister habe Interesse daran, daß Bischof Lecourtier von Montpellier wegkomme, und sei deshalb bereit, de Cabrière schnell zum Bischof zu ernennen (ASV, Archivio Nunz. Parigi, Segreteria di Stato 1862—74, Nr. 2055 (Entwurf)). Vgl. AN, Paris, F 19, 6178, Dossier Lecourtier, Note für den Kultusminister vom 29. Nov. 1873.

[10] Die Berichte des Nuntius Chigi und des Bischofs Lecourtier tönen ziemlich anders. Chigi berichtete am 9. August 1873 nach Rom, Lamothe habe Lecourtier gegenüber nach Erwähnung der Briefgeschichte gesagt: ». . . che il S. Padre n'era stato profondamente comosso come era naturale e credeva col bene spirituale della diocesi non essere più componibile la continuazione dell'amministrazione di Mons. Lecourtier; essere pertanto più conveniente che Monsignore stesso vedesse di togliere di ogni preoccupazione Sua Santità dando la sua rinunzia« (ASV, Archivio Nunz. Parigi, Segreteria di Stato 1862—1874, Chigi an Antonelli, 9. August 1873, Nr. 2051 (Entwurf)). Am 18. November 1873 schrieb Lecourtier an Dupanloup:»Le 9 Août, un traitre ambitieux, comblé de ma confiance et de mes bienfaits, est venu me jeter cette bombe:›Vous êtes menacés des plus grands malheurs, il y a ordre du Pape de vous faire procès canonique et de vous déposer, votre successeur est déjà trouvé, c'est M de Cabrières de Nîmes. Il n'y a pas un moment à perdre, les poursuites vont commencer de suite. Le remède, et encore il n'est pas sûr, est de donner votre démission« (BN, Paris, Fonds Dupanloup n. a. fr. 24694, fol. 666). Vgl. Lecourtiers Brief vom 29. Oktober 1873 an Dupanloup (BN, Paris, Fonds Dupanloup, n. a. fr. 24694, fol. 663). Ähnlich wie Lecourtier berichtet auch der Titularkanoniker J. Grégoire an Dupanloup:»Mgr, lui-dit-il, dans quelques jours un procès canonique va vous

Lecourtier sah sich nachträglich in mancher Hinsicht getäuscht[11] und versuchte, die ihm unter Vorspiegelung falscher Tatsachen abgezwungene Demission rückgängig zu machen. Er fand dabei besondere Unterstützung bei Bischof Dupanloup[12]. Trotz aller Bemühungen blieb der Erfolg aus. Rom ließ sich, was es so lange ersehnt, nicht mehr entreißen. Die schlechte Verwaltung der Diözese und die ungeschickte Behandlung des Klerus mögen das Vorgehen Roms mitmotiviert haben[13]. Ausschlaggebend war jedoch die Opposition Lecourtiers gegen die herrschende ultramontane Richtung in der Kirche, wie sie sich besonders auf dem 1. Vatikanischen Konzil äußerte[14].

être intentée, déjà votre cause est jugée, votre condamnation prêt, votre déposition certaine, votre successeur nommé et il lui désigne même celui qui aurait été choisi pour occuper le siège de Montpellier. Et que faire pour éviter ces malheurs demande l'Evêque? Donner votre démission. — Jamais, répond le Prélat, jamais je ne me démettrai sous la menace de peines que je n'ai point méritées.« Angesichts dieses Widerstandes ändert Lamothe seine Taktik. Er erinnert Lecourtier daran, einmal gesagt zu haben, er werde demissionieren, wenn der Papst diese wünsche. Lecourtier bejaht dies. »Et bien, ajouta l'interlocuteur, je suis chargé de vous dire que le Pape désire réellement votre démission. — Et comment le savez-vous? — Je le sais et je suis envoyé pour vous exprimer cette mission. Est-ce le Pape? Est-ce le Nonce? — Ni l'un, ni l'autre. — Au nom de qui êtes-vous donc venu? — Mgr, respectez mon secret, je ne saurais le violer; mais le désir du Pape est formel. Et il présente à l'Evêque une formule de démission qu'il a lui-même tracée de sa main; et l'Evêque la transcrit, il la signe! ... l'émissaire s'en saisit et comme le voleur qui vient de débrousser un passant, il part avec précipitation sans laisser même quelques heures de réflexion, il se contente de promettre le secret le plus profond sur l'acte qu'il vient d'arracher perfidement à son Evêque, à son Père, à son bienfaiteur« (BN, Paris, Fonds Dupanloup n. a. fr. 24688, fol. 313, Brief vom 13. Oktober 1873).

[11] »Au dire du Cardinal Antonelli, ›que le pape a seulement demandé la démission parce qu'il apprit que le Gouvernement français, vû quelques lettres trouvées chez un prêtre défunt, allait procéder contre moi‹. M. le duc de Broglie me répond de sa main, ›que cette détermination n'a pas même traversé la pensée du Gouvernement‹. Tout dans cette affaire est rouerie sur rouerie ... Le cardinal est très opposé, ne laisse parvenir au Pape ni mes lettres ni mes amis, et fait écrire le Pape avec son sens hostile — on me conseille de m'adresser à M de Corcelles, qu'en pensez-vous? Puis-je écrire au Maréchal Mac Mahon pour lui demander de traiter l'affaire diplomatiquement, et de ne pas permettre qu'après 51 ans de travaux un évêque français — soit — victime de mensonges odieux? — ordre du pape, mensonges; — procès du Gouvernement, mensonges; lettres compromettantes, mensonges. Il y va, cher Monseigneur, de l'inamovibilité si sacrée dans l'Eglise« (BN, Paris, Fonds Dupanloup, n. a. fr. 24694, fol. 668, Lecourtier an Dupanloup, 29. November 1873).

[12] Vgl. die zahlreichen Briefe Lecourtiers an Dupanloup (BN, Paris, Fonds Dupanloup, n. a. fr. 24694, fol. 663 ff.). Am 7. Februar 1874 schrieb er Dupanloup: »Cependant, Monseigneur, que des raisons n'ai-je pas de vous faire la visite de ma reconnaissance, à vous qui avez été le seul Evêque à me tendre la main!!« (BN, Paris, Fonds Dupanloup, n. a. fr. 24710, fol. 396).

[13] Vgl. AA, Besançon, Fonds Mathieu, A rangée 3, n. 9, Ramadie an Mathieu, 8. April 1874; Mathieu an Ramadié, 6. Juni 1874 (Kopie).

[14] Lecourtier hörte aus sichersten Quellen von Rom, als größtes Verbrechen werde ihm angelastet, die Konzilsdokumente in den Tiber geworfen zu haben: »J'apprends des sources on ne peut

In ähnlicher Weise wie De Las Cases, Marguerye und Lecourtier scheinen auch die Bischöfe Gueulette, Sola, Bravard und Dours zur Demission gezwungen worden zu sein[15].

3. Der Druck von Klerus und Volk

Häufig gerieten die Minoritätsbischöfe zwischen zwei Fronten. Zu der Pression aus Rom gesellte sich der Druck von unten, aus Klerus und Volk. Hatte die Rücksicht auf die Meinung der Gläubigen schon vor dem Konzil manche Bischöfe zu Erklärungen veranlaßt, die nicht unbedingt völlig ihrer Überzeugung entsprachen[1], so verstärkte sich diese Tendenz durch die Adressenbewegung während des Konzils[2]. Je unausweichlicher die Unfehlbarkeitsdefinition erschien, um so mehr beschäftigten sie sich mit dem Gedanken an die Rückkehr in ihre Diözesen[3]. Um sich auf die Seite der Majorität schlagen zu können, sagten sich mehrere, es sei durchaus möglich und erlaubt, im Gegensatz zu ihrer persönlichen Überzeugung Meinungen auf dem Konzil zu vertreten, die am meisten in ihren Diözesen gehalten würden. Sie hätten ja nicht ihre persönliche Ansicht vorzutragen[4]. Andere

---

plus certaines que mon grand crime, le grief que l'on fait valoir contre moi avant tout et par dessus tout, est, à mon départ de Rome, d'avoir jeter dans la Tibre un paquet ficellé contenant les imprimés du Concile. — Voici le fait: ne pouvant contenir dans mon bagage ces imprimés, je voulus les détruire; par le feu, c'était impossible dans les cheminées de Rome — j'eus la sotte idée de les submerger au pont dehors la ville, réfléchissant, mais un peu tard, que la pesanteur relative de l'eau les empêcherait d'aller au fond. On receuillit cette éparve, on l'apporta au Vatican, on exploita le crime abominable, la peccadille fut jugée cas pendable. Et c'est pour cette niaiserie, très innocente dans son motif, niaiserie qui ne permettrait pas à un évêque tant soit peu bienveillant de déplacer un vicaire, qu'on monte tout un complot et la plus monstrueuse trahison!« (BN, Paris, Fonds Dupanloup, n. a. fr. 24694, fol. 663, Brief vom 29. Oktober 1873 an Dupanloup, très confidentielle). — Dieser Meinung sind auch G. CHOLVY: *Autorité épiscopale et ultramontanisme: la démission de l'Evêque de Montpellier (1873)* 758, und E. APPOLIS: *Un complot ultramontain sous l'Ordre Moral. La démission de Mgr Le Courtier, évêque de Montpellier (août-décembre 1873)*. X. DE MONTCLOS sieht dagegen den Hauptgrund der Absetzung in der schlechten Verwaltung der Diözese (*Lavigérie, le St. Siège et l'Eglise* 512 f.).

[15] Vgl. PALANQUE: *Catholiques libéraux et gallicans* 183 Anm. 34.

[1] AMAE, Paris, Papiers Ollivier, Concile du Vatican, 1. Note vom 10. Januar 1870.

[2] Vgl. S. 99 ff.

[3] Icard schreibt am 29. Januar in sein Tagebuch: »M Jsoard m'a assuré que plusieurs Evêques français, très préoccupés de la pensée de leur retour dans leurs diocèses et de l'acceuil qui leur sera fait par leurs prêtres, s'ils ne rangent pas du côté de la majorité, sont ébranlés (ASSTS, Icard: Journal 153).

[4] Icard meint dazu: »C'est une manière de raisonner que je ne connais pas encore« (ASSTS, Icard: Journal, 29. Januar 1870, 153).

verließen rechtzeitig Rom, um sich aus Rücksicht auf ihre Gläubigen vor einer Entscheidung drücken zu können[5].

Die Befürchtungen waren nicht ganz unberechtigt. Zwar stand die katholische Bevölkerung, vor allem in Deutschland und Österreich-Ungarn, mehrfach auf seiten der Oppositionsbischöfe[6] — Bischof Stroßmayers Heimkehr gestaltete sich beispielsweise zu einem wahren Triumphzug[7] —, aber es gab auch das Gegenteil. Bischof Hugonin von Bayeux mußte sich monatelang in seiner Diözese verstecken, um dem Zorn der Katholiken zu entgehen[8]. Bischof Marguerye von Autun wurde auf Priesterexerzitien mit lautem Gepolter bedacht, als er seine Haltung auf dem Vatikanischen Konzil erläutern wollte[9].

Nur selten besaß die ultramontane Partei ein derartiges Übergewicht wie in der französischen Provinz. Aber überall hatte sie wenigstens einige Vertreter. Es war nur zu natürlich, daß sich die Kurie ihrer als Bundesgenossen bediente und den Druck von unten schürte. Als z. B. Bischof Dinkel von Augsburg dem Redakteur des Diözesanblattes, Prof. Merkle, verbot, die vatikanischen Dekrete zu veröffentlichen[10], wies Kardinal Staatssekretär Antonelli den Münchener Nuntius

---

[5] A. Tardif z. B. schreibt in seiner Note über »Episcopat. Votes de la deuxième Session du Concile — Infaillibilité du Souverain Pontife (18 juillet 1870)« über Bischof Bécel von Vannes: »Avait toujours voté avec les abstentionistes; mais n'a pas osé résister à la pression de son clergé et a quitté Rome avant le concile pour n'avoir pas à se prononcer« (AN, Paris, Papiers Jules Simon, AP 87, 10 I/4). Vgl. S. 402.

[6] Schwarzenberg schilderte Rauscher die Situation so: »In meiner Diözese fand ich, wie ich vorausgesehen hatte, die Aufregung sehr groß. — Einige fromme Leutchen und einige Hochgestellte, welche in der Infallibilitätslehre eine Befestigung des Autoritäts-Prinzips wähnen, freuen sich und sehnen sich nach einer baldigen Publikation der neuen dogmatischen Dekrete; die überaus große Menge aber ist sehr gereizt, beinahe der gesamte Klerus der deutschen, wie der slawischen Zunge, alle Vertreter der christlichen Klugheit, Wissenschaft und Intelligenz sind niedergeschlagen und besorgen die traurigsten Folgen von der Publikation — ich glaube behaupten zu können, daß die Mehrzahl der mir Anvertrauten die dogmatischen Dekrete nicht mit wahrer gläubiger Ergebung annehmen würde« (EA, Wien, Rauscher, Bischofsakten, Brief vom 16. August 1870). Am 4. September 1870 beklagte sich der Münchener Nuntius Meglia über die Schwierigkeiten, die den Bischöfen aus der Haltung der Gläubigen und des Klerus erwüchsen. Als Beispiel führt er die Diözese Ermland an:»Il Vescovo di Warmia per esempio ha asserito che dei trecento Sacerdoti della propria Diocesi egli non è sicuro, che una sola dozzina creda sinceramente alla dottrina recentemente definita« (ASV, Segreteria di Stato, 1870, Rubrica 1, Bericht an Antonelli, Nr. 657).

[7] SULJAK: *Strossmayer* 436; Kroatien habe mehrheitlich die Infallibilitätslehre abgelehnt (438).

[8] THIÉBAUD spricht sogar von Morddrohung: »Un autre [évêque] menacé de mort par ses diocésains, a été obligé de fuir et de se cacher pendant plusieurs mois« (*Souvenirs historiques* 124).

[9] DANSETTE: *Histoire religieuse de la France contemporaine* I 418.

[10] ASV, Archivio Nunz. Monaco 129, Meglia an Antonelli, 22. August 1870, Nr. 650.

Meglia an, mit aller gebotenen Klugheit und Umsicht die vatikanischen Dekrete an die wichtigsten Pfarreien der Diözese Augsburg zu verteilen, um den Schaden, den der Bischof durch seine abschätzigen Bemerkungen über das Konzil vor dem Klerus angerichtet habe, einigermaßen auszugleichen[11].

In den Vereinigten Staaten leiteten laut Bericht des Attaché der deutschen Botschaft in Washington, Arco-Valley, vor allem die Jesuiten die Agitation von Klerus und Volk gegen die bischöflichen Opponenten der Unfehlbarkeitsdefinition. Diese wiederum seien von Rom aus gesteuert[12]. Die Kurie selbst bestätigte das Urteil Arco-Valleys. Die Kongregation der Inquisition akzeptierte die öffentliche Unterwerfungserklärung Kenricks mit dem Hinweis, er habe nicht nur die Gläubigen, sondern auch die Jesuiten zufriedengestellt[13].

---

[11] Antonelli schrieb am 31. August 1870 an Meglia: »Non posso dissimulare il Sommo disgusto ch'ebbe a provarsi nell'apprendere dal foglio di V. S. Illma N. 650 e più particolarmente dalla unitavi lettera, il contegno dell'ivi menzionato Vescovo sia col vietare al Redattore del noto Giornale la pubblicazione della Costituzione dommatica emanata nella IV. Sesse. del Concilio Ecumenico Vaticano, sia con le odiose osservazioni che rispetto a tal Concilio egli si permise affacciare alla presenza di Ecclesiastici e Laici nel tratto della sua dimora in Dillinga. ... Intanto volendosi indirettamente riparare allo inconveniente di restare tuttora senza la debita pubblicazione l'importante atto ap[osto]lico nella Diocesi onde si tratta, viene commesso alla sperimentata solerzia di V. S. Illma di procurarne una suppletoria notorietà con far tenere per opportuna via qualche esemplare del solenne atto ai Parrochi almeno delle principali Chiese della Diocesi, ed ai Capitoli che vi esistono. Al qual fine Le si spedisce oggi stesso sotto fascia per la posta altro numero di detti esemplari in addizione a quelli che poc' anzi Le si trasmisero per la distribuzione all' Episcopato Bavarese. Non occorre poi metterLe in vista la necessità di regolare con tutta circospezione e prudenza l'affidataLe diffusione, affinchè la cosa non abbia a prendersi da veruno sotto l'aspetto come di un espediente studiatamente contrapposto agli inopportuni indugii del Vescovo Diocesano« (ASV, Archivio Nunz. Monaco, 129).

[12] »Die katholischen Bischöfe der Vereinigten Staaten, deren Mehrzahl im vorigen Jahre bis zum Monate ihrer Abreise von Rom zum großen Leidwesen der Kurie bei der Opposition gegen die Octrojirung des neuen Glaubenssatzes verblieben war, haben sich seitdem nicht nur dem heiligen Stuhl unterworfen, sondern trachten nunmehr auch diejenigen ihrer Collegen, welche von Anfang an infallibilistisch gesinnt waren, an Servilität gegen Rom zu überbieten. ... Das charakterlose Benehmen dieser amerikanischen Bischöfe, welche ursprünglich gegen das Unfehlbarkeitsdogma wirkten, erklärt sich hier wie anderwärts nicht nur aus dem blinden Autoritätscultus, welcher in der katholischen Kirche besteht, sondern auch aus dem Umstande, daß die Jesuiten den niederen Klerus und die Laien systematisch gegen ihre Bischöfe aufwiegeln. Dieselben spielen hier in der That die Rolle einer direct von Rom inspirierten Behörde, welche die Bischöfe, Priester und Laien zu beaufsichtigen hat« (AA, Bonn, P. A. I A. B. 3 46, Bd. 8, fol. 125). Botschafter Schlözer in Washington schickte den Bericht am 2. November 1871 an Bismarck (AA, Bonn, P. A., I A. B. e 46, Bd. 8, fol. 122—127, Nr. 3).

[13] »Si desiderava che avesse seguito l'esempio di altri Vescovi, i quali trasmisero a Sua Santità la loro adesione formale, ma ricevutesi altre notizie, che il modo onde quell' Arciv.º erasi diportato in tal punto aveva contentato i fedeli, ed anche i Gesuiti; la S. Cong[regazio]n

Je deutlicher das Auseinanderbrechen der bischöflichen Konzilsopposition wurde, um so mehr Auftrieb bekamen die Ultramontanen. Anfangs 1871 fand sich selbst Bischof Hefele, der zunächst seine Diözese fast ganz hinter sich wußte, auf einem Vulkan, da ein Teil seines Klerus ihn zu einer Erklärung über die päpstliche Unfehlbarkeit zwingen wollte[14]. Auch die Ultramontanen Rottenburgs standen mit dem Münchener Nuntius Meglia in Verbindung[15].

II.

DIE MOTIVE DER UNTERWERFUNG

Trotz der restriktiven vatikanischen Pressepolitik war es auch einer breiteren Öffentlichkeit nicht verborgen geblieben, daß viele Bischöfe grundsätzliche Bedenken gegen die Unfehlbarkeitslehre geäußert hatten. Für das, was sie bis vor kurzem aus sachlichen Gründen bekämpft und abgelehnt hatten, verlangten sie nun von ihren Gläubigen gehorsame Annahme. Verständlicherweise erwarteten viele Katholiken eine Erklärung für diese Kehrtwendung, von der sie persönlich selbst betroffen waren. Die Bischöfe ihrerseits fühlten das Bedürfnis, diesen Wechsel in ihren Zustimmungserklärungen nach Rom, in ihren Hirtenbriefen und in ihrer privaten Korrespondenz näher zu begründen. Manche Konzilsväter faßten sich allerdings außerordentlich kurz und meldeten die Annahme der Konzilsbeschlüsse ohne jede Angabe der Beweggründe nach Rom[1]. Bischof Errington ging in seiner Zurückhaltung noch weiter und schwieg ganz. Als er auch das Jahr 1871

---

in fer. IV. 19. Julii 1871 rispose = Emi Domini perpensis omnibus decreverunt = Haud esse ulterius insistendum« (ASV, Fondo Concilio Vaticano, Adhaesiones 1871); vgl. MILLER: *Kenrick* 126.

[14] »Mgr. Hefele tient ferme à une autre opinion mais il m'écrit: ›je me trouve sur un Vulcan‹, en qu'un parti de son clergé le veut forcer de se déclarer sur l'infaillibilité du Pape« (ASSTS, Fonds Dupanloup, Concile, Lettres I, Greith an Dupanloup, 7. Februar 1871).

[15] ASV, Segreteria di Stato, 1870, Rubrica 1, Meglia an Antonelli, 9. März 1871, Nr. 787; 11. März 1871, Nr. 788. In einem beigelegten Brief vom 8. März 1871 fragt Pfarrer G. Mennele beim Nuntius an, was angesichts des Schweigens von Bischof Hefele zu tun sei. Mennele schlägt eine Beschwerdeschrift an den Bischof oder einen Rapport an den Nuntius vor. Er glaubt allerdings, nur auf die Unterstützung von 200 der damals 750 Priester der Diözese rechnen zu können.

[1] Losana (Mansi 53, 979 D—981 A); Hurmuz (Mansi 53, 955 C—D); Nazari di Calabiana (Mansi 53, 977 A—978 A); Bartatar (Mansi 53, 961 C—962 B); Dupont des Loges (Mansi 53, 986 A—987 A); Mathieu (Mansi 53, 939) A); Mac Hale (Mansi 53, 953 A—C); L. Moreno

ohne Zustimmungserklärung verstreichen ließ, bat ihn Kardinal Barnabò im
März 1872 um eine Meinungsäußerung. Errington tat erstaunt und antwortete am
11. April 1872, er habe geglaubt, es sei nicht notwendig, die Zustimmung auf dem
ungewöhnlichen Wege von Briefen zu geben. Er habe jedoch nie einen Zweifel
daran aufkommen lassen, die Beschlüsse des Konzils zu akzeptieren[2].

1. Die Inopportunismus-These

Am einfachsten war es, wenn ein Bischof nach erfolgter Definition sagen konnte,
er habe nicht die Lehre selbst, sondern nur die Opportunität der Dogmatisierung
in Frage gestellt. Diese Position mochte für einige Mitglieder der Konzilsminorität
zutreffen, war aber viel seltener als allgemein angenommen. Meist verbanden sich
mit ihr auch sachliche Bedenken, wie schon die Eingabe von 46 Minoritätsbischöfen aus Deutschland, Österreich-Ungarn und der Schweiz vom 12. Januar
1870 zeigt. Darin werden ernste geschichtliche und theologische Schwierigkeiten
gegen die Unfehlbarkeitslehre erwähnt[1]. Die Besprechungen auf den Versammlungen der Minorität bestärken in diesem Eindruck[2].

Nach erfolgter Definition war hingegen eine vorherige sachliche Opposition
unbequem, und so vergaßen nach dem 18. Juli viele nur zu bald, was sie während
des Konzils gegen die Unfehlbarkeitslehre vorgebracht hatten, und mauserten sich
zu bloßen Inopportunisten. Bereits während des Konzils hatte Lord Acton durch
seine Berichterstattung an Döllinger zur Entstehung dieser Inopportunismus-
These beigetragen, freilich aus anderen Motiven. Er war geneigt, alle Bischöfe,
die nicht ganz auf dem Boden des »Janus«[3] kämpften, als Inopportunisten einzu-
stufen, wie etwa Scherr, Deinlein, Melchers, Tarnóczy, Ketteler, Förster, Greith
und Eberhard[4]. Das entsprach keineswegs der Wirklichkeit, trugen doch all diese
Bischöfe auch sachliche Einwände vor[5].

(Mansi 53, 981 D—984 B); Moriarty (Mansi 53, 1003 D—1004 A); Fürstenberg (Mansi 53,
955 D—957 A); Rivet (Mansi 53, 984 B—985 A); Stepischnegg (Mansi 53, 1028 D—1038A);
Trioche (Mansi 53, 953 C—954 A); Pankovićs (Mansi 53, 1037 C—1038 B); Legat (Mansi 53,
988 C—990 B; vgl. auch ROSKOVÁNY: *Romanus Pontifex* VII 780—783); Domenec (Mansi 53,
1017 C—1018 B); anderswo erklärte Domenec allerdings, nur die Opportunität der Unfehlbarkeitsdefinition in Frage gestellt zu haben (HENNESEY: *The first Council* 313 f.); Mac Quaid
(vgl. HENNESEY: *The first Council* 312).

[2] Mansi 53, 957 B—958 B.
[1] Mansi 51, 677 C—680 B; bes. 678 D.
[2] Vgl. S. 191 ff. Zum folgenden vgl. auch SCHATZ: *Kirchenbild* 18—32.
[3] [DÖLLINGER]: *Der Papst und das Concil.* Leipzig 1869.
[4] Acton an Döllinger, 13. April 1870 (DÖLLINGER: *Briefwechsel* II 345).
[5] Für Acton war vor allem Ketteler bloßer Inopportunist (DÖLLINGER: *Briefwechsel* II 54; 57;
75; 135).

Nicht so auffällig war es, wenn Bischöfe, die ihre Meinung auf dem Konzil kaum kundgegeben hatten, nachträglich beteuerten, nur die Opportunität der Unfehlbarkeitsdefinition angezweifelt zu haben, wie Mrak[6], Scherr[7], Nazari di Calabiana[8], Bostani[9] und Guttadauro[10]. Das gleiche traf für Bischof Sola von Nizza zu. Er wurde angeklagt, nach erfolgter Definition gegen das Unfehlbarkeitsdogma zu sprechen. Auch er rechtfertigte sich in einem Verteidigungsbrief, lediglich die Opportunität bestritten zu haben[11]. Sola aber war zweifellos Gegner der Unfehlbarkeitslehre selbst[12]. Auf diesen Standpunkt zog sich auch Kardinal Hohenlohe zurück. Er exponierte sich während des Konzils ebenfalls nicht, aber persönliche Notizen zeigen, daß auch seine Opposition sachlich begründet war[13].

---

[6] Er schrieb am 29. Dezember 1870 an den Papst: »Quum a Concilio Vaticano Dogma infallibilitatis Pontificiae proclamatum fuisset, et ego, qui in Minoritate erga opportunitatem ejusdem fuissem, humillime ejus Decisioni me submitto, simulque peto Sanctitatem Vestram, ut mihi dimittat omnes injurias hac mea actione causatas« (ASV, Fondo Concilio Vaticano, Adhaesiones 1870). Vgl. Mansi 53, 1053 BC.

[7] Im Hirtenbrief vom 26. Dezember 1870 (GRANDERATH: *Geschichte* III 547). Auch Scherr unterzeichnete die Eingabe vom 12. Januar 1870 (Mansi 51, 678 D).

[8] Brief vom 13. November 1870 an Kardinal Schwarzenberg (ASV, Fondo Concilio Vaticano, Varia, Schwarzenberg, Lettere dalla 4ª sessione in poi, Nr. 24; teilweise abgedruckt bei GRANDERATH: *Geschichte* III 602).

[9] Mansi 53, 958 D—959 C.

[10] Mansi 53, 1012 D—1013 B.

[11] Mansi 53, 1007 C—1008 C; Solas Brief wanderte zunächst ins Hl. Offizium und wurde am 27. September 1870 wieder dem Sekretariat des Vatikanischen Konzils zugestellt (ASV, Fondo Concilio Vaticano, Adhaesiones 1870). Zur Unterwerfung Solas findet sich unter den Zustimmungserklärungen folgende Notiz: »Mons. Vescovo di Nizza del quale erano giunte notizie che in più luoghi si fosse esternato contro la definizione dommatica dell'infallibilità Pontificia, invitato a render ragioni di questo modo di contenersi, rispose in data 5. Settembre 1870 spiegandosi che alcuni abbiano potuto avere occasione di accusarlo per aver egli dietro richieste esposto le ragioni per cui nella Con[gregazio]ne del 13 Luglio 1870 diede il voto contrario alla decisione: ma questa contrarietà riguardava l'opportunità della definizione, non la verità della dottrina. Cogliendo poi nella sua lettera l'occasione aderisce come vi era stato invitato con sincerità e sommessione alla decisione della Sess. IV del Concilio Ecumenico Vaticano« (ASV, Fondo Concilio Vaticano, Adhaesiones 1870).

[12] MENNA: *Vescovi italiani* 39—42.

[13] Die handschriftlichen Bemerkungen Hohenlohes zur Constitutio Dogmatica Prima de Ecclesia Christi zeigen, daß er den Papst nur dann für unfehlbar hält, wenn er sich auf die Tradition und den Rat der ganzen Kirche stützt. Hohenlohe klammert auch die Worte »per se irreformabilia« ein (BSTB, Döllingeriana XII, 31 a). Auf diesem Hintergrund wirkt es zwiespältig, wenn er am 29. Dezember 1870 an den Papst schreibt: »In quanto alla seconda parte della veneratissima sua, assicuro vostra santità, che, siccome io sono convinto che il sole risplende sopra di noi, così sono persuaso che la chiesa cattolica ha un papa infallibile ... L'insegnamento ricevuto da me a Sant'Apollinare non ammetteva dubbio sull'infallibilità del papa, ed io non ne ho mai dubitato, e credo che il sommo pontefice non solo ha il primato di onore e di giurisdizione, ma che è infallibile quando parla *ex cathedra*« (Mansi 53, 941 D—942 A).

Noch unglaubwürdiger wirken solche nachträglichen Beteuerungen bei Bischöfen, die wenige Monate vorher in ihren eigenen schriftlichen Eingaben zum Entwurf der Kirchenkonstitution ihre Einwände gegen die Unfehlbarkeitslehre vorgebracht hatten. So erklärte Bischof Wierzchleyski, stets Inopportunist gewesen zu sein[14], während er kurz vorher die Unfehlbarkeitslehre selbst aufgrund der Kirchenväter und der Verurteilung des Papstes Honorius bezweifelt hatte[15]. Auch Bischof Marguerye wollte stets an die päpstliche Unfehlbarkeit geglaubt haben, obwohl er noch kein Jahr vorher verschiedene sachliche Einwände formuliert hatte[16]. Man habe die Urteile der Päpste in Frage gestellt, und nichts lasse darauf schließen, daß ihre Unfehlbarkeit bekannt gewesen sei[17]. Nicht die Kirche von Rom allein habe den Glauben verteidigt und bestimmt, was Dogma sei[18]. Ebenso gab sich Erzbischof Melchers von Köln vor seinem katholischen Volk als Inopportunist zu erkennen[19]. Während er noch am 12. Januar 1870 in einer gemeinsamen Eingabe von ernsten Schwierigkeiten gesprochen hatte[20], empfand er jetzt die Definition der päpstlichen Unfehlbarkeit für ein vorzüglich geeignetes Heilmittel gegen die vernunftstolze Geistesrichtung der katholischen Gelehrten und Gebildeten, die sich selbst für unfehlbar hielten[21]. Den Standpunkt des Inopportunismus vertraten auch Bischof Dinkel von Augsburg[22] und Bischof Wiery von Gurk[23].

Noch unverständlicher wird es, wie Bischöfe, die im Rampenlicht des Konzils gestanden waren und verschiedentlich sachliche Schwierigkeiten gegen eine Dogmatisierung vorgebracht hatten, nachträglich erklären konnten, nur Inopportunisten gewesen zu sein. Einigermaßen vorsichtig sprachen Erzbischof Darboy und Bischof Krementz nur davon, die Bedenken der Minorität hätten hauptsächlich der Opportunität der Definition gegolten[24]. Manche andere Minderheitsbischöfe

---

[14] In einem Brief vom 5. September 1870 an den Heiligen Vater (Mansi 53, 963 B—964 C).

[15] Mansi 51, 1016 C.

[16] Insbesondere führte er an, die ersten fünf Jahrhunderte würden über die päpstliche Unfehlbarkeit schweigen (ASSTS, Procès-verbaux de la Minorité française, 23. April 1870, Bogen 29, S. 1).

[17] Mansi 51, 1043 D.

[18] Mansi 51, 1043 D; weiter kritisiert Marguerye die verschiedenen Argumente der Mehrheit (ASV, Observationes n. 129; Mansi 51, 1043 D; ASSTS, Procès-verbaux de la Minorité française, 13. März 1870, Bogen 12, S. 4).

[19] In einer Predigt im Kölner Dom vom 24. Juli 1870 (GRANDERATH: Geschichte III 544) und im Hirtenbrief vom 10. September 1870 (AkathKr 24 (1870) CII—CXVII).

[20] Mansi 51, 678 D.

[21] Hirtenbrief vom 10. September 1870 (AkathKR 24 (1870) CXV).

[22] In seinem Hirtenbrief vom 18. April 1871 (Sion 40 (1871) 421). Auch Dinkel unterschrieb die gemeinsame Erklärung vom 12. Januar 1870 (Mansi 51, 677 C—680 B).

[23] Hirtenbrief vom 23. Februar 1871 (vgl. SCHATZ: Kirchenbild 25; Mansi 53, 1010 C—1012 D).

[24] Darboy schreibt am 1. März 1871 an den Papst: »C'est surtout la question d'opportunité qui nous tenait au coeur, ou plutôt à l'esprit, et la crainte hèlas! de voir les gouvernements se

zeigten keine solche Zurückhaltung. Das gilt beispielsweise für Erzbischof Connolly von Halifax[25], für Mac Hale, Erzbischof von Tuam[26], für Domenec, Bischof von Pittsburgh[27], und für den Trierer Bischof Eberhard[28].

Daß die führenden Minoritätsbischöfe Dupanloup und Ketteler nach erfolgter Dogmatisierung den Eindruck erwecken würden, nur Inopportunisten gewesen zu sein, war zu erwarten, hatten sie doch schon während des Konzils wiederholt erklärt, persönlich an die päpstliche Unfehlbarkeit zu glauben[29]. Doch so eindeutig war ihre Haltung keineswegs. Beide brachten auf dem Konzil ernsthafte Schwierigkeiten gegen eine Definition vor. Beide kämpften auch außerhalb der

---

désintéresser des affaires de la papauté« (Mansi 53, 965 A). Bischof Foulon machte Darboy zum Inopportunisten (*Vie de Mgr. Darboy* 464 f.; 502 f.). Tapie meldete daraufhin am 15. Februar 1873 Foulon seine Bedenken an und berief sich auf Bischof Place. In seiner Antwort vom 26. Februar 1873 bestand Foulon im wesentlichen auf seinem Standpunkt (Archives Guédon, Paris). Zu Krementz vgl. seinen Hirtenbrief vom 11. November 1870 (Katholik 24 (1870) 747).

[25] Am 15. Dezember 1870 teilte er Kardinal Barnabò mit, nur in der Opportunitätsfrage nicht klar gesehen zu haben (Mansi 53, 962 B f.).

[26] Bei seiner Ankunft in Tuam erklärte er, die Opposition der Minorität habe sich keineswegs auf die Lehre, sondern einzig und allein auf die Opportunität der Definition bezogen (GRANDERATH: *Geschichte* III 715; Civiltà Cattolica, Serie VII, vol. 1 (1871) 69 ff.).

[27] Domenec wollte später die päpstliche Unfehlbarkeit immer gelehrt und geglaubt haben (HENNESEY: *The first Council* 313 f.).

[28] In seinem Hirtenbrief an den Klerus vom 14. September 1870 behauptet er, mit den meisten deutschen Bischöfen lediglich die Opportunität der Unfehlbarkeitsdefinition abgelehnt zu haben (Kirchlicher Amtsanzeiger 18 (1870) 103—118; 110 f.). Kurz vorher hatte Eberhard selbst viele Schwierigkeiten vorgebracht (Mansi 51, 979 A—980 C; vgl. SCHULTE: *Altkatholicismus* 166 f.). GANZER schwächt ab, wenn er formuliert: »Es wurde gezeigt, wie Eberhard in den Monaten des Konzils um die Unfehlbarkeitsfrage ehrlich gerungen hat. Dabei gewinnt man allerdings den begründeten Eindruck, daß es ihm nicht nur um die Opportunität ging, sondern daß er auch gewisse sachliche Schwierigkeiten sah, namentlich die Gefahr einer zu starken Loslösung des Papstes von der Gesamtkirche« (*Bischof Matthias Eberhard* 229). Eberhard hingegen glaubte sich in seinem Gewissen gezwungen, »gravissimas dubitationes ratione propositae nobis dogmaticae definitionis« auszudrücken (Mansi 51, 979 B). In seinem ursprünglichen Entwurf zur schriftlichen Eingabe standen noch mehr Superlative (BA, Trier, Abt. 58, 4 Nr. 1, 32).

[29] Dupanloup vertritt diesen Standpunkt im Brief vom 10. Februar 1871 an den Papst: »Je n'ai pas d'embarras à cet égard: je n'ai écrit et parlé que contre l'opportunité de la définition; quant à la doctrine je l'ai toujours professée, non seulement dans mon coeur, mais dans des écrits publics, dont le Saint Père a bien voulu me féliciter par les brefs les plus affectueux ...« (Mansi 53, 990 C f.). Die gleiche Ansicht äußert Dupanloup in seinem Hirtenbrief vom 29. Juni 1872 (ROSKOVÁNY *Romanus: Pontifex* VII 719—726; 720). Vgl. LAGRANGE: *Vie de Mgr. Dupanloup* III 151; MOURRET: *Le Concile du Vatican* 307 f. — Ketteler hatte auf dem Konzil erklärt: »Equidem infallibilitatem Romani pontificis ex cathedra loquentis per totam vitam meam semper tenui ut sententiam maximae auctoritatis, et ut talem fidelibus dioecesis meae

Konzilsaula gegen eine Dogmatisierung, Ketteler vor allem durch die Verteilung der Schrift »Quaestio«, die Jesuitenpater Quarella in seinem Auftrag verfaßt hatte[30], Dupanloup besonders durch den offenen Brief vom 11. November 1869 an den Klerus seiner Diözese[31].

Beide beseitigen in persönlichen Notizen vollends jeden Zweifel an ihrer prinzipiellen Gegnerschaft zur vatikanischen Unfehlbarkeitslehre[32].

---

proposui, quin difficultatem aut oppositionem ullam repertus sim. Dubitavi solummodo num demonstratio theologica huius rei eum gradum perfectionis assequuta sit, quae ad dogmaticam definitionem necessaria est« (Mansi 52, 207 C). KETTELER stellte nachträglich die Frage der Opportunität ganz in den Vordergrund und schwächte seine sachlichen Bedenken stark ab (*Das unfehlbare Lehramt des Papstes nach der Entscheidung des Vaticanischen Concils*. In: Katholik 51 (1871) 301—343; 331; vgl. DERS.: *Die Minorität auf dem Concil* 15; *Ein Brief des Hochwürdigsten Herrn Wilhelm Emmanuel Freiherrn von Ketteler Bischofs von Mainz an die von Dr. Friedrich und Dr. Michelis am 9. Februar 1873 in Konstanz gehaltenen Reden*. Freiburg i. Br. 1873, 5; J. FRIEDRICH: *Die Wortbrüchigkeit und Unwahrhaftigkeit deutscher Bischöfe. Offenes Antwortschreiben an Wilhelm Emmanuel Freiherr von Ketteler in Mainz*. Konstanz 1873).

[30] Vgl. GRANDERATH: *Geschichte* III 37—43. Selbst GRANDERATH schreibt: »Es liegt die Vermutung nahe, daß der Bischof von Mainz, der die Unfehlbarkeit des Papstes früher glaubte und lehrte, durch die vielen Streitigkeiten und den fast ausschließlichen Verkehr mit Definitionsgegnern in seiner Anschauung zuletzt einigermaßen schwankend geworden war und den klaren Blick in der brennenden Frage in etwa verloren hatte« (*Geschichte* III 42 f.).

[31] *Observations sur la controverse soulevée relativement à la définition de l'infaillibilité au prochain Concile* (CECCONI: *Storia* I/II/2 [1142—1193], Dok. CCLXIII). Dupanloup bringt darin sehr weitgehende Schwierigkeiten gegen das Unfehlbarkeitsdogma vor und verläßt damit den Standpunkt der Inopportunität. In seiner Antwort an Erzbischof Dechamps betont DUPANLOUP nochmals die historischen und theologischen Schwierigkeiten. Er schreibt: »Vous m'avez reproché d'avoir signalé ces difficultés historiques, en même temps que les difficultés théologiques; vous avez demandé comment j'avais eu ›ce courage‹. Mais à mon tour, cher Seigneur, je vous demanderai: Comment vous-même avez-vous le courage de fermer les yeux sur de tels périls? . . . Pensiez-vous, parce que vous auriez fermé les yeux, que vous les fermeriez à tout le monde?« (*Réponse de Mgr. L'Evêque d'Orléans à Monseigneur Dechamps, Archevêque de Malines*. Paris 1870, 14). Sogar GRANDERATH meint: »Angesichts des Briefes aber, dessen Inhalt wir eben mitgeteilt haben, wird die Annahme schwer, sein Glaube an die Unfehlbarkeit des Papstes sei nie ins Schwanken geraten. Wenn dem indessen nicht so wäre, wenn Dupanloup wirklich auch zur Zeit, als er den Brief schrieb, die Lehre von der Unfehlbarkeit des Papstes für eine göttlich geoffenbarte Lehre gehalten hat, so finden wir es doppelt unerklärlich, wie er den Brief schreiben konnte« (*Geschichte* I 285 Anm. 1).

[32] Unter den Papieren Dupanloups befinden sich Notizen für eine nicht gehaltene Konzilsrede, in denen nicht nur das Fehlen von Zeugnissen der Schrift und der Tradition der ersten zehn Jahrhunderte konstatiert wird, sondern in denen auch eine ganze Reihe von Fakten gegen die päpstliche Unfehlbarkeit angeführt ist (Archives du Loiret, Orléans, Collection Jarry, Dupanloup, 2 J 2181). Auf der Sitzung vom 8. März 1870 der französischen Minderheit vertrat Dupanloup die Meinung, in den ersten fünf Jahrhunderten habe es keinen Glauben der Kirche an die päpstliche Unfehlbarkeit gegeben (ASSTS, Procès-verbaux de la Minorité française

Wie die Gewichte allmählich verlagert werden konnten, zeigt am deutlichsten der St. Galler Bischof Greith. Da er auf dem Konzil eine ganze Reihe sachlicher Schwierigkeiten vorgebracht hatte[33], vertrat er später die Auffassung, er habe sich gehütet, seine Bedenken als thetische Behauptungen aufzustellen und die Doktrin selbst zu bekämpfen[34]. Nach einigen weiteren Monaten behauptete er bereits, nicht seine eigenen, sondern die Einwände anderer vorgetragen zu haben, um die Diskussion hinauszuschieben[35]. Nach weiteren Monaten war er geneigt, das offenbar auch von seinen bischöflichen Kollegen in der Konzilsminorität anzunehmen. Zusammen mit den anderen schweizerischen Bischöfen insinuierte er im

---

Bogen 8, S. 4). Auch Chanoine Thiébaud warf Dupanloup vor, nicht nur gegen die Opportunität gewesen zu sein. (AA, Besançon, Fonds Mathieu, Affaire Thiébaud, A Mgr Dupanloup, Besançon 1874, 7 [Gedruckter Brief]. — Zu Ketteler vgl. SCHATZ: *Papst, Konzil und Unfehlbarkeit* 221 f.; ISERLOH: *Wilhelm Emmanuel von Ketteler zu Infallibilität des Papstes* 529. Kettelers grundsätzliche Gegnerschaft zum Unfehlbarkeitsdogma wird stärker betont von RIED: *Studien zu Kettelers Stellung zum Infallibilitätsdogma* 717, und VIGENER: *Ketteler* 609. Die Meinung von LENHART, Ketteler habe an der Richtigkeit der päpstlichen Unfehlbarkeit nie gezweifelt, ist nicht zu halten (*Bischof Ketteler* II 113). Zu den Fragen der Interpretation vgl. S. 481 f.

[33] Mansi 52, 75 A—80 B; 997 A—1001 C. Vgl. Actons Notiz vom 18. Januar 1870 an Döllinger: »Greith besuchte mich gestern, felsenfest, und zornig, voll Citate gegen die Tradition der Inf[allibilität] aber wehklagend über excessive Negation bei Ihnen« (DÖLLINGER: *Briefwechsel* II 96 f.). Am 20. Mai 1870 meldete er Döllinger: »Greith sprach auch, über die Gefahr für die Kirche, und für die Kirchenlehre. Er hat mich gebeten bekannt zu machen dass er in diesem Sinn, gegen die Opportunität und Definibilität gesprochen habe« (DÖLLINGER: *Briefwechsel* II 362). Im gleichen Brief fügte er etwas später hinzu: »Bischof Greith von St. Gallen sprach nur für die Schweiz. Als gelehrter Theologe erklärte er sich gegen die Definition aus wissenschaftlichen Gründen, als Schweizerischer Bischof, wegen der heutigen Zustände seines Landes« (DÖLLINGER: *Briefwechsel* II 366).

[34] An Prof. Bauerband schrieb er am 24. November 1870: »Was aber die *Frage selbst* betrifft, über welche Sie näheren Aufschluß von mir wünschen, habe ich in theilweiser Meinungsverschiedenheit mit mehreren Bischöfen der Minorität die fragliche Definition immer vorzugsweise aus Gründen der *Inopportunität* bekämpft, u. um diesen ein größeres Gewicht zu geben, auch dogmatische und historische *Bedenken* u. *Zweifel* gegen die Doktrin selbst in meinen beiden, darüber vorgetragenen Konzilsreden angeführt, wobei ich jedoch sorglich vermieden habe, meine Bedenken und Einwürfe als *thetische* Behauptungen aufzustellen u. die *Doktrin selbst* zu bekämpfen. Ich habe nämlich die Ansicht nie geteilt, daß sich die fragliche Lehre biblisch und patristisch gar nicht begründen lasse ...« (STB, St. Gallen, Akt Bischof Greith, Kopie). Vgl. SCHULTE: *Altkatholicismus* 266.

[35] Am 7. Februar 1871 behauptete er gegenüber Dupanloup: »A Rome nous avons battu contre l'opportunité et pour faire différer la *définition* nous avons allegué les doutes et les objections des autres contre la doctrine même« (ASSTS, Fonds Dupanloup, Concile, Lettres I). Greith mochte tatsächlich diese Intention gehabt haben. Unter seinen Bemerkungen zum Kirchenschema findet sich die Notiz, nur die Opportunität, nicht aber die Sache selbst bekämpfen zu wollen. Anderseits aber hält er die Tradition für zuwenig klar (DA, St. Gallen, Akt Bischof Greith).

Hirtenbrief vom Juli 1871, auf dem Vatikanum sei eigentlich nur die Opportunität der Unfehlbarkeitsdefinition kontrovers gewesen:»Allein, was wohl zu beachten ist, *selbst die Väter der Minderheit richteten ihre Einsprache nicht gegen die vorgelegte Glaubenslehre selbst, sondern erhoben ihre Bedenken vorzugsweise gegen die Zweck-mäßigkeit der feierlichen Definition und kirchlichen Verkündigung derselben* in dieser tiefaufgeregten Zeit bei der Leidenschaftlichkeit der Menschen in derselben, oder wünschten gewisse Zusätze und Erweiterungen, um durch diese, wie sie glaubten, alle Mißdeutungen und Entstellungen zu Voraus abzuschneiden[36].« Als der »Journal de Genève« am 23. April 1871 Bischof Greith auf eine Stufe mit Bischof Hefele und den Professoren Döllinger und Friedrich stellte und fragte, ob er sich wohl unterwerfen werde, ließ Greith durch seinen Kanzler Linden erklären, nie die Lehre selbst, sondern stets nur die Opportunität der Definition bestritten zu haben[37].

Im Laufe der Zeit gab Greith seine reservierte Haltung vollends auf. Er pries Pius IX. als Propheten, den Gott in das Chaos der Welt gesandt habe, um das Licht von der Finsternis, den Tag von der Nacht zu scheiden[38].

Nicht nur die Konzilsminorität hatte ein Interesse daran, ihre Opposition nachträglich zu verharmlosen. Auch der Majorität war sehr daran gelegen, die sachlichen Einwände zu vertuschen. Wenige Jahre nach Konzilsende behauptete Kardinal Manning, nicht einmal fünf Bischöfe könnten gerechterweise als Opponenten gegen die Unfehlbarkeitslehre selbst gelten und nur in zwei oder drei Reden

---

[36] ROSKOVÁNY: *Romanus Pontifex* VII 816—855; 824.

[37] FRIEDBERG: *Aktenstücke* I 207 Anm. 237; ASV, Segreteria di Stato 1870, Rubrica 1, Agnozzi an Antonelli, 9. Mai 1871, reg. Nr. A 1792. In der Beilage befindet sich die Erklärung von Kanzler Linden vom 26. April 1871. Zwei Jahre später verteidigte GREITH selbst in einem Artikel, der in mehreren Zeitungen und Zeitschriften erschien, seinen Standpunkt der Inopportunität:»Den neue Auslassungen einiger Zeitungsblätter über mein Concil-Votum in der Infallibilitätsfrage stelle ich auf ein Neues die von mir schon wiederholt abgegebene Erklärung entgegen: daß ich weder schriftlich noch mündlich jemals in meinem Leben und ebenso wenig in den bezüglichen Concilsverhandlungen des Vatikanums *gegen die Lehre* von der Unfehlbarkeit oder Irrtumsfreiheit des höchsten Lehramtes des römischen Papstes in Sachen des Glaubens und der Sitten mich ausgesprochen, niemals dieselbe beanstandet oder bekämpft, wohl aber gegen die *Zweckmäßigkeit* (Opportunität) der dogmatischen Bestimmung und Promulgation derselben unter den gegenwärtigen Zeitverhältnissen meine Bedenken erhoben habe, ohne jedoch die Wahrheit dieser Glaubenslehre selbst in irgend einer Weise in Frage zu stellen« (*Mein Votum in der Infallibilitätsfrage*. In: Schweizerische Kirchenzeitung 42 (1873) Nr. 24, 355—357; ebenso in: Neues Tagblatt aus der östlichen Schweiz Nr. 129 vom 6. Juni 1873; Nr. 130 vom 7. Juni 1873.)

[38] BAUMGARTNER: *Erinnerungen* 102 f. CAMPANA: *Il Concilio Vaticano* I/2, 652. Selbst Bischof Stroßmayer behauptete am Ende seines Lebens, nur gegen die Opportunität der Unfehlbarkeitsdefinition gewesen zu sein (SULJAK: *Strossmayer* 478).

habe man grundsätzliche Bedenken gehört [39]. Mannings Urteil wurde in der katholischen Geschichtsschreibung für lange Zeit beherrschend [40]. Zum ersten Mal durchbrach der Historiker Fritz Vigener 1915 die Inopportunismus-These mit seinem Aufsatz »Ketteler und das Vatikanum [41]«. Allmählich bahnte sich auch unter kirchlichen Autoren eine objektivere Sicht den Weg [42]. Druchzusetzen begann sie sich erst mit den Untersuchungen von Roger Aubert [43] und Viktor Conzemius [44]. Doch auch heute noch ist die These des Inopportunismus keineswegs besiegt [45].

Die Versuchung, die Bischöfe der Minorität nachträglich »reinzuwaschen« und zu bloßen Inopportunisten zu stempeln, war offenbar so groß, daß es Bischof De Las Cases für notwendig hielt, in seinem Testament ausdrücklich zu verbieten, ihn am Grabe zum Inopportunisten zu erklären, wie das jetzt schon für gewisse seiner Kollegen aus der Konzilsminorität geschehe [46].

---

[39] *Die wahre Geschichte* 79; vgl. das zustimmende Urteil GRANDERATHS (*Geschichte* II 265).

[40] Vgl. beispielsweise GEIGER: *Gregor von Scherr* 26; HIPPCHEN: *Die Stellung der deutschen Bischöfe und Gelehrten* 69 (zu Rauscher); GUÉDON: *Autor du Concile* 331; SULJAK: *Strossmayer* 3 (Andrija Spiletak macht Strossmayer zum bloßen Inopportunisten); PFÜLF: *Bischof Ketteler* III 75; KNOPP: *Krementz* 14 ff.; OESCH: *Greith* 139 f.; vorsichtiger BAUMGARTNER: *Erinnerungen* 97 f.; WOLFSGRUBER: *Rauscher* 433 f.; WOLFSGRUBER: *Schwarzenberg* III 251 f. und 254 f. GRANDERATH gesteht wenigstens zu, daß einige Minoritätsbischöfe in ihrem Glauben an die päpstliche Unfehlbarkeit zeitweise schwankend wurden (*Geschichte* II 264 f.; III 42 f.).

[41] In: Forschungen zur Geschichte des Mittelalters und der Neuzeit. Festschrift für Dietrich Schäfer. Jena 1915, 652—746.

[42] Vgl. A. HAGEN: *Hefele und das Vatikanische Konzil*. In: ThQ 123 (1942) 233—252; DERS.: *Die Unterwerfung des Bischofs Hefele unter das Vatikanum*. In: ThQ 124 (1943) 1—40; DERS.: *Gestalten aus dem schwäbischen Katholizismus* II 35; C. BUTLER-H. LANG: *Das Vatikanische Konzil*. München 1933.

[43] *Vatican I* 114.

[44] Besonders sein Artikel *Acton, Döllinger und Ketteler. Zum Verständnis des Ketteler-Bildes in den Quirinus-Briefen und zur Kritik an Vigeners Darstellung Kettelers auf dem Vatikanum I.* In: AMK 14 (1962) 194—238.

[45] Vgl. ENGEL-JANOSI in seinem Diskussionsbeitrag *Probleme des 1. Vaticanums*. In: Die päpstliche Autorität im katholischen Selbstverständnis des 19. und 20. Jahrhunderts, hrsg. von E. Weinzierl. Salzburg—München 1970, 208 f.; MIKO: *Zur Frage der Publikation* 28; A. D'AVACK: *Il ruolo degli oppositori nella definizione del dogma dell'infallibilità pontificia*. In: Idea 26/(1970) 76—79; MAC SUIBHNE: *Ireland at the Vatican Council* 209; A. FRANZEN: *Kleine Kirchengeschichte* 344; BIHLMEYER-TÜCHLE: *Handbuch der Kirchengeschichte* III 393 f.; LORTZ: *Geschichte der Kirche* II 336.

[46] »Qu'on n'aille donc pas dire de moi que j'étais seulement *inopportuniste*, comme on l'a dit de certains de mes vénérables collègues de la minorité, qui n'auraient certainement pas accepté, pendant leur vie, cette interprétation de la doctrine, qu'ils avaient exposée et défendue au concile. On a cru, de bonne foi sans doute, pouvoir parler ainsi, et par là, servir utilement la cause de l'infaillibilité« (Mansi 53, 1042 D).

Die Vorteile der Inopportunismusthese liegen auf der Hand. Es gab kein besseres Mittel, die früheren Äußerungen zu überdecken und ihnen jegliche Bedeutung zu nehmen. Die Auseinandersetzung mit den grundsätzlichen Bedenken, die man selbst vorgebracht hatte, konnte entfallen[47].

2. Sachliche Bedenken behoben?

Auf dem Konzil hatte die Konzilsmehrheit die Bischöfe der Opposition mit ihren Argumenten nicht überzeugt[1]. Nach erfolgter Definition aber machten viele Minoritätsmitglieder den Eindruck, ihre sachlichen Bedenken seien behoben; sie traten in die Fußstapfen der Majorität. In ihren Briefen an den Klerus und das Volk häuften sie nun Zeugnis über Zeugnis aus Schrift und Tradition, die wenige Monate zuvor auf der gegnerischen Seite zu hören gewesen waren[2].

Noch relativ unverfänglich war es, wenn die ehemaligen Gegner der päpstlichen Unfehlbarkeit bei allgemeinen Formulierungen blieben und behaupteten, es handle sich beim vatikanischen Dogma um keine neue, sondern um eine in der uralten Überlieferung der Kirche enthaltene Lehre[3]. Auch Erzbischof Scherr, der in seinem Hirtenbrief vom 26. Dezember 1870 die meisten von der Konzilsmajorität her wohlbekannten Argumente aus Schrift und Tradition anführte[4], belastete sich damit verhältnismäßig wenig. Zwar hatte auch er die Eingabe der deutschen und

---

[47] Zu Dupanloup vgl. OLLIVIER: *L'Eglise et l'Etat* II 381; zu Ketteler vgl. VIGENER: *Ketteler* 609.
— Erzbischof Connolly scheint sich aus Rücksicht auf die Protestanten und die liberale Presse auf den Standpunkt der Inopportunität zurückgezogen zu haben. In einem Brief vom 5. Oktober 1870 an P. Smith, der Kardinal Barnabò übergeben werden sollte, schreibt er: »Dopo il minor ritardo che si potesse sono finalmente giunto a Halifax. Nella prossima domenica mi sono occupato di salire il pergamo della mia Chiesa, e di pubblicare di lì tutte quante le decisioni del Concilio Vaticano. Perciò che erano accorsi alla Chiesa molti protestanti, e d'altra parte la stampa aveva già pubblicato ch'io fossi di contrario sentimento alla definizione, ho protestato che la dottrina dell'infallibilità pontificia fu mai sempre la mia dottrina, la quale ormai predico come dogma di fede« (ASV, Fondo Concilio Vaticano, Adhaesiones 1870).

[1] Vgl. Teil 2.

[2] Vgl. ROSKOVÁNY: *Romanus Pontifex* VIII 326—974; XI 33—214; XIII 87—288.

[3] Brief der deutschen Bischöfe vom Mai 1871 an das Volk (Mansi 53, 930 C—934 A; 931 C). Vgl. auch das Fuldaer Hirtenschreiben vom Jahre 1870 (Mansi 53, 919 A). Manche Mitunterzeichner hatten sich auf dem Konzil allerdings anders geäußert, wie Dinkel (Mansi 52, 418 A bis 425 A), Ketteler (Mansi 52, 890 C—899 B), Förster (Mansi 51, 978 A—979 A), Eberhard (Mansi 51, 979 A—980 C), Melchers und Wedekin (Mansi 51, 988 B—989 C), Krementz (Mansi 51, 1048 A—1049 B) und Beckmann (Mansi 51, 986 B). Stroßmayer drückte sich 11 Jahre nach Konzilsende noch vorsichtiger aus: »Ma comunque sia, egli è certo che col dogma dell'infallibilità (nezabludivost) nulla di nuovo fu introdotto nella chiesa« (Mansi 53, 1000 A).

[4] *Aktenstücke des Ordinariates* 61—94; bes. 64; 73.

österreichisch-ungarischen Bischöfe gegen eine Definition der Unfehlbarkeit vom 12. Januar 1870 unterschrieben, in der von großen Schwierigkeiten bei den Vätern und in der Kirchengeschichte gesprochen wurde[5], in der Unfehlbarkeitsdebatte aber hatte er sich persönlich sehr zurückgehalten[6].

Schwieriger ist es zu verstehen, wenn Bischöfe, die auch in ihren eigenen schriftlichen Bemerkungen und Reden mehrfach Bedenken aufgrund geschichtlicher Fakten angemeldet und den Wert der angeführten Zeugnisse für die Unfehlbarkeit in Frage gestellt hatten, nun wenige Monate später die gleichen Argumente benutzten, um die Unfehlbarkeitslehre ihren Untergebenen nahe zu bringen. So verwies Bischof Guilbert in seinen Pastoralbriefen vom 18. Oktober 1870 und vom 1. Januar 1872 auf die üblichen Schriftstellen, um die päpstliche Unfehlbarkeit zu stützen[7], trotz Ablehnung ihrer Beweiskraft vorher auf dem Konzil[8].

Bischof Krementz hatte in Rom erklärt, aus der Geschichte ergäben sich große Schwierigkeiten für das neue Dogma und die Verurteilung des Papstes Honorius durch das sechste ökumenische Konzil lasse die größten Zweifel an der päpstlichen Unfehlbarkeit aufkommen[9]. Und noch nach Konzilsende, am 7. August 1870, bekannte er Erzbischof Simor: »Mir fällt es sehr schwer, das in Rom Beschlossene mit meiner bisherigen Theologie und mit den Tatsachen der Geschichte in Einklang zu bringen[10].« Trotzdem trat er in seinem Hirtenbrief vom 11. November 1870 den Traditionsbeweis für das neue Dogma an[11]. Seiner früheren Meinung widersprach er besonders, als er auf die ermländische Tradition zu sprechen kam. Auf dem Konzil hatte er beteuert, durch das Zeugnis vieler Bischöfe stehe es fest, daß in verschiedenen Diözesen Deutschlands, Frankreichs, Böhmens, Ungarns und Transsylvaniens sowie anderer Länder die Unfehlbarkeitslehre nicht einmal dem Namen nach bekannt sei. In seiner eigenen Diözese Ermland — er könne es nicht verschweigen — sei diese Lehre in den Katechesen und Predigten nie überliefert worden, aus den theologischen Schulen aber sei sie schon lange verschwunden[12]. In seinem Hirtenbrief hingegen versuchte Krementz mit einer großen Liste von Zeugen zu beweisen, die päpstliche Unfehlbarkeit sei in Ermland stets ge-

---

[5] Mansi 51, 678 A—680 B; 678 D.
[6] In einer Erklärung zusammen mit Dinkel und Deinlein schloß sich Scherr den schriftlichen Bemerkungen von Ketteler (Mansi 51, 977 C—977 D) an, worin dieser meint, die Definition der Unfehlbarkeit entbehre eines richtigen Fundaments (Mansi 51, 978 A).
[7] Mansi 53, 1046 D—1047 D; bes. 1047 B f.
[8] Mansi 51, 1029 B—1030 C; 1030 B.
[9] Mansi 51, 1048 C.
[10] ANDRIÁNYI: *Ungarn* 491.
[11] In: Katholik 24 (1870) 739—749; 740 f.; vgl. Mansi 53, 1047 D—1049 A; 1048 D f.
[12] Mansi 51, 1048 D.

halten worden. Er begann beim ersten ermländischen Bischof Anselmus und kam über Kardinal Hosius bis zu den Jesuiten, die 200 Jahre lang den ermländischen Klerus unterrichtet hätten und dafür Gewähr böten, daß die Unfehlbarkeitslehre gehalten worden sei. Erst anfangs dieses Jahrhunderts sei sie verdunkelt worden, die Ermländer aber hätten sie, wenn auch nicht mit Worten, so doch der Sache nach festgehalten[13].

Auch Bischof Eberhard, der noch in den ersten Monaten des Jahres 1870 in Rom geschrieben hatte, die Unfehlbarkeitslehre sei in vielen Gegenden »paene aut prorsus ignota« (beinahe oder ganz unbekannt)[14], und behauptet hatte, in Auseinandersetzungen mit Protestanten habe man diese Lehre bisher als böswillige Verleumdung zurückgewiesen[15], fand nachträglich in Trier viele Zeugnisse für die Unfehlbarkeitslehre, die freilich in keinem einzigen Fall eindeutig sind und einen zwiespältigen Eindruck hinterlassen[16].

Nicht anders als Krementz und Eberhard hatte auch Melchers in Rom seine Zweifel am Traditionsbeweis angemeldet und den consensus fidelium für die päpstliche Unfehlbarkeit in Frage gestellt[17]. In vielen Gegenden sei diese Lehre unbekannt[18]. Ähnlich wie sie ging er nach der Rückkehr in seine Erzdiözese Köln daran, neben Zeugnissen für die Unfehlbarkeit aus der gesamten Kirche ganz besonders diejenigen Kölns, angefangen vom (damals noch) seligen Albertus Magnus und dessen Schüler, dem heiligen Thomas von Aquin, über verschiedene, von kölnischen Kurfürsten approbierte Katechismen bis zum Kölner Provinzialkonzil 1860 für das neue Dogma aufzuzählen[19].

---

[13] In: Katholik 24 (1870) 739—749; 741 f. SCHULTE schreibt dazu: »Krementz, der in Rom bekundete, dass die Diözese Ermland von der Infallibilität des Papstes nichts wisse, verkündete, nachdem sein Hofhistoriker Hipler den in Nr. 12 des ›Pastoralblatts‹ abgedruckten Artikel ›Die Tradition der ermländischen Kirche über das ›unfehlbare Lehramt des Papstes‹, fertig gebracht hatte, der Diözese in dem oft genannten Hirtenbriefe vom 11. November: ›und wenn auch bei uns in den letzten fünfzig Jahren das Wort ›unfehlbar‹ zur Bezeichnung des Lehramtes der römischen Kirche in Predigt, Katechese und theologischen Vorträgen kaum mehr gebraucht worden ist, so habt doch Ihr Alle, geliebte Diözesanen, an der Sache selbst festgehalten, habt es in der That nicht anders gewußt und im christlichen Unterrichte gelernt‹ usw!« (*Altkatholicismus* 335).

[14] Mansi 51, 979 D.

[15] Mansi 51, 980 A.

[16] Hirtenbrief vom 14. September 1870. In: AkathKR 24 (1870) CXIX-CXXXIV; CXXXI f.; ebenso in: Kirchlicher Amtsanzeiger 18 (1870) 103—118; vgl. besonders 111—115; vgl. SCHULTE: *Altkatholicismus* 334 f.

[17] Mansi 51, 988 C.

[18] Mansi 51, 989 A.

[19] Hirtenbrief vom 10. September 1870. In: AkathKR 24 (1870) CVII-CIX; vgl. SCHULTE: *Altkatholicismus* 333. Schon am 24. Juli 1870 erklärte Melchers in einer Predigt im Kölner Dom, die Lehre sei ihrem Wesen nach nicht neu, weder für die allgemeine Kirche, noch für die kölnische

Bischof Greith vergaß ebenfalls seine früher geäußerten Schwierigkeiten[20], als er im Hirtenbrief an die Schweizer Katholiken im Jahre 1871 mit den anderen Bischöfen formulierte: »Das *Vaticanische Concil* hatte dabei *sowohl in der heil. Schrift, als in der Erblehre und in der Geschichte der Kirche einen felsenfesten Grund* für die Glaubensentscheidung, die es unter dem Beistande des heiligen Geistes in seiner vierten feierlichen Sitzung aussprach[21]«. Zwei Jahre später hielt Greith es für notwendig, im Fastenbrief an seine Diözesanen diese Worte nochmals zu wiederholen[22]. Auch Bischof Dinkel von Augsburg vertrat solche Thesen. In seinem Hirtenbrief vom 3. Mai 1871 schrieb er: »Es fehlt ebenso wenig an Zeugnissen vom grauesten Alterthum an, daß mit einer Lehrentscheidung des Apostolischen Stuhles jeder Streit geschlichtet galt und nicht minder sind die Zeugnisse aus den ältesten wie den späteren Zeiten der Kirche darüber vorhanden, wie man stets daran festhielt, daß der Apostolische Stuhl in Lehrentscheidungen dem Irrthume nicht zugänglich sein könne[23].« Er verlor kein Wort mehr über das Fehlen der Schriftzeugnisse[24] und der konstanten Tradition in Bayern[25], wovon er noch auf dem Konzil gesprochen hatte.

Die zweifellos größten Anstrengungen, nachträglich den Traditionsbeweis für die päpstliche Unfehlbarkeit zu führen, machte der Primas von Ungarn, Erzbischof Simor. Zunächst stellte er in einem Hirtenbrief vom 8. September 1871 eine außerordentlich große Anzahl von Zeugnissen aus Ungarn zusammen[26] und meinte zu Beginn, aus den angeführten Zeugnissen gehe klarer als das Mittagslicht hervor, daß die Lehre vom unfehlbaren Magisterium des Papstes in Ungarn zu allen Zeiten von den Erzbischöfen und Bischöfen, den Kanonikern und Pfarrern, den Professoren und anderen Priestern, dem Säkular- und Regularklerus und selbst von berühmten Laien vorgelegt, überliefert, geglaubt und verteidigt worden sei. Ebenso habe man sie frei und offen in der Universität, in den Lyzeen und Semi-

---

Kirche insbesondere, da sie sowohl in den älteren Kölner Katechismen als vor allem auch auf dem Kölner Provinzialkonzil von 1860 bereits mit Entschiedenheit gelehrt worden sei (GRANDERATH: *Geschichte* III 544).

[20] Mansi 52, 75 A—80 B; 997 A—1001 C.

[21] ROSKOVÁNY: *Romanus Pontifex* VII 832. Weiter unten erklärten die Bischöfe: »Somit haben wir in der Lehre von dem unfehlbaren Lehramt des römischen Papstes keine neue Lehre vor uns, sondern die uralte, wie sie von jeher in der Kirche geglaubt und ausgeübt, in neuester Zeit aber von der obersten Lehrautorität der Kirche durch das Vat. Concil deutlicher erklärt und feierlich verkündet worden ist« (ROSKOVÁNY: *Romanus Pontifex* VII 838).

[22] FRIEDBERG: *Aktenstücke* II 270.

[23] Sion 40 (1871) 413.

[24] Mansi 52, 419 C f.

[25] Mansi 52, 418 B f.

[26] ROSKOVÁNY: *Romanus Pontifex* VII 892—981; mit einem Appendix: Mens et sententia illustrissimi et reverendissimi domini Cornelii Iansenii (ebda 981—986).

narien und von den Kanzeln der Kirche gelehrt und verteidigt und sie auch in den Büchern überliefert, die der Erziehung des Klerus und der Belehrung der Laien dienten. Nichts widerstreite deshalb der Wahrheit mehr als zu behaupten, diese Lehre sei neu, noch nicht gehört worden, den Alten unbekannt[27]. Freilich hatte Simor noch am 20. Mai 1870 in Rom mit bewegenden Worten erklärt, in Ungarn wüßten die Gläubigen nichts von einer päpstlichen Unfehlbarkeit; sie würden diese von der Unfehlbarkeit der Kirche nicht unterscheiden und seien von den Bischöfen auch nicht über eine besondere Unfehlbarkeit des Papstes unterrichtet worden[28]. Aber das war anscheinend vergessen. Um so größer war die Freude bei den Infallibilisten[29].

Simor vergaß auch seine anderen früher geäußerten Zweifel — ohne ihre Beseitigung könnten die Bischöfe die päpstliche Unfehlbarkeit nicht ruhigen Gewissens definieren —, als er am 18. Dezember des gleichen Jahres seinen zweiten Hirtenbrief erließ[30]. Darin führte er überaus zahlreiche Zeugnisse aus den Vätern, den Konzilien und Verlautbarungen von Kaisern und Königen an. Sie würden vollends genügen, um die Wahrheit der definierten Lehre gegenüber allen Angriffen zu erhärten[31]. Diese Ansicht bekräftigte er am 15. August 1872 in einem dritten Hirtenschreiben über das Vatikanische Konzil[32].

Ohne jede nähere Begründung vertritt Simor in seinen Hirtenbriefen Ansichten, die seinen Äußerungen auf dem Konzil diametral entgegengesetzt sind. In seiner Rede vom 20. Mai 1870 hatte er erklärt, das sogenannte Glaubensbekenntnis der Griechen sei nur vom griechischen Kaiser Michael Palaeologus abgelegt worden. Die griechischen Bischöfe — auch die in der Union mit Rom verbliebenen — hätten sich trotz inständigster Bitten des Papstes Innozenz IV. geweigert, dieses Glaubensbekenntnis abzulegen[33]. An all das erinnert sich Simor am 18. Dezember 1871 offenbar nicht mehr. Er spricht nun davon, die Griechen hätten das besagte

---

[27] ROSKOVÁNY: *Romanus Pontifex* VII 893.

[28] »Meus populus nihil scit de vana illa ad obnubilandam veritatem magis quam ad dilucidandam facta distinctione et quaestione, utrum infallibilitas resideat in solo pontefice, vel utrum resideat in sola ecclesia docente ... sed de infallibilitate Romani pontificis in specie populum nostrum non docuimus« (Mansi 52, 143 A f.). Simor wurde darin von seinen Kollegen Biró, Zalka und Perger unterstützt, die in ihren schriftlichen Bemerkungen zum Unfehlbarkeitsschema bemerkten: »Haec autem doctrina in Hungaria apud clerum et populum est prorsus inaudita« (Mansi 51, 1025 B.)

[29] Feßler und Dechamps beeilten sich, diese freudige Botschaft sofort nach Rom an Kardinal Bilio weiter zu geben (Mansi 53, 949 C—952 A).

[30] ROSKOVÁNY: *Romanus Pontifex* VII 988—1118.

[31] ROSKAVÁNY: *Romanus Pontifex* VII 1117.

[32] *Observationes in ambas Constitutiones dogmaticas S. C. Vaticani* (ROSKOVÁNY: *Romanus Pontifex* VII 1128—1227).

[33] Mansi 52, 140 BC.

Glaubensbekenntnis abgelegt und damit die Unfehlbarkeit des Papstes anerkannt[34].
Ja, er weiß sogar zu berichten, das Bekenntnis sei von den griechischen Metropoliten und Bischöfen unterschrieben worden[35].

Angesichts solcher Sorglosigkeit gegenüber der historischen Wahrheit mutet es grotesk an, von einem rein taktischen Schritt zu reden und die Hirtenbriefe Simors als große Leistungen zu feiern, wie das Andriány tut[36]. Die »Taktik« Simors machte sich freilich bezahlt. Als erster Minoritätsbischof wurde er Kardinal.

Wie sind solche Gesinnungsveränderungen zu erklären? War es einfach eine Verdrängung der früheren Schwierigkeiten, wie es das Beispiel von Erzbischof Deinlein in Bamberg nahelegt? Am 8. September 1870 schrieb er an Erzbischof Melchers, seine bisherigen historischen Studien würden ihm einen Beitritt zum Fuldaer Hirtenbrief noch nicht erlauben[37]. Einige Monate später wollte er bereits im Juli 1870 nach ernsterem Nachdenken und gründlicherem Studium zur vollsten Überzeugung gelangt sein, die Lehre des Vatikanums sei in Schrift und Tradition wohlbegründet[38].

---

[34] Roskovány: *Romanus Pontifex* VII 1064.

[35] »Ab universo Concilio Lugdunensi, cui praeter Patriarchas Constantinopolitanum et Antiochenum interfuerunt Episcopi quingenti et plurimi Abbates, solemnes Deo gratiae actae sunt pro restituta cum Graecis Unione, ut adeo dubitari nequeat, conciliarem fuisse Graecorum Unionem, conciliarem ipsum Unionis actum et conciliare Unionis fundamentum, symbolum nempe sive professionem fidei cui Unio innixa est, et in quam confessionem fidei tam Graeci quam Latini convenerant, illi offerentes, hi recipientes eamdem. Professioni fidei subscripsisse Metropolitas et Episcopos Graecos, ipsum Constantinopolitanum Patriarcham I. Veccum narrat et probat Raynaldus« (Roskovány: *Romanus Pontifex* VII 1064).

[36] Andriányi: *Ungarn* 365 und 372. Vgl. Schultes Notiz: »Nach Hause zurückgekehrt brachte der Primas es bald fertig, in Verordnungen auszuführen, daß in Ungarn die Lehre vom unfehlbaren Lehramt des Papstes in allen Kreisen geglaubt und verteidigt worden sei. Bis dahin war dieses seiner Gelehrsamkeit entgangen« (*Lebenserinnerungen* III 190).

[37] Miko: *Zur Frage der Publikation* 45.

[38] Am 21. März 1871 schrieb er an Döllinger: »Ich habe bisher den aufrichtigsten Anteil genommen an den schweren Kampfe, welchen Du seit Monaten über das Dogma der Unfehlbarkeit des obersten Lehramtes der Kirche mit Dir zu bestehen hast. In unserem lieben Frankenlande ist diese Lehre im vorigen und in diesem Jahrhunderte viel zu wenig beachtet, ja nur als Schulmeinung fast ganz vernachlässigt worden. Auch ich war sehr gegen diese Lehre eingenommen, bis ich seit dem Monate Juli vorigen Jahres in Rom diese Lehre zum besonderen Gegenstande meines ernsteren Nachdenkens und gründlicheren Studiums gemacht hatte. Da kam ich zu der vollsten Überzeugung, daß die Lehre des Vatikanum in Schrift und Tradition wohlbegründet sei, daß der Papst als Oberhaupt der Kirche kraft göttlicher Institution unfehlbar sein müsse vi assistentiae Spiritus Sancti, wenn er ex cathedra spricht, da er sonst nicht das unerschütterliche Fundament der Kirche, nicht der sichere Führer und oberste Lehrer der ganzen Herde Christi sein könne« (BSTB, München, Döllingeriana II, Fasc. 3; veröffentlicht bei Brandmüller: *Die Publikation des 1. Vatikanischen Konzils* 604 f.). — Auch Deinlein unterließ es nicht, in seinem Bittschreiben um das Placet an König Ludwig II. am 26. Sept. 1870 den Tra-

Oder lag hinter dem Wechsel der historischen Ansichten nicht doch ein erklärendes Prinzip? Bei Bischof Ketteler — auch er machte wie die meisten seiner Kollegen aus der Minorität eine Kursänderung durch[39] — erfährt man etwas mehr über die Gründe, die so schnell zu einer anderen Sicht der Vergangenheit führten. Er meint, mit der Unfehlbarkeitsdefinition habe das Lehramt auch den wahren Sinn der Schrift und der Tradition in unfehlbarer Weise erklärt und festgelegt[40]. Ketteler hält Schrift und Tradition in sich nicht genügend klar, so daß Beweise für Dogmen weder gefordert noch gegeben werden sollten. Die Klarheit liege allein beim Lehramt:

»Jede von der Kirche definirte Lehre hat in Schrift und Tradition ihren festen Grund. Es wird daher stets möglich sein nachzuweisen, daß der von der Kirche gelehrte und erklärte Sinn der Offenbarung mit dem Geiste und dem Worte der heiligen Schrift und ebenso mit der gesammten Tradition übereinstimmt. Die unfehlbare Gewißheit aber für den wahren Sinn der Worte der heiligen Schrift und der Zeugnisse der Tradition liegt nicht in ihnen, sondern im unfehlbaren Lehramte der Kirche. Ohne dieses unfehlbare Lehramt würde Rede und Gegenrede über den wahren Sinn der Schrift wie der Erblehre nie ein Ende nehmen[41].«

Mit der vatikanischen Definition war also in dieser Sicht nicht nur die Unfehlbarkeitslehre dogmatisiert, sondern zugleich festgelegt, sie sei in Schrift und Tradition enthalten. Unmißverständlich erklärten die im August 1870 in Fulda versammelten deutschen Bischöfe:

»Dessungeachtet behaupten, dass die eine oder die andere, vom allgemeinen Concil entschiedene Lehre in der heiligen Schrift und in der kirchlichen Überlieferung, den beiden Quellen

---

ditionsbeweis zu versuchen (BRANDMÜLLER: *Die Publikation des 1. Vatikanischen Konzils* 596—601; bes. 598—600).

[39] Noch am 25. Juni 1870 hatte er erklärt, die päpstliche Unfehlbarkeit, wie sie die Majorität auffasse, stehe im Widerspruch zur Schrift, zur Tradition und zu den Akten der Konzilien (Mansi 52, 895 BC). 1871 schreibt er: »Alt und apostolisch ist die Lehre selbst, neu ist die durch die entstandenen Zweifel hervorgerufene authentische und ausführliche Erklärung derselben« (*Das unfehlbare Lehramt des Papstes nach der Entscheidung des Vaticanischen Concils.* In: Katholik 25 (1871) 327).

[40] Wörtlich schreibt Ketteler: »Bisher war noch nicht entschieden, ob die Beweise, welche aus der heiligen Schrift und aus den Urkunden der Überlieferung für die Unfehlbarkeit der höchsten Lehransprüche des Papstes angeführt werden, nur in dem Sinne verstanden werden dürfen, welcher jetzt entschieden ist, oder ob auch eine andere Deutung noch statthaft sei. Daher kam es, daß, wenn auch die Vertreter der Lehre, welche jetzt entschieden ist, die Mehrzahl bildeten, daß noch andere Deutungen, z. B. in der Fassung der Gallicaner einzelne Vertreter hatten. Seitdem nun aber das Lehramt der Kirche entschieden hat, ist der wahre Sinn der Schrift und Erblehre in unfehlbarer Weise erklärt und deßhalb müssen innerhalb der Kirche Christi die Controversen verschwinden« (*Das unfehlbare Lehramt.* In: Katholik 25 (1871) 327 f.

[41] *Das unfehlbare Lehramt.* In: Katholik 25 (1871) 330.

des katholischen Glaubens, nicht enthalten sei oder mit denselben sogar im Widerspruch stehe, ist ein mit den Grundsätzen der katholischen Religion unvereinbares Beginnen, welches zur Trennung von der Gemeinschaft der Kirche führt[42].«

Noch deutlicher wird Bischof Krementz: »Da die Kirche diesen feierlichen Entscheid gegeben hat, so ist es sicher und selbstverständlich, daß ihr Beschluß sich auf die heilige Schrift und Tradition gründet, auf diese beiden Quellen der Lehre Christi, deren untrügliche Auslegerin sie ist[43].«

Damit waren auch alle historischen Schwierigkeiten grundsätzlich behoben und lösbar, wie konsequenterweise Kardinal Rauscher[44] und die Bischöfe Greith[45] und Eberhard[46] behaupteten.

Die Beispiele machen deutlich, wie viele Minoritätsbischöfe ihre Ansichten über die Geschichte änderten, weil das Prinzip der kirchlichen Lehrautorität dies verlangte.

---

[42] Mansi 53, 918 D f.

[43] In seinem Hirtenbrief vom 11. November 1870. In: Katholik 24 (1870) 739—749; 740.

[44] Rauscher schrieb am 2. Dezember 1870 an das Bonner Komitee: »Es liegt uns nun ob, zu glauben, dass die Lehrbestimmungen, welche der heilige Stuhl über den Sinn der geoffenbarten Wahrheit erlässt, auch abgesehen von der Beistimmung der Bischöfe, irrthumslos seyen, und hieraus folgt zwar keineswegs, daß alle Schwierigkeiten, welche man dagegen geltend machte, schon gelöst seyen, wol aber, daß sie gelöst werden können. Die Freunde der Kirche sind dadurch aufgefordert, ihre Kräfte zu vereinigen, um alle Zweifel und Einwürfe zu beseitigen, und es ist vorzüglich in Deutschland sehr zu wünschen, dass die Aufgabe schnell und glücklich zu Ende geführt werde. ... Zugleich ist das der einzige Weg, auf welchem die deutsche Wissenschaft sich auf die kirchliche Entwicklung den ihr gebührenden Einfluss sichern kann« (SCHULTE: *Altkatholicismus* 241).

[45] Am 24. September 1870 setzte Greith Prof. Bauerband auseinander: »Bezüglich der *materiellen* oder inhaltlichen Seite der Controverse sind gegen die objektive *Wahrheit* der definierten Lehre selbst — biblische, kirchenrechtliche, kirchenhistorische u. praktische Bedenken u. Einwürfe erhoben worden. Sie einzeln zu beleuchten liegt außerhalb dem enggezogenen Kreise dieser vertraulichen Besprechung. Allein, wie sie auch immer lauten mögen, sie haben begreiflicher Weise für den Katholiken das Gewicht ihrer früheren Bedeutung verloren, *nachdem* die oberste Lehrautorität der Kirche in Spiritu Sancto congregata durch den erfolgten dogmatischen Ausspruch sekundär *auch über sie* gerichtet hat. Es kann daher nicht mehr die Aufgabe der katholischen Wissenschaft sein, das ausgesprochene Dogma durch jene Einwürfe u. Bedenken weiter zu bekämpfen, sondern sie wird vielmehr angewiesen sein, jene Einwürfe u. Schwierigkeiten durch fortgesetzte Forschung mit dem aufgestellten Dogma in Einklang zu bringen u. zu lösen, was allerdings als möglich vorausgesetzt werden muß, weil eine Wahrheit des religiösen Glaubens weder mit sich selber, noch mit anderen Lehren der Offenbarung oder mit wirklichen Thatsachen der Geschichte in Widerspruch stehen kann« (STB, St. Gallen, Akt Bischof Greith, Kopie).

[46] »Eine Wahrheit kann der anderen, eine dogmatische Wahrheit der historischen nicht widersprechen« (Hirtenbrief vom 14. September 1870. In: Kirchlicher Amtsanzeiger 18 (1870) 103—118; 117).

Was die weitaus meisten Bischöfe praktizierten, sprach Erzbischof Scherr im Kampf gegen Döllinger wohl am deutlichsten aus:

»Der Verfasser [Döllinger] verlangt, daß ihm gestattet werde, in einer Versammlung von Bischöfen oder Theologen den Beweis zu liefern, daß die Glaubensdecrete der IV. Sitzung des Vatikanischen Concils weder in der heiligen Schrift, wie sie die Kirchenväter verstanden, noch in der Ueberlieferung nach ihrer ächten Geschichte, enthalten seien, daß letztere vielmehr durch erdichtete oder entstellte Urkunden gefälscht worden sei, und daß die nämlichen Decrete im Widerspruch mit ältern kirchlichen Entscheidungen stehen. Nun liegt aber hier nicht etwa eine Frage vor, welche erst zu entscheiden, darum zuvor sorgfältig zu prüfen wäre. Die Sache ist bereits entschieden; ein allgemeines, rechtmäßig berufenes, frei versammeltes, vom Oberhaupte der Kirche geleitetes Concil hat nach sorgfältiger Prüfung die katholische Lehre vom Primate des römischen Papstes erläutert, formulirt und definirt. Jeder katholische Christ weiß nun, was die Kirche zu glauben vorstellt[47].«

Um es noch deutlicher zu machen, gab Scherr zu verstehen, in diesen Fragen entscheide das Lehramt allein:

»Der Verfasser [Döllinger] behauptet, daß es sich hier ›um eine rein geschichtliche Frage handle, welche denn auch einzig mit den hiefür zu Gebote stehenden Mitteln und nach den Regeln, welche für jede historische Forschung, jede Ermittlung vergangener, also der Geschichte ange-höriger Thatsachen gelten, behandelt und entschieden werden müße‹. Dadurch ist aber die historische Forschung über die Kirche gestellt, es werden die Entscheidungen der Kirche dem letzten und entscheidenden Urtheile der Geschichtsschreiber preisgegeben, es wird dadurch das göttlich verordnete Lehramt in der Kirche beseitigt und alle katholische Wahrheit in Frage ge-stellt. Möge die Wissenschaft immerhin an die katholischen Glaubenslehren hintreten und sie mit allen menschlichen Mitteln prüfen; sie werden in jeder Feuerprobe bestehen. Die Wissen-schaft des Unglaubens aber mag sich aufbäumen gegen Gott und seine Offenbarung, gegen die Kirche und ihre Glaubensdecrete: sie wird nie und nimmer *den Felsen, auf den der Herr seine Kirche gebaut hat* (Matth. 16,18) zu erschüttern vermögen[48].«

Bei einer derartigen Hervorhebung des Autoritätsprinzips ist es nur zu ver-ständlich, daß die Bischöfe bald nach ihrer Unterwerfung eine erstaunliche Animo-sität gegen die Wissenschaft, insbesondere gegen die Geschichtswissenschaft, zeigten. Erzbischof Melchers ritt bereits am 10. September 1870 eine Attacke gegen »jene vernunftstolze Geistesrichtung, welche in unserer Zeit in so vielen Dingen längst alle festen Principien und jede Autorität unterwühlt und erschüttert hat, auch in religiösen Dingen und namentlich auch unter katholischen Gelehrten und Gebildeten bereits eine nicht geringe Verbreitung gefunden und manche Namenskatholiken dahin geführt hat, nur sich selbst allein für unfehlbar zu hal-ten. Dieser verderblichen Richtung gegenüber, welche mit dem Wesen des wahren, übernatürlichen, nur in demüthigen Herzen wohnenden Glaubens durchaus un-vereinbar ist, erscheint das jetzt verkündete Dogma von der Unfehlbarkeit des

---

[47] Hirtenbrief vom 2. April 1871 (*Aktenstücke des Ordinariates* 117).
[48] Hirtenbrief vom 2. April 1871 (*Aktenstücke des Ordinariates* 118).

päpstlichen Lehramtes als ein ganz vorzüglich geeignetes Mittel und wird sich als solches bewähren«[49].

Im Mai 1871 erhoben beinah sämtliche deutschen Bischöfe die Anklage, die katholische Theologie habe in Deutschland in neuerer Zeit vielfach Wege betreten, die sich mit dem Wesen des wahren katholischen Glaubens nicht vereinbaren ließen. Auch sie sahen im Unfehlbarkeitsdogma ein Heilmittel für den vernunftstolzen Dünkel in der Wissenschaft[50]. Wenig später sprach der Münchener Erzbischof Scherr von der Notwendigkeit der Unfehlbarkeitsdefinition angesichts der »Tendenzen vieler unserer akademischen Lehrer«[51].

Einige wenige Bischöfe ließen sich allerdings auch nach erfolgter Definition ihre Kirchengeschichte nicht im Sinne der vatikanischen Unfehlbarkeitslehre umdeuten. Zu ihnen gehörten Haynald, Kenrick und Hefele.

Haynald kannte nach wie vor mehrere wissenschaftliche Einwände gegen die Unfehlbarkeitslehre[52]. Kenrick unterwarf sich aus reinem Gehorsam, ohne daß seine Bedenken beseitigt worden wären[53]. Deshalb wollte er die päpstliche Unfehlbarkeit auch nie lehren und sie etwa gar von der Schrift und Tradition her begründen. Er zog vor, es anderen zu überlassen, die Vereinbarkeit dieser Lehre mit den Fakten der Kirchengeschichte aufzuzeigen[54]. Persönlich glaubte Kenrick,

---

[49] Hirtenbrief vom 10. September 1870. In: AkathKR 24 (1870) CXV.

[50] Mansi 53, 930 D f.; vgl. den Protest Hefeles vom 19. Mai 1871 (BRANDMÜLLER: *Die Publikation des 1. Vatikanischen Konzils* 625). Lady Blennerhassett schreibt der Marquise de Forbin d'Oppède am 3. Juni 1871 dazu: »La grande nouvelle du moment, c'est une lettre pastorale *absurde*, publiée par tout l'Episcopat *allemand.* Héfélé, (le pauvre), a refusé de la signer et voilà sans doute que ses troubles recommencent. Cela prouve, une fois de plus, qu'il n'y a pas d'accomodements [sic] avec la vérité. Il faut accepter franchement de tout sacrifier pour elle, sans cela il n'y a pas d'issue. Jamais l'Eglise n'a subi une plus terrible épreuve; pour ceux qui veulent la servir aujourd'hui il faut le dévouement sublime des martyrs« (AUBERT-PALANQUE: *Lettres de Lady Blennerhassett* 130).

[51] DA, St. Gallen, Akt Bischof Greith, Scherr an Greith, 22. Februar 1872.

[52] Am 24. Januar 1871 schrieb Bischof Kovács von Fünfkirchen über Haynald an Dupanloup: »Non enim sibi praesto esse fatetur scientifica, quae animum ejus ad hoc flecterent, argumenta; plurima potius habet contra obmovenda, quae, signanter agendi rationem, quam sub Concilio contristati et conturbati experti sumus, veridico calamo consignabit et Romam diriget« (AN, Paris, Fonds Dupanloup, AB XIX, 524).

[53] Am 29. März 1871 schrieb er an Lord Acton: »I send your Lordship herewith enclosed, the exact words of my reply to the address of the clergy, before an immense concourse of Catholics assembled on the occasion. You will perceive that I gave as the motive of my submission ›simply and singly‹ the authority of the Church, by which I as well understood to mean, that the act was one of pure obedience, and was not grounded on the removal of my motives of opposition to decrees, as referred to in my reply, and set forth in my pamphlets. I submissed most unreservedly, not availing myself of any of the ingenious explications of the dogma, set forth by Mr. Maskell, but taking the words of the decrees in this strict and literal signification« (SCHULTE: *Altkatholicismus* 268).

[54] SCHULTE: *Altkatholicismus* 269.

sich mit der Definition abfinden zu können, indem er Newmans Lehre von der Dogmenentwicklung auf die päpstliche Unfehlbarkeit anwandte[55].

Ähnlich wie Kenrick war Hefele auch nach seiner Unterwerfung am 10. April 1871 vom Wert der vorgebrachten Argumente nicht überzeugt[56]. Einen gewissen Ausweg aus seinen Schwierigkeiten fand er durch die übliche Unterscheidung der Theologen, nur die eigentliche Definition, nicht aber die Einleitung und Begründungen seien unfehlbar und im Glauben anzunehmen[57]. Damit war allerdings noch nicht geklärt, wie eine Lehre, die laut Hefele weder in der Schrift noch in der Tradition begründet war, zum Dogma erhoben werden konnte. Auch Hefele mußte es bekannt sein, daß mit der Dogmatisierung der päpstlichen Unfehlbarkeit der Anspruch verbunden war, diese Lehre sei in Schrift und Tradition enthalten. Eine Lösung des Widerspruchs, in den er durch die Ablehnung der vorgebrachten Argumente für die Unfehlbarkeit geriet, könnte allein darin gesehen werden, daß er sie

---

[55] »I reconciled myself intellectually to submission by applaying Father Newman's theory of development to the case in point. The Pontifical authority as at present exercised is so different from what it appears to have been in the early Church, that it can only be supposed identical in substance by allowing a process of doctrinal development. This principle removed Newman's great difficulty and convinced him that, not withstandig the difference, he might and should become a Catholic. I thought that it might justify me in remaining one« (Kenrick an Lord Acton, 29. März 1871 (SCHULTE: *Altkatholicismus* 268 f.)).

[56] Am 20. April 1871 schrieb er an Staatsminister a. D. Josef Freiherr v. Linden: »Noch jetzt bin ich der Meinung daß die Dogmatisierung der bisherigen Schulmeinung De infallibilitate Papae ein großes Unglück sei und der katholischen Kirche ungemein schade, noch jetzt bin ich überzeugt, daß die für dieses Dogma angeführten Beweise nicht stichhaltig sind (aber die *Beweise* sind ja nicht Glaubensgegenstand), und daß das Dogma nur in limitierender Interpretation, wie ich sie im anliegenden Schreiben an den Clerus versuchte, annehmbar sei« (REINHARDT: *Unbekannte Quellen* 75). Am 20. März 1871 schrieb Hefele an Reusch: »Materialiter, das neue Dogma betreffend, so sind alle Bedenken, die mich zum non placet trieben, nicht gelöst worden und ich selbst wäre außer stande, jemandem zu zeigen, wie man dieselben lösen und wie man das neue Dogma stichhaltig verteidigen könne. Die Beweise, die man dafür beigebracht, haben in meinen Augen gar wenig Beweiskraft. Aber der Umstand, daß fast die ganze katholische Welt und nahezu der gesamte Episkopat beigestimmt hat, macht mich stutzig oder bedenklich über meine Bedenken, der unaninmis consensus ist gegen sie, und doch kann mein Verstand sie nicht als grundlos ansehen, ja sie nicht überwinden. Eine Unterwerfung von meiner Seite wäre also caeca obedientia« (MENN: *Aktenstücke Hefele und die Infallibilität betreffend* 676).

[57] In seinem Brief an den Klerus vom 10. April 1871 schrieb Hefele: »Wie die Unfehlbarkeit der Kirche, so erstreckt sich auch die des päpstlichen Magisteriums nur und ausschließlich auf die *geoffenbarte* Glaubens- und Sittenlehre, und auch in den diessbezüglichen Kathedraldekreten gehören nur die eigentlichen Definitionen, nicht aber die Einleitungen, Begründungen u. dgl. zum infallibeln Inhalt« (Mansi 53, 1059 CD). Vgl. FESSLER: *Die wahre und die falsche Unfehlbarkeit* 24 f.; HAGEN: *Die Unterwerfung des Bischofs Hefele* 14.

lediglich mit Einschränkungen akzeptierte[58]. Aber auch dann blieb Hefele der ausweglose Fall des Papstes Honorius, der seiner Meinung nach eine häretische ex-cathedra-Entscheidung gefällt hatte[59].

Die sachlichen Bedenken waren also keineswegs gelöst, wie das Beispiel Hefele deutlich zeigt. Für die meisten Minoritätsbischöfe waren sie nur durch die autoritative Entscheidung des kirchlichen Lehramtes zugedeckt. Die Unterwerfung kam also nicht durch eine bessere Einsicht in die Sache zustande; ihre Motive sind anderswo zu suchen.

3. Autorität und Einheit der Kirche

Die autoritative Entscheidung eines ökumenischen Konzils war für die meisten Minoritätsbischöfe der bestimmende Grund, die vatikanischen Dekrete anzunehmen. In der Beurteilung der ökumenischen Konzilien gab es im allgemeinen keinen Unterschied zwischen Majorität und Minorität. Beide hielten ihre dogmatischen Entscheidungen für unfehlbar und verbindlich[1]. Daher genügte der Spruch eines Konzils, sich selbst zu unterwerfen und dies auch von den Untergebenen zu verlangen[2]. Eine ganze Reihe von Bischöfen führte dieses Motiv an, ohne auf die Einwände gegenüber der Ökumenizität und Freiheit des Vatikanischen Konzils einzugehen[3]. Manche betonten dabei besonders die Approbation der Konzilsbeschlüsse durch den Papst[4]. Andere beriefen sich einfach auf eine Entscheidung des

---

[58] Vgl. seinen Brief vom 20. April 1870 an Staatsminister v. Linden (REINHARDT: *Unbekannte Quellen* 75).

[59] Vgl. STOCKMEIER: *Causa Honorii* 426; HAGEN: *Die Unterwerfung des Bischofs Hefele* 38—40.

[1] Vgl. S. 238.

[2] Vgl. etwa die Formulierung der schweizerischen Bischöfe in ihrem Hirtenbrief vom Juli 1871: »In jedem rechtmäßigen, ökumenischen oder allgemeinen Konzil, welches unter dem Vorsitz des römischen Papstes die Bischöfe der katholischen Kirche bilden, spricht diese oberste und unfehlbare Lehrautorität der Kirche unter dem besonderen Beistande des heiligen Geistes an alle Glieder desselben, und diese sind im Gewissen verpflichtet, solchen Glaubensentscheidungen gläubige Unterwerfung und willigen Gehorsam zu leisten« (ROSKOVÁNY: *Romanus Pontifex* VII 822).

[3] Perger (Mansi 53, 1051 A—1053 A; vgl. ROSKOVÁNY: *Romanus Pontifex* VII 890); Peitler (ROSKOVÁNY: *Romanus Pontifex* VII 892); Kovács (ROSKOVÁNY: *Romanus Pontifex* VII 891); De Las Cases (Mansi 53, 1043 C—1044 C); Jussef (Mansi 53, 942 B—D); Place (Mansi 53, 1035 D—1036 C).

[4] Ginoulhiac schreibt: »Idcirco, ubi audivi constitutionem primam de ecclesia a sanctitate vestra solemniter approbatam et confirmatam fuisse, hanc cum sincera animi demissione suscepi definitionibusque in ea contentis pleno mentis et cordis affectu adhaesi (Mansi 53, 952 D). Vgl. Lipovniczki (Mansi 53, 1054 B); Clifford (Mansi 53, 1006 D—1007 B; vgl. auch seinen Brief vom Sept. 1870 an George Case. In: SCHULTE: *Altkatholicismus* 272—273); Hirtenbrief der in Fulda versammelten deutschen Bischöfe vom Ende August 1870 (Mansi 53,

kirchlichen Lehramtes[5] oder gar nur wie Erzbischof Kenrick auf die Autorität der katholischen Kirche[6]. Die meisten Minoritätsbischöfe unterwarfen sich also, weil in ihren Augen die oberste Autorität in der Kirche gesprochen hatte.

Ab und zu taucht in diesem Zusammenhang das Wort »Roma locuta, causa finita« (Rom hat gesprochen, die Sache ist entschieden) auf[7]. Die Unterwerfung wird als ein Akt der oboedientia, des Gehorsams, gesehen[8]. Andere Beweggründe

---

919 A); Dinkel im Brief vom 15. November 1870 an Schwarzenberg (GRANDERATH: *Geschichte* III 551); Beckmann (SCHULTE: *Altkatholicismus* 173); Deinlein im Brief an das Bonner Komitee vom 13. November 1870 (SCHULTE: *Altkatholicismus* 209).

[5] Denkschrift des preußischen Episcopats vom 7. September 1871. In: AkathKR 27 (1872) CXXXVI—CXLII; CXXXVII.

[6] Am 2. Januar sagte er in der St. John's Church in St. Louis: »The motive of my submission is simply and singly the authority of the Catholic Church. That submission is a most reasonable obedience, because of the necessity of obeying and following an authority established by God, and having the guaranty of our Divine Saviour's perpetual assistance is in itself evidence, and cannot be gainsayed by anyone who professes to recognize Jesus Christ as his Saviour and his God« (HENNESEY: *The first Council* 318 f.). Noch deutlicher wird diese Motivierung in Kenricks Brief an Lord Acton vom 29. März 1871. Darin erklärt er, seine Unterwerfung sei lediglich ein Akt des Gehorsams und bedeute nicht die Aufgabe seiner Bedenken gegen das Unfehlbarkeitsdogma (SCHULTE: *Altkatholicismus* 268).

[7] Peitler (Mansi 53, 1014 A—1015 C). Erzbischof Scherr erklärte am 21. Juli 1870 vor den Mitgliedern der theologischen Fakultät München: »Roma locuta est, die Folgen davon kennen die Herren selbst. Wir können nichts anderes thun, als uns darein ergeben« (SCHULTE: *Altkatholicismus* 187; FRIEDRICH: *Tagebuch* 408 f.).

[8] Clifford schrieb am 3. Dezember 1870 an Kardinal Barnabò: »Come ho sempre riconosciuto che la communione colla s. sede è nota essenziale della vera chiesa, ed ho giurato vera obedienza al successore di s. Pietro, così non esito di dichiarare la mia adesione alla detta costituzione publicata com'è del papa sotto pena di anathema« (Mansi 53, 1007 A). Dours spricht vom Gehorsam, der auch von den Gläubigen verlangt werden müsse (Mansi 53, 1030 A—1031 B). Bischof David möchte darin mit dem guten Beispiel vorangehen: »Wie ich in meiner Diözese der erste an Würde bin, so will ich auch der erste im Gehorsam sein« (Mansi 53, 1027 A). Vgl. weiter Kovács (Mansi 53, 1055 D—1056 D); Maret (Mansi 53, 1019 A); Meignan (Mansi 53, 1032 A—1032 D); Zalka (ROSKOVÁNY: *Romanus Pontifex* VII 890); Biró (ROSKOVÁNY: *Romanus Pontifex* VII 889); Rauscher im Hirtenbrief vom 5. Februar 1871 (ROSKOVÁNY: *Romanus Pontifex* VII 785); Hirtenbrief der Schweizerischen Bischöfe vom Juli 1871 (ROSKOVÁNY: *Romanus Pontifex* VII 833). Der Schweizerische Episkopat sieht in der päpstlichen Unfehlbarkeit eine Testfrage zur Scheidung der Geister: »Die Unfehlbarkeitsfrage wird dem Einen zum Falle, dem Andern zur Auferstehung sein; sie ist zum Prüfstein für die Geister aufgestellt in dieser Zeit, sie ist zu einem Scheideelement geworden, welches die faulen und die kranken Materien von den lebensfähigen und guten im Leibe der Kirche ausscheidet und dadurch eingesünderes und freieres Leben für die Zukunft ihr möglich macht« (Hirtenbrief vom Juli 1871. In: *Roskovány: Romanus Pontifex* VII 854). Vgl. Erzbischof Scherrs Hirtenbrief vom 26. Dezember 1870 (*Aktenstücke des Ordinariates* 61—94) und die Synoden von Turin und Alba (ROSKOVÁNY: *Romanus Pontifex* XI 27—30).

sind die humilitas (Demut)[9], die pietas (Frömmigkeit)[10] und die docilitas (Lernbereitschaft)[11]. Ganz in diesem Sinn verstehen mehrere französische Bischöfe ihre Rolle nach erfolgter Definition grundlegend anders. Während des Konzils hätten sie als Richter des Glaubens gesprochen, jetzt aber seien sie nur noch einfache Gläubige, denen die Haltung des Glaubens gebühre[12].

Mit ihren Äußerungen erweckten die Bischöfe den Eindruck, die Verbindlichkeit der vatikanischen Dekrete sei tatsächlich gegeben, da es sich um Beschlüsse eines fraglos ökumenischen Konzils handle. Gerade das aber wurde von manchen Katholiken bestritten[13]. Um so mehr pochten die Bischöfe auf die Ökumenizität des 1. Vatikanums, die sie selbst kurz vorher in Frage gestellt hatten[14]. Einige verzichteten in Umkehrung ihrer früheren Argumente auf die moralische Einmütigkeit als Bedingung für die Ökumenizität dogmatischer Beschlüsse. Entscheidend sei, auf welcher Seite der Papst stehe[15]. Andere behaupteten, die Mitglieder der

---

[9] Szabó (Mansi 53, 1056 D—1057 D); Rogers (Mansi 53, 1016 A—1016 D).

[10] Szabó (Mansi 53, 1056 D—1057 D).

[11] Rogers (Mansi 53, 1016 A—1016 D); Bravard (Mansi 53, 1028 A—1028 D).

[12] Am 18. Oktober 1870 schreibt Callot an Pius IX.: »Le devoir souvent pénible de discuter et de juger a fait place au devoir plus facile et plus doux d'accepter et de se soumettre« (Mansi 53, 1045 C). Ramadié läßt am 19. September 1870 den Papst wissen: »Ma piété filiale envers le meilleur des pères ne me permit pas d'assister à la quatrième session du concile du Vatican; mais dès le jour de cette session, le chrétien a pris en moi la place du juge; le juge pouvait se tromper, le chrétien est sûr d'être dans la vérité, en obéissant« (Mansi 53, 1033 C f.). Vgl. weiter Ginoulhiac (Mansi 53, 952 C); Bravard (Mansi 53, 1028 A—1028 D); Hugonin (Mansi 53, 1038 D); Grimardias (Mansi 53, 1036 C—1037 A).

[13] Vgl. die Erklärungen von Königswinter vom 14. August 1870 (Coll. Lac. VII, 1731 b) und von Nürnberg vom 26. August 1870 (Coll. Lac. VII, 1731 c—1732 c).

[14] Vgl. S. 57 f. und 409 f. ferner Hirtenbrief der deutschen Bischöfe in Fulda Ende August 1870 (Mansi 53, 918 A f.; 919 A f.); Brief der deutschen Bischöfe vom Mai 1871 (Mansi 53, 923 D); Rauschers Brief vom 2. Dezember 1870 an das Bonner Komitee (SCHULTE: *Altkatholicismus* 240 f.); Eberhards Brief an den Klerus vom 14. September 1870 (AkathKR 24 (1870) CXXXI f.) und Simor in seinem Hirtenschreiben vom 8. September 1871 (Mansi 53, 949 CD).

[15] Erzbischof Scherr kann in der Tatsache, daß noch am 13. Juli 1870 88 Bischöfe mit »Non placet« und 62 mit »Placet iuxta modum« stimmten, kein gültiges Argument gegen die Ökumenizität sehen: »Keine auch noch so zahlreiche Versammlung von Bischöfen kann deßwegen den Papst durch ihre Beschlüße binden, weil sonst der Primat vom Papste weg auf einen ganz anderen Punkt verlegt würde, und die Berufung von einer Entscheidung des Papstes an ein allgemeines Concil in Glaubensfragen steht in Widerspruch mit der ganzen Verfassung der Kirche, ist ein Angriff auf die von Gott gesetzte Ordnung. ... Es kommt deßwegen, wenn die Meinungen der Conciliumsväter geteilt sind, auf den Beitritt des römischen Stuhles an, weil das wahre unfehlbare Lehramt nur da ist, wo die Einheit ist« (Hirtenbrief vom 26. Dezember 1870. In: *Aktenstücke des Ordinariates* 89 f.). Auch Eberhard hält nur noch eine Majorität für notwendig (BA, Trier, Abt. 40, Nr. 52, Eberhard: Aufzeichnungen und Erinnerungen, 12. Oktober 1870, 145). Vgl. Melchers' Hirtenbrief vom 10. September 1870 (AkathKR 24 (1870) CVI) und Melchers' Predigt vom 24. Juli 1870 im Kölner Dom (GRANDE-

Minorität hätten sich durch ihr Fernbleiben von der feierlichen Schlußsitzung, die allein zähle, ihres Stimmrechtes begeben. Damit sei die Einmütigkeit zustande gekommen[16]. Dieses letzte Argument widersprach jedoch der Intention der meisten Minoritätsbischöfe zu deutlich. Sie hatten ihren Protest vom 17. Juli 1870 als innerkonziliaren Akt verstanden[17]. Viel wichtiger wurde deshalb das Argument, durch die nachträgliche Zustimmung aller Konzilsväter zu den Dekreten seien die von der Minorität geforderte Einmütigkeit und damit die Ökumenizität der Konzilsbeschlüsse doch noch verwirklicht worden[18].

Für einige Bischöfe war diese nachträgliche Zustimmung der entscheidende Grund, sich auch selbst zu unterwerfen. Am deutlichsten drückte sich Erzbischof Haynald in diesem Sinn aus. In einem Brief vom 15. September 1871 schrieb er an Kardinal Antonelli, wenn die Opposition standhaft geblieben wäre, hätte er die Beschlüsse des Vatikanischen Konzils nicht angenommen. Die moralische Einmütigkeit und damit die dogmatische Sicherheit hätten in diesem Falle gefehlt. Nach der Zustimmung der meisten Bischöfe, auch der Minderheit, sei die Situation anders. Die moralische Einmütigkeit könne nicht mehr in Frage gestellt werden[19].

RATH: *Geschichte* III 544) sowie den Hirtenbrief der Schweizer Bischöfe vom Juli 1871 (ROSKOVÁNY: *Romanus Pontifex* VII 824).

[16] KETTELER: *Das unfehlbare Lehramt des Papstes* 71 f. Anm. 1; vgl. SCHATZ: *Papst, Konzil und Unfehlbarkeit* 214; Greith im Brief vom 21. November 1870 an Bauerband (SCHULTE: *Altkatholicismus* 266) und im Brief vom 7. Februar 1871 an Dupanloup (ASSTS, Fonds Dupanloup, Concile, Lettres I); Hirtenbrief der Schweizer Bischöfe vom Juli 1871 (ROSKOVÁNY: *Romanus Pontifex* VII 824); Beckmann (SCHULTE: *Altkatholicismus* 173).

[17] Mansi 52, 1325 A—1327 A.

[18] Krementz schrieb in seinem Hirtenbrief vom 11. November 1870: »Diesem Beschlusse haben sich seither viele, man kann wohl sagen alle Bischöfe der katholischen Welt, die Bischöfe der Minorität nicht ausgenommen, entweder ausdrücklich oder stillschweigend angeschlossen, wenigstens ist es von Niemanden bekannt geworden, daß er demselben die gläubige Anerkennung versage. Die päpstliche Unfehlbarkeit in dem von dem Concil ausgesprochenen Sinne ist demnach eine Lehre, in welcher das gesammte rechtmäßige Lehramt der Kirche übereinstimmt, ein Glaubenssatz also, der selbst für den Fall, daß die Allgemeinheit des Concils bestritten werden könnte, als ein von dem Gesamtepiscopat angenommener und demnach allgemein verbindlicher dasteht, weil verkündigt von den legitimen Nachfolgern derjenigen, zu denen der Herr gesagt hat: Wer Euch höret, der höret mich (Luc. 10, 16)« (Katholik 24 (1870) 747). Vgl. den Hirtenbrief der Schweizer Bischöfe vom Juli 1871 (ROSKOVÁNY: *Romanus Pontifex* VII 824 f.) und Simors Rundschreiben vom 15. August 1872: *Observationes in ambas Constitutiones dogmaticas S. C. Vaticani* (ROSKOVÁNY: *Romanus Pontifex* VII 1224 f.).

[19] Mansi 53, 968 B; vgl. Kovács' Brief vom 24. Januar 1871 an Dupanloup: »Haynald ... Fixum quidem sibi fuisse dicit latae definitioni, si membra minoritatis datis suis votis fideliter inhaesissent, publice contradicere. Verumtamen nunc, post adhaesionem plurimorum, ad hocce suo proposito jam resilire« (AN, Paris, AB XIX, 524). Vgl. weiter Haynalds Ansprache an die Klerusversammlung vom 25. und 26. Oktober 1871 (Mansi 53, 973 A) sowie ANDRIÁNYI: *Ungarn* 375.

In den Augen Roms war eine solche Deutung ganz abwegig, aber man gab sich auch mit einer derart motivierten Unterwerfung Haynalds zufrieden[20].

Erzbischof Kenrick von St. Louis vertrat ebenfalls die Meinung, der Mangel an Ökumenizität des Konzils werde durch die nachträgliche Zustimmung der Kirche behoben[21]. Bei anderen Bischöfen begegnen Anklänge an die gleiche These[22].

Selbst wer Bedenken gegen diesen nachträglichen Konsens hatte, konnte sich faktisch seinem Zwang nicht entziehen. Er brachte die noch widerstrebenden Minoritätsbischöfe in die Gefahr völliger Isolation. Die Angst, letztlich allein zu bleiben, half sowohl Schwarzenberg wie Hefele nachzugeben[23].

---

[20] GRANDERATH schreibt dazu: »Die Lehre Haynalds, daß zur Rechtskräftigkeit des Unfehlbarkeitsdekretes die nachträgliche Zustimmung der in der vierten öffentlichen Sitzung fehlenden Bischöfe notwendig gewesen sei, war unrichtig. Die Hauptsache aber war, daß er die Lehre von der päpstlichen Unfehlbarkeit annahm. Denn damit mußte er auch anerkennen, daß das Dekret ohne Zustimmung der Minoritätsbischöfe rechtskräftig war: Wenn der Papst aus sich selbst eine Lehrfrage entscheiden kann, so kann er es auch auf dem Konzile trotz des Widerspruches einer Minderzahl von Bischöfen« (*Geschichte* III 580 Anm. 1).

[21] In seinem Brief vom 29. März 1871 an Lord Acton (SCHULTE: *Altkatholicismus* 267); vgl. HENNESEY: *The first Council* 319.

[22] Forwerk äußerte am 16. Dezember 1870 gegenüber Schwarzenberg: »Nachdem sonach feststeht, daß die gedachte Konstitution von der weitaus größten Zahl der Partikularkirchen gläubig an- und aufgenommen worden ist, dürfte es sehr schwer sein, jetzt noch länger die Ökumenizität des Konzils in Zweifel ziehen zu wollen« (GRANDERATH: *Geschichte* III 558 f.). In seinem Brief vom 11. Januar 1871 an das Bonner Komitee meinte Schwarzenberg: »Würden die Bischöfe der Minorität die Ueberzeugung gehabt haben, das erlassene Dekret widerstrebe der überlieferten Lehre, so würden ihre nachfolgenden Schritte ohne Zweifel dieser Ueberzeugung Ausdruck gegeben haben. Nachdem sie aber fast alle, in Deutschland und in Oesterreich-Ungarn, jeder nach eigenem Ermessen, das Dekret vom 18. Juli in ihren Diöcesen veröffentlichten, haben sie damit ihrem Urtheil, es stimme in seinem wohlverstandenen Inhalte mit der göttlichen Ueberlieferung überein, Ausdruck gegeben« (SCHULTE: *Altkatholicismus* 247). Vgl. Lipovniczki (Mansi 53, 1054 B) und Clifford (CWIEKOWSKI: *The English Bishops* 294 f.). Selbst bei Hefele finden sich entsprechende Überlegungen. Am 20. März 1870 schreibt er an Reusch: »Was die formelle Frage, die Gültigkeit der vierten Sitzung betrifft, so zweifle ich, ob sie noch jetzt mit Grund beanstandet werden kann, nachdem die nachträglichen Placets fast bis zur Einstimmigkeit eingelaufen sind!« (MENN: *Aktenstücke Hefele und die Infallibilität betreffend* 675).

[23] Am 25. Januar 1871 schrieb Schwarzenberg an Dupanloup: »Die Autorität solcher Männer [der Minderheit, die sich unterworfen hatte] konnte ich keinesfalls gering schätzen, und ich gestehe Eurer Herrlichkeit offen, daß mich die Bemerkung, nun gleichsam einzig und allein noch der Widerspenstige zu sein, in die größte Unruhe versetzte« (GRANDERATH: *Geschichte* III 574; vgl. WOLFSGRUBER: *Schwarzenberg* III 265). In einem Brief vom 11. März 1871 an Döllinger sprach Hefele zunächst vom Druck des Klerus, von seiner Isolation und schrieb dann: »Die Lage eines suspendirten und excommunicirten Bischofs scheint mir eine schreckliche, die ich kaum ertragen könnte. Viel eher möchte ich mich zur Cession oder Resignation

Den Bischöfen konnte kaum entgangen sein, wie der nachträgliche Konsens zustande gekommen war. Sie hatten auf dem Konzil ein wachsames Auge für die manipulativen Prozesse gezeigt und mehrfach die Freiheit des Konzils bezweifelt[24]. Sie mußten auch bemerken, mit welch fein abgestuften Druckmitteln die Unterwerfung der einzelnen Bischöfe bewerkstelligt wurde. Aber die äußeren Umstände zwangen, darüber zu schweigen, ebenso wie die früheren Einwände gegen den physischen und moralischen Druck auf dem Konzil verstummten. Sprachen sie darüber öffentlich, dann beteuerten sie nun die Freiheit[25]. Eine erstaunliche Gesinnungsänderung für Bischöfe wie Ketteler, der noch kurz vorher sogar in schriftlichen Eingaben eine Definition ohne moralische Einmütigkeit als Verbrechen bezeichnet hatte[26].

Einigen Bischöfen diente nicht die kirchliche Lehrautorität als entscheidender Grund, sich zu unterwerfen. Vielmehr bewegten sie die Angst vor dem Schisma und die Sorge um die Einheit der Kirche zur Zustimmung. Am 10. April 1870 schrieb Hefele zur Begründung seiner Unterwerfung an den Klerus seiner Diözese: »Es ist aber der kirchliche Friede und die Einheit der Kirche ein so hohes Gut, daß dafür große und schwere persönliche Opfer gebracht werden dürfen[27].« In einem vertraulichen, in lateinischer Sprache abgefaßten Brief teilte Hefele Bischof Feßler von St. Pölten mit, er habe sich unterworfen, weil er ein Schisma für ein noch größeres Unglück halte als die Unfehlbarkeitsdefinition. Zwischen Skylla und Charybdis gesetzt, habe er lieber seinen Verstand zum Opfer gebracht als ein Schisma begünstigt. Feßler schickte den Text von Hefeles Brief an Kardinal Bilio mit der Bitte, ihn unter der gleichen Verschwiegenheit dem Papst zu Gehör zu bringen[28]. Ob Hefele aus Sorge um seine Diözese eine Mitteilung seines Briefes nach Rom selbst suggeriert hat, um kuriale Sanktionen zu verhindern[29]?

---

entschließen, und gerne lege ich den Stab nieder, um dessentwillen ich selbst ein geschlagener und unglücklicher Mann bin. Es bleibt mir nichts über als Resignation oder Hinausgabe der vaticanischen 2 dogmatischen Constitutionen an den Clerus« (SCHULTE: *Altkatholicismus* 228 f.).

[24] Vgl. S. 155 ff.

[25] Bischof Eberhard meinte in seinem Hirtenbrief vom 14. September 1870: »Wir sprechen hiermit aus, dass dem Vaticanischen Concilium bei seinen Berathungen und Beschlussfassungen die nothwendige Freiheit *nicht* gefehlt hat« (AkathKR 24 (1870) CXXXI f.). Vgl. den Fuldaer Hirtenbrief vom August 1870 (Mansi 53, 918 CD).

[26] Mansi 51, 977 D; vgl. VIGENER: *Ketteler* 585—588.

[27] Mansi 53, 1058 D.

[28] Feßler schreibt am 21. April 1870: »Accepi hac ipsa hora eijusdem [Hefele] litteras datas die 20. Aprilis, quibus mihi significat eam rem, his verbis usus, accuratissime per me in latinum translatis: ›Heri misi ad clerum dioecesis meae exemplaria typis impressa utriusque Constitutionis dogmaticae Vaticani Concilii, adjecta etiam epistola ad clerum ea de re. Adhucdum censeo, definitionem dogmatis de infallibilitate Pontificis magnam calamitatem Ecclesiae

Ganz ähnlich wie Hefele dachte offenbar auch Bischof Place von Marseille. Er spricht ebenfalls von der Pflicht, der Einheit der Kirche wegen das neue Dogma anzunehmen[30]. Dieses hohe Gut rechtfertigte viele Opfer[31]. Auch Erzbischof Connolly von Halifax sieht in der Vermeidung eines Schismas das Hauptmotiv seiner Unterwerfung[32]. Bei anderen Bischöfen wird die Sorge um die Einheit der Kirche ebenfalls erwähnt, steht aber nicht derart im Vordergrund[33].

Rückblickend zeigt sich, daß die Gründe, welche die Bischöfe zur Unterwerfung bewegten, äußerer Natur waren. Im Zentrum steht das Autoritätsprinzip des

---

catholicae fuisse, ipsumque dogma nonnisi in sensu stricto (minime vero eo sensu, quo Schaetzler aliique id exponunt) admitti posse. Longe tamen maior calamitas foret Schisma, quo in Bavaria aliisque regionibus tenditur; Schismati equidem nolo inhaerere, nec gravi de eo ratio in reddendae implicari. Idcirco, haud tamen absque gravi pugna interna, *sacrificio dell'intelletto* [Anmerkung Feßlers: haec verba ipse italice scripsit] Deo obtuli et consequenter multorum odia incurri. Inter Scyllam et Charybdim positus malui intellectum meum sacrificare meque, dolenti licet animo [Anmerkung Feßlers: haec duo verba ita interpretor: dolens mala, quae ipse providet, et maxime in sua patria.], subjicere, quam promovere schisma; nec forte parum potuisset promoveri schisma, si et mea humilitas nunc proprupisset ac parti dissidenti apicem episcopalem addidisset. Haec Tibi secreti fidem expectans communico, de cetereo perseverans‹ etc. Haec sub secreto commissa neutiquam evulgabo; non tamen putabam, secreti fidem violari, si sub *eadem secreti fide* ad notitiam Em. V. Revmae ea perferrem, ut fortasse, quae aptae videntur, Suae Sanctitati innotescant, et per verba paternae benevolentiae, animus fractus, qui tamen post gravem pugnam victoriam de se ipso laudabilem retulit et ideo forte majus coram Deo meritum habet, erigatur et confirmetur. Ego ex mea parte statim ad ipsum rescribo, gaudens, congratulans, laudans et animos addens, praesertim in animum revocans egregia verba Valentini, Episcopi Gurcensis, de oppositione et cunctatione quorundam Ep[iscop]orum, obvia in ep[isto]la ejus pastorali dd. 24. Februarii 1871« (ASV, Spoglio Card. Bilio).

[29] Oberstaatsarchivrat Georg Richter schreibt: »Trotz allen intellektuellen Rechtfertigungsversuchen blieb nach Hefele die Unterwerfung ein Opfer des Verstandes zur Verhütung eines Schismas, und man darf ergänzen zur Wahrung des Friedens in der Diözese« (*Bischof von Hefele anerkennt Unfehlbarkeitsdogma*. In: Stuttgarter Zeitung vom 6. Juli 1971).

[30] In seinem Schreiben an den Klerus vom 4. August 1870 (Granderath: *Geschichte* III 595).

[31] Am 26. Dezember 1870 schreibt Madame de Forbin d'Oppède an Lady Blennerhassett über Bischof Place: »Jusqu'à présent il n'affirme pas que l'assemblée du Vatican soit un concile ni que le dogme soit un dogme, mais il ne veut pas non plus dire le contraire parce que, dit-il, le bien de l'unité est si grand qu'il nécessite beaucoup de sacrifices; il pense que l'avenir seul rendra les jugements de Dieu; si dans cent ans d'ici, lorsque toutes les passions seront calmées, l'Eglise reconnaît le Concile du Vatican et enseigne le dogme, c'est que l'un et l'autre sont de foi; si au contraire c'est l'opposé qui arrive, ce sera Dieu qui se chargera lui-même de faire connaître la vérité (Palanque: *Les amitiés européennes* 131).

[32] Connolly an Acton, 30. Juni 1872 (Mc Elrath: *Lord Acton* 216 f.).

[33] Greith an Schwarzenberg, 22. September 1870 (Ganderath: *Geschichte* III 587); Förster an Schwarzenberg, 2. August 1870 (Granderath: *Geschichte* III 554) sowie seine Vermeldung vom 20. Oktober 1870 (Mansi 53, 1003 A); Krementz in seinem Hirtenbrief vom 12. März 1873 (Roskovány: *Romanus Pontifex* XI 22—26).

Papstes oder der Konzilien. Für einige Bischöfe wird die Sorge um die kirchliche Einheit noch wichtiger. Die Frage nach der Wahrheit der definierten Unfehlbarkeitslehre, die noch wenige Monate zuvor heiß diskutiert wurde, tritt völlig zurück. Damit aber erhebt sich der Verdacht, daß die Unterwerfung der Minoritätsbischöfe in manchen Fällen nur äußerlich blieb.

III.

NUR ÄUSSERLICHE UNTERWERFUNG?

1. Interpretation als Ausweg

Die beiden Gutachter Kardinal Schwarzenbergs hatten bereits im September 1870 die Interpretation der Unfehlbarkeitsdefinition im Sinne der Minorität als Ausweg ins Auge gefaßt, falls sich die Ökumenizität der vierten Sitzung nicht bestreiten ließe[1]. Freilich dachten sie dabei an eine authentische Auslegung durch das wieder zusammengetretene Konzil. Nach dem Einmarsch der Italiener in Rom vertagte jedoch Pius IX. das Konzil am 20. Oktober 1870 auf unbestimmte Zeit. Wollten die Bischöfe den empfohlenen Ausweg einschlagen, so mußten sie ihn nun einzeln gehen. In der Tat konnten viele Bischöfe der Versuchung nicht widerstehen, dieses wirksame Mittel zu gebrauchen, um über unangenehme kirchliche Entscheidungen hinwegzukommen.

Ihr hauptsächlicher Einwand hatte der Unabhängigkeit unfehlbarer Entscheidungen von der Zustimmung der Kirche gegolten. Was ihnen die Majorität verwehrte, suchten sie nun auf anderem Weg zurückzugewinnen. Es kann nicht überraschen, daß der Prozeß der Interpretation bereits einsetzte, als die Unfehlbarkeitsdebatte noch voll im Gange war. Je unausweichlicher eine Definition wurde, um so mehr beschäftigten sich die Bischöfe der Opposition mit dem Nachher. Sie dachten dabei auch an die Möglichkeit der verschiedenen Deutungen. So begann sich z. B. Bischof Ketteler bereits in der letzten Phase des Konzils mit dem Dekret etwas mehr anzufreunden und war geneigt, in der historischen Notiz über die verschiedenen von den Päpsten angewandten Mittel zur Wahrheitsfindung — sie

---

[1] Vgl. S. 409 ff. Salesius Mayer, Konzilstheologe Schwarzenbergs, wahrscheinlich mit einem der Gutachter identisch, plädiert ebenfalls für den Weg der Interpretation (Anhang zum Tagebuch »Der Streit über die Infallibilität« (ASCHST, Wien, Nachlaß Wolfsgruber)).

wurde zum ersten Mal in die Fassung vom 7. Juli 1870 aufgenommen — die von ihm so urgierte Verbindung mit der Gesamtkirche zu sehen[2]. Andere beruhigten sich offenbar mit dem Gedanken, die extremen ultramontanen Gedanken seien nicht akzeptiert worden[3].

Die meisten Bischöfe brauchten mehr Zeit. Erst in ihren Hirtenschreiben begannen sie sich auf die Interpretationsmöglichkeiten zu besinnen. Verschiedentlich bemühten sie sich, die Reichweite der päpstlichen Unfehlbarkeit möglichst einzuschränken[4]. Eine solche Deutung machte das neue Dogma unangreifbarer. Bedenken aus der Geschichte konnten weitgehend entfallen. Bischof Dinkel von Augsburg war überzeugt, die päpstliche Unfehlbarkeit sei im Dekret innerhalb so enger Grenzen umschrieben worden, daß keine einzige historische Schwierigkeit mehr bestehe[5]. Auch Bischof Vérot sah seine Bedenken durch die endlich erfolgte Definition zu seiner Zufriedenheit gelöst[6].

Noch wesentlicher war der Minorität der Konsens der Gesamtkirche, den sie auf verschiedene Weise für unfehlbare päpstliche Entscheidungen verlangt hatte. Obwohl der Text der Definition mit aller wünschenswerten Deutlichkeit davon sprach, die päpstlichen Entscheidungen seien aus sich und nicht aufgrund der Zustimmung der Kirche unrevidierbar, glaubte sie in der Konstitution »Pastor Aeternus« Stellen für ihre Auffassung zu finden. Der Papst müsse alle Mittel der Erkenntnis der Glaubenslehre gebrauchen, an die das kirchliche Lehramt im all-

---

[2] Mansi 53, 1334 AB; vgl. SCHATZ: *Kirchenbild* 221 f.; ISERLOH: *Ketteler* 528 f.

[3] Lucien Lacroix berichtet in seinem unveröffentlichten Buch folgende Erklärung zu Landroits Placet: »Les familiers de l'archevêque expliquent ce ralliement par deux raisons: 1° la modification apportée, le 16 juillet, dans le texte de la définition qui fut différent de ce que souhaitaient les ultramontains français. 2° une rencontre que fit Mgr Landriot de Pie IX sur la route de Frascati, le vendredi 15 juillet. Le pape se montra extrêmement aimable pour l'Archevêque qui garda un très doux souvenir de son entretien« (AIC, Paris, Vie de Mgr Landriot, ms. fr. 209, II, 278ᵛ).

[4] Die deutschen Bischöfe schrieben im Mai 1871 an den Klerus: »Von allen den Bullen, welche bisher die Gegner mit Vorliebe als staatsgefährlich bezeichnen, ist nur Eine dogmatisch [Bulle ›Unam Sanctam‹]... Zudem enthält jene Bulle in der That nur eine Lehr-Entscheidung über den Primat, welche nichts ausspricht, als was alle Katholiken von jeher ohne Gefahr für den Staat glaubten« (Mansi 53, 928 D f.). Die Behauptung, »Unam Sanctam« sei die einzige dogmatische Bulle, erschien Bischof Beckmann gewagt (BRANDMÜLLER: *Die Publikation* 624). Vgl. auch den Hirtenbrief der schweizerischen Bischöfe vom Juli 1871 (ROSKOVÁNY: *Romanus Pontifex* VII 839).

[5] Dinkel an Schwarzenberg, 15. November 1870 (GRANDERATH: *Geschichte* III 551). Im gleichen Brief bekundet Dinkel die Ansicht, das neue Dogma möglichst restriktiv zu interpretieren: »Ich halte es für durchaus notwendig, gegen die Mißverständnisse aufzutreten, welche über die Infallibilität unter unser gläubiges Volk ausgestreut worden sind, und hiermit eine Interpretation des Dekretes in sensu strictissimo zu verbinden« (GRANDERATH: *Geschichte* III 552).

[6] HENNESEY: *The first Council* 310.

gemeinen gebunden sei. Er werde nie eine neue Lehre verkünden, sondern nur, was der Glaubensschatz der Kirche enthalte[7]. Jede Willkür sei ausgeschlossen[8]. Deutlicher als andere sprach Krementz in seinem Hirtenschreiben davon, der Papst müsse bei unfehlbaren Entscheidungen immer den Konsens der Kirche erforschen und sei an ihn gebunden[9], betonte aber gleich anschließend, der Heilige Geist werde stets für die Erfüllung dieser Bedingungen sorgen[10]. Die Braunsberger Professoren Menzel[11], Michelis[12] und Treibel[13] vermochten in der Krementzschen Deutung keine getreue Interpretation der vatikanischen Dekrete mehr zu erkennen[14]. Um allen anderen Auslegungen den Boden zu entziehen, schärften die deutschen Bischöfe ihrem Klerus ein, für Katholiken sei allein die kirchlich approbierte Deutung zulässig[15].

Am entschiedensten betrat Bischof Hefele den Weg der Interpretation. Als sich beinahe der gesamte Episkopat unterworfen hatte, schrieb er an Acton: »Es ist

---

[7] Brief der deutschen Bischöfe an den Klerus vom Mai 1871 (Mansi 53, 925 B—926 B); Hirtenbrief der schweizerischen Bischöfe vom Juli 1871 (ROSKOVÁNY: *Romanus Pontifex* VII 839); Greith in seinem Fastenbrief 1873 an die Diözese (FRIEDBERG: *Aktenstücke* II 270 f.). Greith glaubte, man könne die Mitwirkung der Bischöfe in die Definition einfügen, ohne ihre Substanz zu verändern. Am 22. September 1870 schrieb er an Schwarzenberg: »Weil alle ferneren Schritte gegen eine irreformabel gewordene Glaubenslehre erfolglos wären, kann unsere Minorität erst dann einige Hoffnung auf *Ergänzung* dieser materiell wahren Lehre haben, wenn es gelingt, den *nächstfolgenden* Papst zu veranlassen, durch eine kommentierende Constitutio apostolica die cooperatio episcoporum bei Glaubensentscheidungen in der ecclesia dispersa festzusetzen, um die allgemeine Beruhigung herzustellen, was allerdings möglich wäre, ohne die Substanz des neuen Dogmas ändern zu müssen« (GRANDERATH: *Geschichte* III 587). Die gleiche Tendenz verfolgte der spätere Kardinal NEWMAN (*A letter addressed to His Grace the Duke of Norfolk* 143—163).

[8] Hirtenbrief der deutschen Bischöfe vom Mai 1871 (Mansi 53, 925 B f.); Stroßmayer (Mansi 53, 1000 D); Hirtenbrief Dinkels vom 3. Mai 1871. In: Sion 40 (1871) 417.

[9] Im Pastoralschreiben vom 8. September 1870 (Mansi 53, 1048 C).

[10] Mansi 53, 1048 CD.

[11] SCHULTE: *Altkatholicismus* 176.

[12] MICHELIS warf Krementz vor, das Dogma bewußt im traditionellen Sinn umzuinterpretieren, damit es »das neue unerhörte und das katholische Glaubensbewußtsein verletzende« verliere (*Der neue Fuldaer Hirtenbrief* 18).

[13] Treibel wies vor allem auf den Widerspruch der Krementzschen Interpretation zu der anderer Bischöfe hin (GATZ: *Krementz* 151).

[14] SCHULTE macht auf das Zweideutige dieser und ähnlicher Interpretationen aufmerksam: »... die Versuche, in das Dekret die Notwendigkeit der Mitwirkung der Kirche hinein zu interpretieren, sind, wenn nicht bewusste Sophismen, jedenfalls jeder Grundlage entbehrende Behauptungen. Sie sind aber auch nicht ernstlich gemeint. Denn im selben Athem zu sagen, wie das am drastischsten *Krementz* thut: der Papst muss fragen; wenn er aber nicht fragt, hilft ihm der h. Geist auch, — das ist des Lehrers der Religion Christi unwürdig« (*Altkatholicismus* 330).

[15] Mansi 53, 924 C—925 B.

wohl nun mehr durch Auslegung zu helfen[16].« Hefele wünschte, daß »man bei
weiterer Berathung des cap. IX im Schema de Ecclesiae infall.[ibilitate] der Sache
eine Wendung gibt, wonach die schwersten Bedenken gegen die Constitution
Pastor aeternus behoben werden«[17]. Ermuntert durch die Interpretation Kettelers
und Feßlers[18], schöpfte er den Mut, einen Schritt weiter zu gehen. Die einleitenden
Bemerkungen zur Definition, die römischen Bischöfe hätten vor dogmatischen
Entscheidungen je nach den Bedürfnissen der Zeit und der Sache bald ökumenische
Konzilien einberufen oder die Meinung der über den Erdkreis zerstreuten Kirche
in Erfahrung gebracht, bald Partikularsynoden abgehalten, bald andere Mittel
angewandt, wie sie die Vorsehung gerade schenkte, sind laut Hefele »nicht blos
eine historische Notiz über das, was früher geschah, sondern implicieren zugleich
die Norm, nach welcher bei päpstlichen Kathedralentscheidungen immer verfahren wird«[19]. Nur in solch einschränkender Auslegung hielt Hefele die vatikanischen
Dekrete für annehmbar[20]. Manchen war seine Deutung hilfreich[21], anderen erschien sie als zwiespältig[22]. Einzelne Ultramontane konnten darin keine explizite
Unterwerfung erkennen[23], doch Rom gab sich damit zufrieden.

[16] Brief vom 10. März 1871 (MC ELRATH: *Lord Acton* 211).
[17] MC ELRATH: *Lord Acton* 211. Bei Mc Elrath steht der Lesefehler »gehoben werden«.
[18] Am 20. März 1871 schreibt er an Reusch: »Schon die Interpretationen von Ketteler und Feßler haben das Dogma etwas annehmbarer gemacht. Allerdings ist fraglich, ob die Deutungen
dieser beiden Herren dem Sinne, den die Konzipienten hatten, konform sei; aber ihre Deutungen sind doch nicht förmlich desavouiert, und es ist kaum zu glauben, daß Feßler ganz proprio
motu gehandelt und nicht zuvor seine Hauptgedanken in Rom vorgelegt hätte« (MENN:
Aktenstücke Hefele und die Infallibilität betreffend 675). Vgl. HAGEN: *Die Unterwerfung des
Bischofs Hefele* 12.
[19] Mansi 53, 1059 C.
[20] Brief Hefeles vom 20. April 1871 an Staatsminister a. D. Josef Freiherr v. Linden (REINHARDT:
Unbekannte Quellen 75). Vgl. S. 472.
[21] Am 11. November 1871 schrieb Colet an Foulon: »Connaissez-vous la lettre Pastorale de
Mgr de Héfélé lors de la Publication qu'il a fait de la constitution *Pastor Aeternus*. J'en ai la
traduction, et j'y ai trouvé le moyen de rassurer la conscience en plusieurs fidèles. Elle a été
loué par le Nonce de Munich, ce qui lui donne une certaine autorité. Elle a d'ailleurs pour elle
celle de la raison et de la science théologique« (AAP, Série 4 A I, 1).
[22] Am 30. April 1871 berichtete v. Rosenberg, preußischer Gesandter in Württemberg, an Bismarck: »Das Rundschreiben des Bischofs von Rottenburg, das die Verkündigung des neuen
Dogmas begleitet hat, hat dem Ruf dieses Prälaten als theologischem Schriftsteller und offe-
nem Charakter Abbruch gethan. Man findet seine Erklärung widerspruchsvoll, weil er die
Betonung der Unfehlbarkeit der ganzen *Kirche* durch die Schlußerklärung wieder aufhebt,
wonach jede Appellation gegen ein päpstliches Kathedraldefinitum an ein Konzil oder die
Kirche unstatthaft sei« (AA, Bonn, PA, I A. B. e 46, Bd. 7, fol. 86, Bericht Nr. 13). Propst
Tanner von Luzern zeigt sich Bischof Greith gegenüber erstaunt, daß Hefele nicht den Summepiskopat des Papstes erwähne; Unfehlbarkeit und Summepiskopat würden zusammenge-
hören und einander bedingen (STB, St. Gallen, Akt Bischof Greith, Brief vom 12. April 1871).
[23] Am 15. Mai 1871 meldet v. Rosenberg Bismarck, Heißsporne wünschten die unbedingte

Wie dieser Prozeß der Anpassung durch Interpretation vor sich gehen konnte, wird bei keinem Bischof so deutlich wie bei Maret. Bei ihm finden sich ungewöhnlich viele Notizen und Entwürfe zu dieser Frage. Auch für Maret stand zunächst fest, daß die vierte Sitzung des vatikanischen Konzils nicht ökumenisch und damit ungültig war[24]. Am liebsten wäre ihm ein Widerstand auf dieser Basis gewesen[25]. Er kam jedoch nicht zustande, und Maret schien später das Fehlen der Ökumenizität zu wenig klar, als daß eine eindeutige Opposition erlaubt gewesen wäre[26]. Damit gab es für ihn nur noch die Alternative der Interpretation[27].

In seinen Notizen hielt Maret lange Überlegungen fest, was zu machen sei, wenn der Papst eine absolute Zustimmung fordere. Bischof David von St. Brieuc schlug ihm für diesen Fall einen Akt des Gehorsams vor, ohne an das Dogma zu glauben. Maret seinerseits dachte daran, das Dogma im Glauben anzunehmen, allerdings so wie er es verstand. Anschließend an solche Erwägungen fragte er sich, ob nicht beides zwiespältig sei. »Offenherzige Erklärungen wären ohne Zweifel besser. Aber sind sie möglich[28]?« Offensichtlich war Maret nicht dieser

---

Unterwerfung Hefeles. Man sage, sie seien angeregt von Ketteler und Erzbistumsverweser Kübel (AA, Bonn, PA, I A. B. e 46, Bd. 7, fol. 107 f., Bericht Nr. 14). Vgl. auch die Notizen von Bischof Gravez zu Hefeles Schreiben an den Klerus vom 20. April 1871 (AD, Namur, Fonds Mgr Gravez, Carton Nr. 11).

[24] Am 10. Oktober 1870 schrieb er an Bischof David: »Si dans mes notes, j'ai paru présenter l'oecuménicité de la 4me session simplement comme douteuse, c'était pour faire aux adversaires la partie la plus belle. Pour moi jusqu'à ic. cette oecuménicité n'existe pas« (APB, Rom, Fonds Maret, Affaires Générales 1870—72, Concile du Vatican, Dossier St. Brieuc Nr. 1).

[25] »Deux systèmes se présentent. 1° Contester l'oecuménicité et demander un concile libre. Ce parti serait le meilleur peut-être si on reçoit en France, soit en Allemagne, soit en Italie, soit en Amérique assez d'adhésions episcopales et une coopération des gouvernements« (APB, Rom, Fonds Maret, Affaires Générales 1870—72, Concile du Vatican, Observations sur le Concile du Vatican, fol. 12).

[26] »La question générale de l'oecuménicité, surtout celle de la quatrième session est douteuse pour nous. De fortes raisons la combattent; mais, d'un autre côté, l'accord du pape avec la grande majorité formée de tant de prélats éclairés, pieux, dévoués à l'Eglise, cet accord, dis-je, ne permet pas de trancher d'une manière absolue cette question de l'oecuménicité« (APB, Rom, Fonds Maret, Affaires Générales 1870—72, Concile du Vatican, Le Décret du 18 Juillet, fol. 37).

[27] »Si on ne trouve pas ces adhésions [zur Protestbewegung gegen die Oekumenizität der 4. Sitzung], accepter ces décrets, dans le sens que j'indique; et faire tous les efforts possibles pour amener l'interpretation et les compléments necessaires par un concile *libre*« (APB, Rom, Fonds Maret, Affaires Générales 1870—72, Concile du Vatican, Observations sur le Concile du Vatican, fol. 12).

[28] »Mgr. de St. B. propose un acte d'obéissance et non pas un acte de foi. L'Ev. de S. propose un acte de foi entendu comme il l'entend. Le danger d'équivoque n'est-il pas des deux côtés? Franches déclarations vaudraient mieux sans doutes. Sont-elles possibles?« (APB, Rom, Fonds Maret, Affaires Générales 1870—72, Concile du Vatican, Dossier St. Brieuc Nr. 2, Notes complémentaires, 17. Oktober 1870).

Meinung. Doch in diesem Dilemma fand er schließlich das Ei des Kolumbus: Die vatikanische Unfehlbarkeitsdefinition widerspreche gar nicht seinen eigenen Auffassungen. Im Gegenteil bestätige sie, was er selbst immer gedacht habe. Maret überprüfte die vatikanischen Dekrete aufgrund des Wertes ihrer Ausdrücke und der offiziellen Erklärungen ihrer Autoren — in seinen Augen die entscheidenden Prinzipien zur Interpretation eines Dokuments — und fand zu seinem großen Glück — so wörtlich Maret — genau das, was sich in ihnen auch befinden mußte[29].

Diese zunächst noch etwas unsichere und zögernde Einsicht wird Maret im Verlauf weniger Monate zur Gewißheit. In immer neuen Notizen erklärt er, die Unfehlbarkeitsdefinition schließe nur die Notwendigkeit der nachträglichen Zustimmung aus[30]. Der vorherige und begleitende Konsens der Kirche seien für unfehlbare päpstliche Entscheidungen unerläßlich. Fehlten sie, müsse die Kirche nachher beistimmen. Damit lehre das vatikanische Dekret keine absolute, getrennte und persönliche Unfehlbarkeit des Papstes[31]. Maret beruft sich für seine Interpretation besonders auf die einleitenden Sätze zur Definition und auf die Erklärungen Bischof Gassers.

Durch seine Deutung erschließt sich ihm der Weg für die reine und einfache Zustimmung zu den vatikanischen Dekreten (adhésion pure et simple). Nur äußerliche Unterwerfung erscheint ihm als Täuschung, Zurückziehung der Lehre der Minorität als unmöglich, da er sie nach wie vor für richtig hält[32].

Maret ließ sich nicht von seinen Freunden beirren, die seine Deutung ablehnten. Zum Einwand, durch seine Auslegung werde der Widerstand der Minorität unerklärlich, meinte er, die einleitenden Sätze seien zu wenig beachtet worden, da man sie erst nach Schluß der Debatte in den Text eingefügt habe[33]. Schwerwiegender war der Vorwurf, Maret interpretiere die einleitenden Sätze zur Definition ganz zu Unrecht in seinem Sinn. Es handle sich dabei um eine historische Notiz und keineswegs um Bedingungen[34]. Die angeführten Mittel zur Urteils-

---

[29] Maret gebraucht diese groteske Formulierung gegenüber Bischof David: »D'après ce principe, je crois avoir exposé *ce qui se trouve* réellement dans le décret; et il est heureux que ce qui s'y trouve soit vraiment ce qui *doit s'y trouver*« (APB, Rom, Fonds Maret, Affaires Générales 1870—72, Concile du Vatican, Dossier St. Brieuc Nr. 1, 10. Oktober 1870, 1. Brief an David).

[30] »Le consentement de l'Eglise qui semble ici exclue ne peut être que le consentement subséquent, qui n'est pas nécessaire, quand il y a un consentement antécédant et concomitant« (APB, Rom, Fonds Maret, Affaires Générales 1870—72, Concile du Vatican, Observations sur le Concile du Vatican, fol. 6).

[31] APB, Rom, Fonds Maret, Affaires Générales 1870—72, Concile du Vatican, Le Décret du 18 Juillet, bes. fol. 46; 16 ff.

[32] Le Décret du 18 Juillet, fol. 39 ff.

[33] Le Décret du 18 Juillet, fol. 35.

[34] »Le préambule ne parle nulle part des conditions proprement dites: il énonce historiquement

bildung des Papstes habe das Konzil niemals für notwendig erklärt. Vielmehr würden ihm die päpstlichen Entscheidungen unrevidierbar gelten auch beim völligen Fehlen all dieser Mittel[35]. Doch Maret ließ sich, ohne darauf eine wirkliche Antwort zu wissen, seinen glücklichen Fund nicht entreißen, auch dann nicht, als seine Freunde wiederholt darauf hinwiesen, seine Auslegung widerspreche dem natürlichen und eindeutigen Sinn der vatikanischen Dekrete[36].

Eigentlich hätte das Maret selbst merken müssen. Rom bestand darauf, daß er sein Buch über das Konzil und die päpstliche Unfehlbarkeit desavouierte und aus dem Verkauf zurückzog[37]. Aus Angst vor römischen Sanktionen wagte er es auch nicht, seine verschiedenen Arbeiten zum 1. Vatikanischen Konzil zu publizieren[38], ebensowenig seine Sekretäre[39].

Diese Tendenz, die vatikanischen Dekrete zu verharmlosen — sie waren nun einmal nicht mehr aus der Welt zu schaffen — verführte den Augsburger Bischof Dinkel gar zur Behauptung: »Das Dekret ist mehr ein Sieg der Minorität als der Majorität zu nennen[40].« Auf Seiten selbst der extremsten Infallibilistenführer hatte man allerdings keineswegs diesen Eindruck. Der Regensburger Bischof Senestréy

---

plusieurs faits« (APB, Rom, Fonds Maret, Affaires Générales 1870—72, Concile du Vatican, Observations sur le Mémoire et réponses, fol. 6ᵛ, Bemerkung von M. R.; vgl. fol. 4ᵛ).

[35] APB, Rom, Fonds Maret, Affaires Générales 1870—72, Concile du Vatican, Observations sur le Mémoire et réponses, fol. 7. Maret hatte an den Rand geschrieben: »En d'autres termes, le concile a-t-il déclaré que le Pape avait le choix arbitraire de moyens, et qu'il est impeccable dans l'usage de ces moyens?«, worauf ein Freund, wahrscheinlich C. Durand, mit Bleistift notierte: »Non, mais il déclare le décret irréformable en faisant abstraction de tous ces moyens«.

[36] APB, Rom, Fonds Maret, Affaires Générales 1870—72, Concile du Vatican, Observations sur le Mémoire et réponses, fol. 7; fol. 11ᵛ.

[37] *Du Concile général et de la paix religieuse.* Paris 1869. Vgl. S. 438 f.

[38] Er folgte darin unter anderem auch dem Rat seines Freundes C. Durand, der schrieb: » La publication de ce Mémoire serait infiniment regrettable et ne ferait que provoquer les mesures de rigueur qu'on veut éviter« (APB, Rom, Fonds Maret, Affaires Générales 1870—72, Concile du Vatican, Observations sur le Mémoire et réponses, fol. 11ᵛ).

[39] Vgl. BAZIN: *Vie de Mgr. Maret* III 218 f.; Mansi 53, 1019 A—1026 A. MARGARET J. AUBIN scheint mir die Fragwürdigkeit der Interpretationsversuche viel zu wenig in den Blick zu bekommen (*The Evolution of a Gallican Ecclesiology* 352 ff.). — Am 2. Februar 1872 drückt Hyacinthe Loyson Maret sein Bedauern darüber aus, daß er seine Überzeugung verleugnet habe: »Le salut des âmes et de l'Eglise exige que la vérité soit dite toute entière et que nous sortions à tout prix du faux système qui nous tue. Mgr Strossmayer, que j'ai vu souvent ici, déplore hautement votre défection et me confirme pleinement dans la conviction que toutes les règles conciliaires et la constitution même de l'Eglise ont été renversée dans l'assemblée du Vatican. Vous deviez être une colonne de cette Eglise. Pourquoi n'avez-vous pas réalisé la parole de votre grand ami, Mgr Baudry, sur son lit de mort« (APB, Rom, Fonds Maret, Correspondance passive, Lettres Non-évêques).

[40] Brief vom 15. November 1870 an Kardinal Schwarzenberg (GRANDERATH: *Geschichte* III 551).

und sein Kreis sahen in der verabschiedeten Formel einen vollständigen Sieg[41]. Emmanuel d'Alzon zeigte sich bereits vor der letzten Verschärfung zufrieden[42], und selbst der extrem ultramontane William George Ward wollte sich nicht beklagen[43]. Nur wenige waren so ehrlich wie Kardinal Schwarzenberg, sich einzugestehen, die Meinung der Minorität sei nun einmal vom Konzil verurteilt worden[44].

In einer neueren Untersuchung vertritt der Jesuit Klaus Schatz[45] die These, es habe nicht nur eine Brücke von der Auffassung der deutsch-sprachigen Minoritätsbischöfe zur Unfehlbarkeitsdefinition vom 18. Juli 1870 gegeben, vielmehr stimme ihr Verständnis der päpstlichen Unfehlbarkeit mit der heute gängigen Interpretation der Vatikanischen Konstitution überein[46]. So ist etwa Ketteler in seinen Augen nicht mehr Gegner des Dogmas in der heute vorliegenden Form[47], und die von Hefele vertretene Position erscheint ihm als die einzig mögliche Interpretation des Dogmas[48].

Schatz gelangt zu dieser erstaunlichen Aussage, die den Kampf der Bischöfe des 1. Vatikanum auf einen verbalen Streit, das heißt auf ein Mißverständnis reduziert, indem er die Positionen von Majorität und Minorität durch harmonisierende Interpretation einander angleicht. Er behauptet, am Ende des Konzils sei die deutschsprachige Minorität bereit gewesen, »die Infallibilität und Nicht-Revidierbarkeit päpstlicher Ex-cathedra-Definition ›ex se‹ zu akzeptieren[49]«. Diesen Gesinnungswandel führt er vor allem auf die Erwähnung der Hilfsmittel in der Einleitung zur Definition zurück, deren sich die Päpste zur Wahrheitsfindung im Laufe der Zeit bedient hätten[50]. Darin sei, »wenn auch in sehr vor-

---

[41] SOARES GOMES: *Infalibilidade* 334 f.

[42] Er schreibt am 12. Juli 1870 an P. Emmanuel Bailly: »Pour votre consolation, je vous dirai que, malgré la tristesse de quelques-uns, on est généralement ravi du 4^{ieme} chapitre, et ce qui confirme, c'est que les gallicans sont furieux« (APA, Rom, Correspondance d'Alzon, Brief Nr. 148).

[43] Die Definition habe ihn zufriedengestellt, auch wenn einige Details seiner Postulate nicht berücksichtigt worden seien (CAMPANA: *Il Concilio* I/2 793 f.).

[44] Er schrieb am 16. August 1870 an Kardinal Rauscher: »Höchst wünschenswerth wäre es, wenn alle Bischöfe, welche die Minorität im Concil ausmachten, einhellig handelten, doch ist dieses, da die Ansicht der Minorität nun einmal vom Concil verurtheilt ist — Meinungsverschiedenheiten auftauchen werden, und der Austausch der Meinungen durch Entfernung und Kriegsunruhen höchst erschwert wird, kaum zu erreichen« (EA, Wien, Bischofsakten Rauscher).

[45] *Kirchenbild und päpstliche Unfehlbarkeit bei den deutschsprachigen Minoritätsbischöfen auf dem I. Vatikanum.* Rom 1975.

[46] SCHATZ: *Kirchenbild* 251; 493 f.

[47] SCHATZ: *Kirchenbild* 298.

[48] SCHATZ: *Kirchenbild* 405.

[49] SCHATZ: *Kirchenbild* 222.

[50] DENZINGER-SCHÖNMETZER: *Enchiridion Symbolorum* Nr. 3069.

sichtiger Form, die Rückbindung der Päpste an die Gesamtkirche ausgesagt[51]«
Schatz insinuiert nun, der deutschsprachigen Minorität sei es im wesentlichen nur
um diese ekklesiale Rückbindung der päpstlichen Unfehlbarkeit gegangen. Freilich gelingt ihm dies nur im Fall Kettelers — und auch da nur, als sich Ketteler
bereits in einer ausweglosen Situation befand — einigermaßen plausibel zu machen[52]. Bei anderen Minoritätsbischöfen wie Rauscher[53], Greith[54], Hefele[55] und
Dinkel[56] vermag er nicht einsichtig darzulegen, wie sie auf eine förmliche Zustimmung der Kirche als Bedingung für die päpstliche Unfehlbarkeit verzichteten.
Diese Verwischung der Unterschiede ist um so erstaunlicher, als auch Schatz zu-
gesteht, die Majorität habe die Notwendigkeit einer Rückbindung des Papstes an
die Kirche keineswegs bestritten[57].

Hand in Hand mit dieser Abschwächung der Position der Minorität geht eine
Verharmlosung der Unfehlbarkeitsdefinition vom 18. Juli. Um die vorhergehende
heftige Opposition einigermaßen verständlich zu machen, vertritt Schatz die
These, der Text vom 7. Juli 1870, die sogenannte Cullen-Bilio-Fassung, unterscheide sich wesentlich von den früheren Entwürfen des Unfehlbarkeitsdekretes,
da die Rückbindung des Papstes an die Kirche darin ausgesprochen sei[58]. Allerdings kann Schatz eine solche Deutung nur gelingen, indem er die verschärfende
Bedingung, die Entscheidung des Papstes sei aus sich und nicht aufgrund des
Konsenses der Kirche irreformabel (ex sese, non autem ex consenu ecclesiae), nur
als Ablehnung der Notwendigkeit der nachträglichen Zustimmung der Kirche
versteht[59]. Er stützt sich mit dieser Interpretation ganz auf Fries, der ebenfalls
behauptet, mit der erwähnten Formel sei nur der nachträgliche Konsens der

---

[51] SCHATZ: *Kirchenbild* 221.

[52] SCHATZ: *Kirchenbild* 290 f. Vgl. ISERLOH: *Ketteler* 528 f. Nur schwer verständlich wird z. B.
Kettelers Forderung in der Konzilsrede vom 25. Juni 1870, der Papst habe sich in seinen Ex-
cathedra-Entscheidungen immer auf das Zeugnis der Kirche und der Bischöfe zu stützen,
da er im gleichen Atemzug erklärt, faktisch werde der Papst das immer tun (Mansi 52, 892 B;
893 C; vgl. SCHATZ: *Kirchenbild* 290 f.). Ist vielleicht die Überlegung mit im Spiel, päpstlichen
Entscheidungen den Ex-cathedra-Charakter absprechen zu können, wenn diese sich nicht auf
das Zeugnis der Kirche und der Bischöfe stützen? Freilich wäre das eine sehr sophistische
Form, die Abhängigkeit von der kirchlichen Zustimmung zu behaupten. Kettelers unklare
Position wird innerhalb der Minorität kaum geteilt. Vgl. S. 374 ff.

[53] SCHATZ: *Kirchenbild* 456; 513—515; 490 f.

[54] SCHATZ: *Kirchenbild* 333; 490 f.

[55] SCHATZ: *Kirchenbild* 405; 490 f.

[56] SCHATZ: *Kirchenbild* 312 f.; 490 f. Obwohl Dinkel den consensus antecedens fordert, um den
anstößigen consensus consequens zu vermeiden, rechnet ihn SCHATZ zur Position Kettelers
(*Kirchenbild* 312 f.).

[57] SCHATZ: *Kirchenbild* 488.

[58] SCHATZ: *Kirchenbild* 220 f.

[59] Vgl. z. B. SCHATZ: *Kirchenbild* 84; 221; 333.

Kirche für nicht notwendig erklärt[60]. Zusammen mit Fries legt Schatz nahe, das Konzil habe hingegen eine vorgängige Zustimmung der Kirche als notwendig erachtet. Der Text selbst macht freilich keine Unterscheidung zwischen der vorgängigen und nachträglichen Zustimmung. Weder sein Wortlaut noch die Unfehlbarkeitsdebatte können einsichtig machen, daß die Definition nur den consensus consequens und nicht auch den consensus antecedens meinte[61].

Schatz vermag aufgrund seiner Deutung auch die Unterwerfung der Minoritätsbischöfe — übrigens ein Ausdruck, der ihm inadäquat erscheint — ganz anders zu sehen. In der Tat habe es sich um einen Assimilationsprozeß gehandelt, »der mehr auf eine allmähliche Integration des Dogmas in das Kirchenbild der Minorität als auf bloße ›Unterwerfung‹ hinauslief[62]«. Es sei unsinnig und unsachgemäß, von den Minoritätsbischöfen ein Bestehen auf der eigenen Überzeugung zu verlangen, wo die unbedingte Notwendigkeit eines Protestes aus dogmatischen Gründen nicht oder nicht mehr evident gewesen sei[63].

Die These von Schatz scheint mir ihren Grund nicht nur in einer verharmlosenden Interpretation der Texte, sondern auch in einer isolierenden Herauslösung des theoretischen Aspektes aus dem gesamten Konzilsgeschehen zu haben. Schatz überschätzt die Bedeutung der Kompromißformeln unmittelbar vor Ende des Konzils und die nachträglichen Interpretationen, weil er beinah völlig von der Gesamtsituation absieht. Symptomatisch dafür ist, wie wenig er sich für die manipulativen Prozesse während und nach dem Konzil interessiert. Seine Intention wird zu deutlich, die vatikanische Unfehlbarkeitsdefinition und ihre Annahme durch die Minoritätsbischöfe vom heutigen Stand der Forschung aus zu recht-

---

[60] SCHATZ: *Kirchenbild* 84. FRIES schreibt: »Mit anderen Worten: Das »ex sese, non autem ex consensu ecclesiae« kann nicht bedeuten, daß der Papst in seinen Lehrentscheidungen der Übereinstimmung mit der Kirche entnommen sei, es kann und will nur besagen, daß eine unter diesen Voraussetzungen und Bedingungen zustande gekommene Definition des Papstes als des obersten Hirten und Lehrers nicht noch einmal [!!] und nachträglich dem Akt der Zustimmung unterworfen ist« (»*Ex sese, non autem ex consensu ecclesiae*« 491). Fries suggeriert, die päpstliche Definition müsse vorgängig der Zustimmung der Kirche unterworfen werden. Vgl. FRIES: *Ist der Papst allein unfehlbar?* In: Wort und Antwort 9 (1968) 65—72. Bedeutend vorsichtiger interpretieren G. DEJAIFVE: »*Ex sese, non autem ex consensu Ecclesiae*«. In: De Doctrina Concilii Vaticani Primi. Vatikan 1969, 506—520, und R. AUBERT: *1. Vatikanisches Konzil.* In: LThk X 641 f.

[61] Vgl. z. B. die Entgegnung D'Avanzos auf die Rede Guidis im Namen der Glaubensdeputation (Mansi 52, 760 C—767 C). Es wäre zu fragen, ob die Unterscheidung zwischen dem consensus antecedens und consequens in diesem Zusammenhang wirklich viel mehr als eine Verneblung ist. Auf den consensus consequens kann man ja leicht verzichten, wenn man dafür den consensus antecedens fordert. Wer vor einer Entscheidung zustimmte, von dem darf man annehmen, daß er dies auch nachher tun wird.

[62] SCHATZ: *Kirchenbild* 251.

[63] SCHATZ: *Kirchenbild* 251.

fertigen. Um überzeugen zu können, hätte er sich freilich die Auseinandersetzung mit H. Küng[64] und B. Tierney[65] nicht ersparen dürfen. Vor allem aber müßte Schatz auch noch den erbitterten Kampf und die Verzweiflung vieler Bischöfe erklären können.

2. Doppeltes Maß

Innerhalb weniger Monate zeigte sich unter Bischöfen und Theologen eine erstaunliche Breite verschiedener Interpretationen der Konzilsdekrete. Während die Minorität die Konzilstexte abzuschwächen versuchte, betrieben die infallibilistischen Bischöfe vielfach eine verschärfende Deutung. Dem Regensburger Bischof Senestréy z. B. galt auch der Syllabus von 1864 als unfehlbar[1]. Zu einer weiten Auslegung neigten ebenfalls die Professoren unter den Gegnern des 1. Vatikanums, vor allem von Schulte und Döllinger[2].

Salesius Mayer, der Konzilstheologe Schwarzenbergs, charakterisierte die Situation:

»Wer sich die Mühe nimmt, die verschiedenen Pastoralschreiben zu vergleichen, in denen die Bischöfe ihren Gläubigen das neue Glaubensdekret annehmbar zu machen suchen, wird neben der Übereinstimmung im Wesentlichen, von jeher Geglaubten, die bedeutende Verschiedenheit der Ansichten zu bemerken nicht umhin können, wenn es sich um die Klarstellung der neuen Formel handelt. Gegenüber den extremen Aufstellungen eines Manning v. Westminster, Plantier von Nîmes, Martin von Paderborn usw. nehmen sich die Erklärungen von Crementz in Ermland, Kettelers von Mainz und theilweise selbst Feßlers v. S. Pölten als wahre Vertheidigung der Concils-Minorität aus. Die Nürnberger Theologen, Pro. Schulte in seiner neuesten Schrift u. A. haben der schärfsten und weitgehendsten Auslegung Ausdruck gegeben, wie sie etwa nach der Ansicht der enragiertesten Infallibilisten auf dem Concil zu definieren gewesen wäre; aber anstatt den Witz zu verstehen und mit einer gemäßigteren Erklärung des Beschlusses entgegen zu treten, hat man einfach (wie z. B. der Mainzer Katholik) über unbegreifliche Entstellung der definierten Lehre geklagt und gerechte Abscheu gegen dabei verdammenswerthe Lehren kundgegeben. Das hat aber keineswegs gehindert, daß die Ultras der römischen Schule, wie Schäzler, Manning, mit Erklärungen hervortreten, welche sich von den perhorrescierten der Nürnberger nicht gerade sehr wesentlich unterscheiden[3].«

---

[64] *Unfehlbar? Eine Anfrage.* Zürich—Einsiedeln—Köln 1970.

[65] *Origins of Papal Infallibility 1150—1350.* Leiden 1972.

[1] Oberhirtliches Verordnungsblatt 1870, Nr. XII, 83—98; 87.

[2] Döllinger z. B. hält die päpstliche Verdammung der österreichischen Verfassung und Gesetzgebung von 1868 für einen unfehlbaren Entscheid (BSTA, MK 19 783, handschriftliche Notizen Döllingers zur »Politische[n] Tendenz der Vaticanischen Decrete« und zum Bannfluch).

[3] ASCHST, Wien, Nachlaß Wolfsgruber, Anhang zum Konzilstagebuch »Der Streit über die Infallibilität«. K. VON SCHÄZLER verfaßte die Schrift *Die päpstliche Unfehlbarkeit aus dem Wesen der Kirche bewiesen. Eine Erklärung der ersten dogmatischen Constitution des Vaticanischen Concils über die Kirche Christi* (Freiburg 1870). Das Urteil Mayers über Bischof Martin

Wie reagierte Rom auf diese Situation? Da es sich in diesem Fall um Glaubensfragen handelte, war die Kongregation der Hl. Inquisition zuständig. Offenbar begann man sich im Heiligen Offizium bereits während der Unfehlbarkeitsdebatte zu fragen, wie nach erfolgter Definition mit Unfehlbarkeitsgegnern zu verfahren sei[4]. Im Oktober 1870 errichtete Pius IX. im Rahmen dieser Kongregation eine Kommission »per tutti gli affari relativi al Concilio Ecumenico Vaticano ed all'attuale stato di Roma« (für alle Angelegenheiten des vatikanischen ökumenischen Konzils und der aktuellen Situation Roms)[5]. Die Tätigkeit dieser besonderen Kommission ist nur sehr wenig bekannt, da die Archive der Glaubenskongregation, der Nachfolgerin der Inquisition, nach wie vor nicht allgemein zugänglich sind. Eine ihrer Hauptaufgaben bestand wohl darin, die Erklärungen der Bischöfe und Theologen zum 1. Vatikanischen Konzil auf ihre Rechtgläubigkeit zu untersuchen. Auch die Kongregation »degli Affari Ecclesiastici Straordinari« (für außergewöhnliche kirchliche Angelegenheiten) schaltete sich zuweilen bei der Behandlung der Stellungnahmen zum 1. Vatikanum ein[6]. Da die Archive dieser Kongregation bis heute ebenfalls für die Allgemeinheit geschlossen sind, läßt sich auch in diesem Fall kein klares Bild von der entfalteten Tätigkeit gewinnen.

Trotz lückenhafter Dokumentation wird aber deutlich, wie die römische Kurie angesichts der verschiedenen Interpretationen eine große Elastizität zeigte. Sie verurteilte weder die exzessiven Interpretationen eines Manning und Schäzler, noch beanstandete sie die häufig einschränkenden Auslegungen der Minoritäts-

---

ist zu korrigieren. Vgl. seine Broschüre *Der wahre Sinn der vatikanischen Lehrentscheidung über das unfehlbare päpstliche Lehramt* (Paderborn 1871), ebenso J. BEUMER: *Bischof Martin von Paderborn und sein Einsatz für das Erste Vatikanum nach dessen Abschluß.* In: ThGl 65 (1975) 383—389.

[4] Am 27. Mai berichtete Tkalac nach Florenz, das Heilige Offizium beschäftigte sich bereits mit den Gegnern der päpstlichen Unfehlbarkeit (TAMBORRA: *Tkalac* 288).

[5] Assessor L. Nina vom Heiligen Offizium schrieb am 7. Oktober 1870 an Kardinal Bilio: »La Santità di N[ost]ro Signore intenta mai sempre alla tutela e difesa de' supremi interessi della Chiesa e dei diritti della S. Sede si è degnata di stabilire e nominare una Cong[regazio]ne speciale di E[minentissi]mi Porporati desunti dalla S. Cong[regazio]ne della Suprema In[quisizio]ne, la quale abbia ad occuparsi di tutti gli affari relativi al Concilio Ecumenico Vaticano ed all'attuale stato di Roma« (ASV, Spoglio Car. Bilio). Vgl. Ninas Brief vom 11. Juli 1871 an Kardinal Bilio (ASV, Spoglio Card. Bilio).

[6] So blieb z. B. das Schreiben des Münchener Nuntius Meglia vom 16. März 1871 an Antonelli (Nr. 792) mit der Unterwerfungserklärung der Mehrheit der Münchener Universitätsprofessoren nicht im Staatssekreteriat, sondern wurde der Kongregation für außerordentliche kirchliche Angelegenheiten weitergereicht. Der Prosekretär dieser Kongregation, Mons. Marino Marini, leitete das Schreiben an Mons. L. Jacobini, Untersekretär des Konzils, mit der Bitte weiter, es Kardinal Bilio zur Überprüfung zu unterbreiten (ASV, Segreteria di Stato, 1870, Rubrica 1).

bischöfe. Pius IX. bedachte sowohl den extrem ultramontanen Hirtenbrief Plantiers[7] wie denjenigen der Fuldaer Bischöfe[8] mit einem Anerkennungsschreiben. Besonders aufschlußreich für die kuriale Taktik ist das Beispiel Hefele. Als der Rottenburger Bischof beabsichtigte, seine Unterwerfung mit einer limitierenden Deutung zu verbinden, nahm er gleichsam als Rückendeckung Verbindung mit dem früheren Konzilssekretär, Bischof Feßler von Sankt Pölten, auf und schilderte ihm seine Gewissensnot[9]. Feßler seinerseits war — wohl mit dem Einverständnis Roms — sehr um einen Ausgleich bemüht und lobte Hefeles Interpretation[10]. Diese Hilfe war hochwillkommen, denn Hefele konnte keineswegs sicher damit rechnen, daß die Kurie seine Auslegung akzeptieren würde. Als er am 23. April 1871 dem Münchener Nuntius Meglia seine Unterwerfung anzeigte, hob er deshalb ganz besonders die Approbation Feßlers hervor[11]. Trotzdem wurde Hefeles Schreiben an den Klerus der Inquisitionsbehörde übergeben[12]. Um der Konzilsopposition den Wind aus den Segeln zu nehmen, drückte man aber in Rom beide Augen zu. Kardinal Antonelli behauptete gegenüber dem bayerischen Botschafter Tauffkirchen wiederholt »die vollste Übereinstimmung der Curie mit der Erklä-

---

[7] La Civiltà Cattolica, Serie VIII, vol. 1 (1871) 464—469.

[8] Mansi 53, 920 D—923 B. Auch Melchers erhielt für sein Hirtenschreiben vom 1. Oktober 1870 päpstliches Lob (FRANZEN: *Fakultät Bonn* 280).

[9] Vgl. S. 472 f. Bereits im Brief vom 23. März 1871 zeigt sich Hefele von der einschränkenden Auslegung FESSLERS (*Die wahre und die falsche Unfehlbarkeit der Päpste* 21 f.) sehr angetan und fragt, ob dafür nicht eine Approbation des Papstes zu erhalten wäre (DA, Rottenburg, Sammlung Linsenmann, Biographie Hefele, Bestand K 3, Büschel 3, Umschlag 3).

[10] In seinem Brief vom 21. April 1871 an Hefele, in dem er sich auch zuversichtlich zeigte, daß seine Schrift in Rom gebilligt werde (DA, Rottenburg, Sammlung Linsenmann, Biographie Hefele, Bestand K 3, Büschel 3, Umschlag 3). Tatsächlich erhielt Feßler sowohl für seine Schrift »Die wahre und die falsche Unfehlbarkeit der Päpste« wie auch für sein späteres Buch über den ökumenischen Charakter des vatikanischen Konzils päpstliche Anerkennungsschreiben (DA, Rottenburg, Sammlung Linsenmann, Biographie Hefele, Bestand K 3, Büschel 2, Umschlag 16, Kopien der Papstbriefe vom 27. April und 19. August 1871; vgl. BUTLER-LANG: *Das Vatikanische Konzil* 406).

[11] »Ea autem Decreti Vaticani interpretatio, quam ego in quinque paragraphis addere sum ausus, a Rdmo Episcopo Feßler laudata est et comprobata in speciali epistola eius mihi transmissa« (ASV, Archivio Nunz. Monaco 129). Am 30. April schrieb v. Rosenberg an Bismarck: »Wenn es auch nicht, wie die Zeitungen behaupten, wahr sein soll, daß dies Rundschreiben vorher die Billigung der Päpstlichen Curie erhalten hat, so scheint es doch im Einverständnis mit einzelnen Infallibilisten, namentlich mit dem Bischof Feßler in St. Pölten erlassen zu sein. Wie es in Rom aufgenommen wurde, ist noch nicht bekannt und deshalb enthält sich die ultramontane Parthei noch jeden Urtheils« (AA, Bonn, PA I A. B. e 46, Bd. 7, fol. 86, Bericht Nr. 13).

[12] ASV, Archivio Nunz. Monaco 129, Antonelli an Meglia, 11. Mai 1871, Nr. 1628. Antonelli sandte Meglia auch die Antwort des Heiligen Offiziums zu. Sie befindet sich jedoch nicht mehr bei den Akten.

rung des Bischofs von Rottenburg[13]«. Hefele erhielt von Nuntius Meglia ein in allgemeinen Ausdrücken abgefaßtes anerkennendes Schreiben[14], ebenso vom Prosekretär der Kongregation für außerordentliche kirchliche Angelegenheiten, Mons. Marino Marini[14a]; aber natürlich dachte an der römischen Kurie niemand im Ernst daran, sich die Interpretation Hefeles zu eigen zu machen[15].

Dagegen hatte die Kurie Interesse daran, den Minoritätsbischöfen auch anderswo nachträglich eine Brücke zu bauen, und ging z. B. großzügig über Vorbehalte orientalischer Bischöfe hinweg[16]. Weiter bot sie den ehemaligen Unfehlbarkeits-

---

[13] BGSTA, MA I 642, Depesche Nr. 49/125 vom 10. Mai 1871 an König Ludwig.

[14] AA, Bonn, PA, I A. B. e 46, Bd. 7, fol. 108, v. Rosenberg an Bismarck, 15. Mai 1871, Nr. 14; BGSTA, MA I 642, Tauffkirchen an König Ludwig, 10. Mai 1871.

[14a] DA, Rottenburg, Sammlung Linsenmann, Biographie Hefele, Bestand K 3, Büschel 3, Umschlag 2, Brief vom 2. Mai 1871.

[15] Tauffkirchen schrieb im Anschluß an seinen Bericht Nr. 49/125, vom 10. Mai 1871 an König Ludwig II. über Hefeles Erklärung: »Ich regte bei solchen Gelegenheiten an, daß es zur Beruhigung mancher Gewissen dienen werde, wenn diese Übereinstimmung in einer Ansprache oder Bulle des Papstes ausgesprochen und gleichzeitig der Syllabus und dessen Verhältnis zum neuen Dogma erläutert würde. Es ist auch hier in gut unterrichteten Kreisen das Gerücht verbreitet, daß etwas Ähnliches im Werke sei. Ich jedoch glaube, daß man sich vorläufig mit dem in ganz allgemeinen Ausdrücken gelassenen Briefe des Nuntius an Hefele vom 26ten April und mit der sofortigen Expedition der bisher zurückgehaltenen Dispensen und Facultäten begnügen und zu einer restrictiven Interpretation der Concilsbeschlüße/: als welche Hefeles Vorbehalte ganz zweifellos erscheinen:/ also zu einem *Rückzuge*, nur im äußersten Nothfalle entschließen wird« (BGSTA, Ma I 642).

[16] Als Patriarch Gregor Jussef in seiner Unterwerfungserklärung die päpstliche Autorität in Disziplinarsachen mit dem Vorbehalt des Konzils von Florenz einschränkte »salvis omnibus iuribus et privilegiis patriarcharum« (Mansi 53, 942 D), wiederholte Kardinal Barnabò lediglich die Formulierungen der vatikanischen Dekrete, ohne die Interpretation Jussefs zurückzuweisen (Mansi 53, 943 AB). Das Schreiben Jussefs lag der Inquisitionskongregation vor, ihr Beschluß befindet sich jedoch nicht im Dossier »Adhaesiones« des Vatikanischen Archivs. Eine ähnliche Taktik schlug Rom gegenüber dem griechisch-melkitischen Erzbischof von Aleppo, Hatem, ein. Neben der Kopie seines Schreibens vom 20. März 1871 liegt folgende Notiz im Dossier »Adhaesiones 1871«: Adesione di Mons. Arcive[scov]o Greco Melchita di Aleppo. — Paolo Hatem, Archiv[escov]o Greco Melchita di Aleppo richiesto dalla S. Cong[regazio]ne di Propaganda dell'adesione ai decreti della Sess. IV del Concilio Vaticano la diede nei seguenti termini = Credo ed insegno quel che venne definito in tutti gli Ecumenici Concilii, e tutti i loro decreti di fede, non eccettuato il sacrosanto ed ecumenico Concilio Vaticano. Credo ed insegno tutti i dogmi di fede che vennero definiti nella quarta Sua Sessione. Credo ed insegno l'infallibilità dottrinale del Romano Pontefice quando insegna la Chiesa come Suo Capo visibile = . Essendo nato un dubbio sulle parole = quando insegna la Chiesa = potendosi interpretare che per l'infallibilità della decisione fosse necessario che il Sommo Pontefice si rivolgesse a tutta la Chiesa, nella risposta dopo averlo lodato dell'atto che aveva compito si aggiunse = Del resto deve intendersi pure che Ella nel senso del menzionato Concilio crede e professa che ogni qual volta il Sommo Pontefice quale Pastore Maestro di tutti i cristiani definisce una dottrina appartenente alla fede o ai costumi non è necessario che

gegnern die Hand, indem sie die zum Teil tatsächlich ungerechtfertigten Interpretationen der Konzilsopponenten bekämpfen ließ[17]. Auch in der Frage der Publikation wußte Rom zuweilen nachzugeben. Da es z. B. in der kleinen Diözese von Bischof Smiciklas nur sechs Priester gab, die von der orthodoxen Kirche zum katholischen Glauben konvertiert hatten und für das neue Dogma nur schwer Verständnis aufbrachten, unterblieb die Veröffentlichung mit stillschweigender Billigung Roms[18].

Selbst wenn in ihren Augen die Motivierung der Unterwerfung falsch war, insistierte die Kurie nicht weiter. Als Erzbischof Haynald seine Zustimmung zum Unfehlbarkeitsdogma nur mit der Begründung gab, es sei durch den nachträglichen Konsens der Bischöfe verpflichtend geworden, zeigte sich Rom damit zufrieden[19]. Hauptsache war die Unterwerfung[20].

Die sechs Münchener Universitätstheologen Reithmayer, Haneberg, Thalhofer, Schmid, Reischl und Bach gaben am 29. November 1870 mit der gleichen Motivierung ihre Zustimmungserklärung ab. Daraufhin leitete Nuntius Meglia das Schreiben der Professoren mit der Frage nach Rom, ob nicht die eigenartige Form der Unterwerfung — um sie nicht anders zu nennen — ihren Wert in Frage stelle[21]. An der Kurie wurde Kardinal Bilio gebeten, die Münchener Erklärung zu begutachten. Obwohl er zur Überzeugung kam, die Ansicht der Professoren könne nicht geduldet werden, da die vierte Sitzung aus sich und nicht erst durch den nachträglichen Konsens der Bischöfe ökumenisch sei, riet er dennoch ab, sie zum Widerruf zu zwingen. Diesen Ratschlag begründete er mit den folgenden Argumenten:

1. Die Formulierung der Professoren sei nicht ganz eindeutig.

---

perciò Egli s'indirizzi a tutta la Chiesa = Non essendovi stato alcun seguito apparisce che il sud[dett]o Patriarca abbia accettato tale dichiarazione« (ASV, Fondo Concilio Vaticano).

[17] Entsprechende Aufträge aus Rom erhielten z. B. Bischof Feßler (ASV, Spoglio Card. Bilio, Feßler an Cardinal Bilio, 16. Juni 1871) und Bischof Senestréy (ASV, Spoglio Card. Bilio, Senestréy an Bilio, 25. März 1871). Erzbischof Rivet von Dijon schrieb am 16. April 1871 an Kardinal Mathieu, der Papst beauftragte Professoren in Deutschland, die Übertreibungen der Unfehlbarkeit zu bekämpfen (AA, Besançon, Fonds Mathieu, A Rangée 4, Nr. 11). Vgl. den Brief der deutschen Bischöfe an den Klerus vom Mai 1871 (Mansi 53, 924 C).

[18] Mansi 53, 1009 B.

[19] Mansi 53, 967 B—972 D; 968 B.

[20] GRANDERATH: Geschichte III 580 Anm. 1.

[21] ASV, Segreteria di Stato, 1870, Rubrica 1, Meglia an Antonelli, 16. März 1871, Nr. 792. Der Text des Schreibens der Majorität der Münchener Professoren ist abgedruckt in: AkathKR 25 (1871) CLI—CLII. Vgl. DENZLER: Das 1. Vatikanische Konzil und die Theologische Fakultät der Universität München 431. Prof. Thalhofer erklärte, der nachträgliche Konsens der Bischöfe sei für die Unterwerfung ausschlaggebend gewesen (ebda 431 Anm. 21).

2. Sie hätten ihre Zustimmung bereits im November erklärt und der Erzbischof habe sie als genügend erachtet.
3. In der Meinung der Öffentlichkeit hätten sie sich ehrlich dem Konzil und der Unfehlbarkeitsdefinition unterworfen.
4. Die Erklärung der Professoren sei dem Heiligen Stuhl nur durch private Mitteilung — durch den Münchener Nuntius — zur Kenntnis gelangt und von niemandem verdächtigt noch in Rom angeklagt worden[22].

Kardinal Bilio fand damit beim Papst Verständnis. Pius IX. war ebenfalls der Meinung, in dieser Sache sei vorläufig nichts zu unternehmen[23]. Damit ruhte die Beschwerde Meglias. Aus Gründen der Vorsicht teilte man ihm die Bemerkung Bilios gar nicht erst mit[24].

Zuweilen war Rom zu noch größeren Konzessionen gegenüber Theologieprofessoren bereit. Obwohl über die ablehnende Haltung der Mitglieder der Tübinger katholisch-theologischen Fakultät kein Zweifel bestehen konnte, wurde von ihnen nie eine Zustimmungserklärung verlangt[25]. Die »Tübinger Theologische Quartal-

---

[22] »Patet igitur sententiam illam = quod scilicet Concilium Vaticanum non tam ab ipsa celebratione Romanique Pontificis confirmatione, quam a subsequenti Episcoporum consensu moraliter universali sortitum fuerit vim suam et characterem oecumenicum = nullatenus ab Apostolica Sede directe vel indirecte approbari posse, aut etiam per simplicem conniventiam tollerari. Nihilominus non arbitror, Professores Monachienses cogendos esse ad retractandam et emendandam suam declarationem

1⁰. quia ex duobus sensibus, qui subesse possunt illis verbis *in base di un tal consenso morale universale*, altero tollerabili, altero prorsus erroneo, non omnino certum exploratumque est, Professores Monachienses amplecti posteriorem et proinde negare aut in dubium adducere oecumenicitatem Concilii Vaticani *ex vi ipsius celebrationis*.

2⁰. quia iidem Professores declarationem suam iam inde a mense Novembri superioris anni ad Archiepiscopum Monachiensem dederunt, qui illam nulla reprehensione dignam existimavit et tamquam sufficientem admisit.

3⁰. quia ex publica opinione censentur sincero animo adhaesisse definitionibus Concilii Vaticani et nominatim definitioni de infallibili Romani Pontificis magisterio.

4⁰. quia illa declaratio venit in notitiam Sanctae Sedis per privatam communicationem factam ab Apostolico Nuntio in Bavaria, sed an nemine (quod ego sciam) in suspicionem vocata est, multoque minus apud eandem Sanctam Sedem accusata« (ASV, Segreteria di Stato, 1870, Rubrica 1, Animadversiones in Declarationem datam die 29 Novembris an. 1870 ad Archiepiscopum Monachiensem a sex Professoribus Facultatis Theologicae Monachii in Bavaria, Kardinal Bilio, 1. April 1871).

[23] ASV, Segreteria di Stato, 1870, Rubrica 1, Kardinal Bilio an Mons. Marini, 2. April 1871.

[24] Meglias Brief trägt von anderer Hand die Notiz: »Non si è ravvisato opportuno di communicare al Nunzio le osservazioni fatte del Cardinale Bilio sull' atto di adesione della Facoltà teologica di Monaco alle decisioni del Concilio« (ASV, Segreteria di Stato, 1870, Rubrica 1, Brief vom 16. März 1871, Nr. 792).

[25] v. Rosenberg berichtete am 6. Januar 1872 aus Stuttgart nach Berlin: »Während in dem benachbarten Bayern die durch das Unfehlbarkeitsdogma entstandenen Wirren fortdauern, erfreut

schrift« schwieg jahrelang über die Beschlüsse des 18. Juli 1870[26], was Döllinger in einem Gespräch mit Adolf von Harnack 1885 zur Bemerkung veranlaßte, seine Kollegen dürften in der »Theologischen Quartalschrift« nur noch theologische Allotria behandeln[27].

Auch im Falle Döllingers wäre Rom wahrscheinlich mit dessen Schweigen zufrieden gewesen[28], hätte ihn Erzbischof Scherr von München nicht zu einer eindeutigen Stellungnahme gezwungen. 1885 meinte Döllinger zu Harnack: »Hätte mich der Erzbischof Scherr nicht ausdrücklich gefragt, ob ich fortan die Lehre von

---

sich Würtemberg in dieser Beziehung einer äußerlichen Ruhe. Weder ist der katholischen Fakultät in Tübingen bisher die Anerkennung des Dogma's — welches sie einstimmig verwerfen würden — abverlangt, noch ist dies andern Lehrern oder Priestern gegenüber geschehen u. sind dadurch Excommunicationen vermieden worden« (AA, Bonn, PA, I A. B. e 46, Bd. 8, fol. 131, Bericht Nr. 3 (Auszug)). Am 18. Juli 1871 hatte v. Rosenberg im gleichen Sinn über ein Gespräch mit Prof. Kuhn berichtet (AA, Bonn, I A. B. e 46, Bd. 7, fol. 141 (Auszug aus dem Bericht Nr. 25)). Am 22. Februar 1909 stand im nicht gezeichneten Artikel »Die Aera Keppler« in den »Münchener Neuesten Nachrichten«: »Vor mir liegt ein Auszug aus einem Brief von Jahre 1873, der auf vorausgegangene vertrauliche Anfrage an einen württembergischen Geistlichen geschrieben worden ist. Darin finden sich u. a. folgende Sätze: Wegen Ihrer dogmatischen Anschauungen [die päpstliche Unfehlbarkeit betr.] haben Sie von mir keinerlei Behelligung zu gewärtigen ... Vielleicht, dass Sie sich zu meinem Standpunkt [der in hochinteressanter und offenherziger Weise skizziert ist] verstehen können. Die Unterschrift dieses Briefes, der wohl sehr bald zusammen mit einer Reihe anderer wertvoller Beiträge zur Rottenburger Kirchengeschichte veröffentlicht werden wird, lautet: ›Ihr wohlgewogener Karl Joseph [Hefele], Bischof‹.« Als Prof. Alois Knöpfler die »Münchener Neuesten Nachrichten« um Einsichtnahme in die Hefele-Briefe bat, teilte Redakteur Eugen Goehr am 20. März 1909 lediglich mit, der Besitzer dieser Briefe sei der Redaktion unter Auferlegung der Schweigepflicht bekannt (DA, Rottenburg, Sammlung Linsenmann, Biographie Hefele, Bestand K 3, Büschel 8, Umschlag 6). Schulte weiß zu berichten, daß Hefele Robert v. Mohl im Sommer 1873 mitteilte, »er habe sich zu einer Unterwerfung nur darum verstanden, weil man ihm von Rom aus versprach, weder direkt gegen die Tübinger theologische Fakultät loszugehen, noch ihn später zwingen zu wollen, daß er selbst gegen dieselbe etwas thue« (*Altkatholicismus* 235f.). Döllinger schreibt am 27. November 1872 Acton über Befürchtungen der Tübinger, doch noch zu einer Zustimmung gedrängt zu werden (Döllinger: *Briefwechsel* III 96). Vgl. Hagen: *Die Unterwerfung des Bischofs Hefele* 23.

[26] Vgl. *Die Tübinger theologische Quartalschrift und das Vaticanische Concil. Ein kirchenhistorisches Unicum.* In: Pastoralblatt für die Diöcese Augsburg (1873) 7; ebenfalls in: Bamberger Pastoralblatt 16 (1873) 150.

[27] Harnack: *Aus der Werkstatt des Vollendeten* 116. Die Datierung des Gesprächs ist nicht sicher. Es könnte auch 1886 stattgefunden haben. Vgl. Hagen: *Die Unterwerfung des Bischofs Hefele* 32 Anm. 3; Lösch: *Döllinger und Frankreich* 316.

[28] Döllinger schrieb an Dupanloup: »Au mois de mai l'évêque Fessler, ci-devant secrétaire du Concile, est venu exprès à Munich pour conférer avec moi, s'est-à-dire pour me donner des avis et des conseils, dont le refrain était toujours: soumettez-vous, ou au moins taisez-vous. Mon silence lui tenait plus à coeur que ma soumission ...« (Mourret: *Le Concile du Vatican* 329 Anm. 2).

der Unfehlbarkeit des Papstes vertreten werde, so wäre ich noch heute in der Kirche[29].«

Andere Professoren, wie der spätere altkatholische Bischof Eduard Herzog, hatten ein gleiches Angebot als unehrenhaft abgelehnt[30].

3. Gehorsam statt Glaube

Am 10. Juli 1870 berichtete der spanische Geschäftsträger Ximenes nach Madrid, wegen der herrschenden religiösen Indifferenz werde die Unfehlbarkeitsdefinition kein Schisma verursachen. Im inneren Bereich jedoch habe das Schisma bereits begonnen, denn die Zustimmung zahlreicher Bischöfe der Opposition könne noch nicht aufrichtig und spontan sein[1]. Der italienische Agent Tkalac meldete gar am 21. Juli 1870 an das italienische Außenministerium nach Florenz, der achtmonatige Kampf habe bei der Konzilsopposition das Prestige des Papsttums zerstört und solchen Haß gezeugt, daß ihre Unterwerfung nur ein politischer Akt sein werde, um die Bischofsstühle zu behalten[2].

Der Ton der meisten Unterwerfungserklärungen scheint den Behauptungen der beiden Diplomaten zu widersprechen. Die bisherige Analyse der Unterwerfung unterstützt aber andererseits ihre Ansicht. Die Motive der Zustimmung waren mit geringen Ausnahmen sachfremd. Die Bischöfe akzeptierten die vatikanischen Dekrete nicht, weil sie ihre Wahrheit nun einsahen, sondern aufgrund der kirch-

---

[29] HARNACK: *Aus der Werkstatt des Vollendeten* 44.
[30] In seinem Abschiedsbrief vom 23. September 1872 an Bischof Lachat schrieb Herzog:»Meine bisherige Stellung bot mir alles, was ich mir in meinen Studienjahren unter den Bedingungen zu einem glücklichen Leben vorgestellt habe. Ich habe auch wiederholt von massgebendster Seite die Zusicherung erhalten, dass meine Stellung durch meine anti-infallibilistische Anschauung nicht gefährdet sei, wenn ich mich nur hüte, im Kolleg oder auf der Kanzel die neuen Dogmen anzugreifen. Allein ich fühlte immer mehr, wie unwürdig es eines Mannes sei, dessen Beruf es ist, in seinem Kreise die christliche Heilslehre zu verkünden, aus Liebe zu einem bequemen, angenehmen Leben hochwichtige Wahrheiten äusserlich — wenn auch nur äusserlich — zu verleugnen« (GILG: *Der antivatikanische Zeugenchor* 83).
[1] »Si el estado de los pueblos y mas aun, el de los Gobiernos no fuese el que hoy és, si el estímulo sinceramente religioso mas que la conveniencia, fruto de reflexiones que nada tienen de teologicas, amparase y sostuviese las excisiones religiosas, sin duda alguna en la mayor parte de Alemania produciria immediatamente un cisma y tal vez en algunas Diócesis de la América Septentrional. Sin duda el cisma está ya producido en el fuero interno, por que la adhesión de tales Obispos no és, ni puede ser ya sincera y espóntanea, pero á la hora presente parecen mas decididos á dimitir sus cargos que á revelarse, sin perjuicio de admitir, algunos de ellos á lo menos, esto ultimo como posible en caso de extrema necesidad« (AMAE, Madrid, Bericht Nr. 95 vom 10. Juli 1870).
[2] TAMBORRA: *Tkalac* 388.

lichen Autorität, die sie sanktionierte. Sachfremd war auch das seltenere Motiv, möglichst ein Schisma zu vermeiden. Ebensowenig zeugen die vielen Versuche, die Kirchenkonstitution im eigenen Sinn umzudeuten, von einer inneren Annahme. Der Verdacht, daß die Zustimmung mancher Bischöfe in dem Sinn nicht ehrlich war, als sie ihre inneren Vorbehalte nicht aufgaben, verstärkt sich durch eigene Zeugnisse der Bischöfe sowie durch Aussagen von Personen aus ihrer näheren Umgebung.

Als einer der ersten unterwarf sich Kardinal Mathieu von Besançon. Am 11. August 1870 ließ er dem Papst seine Unterwerfung mit der Formel zukommen: »Ich bekenne, den von seiner Heiligkeit auf der Sitzung des Vatikanischen Konzils vom 18. Juli vorgenommenen dogmatischen Definitionen einfach und schlechthin, aus ganzem Herzen und ganzer Seele zuzustimmen[3].« Pius IX. war hocherfreut. Jeder unbefangene Leser mußte tatsächlich annehmen, daß mit einer solchen Formulierung eine vorbehaltlose Zustimmung zu den Konzilsdekreten gemeint war. Das aber wollte Kardinal Mathieu keineswegs mit seiner »einfachen Zustimmung« sagen. In mehreren Briefen an seine Amtskollegen erläuterte er, mit diesen Ausdrücken habe er sich an die in Rom beschlossene gemeinsame Linie gehalten und die auf dem Konzil nach bestem Gewissen vorgetragenen Ansichten nicht zurückgezogen. Er verstehe die Definition mit Einschränkungen und gebührenden Begrenzungen und habe sich ihr so unterworfen. Eine Retraktation seiner Ansichten habe ihm seine Ehre wie sein Gewissen verboten[4].

Da also Kardinal Mathieu seine frühere Meinung nicht aufgab, kann von einer vorbehaltlosen Unterwerfung bei ihm keine Rede sein. Der Vorwurf des Kanonikers und vatikanischen Spitzels Thiébaud trifft wohl zu, Mathieu sei auch nach dem

---

[3] »Ego profiteor me pure et simpliciter, toto corde et animo adhaerere definitionibus dogmaticis a sanctitate sua prolatis in sessione concilii Vaticani die 18 iulii currentis anni habita« (Mansi 53, 939 A; APB, Rom, Fonds Maret, Affaires Générales Concile du Vatican, Dossier Opinions sur le décret, Kopie des Briefes von Kard. xxx [Mathieu] an Maret, 4. September 1870).

[4] An Kardinal Schwarzenberg schrieb er am 14. September 1870: »Il m'a semblé qu'en agissant et écrivant ainsi, je ne rétractais rien de ce que nous avions fait consciencement, mais que je me soumettais à une Définition prise avec les limites et dans les termes convenables« (ASV, Fondo Concilio Vaticano, Varia, Schwarzenberg, Lettere dalla 4ª sessione in poi, Nr. 18). Gegenüber Kardinal Rauscher drückte er sich am 14. September 1870 so aus: »L'affaire se trouve ainsi terminée pour moi sans aucune rétractation que je n'aurais pu faire ni en honneur ni en conscience, mais par une simple adhésion« (EA, Wien, Bischofsakten Rauscher). Wiederum anders lautet die entsprechende Formulierung im Brief vom 4. September an Bischof Maret: »J'ai tâché de marcher en tout ceci dans la ligne convenue, qui était de ne pas rétracté ce qui avait été fait en conscience, et de se soumettre simplement a ce qui était défini« (APB, Rom, Fonds Maret, Affaires Générales 1870—72, Concile du Vatican, Dossier Opinions sur le Décret).

Konzil Gegner der päpstlichen Unfehlbarkeit geblieben[5] und habe seine äußere Zustimmung aus reiner Notwendigkeit gegeben[6].

Dieser bequeme Weg der restrictio mentalis, des inneren Vorbehalts — der Kurie machte man damit eine Freude, sich selbst glaubte man nichts zu vergeben —, wirkte auf den französischen Episkopat ansteckend. Mit der gleichen Formel — und wie er in einem Brief Bischof Dupanloup mitteilte — mit den Einschränkungen Kardinal Mathieus unterwarf sich auch Bischof Maret am 15. Oktober 1870 den Konzilsdekreten[7]. Maret glaubte der vatikanischen Definition innerlich zustimmen zu können, da er nach »dreimonatiger Meditation«[8] von der Möglichkeit überzeugt war, sie in seinem Sinn zu interpretieren. Viele seiner bischöflichen Kollegen vermochten ihm offenbar auf diesem Weg nicht zu folgen; Maret und sein Kreis nahmen wenigstens an, daß der französische Episkopat sich oft mit einem Akt des bloßen Gehorsams begnügte[9].

Die Ausdrücke der Formel Kardinal Mathieus begegnen auch bei den Bischöfen Darboy[10], David[11] und Colet[12]; es drängt sich die Vermutung auf, daß sie ihre Unterwerfung wie Mathieu verstanden, ja daß gewissermaßen eine Absprache innerhalb des Kerns der französischen Minorität bestand. Dieser Verdacht wird durch eine Briefmitteilung Mathieus bestärkt, es herrsche unter den französischen

---

[5] *Souvenirs historiques* 15; 113.

[6] *Souvenirs historiques* 87.

[7] Wörtlich schreibt Maret am 15. Oktober 1870: »C'est en vertu de l'opinion que je me suis faite sur l'interprétation du Décret, après une méditation de trois mois que j'ai envoyé, le 15 8.bre dernier mon adhésion au St. Père dans la formule et avec les réserves du Cardinal Mathieu« (BN, Paris, Fonds Dupanloup, n. a. fr. 24710, fol. 438, Brief vom 8. Mai 1871; vgl. Mansi 53, 1019 A).

[8] Vgl. Anmerkung 7.

[9] Maret notierte: »Quel a été le motif? Quel ont été le sens et l'étendue de la soumission de la minorité? On peut affirmer que le plus grand nombre a voulu simplement faire un acte d'obéissance au Souverain Pontife, sans se prononcer sur l'oecuménicité de la 4me session«. Auf diese Bemerkung erwiderte ein anderer, wahrscheinlich C. Durand: »Le sens de cette adhésion de la minorité a été d'obéir au Pape. Or le Pape voulait qu'on adhérat au sens naturel du décret ... Si le Concile ou l'assemblée se réunit jamais de nouveau, il pourrait compléter son décret, mais pas le contredire. Quant à l'expliquer, nous ne pensons pas qu'il y songe; car le décret ne nous semble que trop clair, ou, si l'on veut, très clair.« Darauf antwortete Maret: »Le sens de l'adhésion des Evêques a été d'obéir au Pape. Soit; et le Pape veut qu'on obéisse au sens naturel du décret. Oui. Mais quel est ce sens naturel? Il est parfaitement clair? Non, puisque nous en disputons. Le Concile pourrait donc l'expliquer en le complétant« (APB, Rom, Fonds Maret, Affaires Générales, Concile du Vatican, Observations sur le Mémoire et réponses, fol. 1^r).

[10] Mansi 53, 964 D f.

[11] Mansi 53, 1027 A.

[12] Mansi 53, 1018 B.

Minoritätsbischöfen allgemein die Meinung, auf weitere Bemerkungen zu verzichten, die Konzilsdekrete »einfachhin« anzunehmen und — um Schwierigkeiten und Skandal zu vermeiden — sich auf keine Diskussion über die Ökumenizität der vierten Sitzung einzulassen[13]. Aufgrund der spärlichen bisherigen Veröffentlichungen ist schwer auszumachen, welche weiteren Minoritätsbischöfe außer den erwähnten so dachten. Wahrscheinlich dürfte auch Bischof Place von Marseille dazugehört haben[14].

Am meisten freute man sich in Rom über die Unterwerfung des Pariser Erzbischofs Darboy, der mit seiner Erklärung alle Erwartungen übertraf[15]. Mehrere Personen aus seiner näheren Umgebung behaupteten allerdings, Darboy habe sich nur äußerlich unterworfen und die vatikanischen Dekrete nicht wirklich akzeptiert[16]. An der Kurie ahnte man wohl trotz aller zur Schau getragenen Genug-

---

[13] »Au surplus, parce que plusieurs d'entre eux m'ont dit ou écrit, je vois que l'opinion commune parmi les évêques français de notre minorité, n'est pas de présenter au Pape ni au concile des observations sur ce qui a été décidé dans la session du 18 juillet dernier. Ils acceptent ce qui a été fait purement et simplement, ne voulant pas entrer dans une discussion sur l'œcuménicité du concile, qui amènerait les plus grandes difficultés et les plus grands scandales« (ASV, Fondo Concilio Vaticano, Varia, Schwarzenberg, Lettere dalla 4e sessione in poi, Nr. 18, Mathieu an Schwarzenberg, 21. September 1870).

[14] Vgl. den Brief der Marquise de Forbin d'Oppède an Lady Blennerhassett vom 26. Dezember 1870 (PALANQUE: *Les amitiés européennes* 130).

[15] Am 3. April 1871 berichtete Mathieu an Foulon: »J'ai su d'après qu'on avait été à Rome fort content de sa [Dupanloup] lettre, et encore plus de celui de l'archevêque de Paris, qui avait dépassé toutes les espérances. Mais vraiment, pour qui nous prenait-on?« (ASSTS, Fonds Foulon, Lettres 1867—1872). Die letzte Bemerkung Mathieus soll wohl die Selbstverständlichkeit der Unterwerfung beteuern.

[16] Der Pfarrer der Pariser Kirche La Madeleine und vertraute Freund Darboys, EUGÈNE MICHAUD, berichtet verschiedentlich darüber. Besonders erwähnt er ein Gespräch mit Erzbischof Darboy kurz vor dessen Gefangennahme durch die Pariser Kommune: »Pour ce qui concerne Mgr Darboy, peut-être en appellerez-vous à la lettre (dite de *soumission*) qu'il aurait écrite à Pie IX. Ne connaissant point les termes de cette lettre qui n'a pas encore été publiée, je ne saurais les discuter. Je préfère m'en tenir aux propres termes d'une conversation que j'ai eu l'honneur d'avoir avec lui le 30 mars 1871, quatre jours avant son arrestation. Cette conversation est d'une date postérieure à la lettre en question; et, en outre, le vague du langage *officiel* de Mgr Darboy ne saurait aux yeux de tous ceux qui l'ont connu, l'emporter sur la franchise de ses conversations intimes. Or, voici ses propres expressions; je les ai écrites, suivant mon habitude, au sortir de chez lui, et j'ai bonne mémoire: ›Etant de l'armée, m'a-t-il dit, vous ne pouvez évidemment pas vous mettre en révolte contre vos chefs, ni attaquer le pape qui est plus fort que vous. Il faut donc, extérieurement et dans vos actes officiels, vous soumettre à cette infaillibilité et à ce concile. Quant à votre conscience, vous avez assez d'intelligence, d'acquis et d'honnêteté pour savoir à quoi vous en tenir. Ils auront beau faire et beau dire, *leur dogme ne sera jamais qu'un dogme* INEPTE, *et leur concile un concile de* SACRISTAINS. Vivez donc en paix; travaillez toujours, tout en ménageant vos forces, et faites votre devoir *sans souci d'eux*. Adieu, à bientôt‹« *(Guignol et la Révolution*, Appendice 129 f). Über dieses

tuung, wie das Unterwerfungsschreiben Darboys gemeint war[17]. Lag auch Dupanloups Unterwerfung auf dieser Linie? Nicht nur die Worte seines Schreibens an

---

Gespräch berichtete Michaud am 5. Februar und 17. Februar 1872 auch dem neuen Pariser
Erzbischof Guibert (AN, Paris, F 19, 5616, Dossier Vieux-Catholiques, Kopien). Veuillot
schrieb er, Darboy habe ihn als Pfarrer von La Madeleine belassen, obwohl er und die Archi-
diakone gewußt hätten, daß er das 1. Vatikanische Konzil für null und nichtig halte (BN,
Paris, Fonds Veuillot, n. a. fr. 24634, fol. 442 f., Brief vom 2. März 1872; vgl. fol. 439, Brief
vom 12. Februar 1872). Am 31. Juli 1871 teilte Michaud Döllinger mit: »Deux mots seulement, *très confidentiels*, sur le but de ce voyage. Il est certain que je ne saurais admettre en conscience ni l'oecuménicité du concile ni le dogme de l'infaillibilité papale. Je m'étais très bien
entendu à ce sujet avec Mgr Darboy, qui, comme vous le savez, m'aimait beaucoup. Mais il
n'en sera certainement pas de même de son successeur, Mgr Guibert« (CONZEMIUS: *Eugen
Michauds Briefe* 343). Ähnlich wie gegenüber Michaud muß sich Darboy auch gegenüber
dem ihm befreundeten P. Hyacinte Loyson (vgl. FERNESSOLE: *Pie IX*, II 290) geäußert haben.
Am 30. März 1871 berichtete Michaud Döllinger: »Le P. Hyacinthe m'a dit avoir vu Mgr
l'archevêque avant-hier, et il paraîtrait que Monseigneur lui aurait dit, en comparant le Concile
à l'assemblée de Versailles, qu'il ne réclamerait pas contre le dogme de l'infaillibilité papale,
mais qu'il le tenait avant tout pour »un dogme inepte«. C'est la propre expression dont s'est
servi le P. Hyacinthe, et dont je ne me fais auprès de vous que l'écho confidentiel« (CONZEMIUS:
Eugen Michauds Briefe 340). CONZEMIUS möchte im Gegensatz zu Palanque die Aussagen von
Michaud und Loyson nicht anzweifeln, interpretiert sie aber dahin, Darboy habe nur die
praktische Bedeutung des Unfehlbarkeitsdogmas für das kirchliche Leben geleugnet (*Eugen
Michauds Briefe* 340 Anm. 6). Beachtet man alle Berichte, läßt sich eine solche Deutung kaum
aufrechterhalten. Vor allem die Behauptungen Loysons veranlaßten Nuntius Chigi, bei Kar-
dinal Staatssekretär Antonelli um Publikation von Darboys Unterwerfungsbrief nachzusuchen.
Antonelli ging auf die Bitte ein und ersuchte die Pariser Kapitelsvikare um Publikation (ASV,
Archivio Nunz. Parigi, Segreteria di Stato 1862—1874, Chigi an Antonelli, 8. Juni 1871, Nr.
1752 (Entwurf); Antonelli an Chigi, 21. Juni 1871, Nr. 2018). Auch JEAN WALLON behauptet,
Darboy habe nach seiner Unterwerfung nicht an die päpstliche Unfehlbarkeit geglaubt (*La
vérité* XI f.; vgl. FROMMANN: *Geschichte und Kritik* 217 Anm. 2). Marquise de Forbin d'Oppède
bestätigt diese Urteile insofern, als auch sie berichtet, Darboy habe von seinen Diözesanen
nicht gefordert, an das Unfehlbarkeitsdogma zu glauben (In einem Brief vom 18. September
1871 an Lady Blennerhassett (PALANQUE: *Les amitiés européennes* 133)). Auch Lord Acton
hielt die Unterwerfung des Erzbischofs von Paris für rein äußerlich. Obwohl Darboy der fä-
higste Mann gewesen sei, den er je gekannt habe, so sei es für diesen doch möglich gewesen
vertraulich zu sagen, das Dogma sei unwahr, es aber dennoch formell zu akzeptieren (MC EL-
RATH: *Acton* 40). In die gleiche Richtung weist Lord Actons Nachricht, Darboy habe ihn ermuntert, weitere Dokumente und Details über das Konzil zu veröffentlichen (Brief Actons an
Clifford, 5. März 1871 (MC ELRATH: *Lord Acton* 209)).

[17] Da es verschiedene Versionen über Darboys letzte Tage gab, ließ Chigi alle Elemente sammeln.
Am 11. Juni 1871 berichtete er Antonelli: »Ciò che è certo si è che Monsignor Arcivescovo
passò gli ultimi giorni in lunghe e intime conversazioni con li Padri Gesuiti li più importanti
pel il loro grado altrettanto che pel merito della [sic] loro publici atti apologetici delle sane
massime; onde non si dubita che non si fosse stabilito fra loro un perfetto accordo dottrinale«
(ASV, Archivio Nunz. Parigi, Segreteria di Stato 1862—1874, Nr. 1750 (Entwurf)). Louis
Veuillot berichtet aus einer Papstaudienz im Jahre 1873 folgende Worte Pius' IX.: »Et ce

den Papst[18], auch die Verbindung mit Kardinal Mathieu[19] und Äußerungen Vertrauter legen es nahe[20].

Erstaunlicherweise tritt die Formel Kardinal Mathieus sogar in Amerika auf. Auch Erzbischof Kenrick von St. Louis behauptete, den vatikanischen Dekreten »purely and simply« zuzustimmen. Wie die französischen Bischöfe verstand er jedoch seine Unterwerfung als reinen Akt des Gehorsams, ohne Zurücknahme seiner Vorbehalte gegen die Unfehlbarkeitsdefinition[21]. Deshalb war er auch festen Willens, das neue Dogma nie zu lehren und nie durch Zeugnisse aus der Schrift und Tradition zu stützen[22]. Es ist daher wahrscheinlich, daß Kenrick nicht an das Unfehlbarkeitsdogma glaubte. Wie hätte er von ihm innerlich überzeugt sein können, wenn er es nicht lehren wollte, es offenbar auch nie tat[23], und wenn seine Bedenken nach wie vor weiter bestanden[24]? Unterwerfung unter solchen Umständen will freilich manchen wie eine intellektuelle Sklaverei erscheinen[25].

---

pauvre Darboy! J'ai beaucoup réfléchi sur lui, j'ai beaucoup prié. Dans les circonstances où il est mort il a pu penser, se souvenir, expier. J'espère pour lui« (BN, Paris, Fonds Veuillot, n. a. fr. 24620, fol. 84, Notes sur le voyage à Rome, 1873).

[18] Mansi 53, 990 CD.

[19] ASSTS, Fonds Foulon, Lettres 1867—1872, Mathieu an Foulon, 3. April 1871.

[20] Obwohl Dupanloups Unterwerfungsschreiben vom 10. Februar 1871 datiert, schreibt Bischof Stroßmayer am 2. Oktober 1871 an Prof. Reinkens: »Diese Tage habe ich einen Brief erhalten von Dupanloup: Er scheint fest zu sein. Ich habe mir Mühe gegeben, ihn in seinem Vorsatze zu befestigen (SCHULTE: *Altkatholicismus* 263). Erzbischof Dechamps kommt in seinem Brief an Kardinal Bilio vom 2. Oktober 1871 nach seinem Bericht über Simors Hirtenschreiben auf Dupanloup zu sprechen und fragt: »Quand est-ce que Mgr d'Orléans imitera Mgr Simor, et même Mgr Maret?« (ASV, Spoglio Card. Bilio). ALBERT DE MUN berichtet über ein Gespräch mit Dupanloup aus dem Jahre 1871, das Zweifel an einer innerlichen Annahme des Dogmas aufkommen läßt *(Ma vocation sociale* 46). Laut Marquise de Forbin d'Oppède verlangte Dupanloup von seinen Diözesanen nicht den Glauben an das neue Dogma (In einem Brief vom 18. September 1871 an Lady Blennerhassett (PALANQUE: *Les amitiés européennes* 133)).

[21] MILLER: *Kenrick* 124 f.; vgl. Kenricks Brief an Lord Acton vom 29. März 1871 (SCHULTE: *Altkatholicismus* 267—270).

[22] SCHULTE: *Altkatholicismus* 268; 269.

[23] MILLER: *Kenrick* 124 Anm. 56.

[24] Acton berichtet am 7. Februar 1871, Kenrick würde sich zwar äußerlich unterwerfen, aber nicht glauben (DÖLLINGER: *Briefwechsel* III 12 f.). An Ward schreibt er am 30. Dezember 1871: »In another way, Kenrick of St. Louis had made an explicit declaration of acquiescence, without by any means accepting the doctrine (MC ELRATH: *Acton* 40). Am 2. November 1871 übersendet Schlözer Bismarck einen Bericht des Attaché der kaiserlichen Gesandtschaft in Washington, Graf Ludwig Arco Valley (Schwager von Lord Acton) über die Situation der katholischen Kirche in Nordamerika nach dem Konzil. Arco Valley führt darin über Kenrick aus: »Der Erzbischof von St. Louis, Kenrick, bei weitem der kenntnisreichste Praelat unter den katholischen Bischöfen von Amerika, hat sich, wie man nicht leugnen kann — gefügt und erklärt fortgesetzt seinen Freunden, daß er das neue Dogma, dem er sich nur äußerlich unter-

Nur äußerlich, ohne inneren Glauben, dürften auch die beiden englischen Bischöfe Clifford und Brown ihren Zustimmungsakt geleistet haben[26].

Im deutschsprachigen Raum ist vor allem bei Bischof Hefele von Rottenburg eine Annahme der vatikanischen Dekrete aus innerer Überzeugung sehr zweifelhaft. Sein hauptsächlichstes Motiv der Unterwerfung, die Vermeidung des Schismas, ist rein äußerlicher Natur und besagt nichts über die Wahrheit der definierten Lehre. Auch sein Bestehen auf einer einschränkenden Interpretation und die Betonung, die zur Stützung des Dogmas vorgebrachten Argumente gehörten nicht zur Definition und müßten folglich nicht geglaubt werden, legen nahe, daß Hefele innerlich nicht wirklich zustimmte[27]. Dieser Eindruck wird verstärkt durch die weiteren recht persönlichen Gründe, die Hefele zum Nachgeben veranlaßten. Er sah sich in seiner Existenz bedroht, zunächst durch die Isolierung von seinen Freunden und vom eigenen Klerus, dann durch die zu erwartende Exkommunikation bei Nichtunterwerfung[28], besonders aber auch durch den fehlenden Rückhalt der württembergischen Regierung bei einer weiteren oppositionellen Haltung[29].

---

werfen könne, nie in seinen Predigten lehren oder vertheidigen werde« (AA, Bonn, PA, I A. B. e 46, Bd. 8, fol. 122—127, bes. fol. 125, Bericht Nr. 3). Vgl. den Brief von Lady Blennerhassett an Marquise de Forbin d'Oppède vom 14. Februar 1871 (AUBERT-PALANQUE: *Lettres de Lady Blennerhassett* 126).

[25] COULTON: *Papal Infallibility* 197 f. Für SPARROW-SIMPSON ist Kenricks Brief vom 29. März 1871 an Lord Acton voll von »intellektuellen, wenn nicht moralischen Widersprüchen« (*Roman Catholic opposition to Papal Infallibility*. London 1909; zitiert bei HENNESY: *The first Council* 324 f.). Vgl. MILLER: *Kenrick* 124 f.; HENNESEY: *The first Council* 324 f.

[26] Acton an Döllinger, 23. Dezember 1870 (DÖLLINGER: *Briefwechsel* II 459. Später schreibt Acton an Döllinger:»Sie müssen Ihren Blick auf diese doppelte Lage richten, und die thatsächliche, innere Verwerfung der Lehre anerkennen bei vielen, die aus dem Bewußtsein ihrer Schwäche, ihrer Unwissenheit, ihrer isolierten Lage, ihrer inconsequenten Vergangenheit, sich zu den Köhlergläubigen schlagen. Worte wie die von Brown, Clifford, Kenrick schließen den passiven Widerstand nicht aus« (DÖLLINGER: *Briefwechsel* III 13; vgl. 12 f.). Vgl. den Brief der Lady Blennerhassett an die Marquise de Forbin d'Oppède vom 14. Februar 1871 (AUBERT-PALANQUE: *Lettres de Lady Blennerhassett* 126).

[27] Vgl. S. 465 f.; 472 f.; 476 f.

[28] »Die Lage eines suspendirten und excommunicirten Bischofs scheint mir eine schreckliche, die ich kaum ertragen könnte« (Brief Hefeles an Döllinger, 11. März 1871 (SCHULTE: *Altkatholicismus* 228 f.)).

[29] In einem Schreiben an den früheren Kultusminister v. Golther sprach Hefele laut Bericht des Bayerischen Gesandten in Stuttgart die Überzeugung aus, unter seinem Ministerium wäre er Rom gegenüber geschützt worden und hätte auf seinem Standpunkt als Antiinfallibilist verharren können. Nun aber habe die Regierung in Stuttgart kein Interesse mehr an einer weiteren Opposition (BGSTA, MA I 642, Freiherr v. Gasser an König Ludwig II., 4. April 1871, veröffentlicht bei REINHARDT: *Unbekannte Quellen* 72). Vgl. Gassers Berichte vom 13. April 1871 (BGSTA, MA III 3031) und 20. April 1871 (BSTA, MK 19786 (Abschrift)); REINHARDT: *Unbekannte Quellen* 59; SCHULTE: *Altkatholicismus* 233 f.; DERS.: *Lebenserinnerungen* I 378;

So schickte er sich ins Unvermeidliche — seine frühere ultramontane Vergangenheit mochte dabei nicht ohne Bedeutung sein[30] — und brachte am 10. April 1871 das Opfer des Verstandes, wie er sich in einem vertraulichen Schreiben an Bischof Feßler ausdrückte[31]. Engeren Freunden teilte er freilich mit, seine — ohnehin verklausulierte — Unterwerfungserklärung bedeute keine direkte Annahme der vatikanischen Dekrete[32].

Als die Gegner des Dogmas aus Verärgerung Hefeles noch ganz anders lautenden Brief vom 11. November 1870 an Professor Bauerband abdruckten— Hefele nannte diesen Brief Bischof Greith von St. Gallen gegenüber seinen großen Schwabenstreich[33] —, konnte sich der Rottenburger Bischof auch in seiner Erwiderung auf diese Indiskretion nicht zu einem eindeutigen Bekenntnis aufraffen. Er schrieb, nach fünfmonatigem Kampf sei es ihm gelungen, »in aufrichtiger Unterordnung meiner Subjectivität unter die höchste kirchliche Autorität mich mit dem vatikanischen Decret zu versöhnen[34]«. Diese »aufrichtige Unterordnung meiner Subjectivität« erschien schon früher und erscheint noch heute manchen wenig aufrichtig[35]. Auch neueren Verteidigern Hefeles gelingt es trotz Abschwächung seiner

---

VIGENER: *Ketteler* 600; HAGEN hat die vorliegenden Dokumente zu wenig ernst genommen (*Die Unterwerfung des Bischofs Hefele* 24 f.).

[30] Vgl. REINHARDT: *Unbekannte Quellen* 59.

[31] Vgl. S. 472 f.

[32] Am 25. April 1871 schrieb Acton an Wetherell: »Hefele has published a declaration which sounds like a direct acceptance of the essential point at issue; but he writes to me privately that he does not so intend it. I don't think any German bishop will stand actively by Döllinger« (MC ELRATH: *Lord Acton* 106). Da sich dieser Brief nicht mehr finden läßt, glaubt SCHATZ, es handle sich dabei wohl eher um eine persönliche Interpretation Actons als um eine wirkliche Mitteilung Hefeles (*Kirchenbild* 414 Anm. 132).

[33] DA, St. Gallen, Akt Bischof Greith, Hefele an Greith, 25. Oktober 1872.

[34] Deutsches Volksblatt, Stuttgart, 15. Oktober 1872; FRIEDBERG: *Aktenstücke* II 327. Noch enttäuschender fällt ein späteres Zeugnis Hefeles aus. Am Gründonnerstag 1876 gab er in einem Brief an den Kaufmann W. Walter in Isny als Grund für seine Unterwerfung an, eine Weigerung es zu tun wäre einer Unfehlbarkeitserklärung seiner selbst gleichgekommen. Wörtlich schreibt Hefele: »... denn sehen Sie, wenn ich mich nicht unterworfen hätte, hätte ich sagen müssen: ›Der Papst und der um ihn versammelte gesamte Episcopat d. h. das allgemeine Concil sind nicht unfehlbar; ich aber, mein liebes Ich, ich bin unfehlbar‹. Und wenn Sie die Entscheidung des Vaticanischen Concils nicht annehmen wollen, so sagen Sie faktisch: ›Papst und Bischöfe, alle zusammen, irren; ich aber, ich Wilh. Walter, bin unfehlbar, ich kann mich nicht irren; durchaus nicht, absolut nicht.‹ Wenn Sie freilich solche Selbstüberschätzung behaupten wollen, dann haben Sie Recht, wenn Sie nicht mehr zu den hl. Sacramenten gehen« (FRIEDRICH: *Tagebuch*, Handexemplar in der Universitätsbibliothek München 378/379 b; abgedruckt in MENN: *Aktenstücke Hefele und die Infallibilität betreffend* 648 f.; STÄRK: *Die Bischöfe der Diözese Rottenburg* 150 f.; ROSKOVÁNY: *Romanus Pontifex* XIII 258—259).

[35] SCHULTE: *Altkatholicismus* 232 f.; Erwiderung von Prof. Joseph Reinkens auf die Erklärung Hefeles (FRIEDBERG: *Aktenstücke* II 328—332). Reinkens stellt den fünfmonatlichen Kampf

Äußerungen nicht zu zeigen, daß er jemals von der päpstlichen Unfehlbarkeitslehre und den dafür vorgebrachten Argumenten überzeugt gewesen wäre[36]. Hefele selbst hat es seinen wissenschaftlichen Kollegen sehr erschwert, nachträglich mehr Klarheit zu finden. Er verbrannte seinen Nachlaß und versuchte zu dem gleichen Zweck, vertrauliche Briefe von Freunden zurückzuerhalten[37].

Nicht weniger Rätsel gibt die Stellung Stroßmayers auf. Wie kaum ein anderer Bischof widerstand er jahrelangen Versuchen von Freund und Feind, ihn zu einer Unterwerfungserklärung zu bewegen. P. Augustin Theiner, früherer Archivpräfekt, und der kroatische Domherr Vorsak in Rom rieten ihm zu einem bloßen Lippenbekenntnis, da die Kurie zum äußersten entschlossen sei[38]. »Lieber sterben«, so beteuerte er daraufhin am 1. März 1871 P. Theiner, »als gegen mein Gewissen und gegen meine Überzeugung zu handeln. Lieber jeder Humiliation ausgesetzt [?] sein, als vor dem Baal, vor dem verkörperten Hochmuth meine Knie beugen[39]«. Stroßmayer berichtete sogar, er wäre gern im Kampf gegen die vatikanischen Dekrete selbst aktiver geworden, glaube jedoch, sich äußere Zurückhaltung auferlegen zu müssen, um seine schwierige Stellung als national gesinnter kroatischer

---

Hefeles in Frage. Hefele sei fest entschlossen gewesen, sich innerlich nicht zu unterwerfen. Seine wirkliche Überzeugung habe er auch am 10. April nicht geändert. Er schreibt wörtlich: »Aber freilich, Sie haben ja auch Ihre Ueberzeugung nicht geändert, Sie haben ja nur Ihre ›Subjectivität‹ unter die höchste kirchliche Auctorität aufrichtig untergeordnet.‹ Sie drücken sich euphemistisch aus, denn Sie wollen sagen, dass Sie Vernunft und Freiheit dem päpstlichen Absolutismus geopfert haben. Wäre Ihre Ueberzeugung eine andere geworden, so hätte es sich geziemt, in einem ›Volksblatt‹ so zu schreiben: Es ist mir nach fünfmonatlichem Kampf endlich gelungen, die Lehre, dass der Papst ›aus sich selbst, nicht aber durch die Uebereinstimmung mit der Kirche, unverbesserliche Lehrentscheidungen‹ gebe, als Gottes Wort zu glauben« (FRIEDBERG: *Aktenstücke* II 329). KARL V. HASE meint, der Bischof habe den Gelehrten erwürgt *(Handbuch der protestantischen Polemik* 237), THEOBALD ZIEGLER schreibt gar, der Bischof habe in ihm nicht nur den Gelehrten, sondern auch den Menschen zerstört *(Die geistigen und sozialen Störungen* 415). Vgl. REINHARDT: *Unbekannte Quellen* 59.

[36] Vgl. besonders A. HAGEN: *Die Unterwerfung Hefeles unter das Vatikanum.* In: ThQ 124 (1943) 1—40. HERMANN TÜCHLE schreibt ganz unmotiviert: »Man wird also die Unterwerfung Hefeles als aufrichtigen und ehrlichen Akt auffassen müssen: Ein Bruch mit Rom wäre für ihn ja ein Bruch mit sich selbst gewesen« *(Hefele* 17).

[37] REINHARDT: *Döllinger und Hefele* 439 f.; DERS.: *Der Nachlaß* 361 f.; DERS.: *Zum Verbleib der Nachlaß-Papiere Hefeles* 26 f.

[38] In einem Brief vom 2. Oktober 1871 an Prof. Reinkens wies Stroßmayer dieses Ansinnen entschieden zurück: »Merkwürdig ist, daß der p. Theiner und mein Domherr [Vorsak] von Rom mir rathen, wenigstens *äusserlich* nachzugeben, weil Rom zum Äussersten zu schreiten bereit sei. Wie sich die Leute einschüchtern lassen! Wenn je, so ist heut zu Tage die Aufgabe der wahren Katholiken, die Stelle des Weltapostels zu übernehmen und dem Petrus mit aller Entschiedenheit zuzurufen in veritate evangelii non ambulas« (SCHULTE: *Altkatholicismus* 263).

[39] ASV, Carte Theiner, Scatola 4, fol. 276ᵛ.

Bischof innerhalb Österreich-Ungarn nicht noch mehr zu gefährden[40]. Doch auch sein Widerstand schmolz mit den Jahren zusehends dahin.

Obwohl er am 6. Juli 1870 seinem Freund Kanonikus Rački geschrieben hatte: »Rom wird mich nie mehr sehen!«[41], war er doch bereits 1871 wieder in Rom[42]. Sein Mittelsmann, Domherr Vorsak, versuchte in Verhandlungen mit Kardinal Staatssekretär Antonelli zu einem Ausgleich zu kommen. Doch noch im Mai 1872 lehnte Stroßmayer jede Unterwerfung ab. Er vertrat gegenüber Vorsak die Meinung, wenn er in jeder Beziehung intakt bleibe, könne er der Kirche unter gewissen Umständen von großem Vorteil sein, die Einheit wiederherstellen und die notwendigen Reformen der katholischen Kirche vorbereiten[43]. Erst im November 1872 erklärte er sich zur Publikation der Konzilsdekrete bereit[44]. Ohne jede weitere Erklärung ließ er sie in seinem Diözesanblatt »Glasnik« abdrucken[45]. Der Papst verstand diese Geste als eine Art Unterwerfung[46]. Stroßmayer selbst wollte darin allerdings in keiner Weise etwas Derartiges sehen[47]. Döllinger jedoch empfand auch diesen Schritt seines Freundes bereits als Verrat[48].

---

[40] Briefe Stroßmayers an Döllinger vom 10. Juni 1871 (SCHULTE: *Altkatholicismus* 256), an Reinkens vom 27. September 1870 (SCHULTE: *Altkatholicismus* 254) und an Kaplan Thürlings in Heinsberg (Erzdiözese Köln) (FRIEDRICH: *Tagebuch*, Handexemplar in der Universitätsbibliothek München 382/383 a—382/383 b).

[41] SULJAK: *Strossmayer* 426.

[42] GREGOROVIUS: *Römische Tagebücher*, 31. Dezember 1871, 538. Stroßmayer erschien Gregorovius physisch und geistig gebrochen.

[43] Brief Stroßmayers an Vorsak, 12. Mai 1872 (SULJAK: *Strossmayer* 467).

[44] SULJAK: *Strossmayer* 468 f.

[45] Mansi 53, 997 D—998 A.

[46] Kardinal Franchi schrieb am 16. August 1873 an den Wiener Nuntius Falcinelli: »E supponendo che Ella gradisca di sapere come sieno andate le cose sotto questo rapporto con Mg. Stroßmayer, Le dirò in tutta riserva e confidenza, che nello scorso inverno, e precisamente nel mese di Gennajo, trovandosi questi a Roma, fondò un bollettino diocesano e nei primi due numeri fece pubblicare tutti gli atti del Concilio Vaticano. Giunti a Roma i due esemplari di quel bollettino (che egli dichiarava di essere il suo organo officiale) domandò l'udienza dal S. Padre, anche con lo scopo di presentargli egli stesso i detti esemplari. Sua Santità considerando che la pubblicazione fatta in quel modo dei Decreti Vaticani per ordine ed autorità del Vescovo, potee in qualche modo ritenersi come un atto di sottomissione del medesimo alle decisioni del Concilio, si determinò a riceverlo: che anzi dichiarando che riceva il bollettino come l'espressione dei sentimenti del Prelato, gli fece una paterna accoglienza« (ASV, Archivio Nunz. Vienna 1873, 435; vgl. SULJAK: *Strossmayer* 474).

[47] Am 5. Februar 1875 schrieb er an Kanonikus Rački: »... ich habe in diesen Tagen den Papst besucht; er nahm mich gut auf. Es ist erfunden, was die Zeitungen über meine Unterwerfung ausposaunen. Ich werde Ihnen alles erzählen, wenn ich zurückkehre« (SULJAK: *Strossmayer* 473).

[48] Am 29. Dezember 1872 meint Döllinger gegenüber Acton: »Glauben Sie wirklich, daß der Standpunkt der HH. Stroßmayer etc. dem meinigen so nahe sei? Ich denke: hier gilt der

Erst im Januar 1875 söhnte sich Stroßmayer mit Pius IX. aus. Am 16. Januar 1875 berichtete er seinem Freund Rački: »Ich mache Frieden mit dem Papst aus Liebe zu meinen Freunden ...« Kanonikus Vorsak fügte als weitere Motive hinzu: »Der Bischof schuldet es seiner Position innerhalb unseres Volkes, und auch meine Position würde noch schwieriger werden⁴⁹.« Eine förmliche Zustimmung zu den vatikanischen Dekreten geschah aber auch bei dieser Gelegenheit nicht. Erst 1881, unter dem Pontifikat Leos XIII. bekannte sich Stroßmayer öffentlich zur Unfehlbarkeitsdefinition⁵⁰.

Hefele und Stroßmayer waren kaum die einzigen Bischöfe aus der deutschsprachigen Oppositionsgruppe, die ihre Vorbehalte auch nach dem Konzil aufrechterhielten. Manches spricht dafür, daß auch Kardinal Schwarzenberg von Prag seine auf dem Konzil geäußerten Ansichten nicht änderte⁵¹. Der Prager Kirchenrechtsprofessor Friedrich von Schulte, der im vertrauten Umgang mit dem Kardinal stand, notierte in seinen Lebenserinnerungen: »Schwarzenberg hat an die neuen Dogmen nicht geglaubt, dieses von niemand gefordert, er fügte sich stillschweigend, weil er nicht die Kraft besaß, offen zu widerstehen, nachdem die übrigen Bischöfe gefallen waren⁵².« Schwarzenberg fühlte sich vor allem wegen mangelnder Kenntnisse nicht in der Lage, wirksame Opposition zu leisten⁵³.

Spruch: de non existentibus et non apparentibus eadem est ratio. Was diese Herren in scrinio pectoris sui von den Vaticanischen Decreten halten, ist sehr irrelevant; was sie aber vor der Welt *bekennen*, welche Lehre sie in ihren Schulen und Seminarien, und auf ihren Kanzeln verkünden lassen, darauf kommt alles an. Die Eine Lüge der faktischen Unterwerfung und Verkündigung zieht Millionen Lügen nach sich und erzeugt fortwirkend Unheil bis in die fernsten Geschlechter« (DÖLLINGER: *Briefwechsel* III 100; vgl. 95).

⁴⁹ SULJAK: *Strossmayer* 476 f.

⁵⁰ Mansi 53, 998 D—1001 A; vgl. besonders 1000 A: »Ma comunque sia, egli è certo che col dogma dell'infallibilità (nezabludivost) nulla di nuovo fu introdotto nella chiesa«.

⁵¹ Eine ausdrückliche Zustimmung des Kardinals zu den vatikanischen Dekreten fehlt (vgl. Mansi 53, 937 C—938 D). Auch Behauptungen in der Lokalpresse, Kardinal Schwarzenberg habe sich den Dekreten des Vatikanischen Konzils nicht unterworfen und werde sich nicht unterwerfen (Hausfreund für Stadt und Land, Neurode, Grafschaft Glatz, 25. Februar 1871, Beilage zu Nr. 9) konnten ihn trotz der Bitten des Großdechanten von Glatz um ein klärendes Wort nicht aus der Reserve locken (ASCHST, Wien, Nachlaß Wolfsgruber, Kardinal Schwarzenberg und das Vaticanum). Bischof Ketteler bittet Schwarzenberg noch am 16. Februar 1871 um klare Unterwerfung (ASCHST, Wien, Nachlaß Wolfsgruber, Schwarzenberg, Abschrift). Vgl. S. 426 Anm. 62.

⁵² *Lebenserinnerungen* III 188 f. Er schreibt weiter: »Seine persönliche Stellung ist zur Genüge dadurch gekennzeichnet, daß ich ihm die von mir und einzelne von anderen gegen das Vatikanum bis März 1873 veröffentlichten Schriften jedesmal persönlich überreicht, gleich den das Vatikanum perhorreszierenden Löwe und Prof. Sal. Mayer (seinem Theologen auf dem Konzil, später Abt von Ossegg) zu ihm ununterbrochen bis zum Weggange aus Prag (April 1873) in Verkehr gestanden habe« *(Lebenserinnerungen* III 189). Kardinal Schwarzenberg gab stillschweigend sein Einverständnis zu Schultes Schriften: »Kardinal Schwarzenberg, dem ich

Auch die Haltung Kardinal Rauschers ist nicht eindeutig. Obwohl er offiziell die Anerkennung der Unfehlbarkeitslehre verlangte, bleibt seine persönliche Überzeugung teilweise im Dunkeln [54]. Eine eigentliche Unterwerfungserklärung Rauschers fehlt. Der Nuntius von Wien forschte vergeblich in den Archiven Bischof Feßlers darnach [55].

Die innere Emigration machte selbst vor der römischen Kurie nicht halt. Obwohl Erzbischof Puecher-Passavalli aus dem Kapuzinerorden bereits am 24. Juli 1870 in einem Brief an den Papst seine völlige Unterwerfung unter die Konzilsdekrete beteuerte [56], blieb seine Haltung zwiespältig. In Reformthesen, die nach München gelangten, forderte er die Zurückweisung des Dogmas von der Unfehlbarkeit und einen feierlichen Protest gegen den Despotismus Roms [57]. Solche Auf-

---

die Schrift [*Die Macht der römischen Päpste*] persönlich gab, sagte mir nach einigen Wochen: ›Alles, was sie sagen, ist wahr, aber es ist nichts zu machen‹« (SCHULTE: *Lebenserinnerungen* I 279). Am 11. Mai 1871 schrieb Schulte an Döllinger: »Schwarzenberg war sehr deprimiert, unglücklich über die Lage etc., hat aber nicht eine einzige Silbe gesagt, aus der auch nur eine Mißbilligung meines, oder überhaupt unseres Auftretens hervorleuchten könnte, er war im Gegenteil so liebenswürdig als jemals. Über Feßlers Schrift sagte er wörtlich: ›Über deren Wert habe ich kein Urteil, mute Ihnen auch nicht zu, sie für gut zu halten‹« (SCHULTE: *Lebenserinnerungen* I 281).

[53] Er sagte am 22. Dezember 1870 zu Schulte, Hefele könne angesichts seiner Gelehrsamkeit Widerstand leisten und nicht publizieren. Hätte er die selbständigen Kenntnisse, so stände es auch anders (SCHULTE: *Altkatholicismus* 249).

[54] Schulte schreibt in seinen Lebenserinnerungen, Rauscher habe unter der Hand angeordnet, daß nicht über die Unfehlbarkeit gepredigt werde. Priester, die gegen die Unfehlbarkeit schrieben, habe er nicht behelligt, so z. B. VINZENZ KNAUER, der anonym die Schrift *Malleus haereticorum, das ist: Römisch-katholische Briefe zur gründlichen Abfertigung der schrecklich um sich greifenden altkatholischen Ketzereien* (Prag 1872) verfaßte *(Lebenserinnerungen* III 178). Vgl. KOVÁCS: *Die Bedenken des Kardinals Rauscher* 94—121. Ganz anders urteilt GRANDERATH: *Geschichte* III 568.

[55] Vgl. S. 426 f. Anm. 65. Die Behauptung FRIEDRICHS, Kardinal Rauscher habe im Reichstag auf eine Interpellation des Baron von Lichtenfels erklärt: »Kein Katholik ist schuldig zu glauben, daß Christus dem heil. Petrus (geschweige also den späteren Päpsten) die Macht der Unfehlbarkeit zuerkannt habe« *(Die Wortbrüchigkeit und Unwahrhaftigkeit* 35), konnte ich durch keine Dokumente erhärten. Auch ein Brief Rauschers an Schwarzenberg vom 10. April 1875 über diesen Vorfall bringt keine Klarheit (EA, Wien, Korrespondenz Schwarzenberg-Rauscher).

[56] Mansi 53, 978 B—979 B.

[57] »Friedrich berichtet, durch Mad. Meriman habe er folgende ›Notes‹ des Erzbischofs Puecher-Passavalli erhalten: ›Rome Aug. 24—1871 1. Rejection + refutation of the dogma of Infallibility — with solemn protest against the despotism of Rome. 2. Denial of the validity of the council of the Vatican — by reason of absence of liberty. 3. Election of the Bishops by the clergy + laity. 4. Liberty of Clergy to marry. 5. Abolition of Monastic life + perpetual vows. 6. Absolute repudiation of the order of Jesuits + their doctrines. 7. The confessional only as a positive necessity of conscience. Public + constant condemnation of its abuse as introduced by the Jesuits. 8. As a transition — the Mass to be said in the language of the people except

fassungen können bei einem Erzbischof nicht überraschen, der den hauptsächlichen Irrtum der Katholiken in der fetischhaften Anbetung der kirchlichen Hierarchie, besonders des Papstes, sah[58] und der noch 1891 die Unfehlbarkeitsdefinition für eine sakrilegische Beleidigung der Heiligsten Dreifaltigkeit hielt, die das Amt des obersten Hirten in ein despotisches Sultanat Mohammeds und Christi Schafstall in eine Sklavenherde umgewandelt habe[59].

Auch die Haltung Kardinal Hohenlohes ist nicht klar. Er hatte sich absichtlich von der Schlußabstimmung ferngehalten. Mehrfach versicherte er, stets an die päpstliche Unfehlbarkeit geglaubt zu haben[60]. Aus der Privatkorrespondenz mit seinem Bruder Fürst Hohenlohe geht jedoch hervor, daß er die Gültigkeit der dogmatischen Beschlüsse des Vatikanischen Konzils nicht anerkannte und es sorgfältig vermied, sich darüber zu äußern[61]. Zudem gibt es Hinweise, daß er auch Bedenken gegen die Unfehlbarkeitslehre selbst hatte[62].

---

that which is interior or private which should be continued to be said in latin. — Moderation: Firmness! Activity! Three bishops should be elected at once« (KESSLER: *Friedrich* 309).

[58] Brief Puecher-Passavallis an Attilio Favero vom 12. Februar 1892 (BEGEY-FAVERO: *Puecher Passavalli* 180).

[59] Puecher-Passavalli an Cav. Giuseppe Rostagno (BEGUEY-FAVER: *Puecher Passavalli* 180). Campana schreibt in seiner Konzilsgeschichte: »... il quale [Puecher-Passavalli] pur non credendo all' infallibilità, alla quale mai non credette neanche dopo che fu definita« (*Il Concilio Vaticano* I/2 863). Vgl. MENNA: *Vescovi italiani* 62—63; PLONER: *Ricerche sull'arcivescovo Luigi Puecher-Passavalli*; POBLÁDURA: *Historia generalis* III 463. Das Buch von A. BEGEY und A. FAVERO: *S. E. Mons. Arcivescovo L. Puecher Passavalli. Ricordi e Lettere (1870—1897)* (Mailand 1911) zeigt die stark antikurialen Züge des Erzbischofs auf. Es wurde deshalb am 3. Januar 1913 auf den Index der verbotenen Bücher gesetzt.

[60] »... assicuro vostra santità, che, siccome io sono convinto che il solo risplende sopra di noi, così sono persuaso che la chiesa cattolica ha un papa infallibile« (Mansi 53, 941 D; vgl. 941 BC).

[61] Am 9. August 1870 schrieb er: »Ich habe es vermieden, über das Konzil und seine Gültigkeit zu sprechen, und halte nur meine Ansicht über die Unfehlbarkeit fest ... Solange ich nicht überzeugt bin, daß das Konzil gültig ist, solange kann ich nicht mehr tun, da ich doch auch einmal Rechenschaft vor Gott abzulegen habe und da nicht in eine unangenehme Lage kommen möcht《 (*Denkwürdigkeiten des Fürsten Hohenlohe* II 16). Vgl. FRIEDRICH: *Döllinger* III 561.

[62] Notizen Hohenlohes zum Kirchenschema zeigen sachliche Bedenken gegen die Unfehlbarkeitslehre des Konzils (vgl. S. 449 Anm. 13). Auch Friedrich stellt Hohenlohes Unfehlbarkeitsglaube in Frage. FRIEDRICH schildert die komplizierte Telegrammgeschichte im Zusammenhang mit der Gelehrtenversammlung 1863 in München. Hohenlohe sollte ein Telegramm als nicht von Pius IX. stammend widerrufen, das er vom Papst textlich festgelegt für die Versammlung in München erhalten hatte. Er berichtet weiter: »Da er [Hohenlohe] sich nicht dazu verstand und darauf beharrte, der Papst habe ihm wörtlich gesagt, was er telegraphiert habe, kam es zwischen ihnen zu so peinlichen Scenen, daß Hohenlohe bis ins Innerste empört war und die Erzählung dieser Vorgänge im Jahre 1870 mit den Worten einleitete: ›Herr Professor! Ich brauche kein anderes Argument für mich, daß der Papst nicht unfehlbar sein kann, als das einzige,

Die Motive der Unterwerfung lassen vermuten, daß noch bei manch anderen Bischöfen, wie etwa bei Fürstbischof Förster[63], das äußere Bekenntnis nicht mit dem inneren Glauben übereinstimmte[64].

Das zwiespältige Verhalten vieler Minoritätsbischöfe blieb der kritischen Öffentlichkeit nicht verborgen. Manchen konnte und wollte es nicht einleuchten, wie eine Änderung der Überzeugung in Sachfragen über Nacht möglich sein sollte, ohne daß die Bischöfe die Quelle der neuen Erkenntnis anzugeben vermochten[65]. Bischof Kettelers Verweis auf die unfehlbare Autorität eines ökumenischen Konzils genügte nicht, die Bedenken zu zerstreuen[66].

Durften die Bischöfe aus Gehorsam gegen autoritative Entscheidungen ihre Einsichten aufgeben? Durften sie auf ihre Überzeugungen verzichten, um ein Schisma zu verhindern? Vor allem aber, durften sie sich äußerlich unterwerfen, wenn sie von der Wahrheit der neuen Lehren nicht überzeugt waren? Täuschten sie damit nicht die Öffentlichkeit?

Manchen erschien ihre Haltung als unverzeihliche Schwäche[67], als Preisgabe

---

daß mir in meinem ganzen Leben kein Mensch vorgekommen ist, der es mit der Wahrheit weniger genau nahm, als gerade Pius IX.«« (*Döllinger* III 336 f.).

[63] SCHATZ schreibt über ihn: »Solange nicht weitere Dokumente bekannt sind, ist es schwierig zu sagen, ob und inwiefern diesem Umschwung ein Wandel der Überzeugung voraufging. Auch im Mai 1871 hat der Fürstbischof erklärt, er habe sich zwar aufrichtig unterworfen, jedoch könne bei ihm weder damals noch auch jetzt von ›freudiger Unterwerfung‹ die Rede sein. Möglicherweise war es einfach die Einsicht, daß die Einheit und Ordnung der Kirche nicht anders aufrechtzuerhalten war« (*Kirchenbild* 472).

[64] Am 7. Dezember 1874 behauptete Lord Acton Newman gegenüber: »My present impression is that to ›adhere to the doctrines‹ implies belief in them. No bishop that I have consulted has ever told me that it would be right to go as far as that. They say the decrees are legitimate, but they do not admit that they are true« (MC ELRATH: *Lord Acton* 114).

[65] LORD ACTON z. B. fragte die Bischöfe, nachdem sie die These vertreten hatten, die päpstliche Unfehlbarkeit sei weder in der Schrift noch in der Tradition enthalten, ob sie denn jetzt eine zusätzliche Quelle für Glaubenswahrheiten wüßten (*Sendschreiben an einen deutschen Bischof* 16; 18).

[66] *Die Minorität auf dem Concil.* Mainz 1870. Vgl. zur Kontroverse weiter E. ZIRNGIEBL: *Das Vaticanische Concil mit Rücksicht auf »Lord Actons Sendschreiben und Bischof v. Kettelers« Antwort kritisch betrachtet.* München 1871; *Ein Brief des Hochwürdigsten Herrn Wilhelm Emmanuel Freiherrn von Ketteler Bischofs von Mainz über die von Dr. Friedrich und Dr. Michelis am 9. Februar in Konstanz gehaltenen Reden.* Freiburg i. Br. 1873; J. FRIEDRICH: *Die Wortbrüchigkeit und Unwahrhaftigkeit deutscher Bischöfe.* Konstanz 1873; *Freiherr von Ketteler und die übrigen Bischöfe der Minorität als Märtyrer der Überzeugung.* Mainz 1875.

[67] Lady Blennerhassett referiert am 4. Februar 1871 an Marquise de Forbin d'Oppède ein Wort Stroßmayers: »N'est-ce pas, chère Comtesse, comme les évêques de la Minorité se sont montrés faibles!!! Ils croient épargner une grande lutte à l'Église, *et ils ne font que la précipiter*« (AUBERT-PALANQUE: *Lettres de Lady Blennerhassett* 127).

der Ehrlichkeit[68], als moralische Fäulnis[69], ja als Abfall[70]. Auf katholischer Seite pries man die Bischöfe als eindrucksvolle Zeugen fester Glaubens- und Kirchentreue[71].

IV.

DER WIDERSTAND DER PROFESSOREN

Noch bevor ihre Bischöfe nach Hause zurückgekehrt waren, begann sich ein Großteil der deutschen Theologieprofessoren durch die Initiative des Prager Kirchenrechtslehrers Johann Friedrich von Schulte für den Widerstand gegen die vatikanischen Dekrete zu rüsten. In der Erwartung, die Bischöfe würden unter feierlichem Protest das Konzil verlassen, hatte Schulte nach ausgedehnter Korrespondenz mit seinen Kollegen in München, Freiburg, Tübingen, Bonn, Münster, Braunsberg und Prag eine Erklärung ausgearbeitet, die den bischöflichen Protest voll unterstützen sollte. Die Opposition der Bischöfe fiel jedoch verhaltener aus als erhofft. Viele Professoren zogen ihre bereits gegebene Unterschrift zurück; die Erklärung wurde nicht veröffentlicht[1].

---

[68] Acton hält die Position der Bischöfe, die sich nur äußerlich unterwarfen, für unlogisch, irreführend und ungesund, aber nicht in jedem Fall für unehrlich (MC ELRATH: *Acton* 40). Während des Konzils, am 1. April 1870 hatte er noch härter geurteilt: »Diese Herren sind weder groß noch gelehrt, noch ehrlich. Ihre Pathologie ist eine höchst ekelhafte. Sie übertreiben nicht die innere Gewissenlosigkeit der meisten Bischöfe, selbst der Opposition. Es ist mit ihnen keine Versöhnung möglich« (DÖLLINGER: *Briefwechsel* II 279).

[69] Friedrich klagt am 6. März 1871 P. Augustin Theiner: »Über unsere Bischöfe wäre viel zu schreiben. Sie haben keinen Begriff, welche moralische Fäulnis unter ihnen herrscht. Sie appellieren bereits nur noch an die Gewalt, welche sie im Grunde haben« (ASV, Carte Theiner, Scatola 4, fol. 1164ᵛ).

[70] »Der ruhige Beurteiler, welcher die Fähigkeit bewahrt hat, Lüge von Wahrheit zu unterscheiden, wird eingestehen, dass keine Zeit der Geschichte ein Bild zeigt, das diesem Abfalle des Episkopates gleicht. Man liess sich abschlachten und schlachtete sich ab, warf Überzeugung, Glaube, Priester- und Mannesehre hinweg. Das ist das Resultat einer Entwicklung, welche in dem blinden Gehorsam gegen den römischen Hierarchen das Wesen des Christentums sieht« (SCHULTE: *Altkatholicismus* 273).

[71] Auch das abschließende Urteil R. LILLS unterscheidet sich von dieser Sicht nicht wesentlich (*Zur Verkündigung des Unfehlbarkeitsdogmas in Deutschland* 483).

[1] SCHULTE: *Altkatholicismus* 72 ff.

Auch später entsprach das Verhalten der Bischöfe nicht den Vorstellungen vieler Professoren. Ein beträchtlicher Teil des deutschen Episkopats lenkte unerwartet rasch ein und nahm vor allem durch die Konferenz in Fulda Ende August 1870 der Widerstandsbewegung den Wind aus den Segeln. Bereits die Nürnberger Theologenversammlung vom 25. August 1870 konnte nur vierzehn Teilnehmer auf sich vereinigen. Sie erklärte die vatikanischen Dekrete für ungültig wegen mangelnder Freiheit und Ökumenizität, Verletzung der Regel des Vinzenz von Lerin, Zerstörung des Episkopats als göttlicher Institution und endlich wegen ihres Widerspruchs zur heutigen gesellschaftlichen Ordnung[2]. Am Schluß riefen die Professoren die Bischöfe auf, für »das baldige Zustandekommen eines wahren, freien und daher nicht in Italien, sondern diesseits der Alpen abzuhaltenden ökumenischen Concils« zu wirken[3]. Durch den Fuldaer Hirtenbrief war dieser Aufruf bald überholt und wurde nicht mehr publiziert[4].

Die Geschlossenheit und Kraft der Opposition zerfielen. Dennoch verlief die Entwicklung, vor allem im deutschsprachigen Raum, anders als auf der bischöflichen Ebene. Zwar fanden sich ebenfalls sehr viele mit dem neuen Dogma ab und unterwarfen sich. Die verschiedenen Motivierungen der Bischöfe — auch solche, die für Rom nicht akzeptabel waren — kehren hier wieder. Die einen stimmten vor allem zu aufgrund der nachträglichen Annahme der Dekrete durch die Bischöfe, wie die Münchener Theologieprofessoren[5], Professor Franz Xaver Dieringer in Bonn[6] und der spätere Kardinal John Henry Newman[7]. Andere, wie Abt Daniel Haneberg in St. Bonifaz/München[8], Professor Johann Baptist Alzog in

---

[2] Coll. Lac. VII, 1732 bc.

[3] Coll. Lac. VII, 1732 c.

[4] SCHULTE: *Altkatholicismus* 97 ff.

[5] Vgl. S. 488 f. In ihrem Protestschreiben gegen Döllinger und Friedrich erklärt die Majorität der Münchener Professoren, deshalb seien die Argumente vom biblischen, patristischen und geschichtlichen Boden aus nicht mehr so schwerwiegend (ROSKOVÁNY: *Romanus Pontifex* VII 811; DENZLER: *Das 1. Vatikanische Konzil* 444 f.).

[6] FRANZEN: *Die katholisch-theologische Fakultät Bonn* 256 f.

[7] DEREK HOLMES: *Cardinal Newman* 374—398.

[8] Am 23. August 1870 gestand er Bischof Hefele: »Je länger ich mich mit der Frage beschäftigte, je genauer ich die Beweise für und gegen die Unfehlbarkeit verglich, desto sicherer glaubte ich zu erkennen, daß die alte Kirche, d. h. die Kirche der ersten 8 Jahrhunderte, von dieser Lehre nichts wusste« (FRIEDBERG: *Aktenstücke* II 51). Haneberg glaubt, für den Katholiken gebe es angesichts dieser Situation nur zwei Wege; der eine führe zur Verzweiflung, nämlich zur Bestreitung der Gültigkeit des Konzils, der andere führe zur Unterwerfung. Zum Nachgeben bewegen ihn die Rücksicht auf das katholische Volk und die Notwendigkeit des Gehorsams, der neuer Lebenskeim sein könne. Haneberg hilft sich jedoch angesichts dieses Gewissenskonfliktes vor allem mit der Überlegung: »Ließe sich die Ergebenheitsformel nicht so fassen, daß man sagte: ›Ich nehme die Constitution vom 18. Juli an ›salva auctoritate Conciliorum generalium‹. Ich denke dabei an das VIII. (869 Can. 21) und an das XVI.

Freiburg[9], der Historiker Johannes Janssen[10] und Propst Tanner von Luzern[11] machten innere Vorbehalte. Der frühere Oratorianer A. Gratry, Mitglied der Académie française, ging vor allem den Weg der Interpretation[12]. Wieder andere

---

(Constantiense sess. 4 und 5). Damit wird eine künftige Revision im Keime gegeben sein« (SCHULTE: *Altkatholicismus* 100; DENZLER: *Das 1. Vatikanische Konzil und die Theologische Fakultät* 426). Die Abendzeitung vom 10. Mai 1871 (Nr. 128) kommentiert: »Welcher Geist der Zersetzung der Moral und der Vernichtung der Manneswürde, welcher Zwang zur Heuchelei muß in der Kirche Roms herrschen ....« Auf eine Anfrage des Pfarrers von Balthausen, J. M. Stützle, vom 9. Juli 1872 rechtfertigt Haneberg am 11. Juli 1872 den erwähnten Brief und betont erneut seine Liebe und seinen Gehorsam gegenüber der Kirche (DA, Rottenburg, Sammlung Linsenmann, Biographie Hefele, Bestand K 3, Büschel 6, Umschlag 3).

[9] In einem Brief vom 22. August 1870 an Döllinger beklagt er in starken Ausdrücken die Entscheidung vom 18. Juli 1870 und hebt den »Mangel solider Begründung aus der heil. Schrift und Tradition, neben notorischen Thatsachen vom Gegentheil aus der Geschichte« besonders hervor (BSTB, München, Doellingeriana II).

[10] »In der späteren Argumentation Janssens gegen die Dogmatisierung der Infallibilität des Papstes stoßen wir jedoch immer wieder auf die Argumente Hefeles. Auch Janssen unterwarf sich schließlich — ohne jedoch seine grundsätzlichen Bedenken aufgegeben zu haben. Die Diskussion darüber gab er schließlich auf, was ihn jedoch nicht hinderte, etwa mit dem altkatholischen Generalvikar Reusch weiterhin persönliche Kontakte zu pflegen« (BRAUN: *Der Historiker Johannes Janssen* 273).

[11] In mehreren Briefen schildert Tanner dem St. Galler Bischof Greith seine Gewissenskonflikte Am 28. Mai 1871 berichtet er: »Ich habe auf Ende Schuljahres meine Entlassung von der Professur eingegeben. Den Entschluß dazu faßte ich schon Anfangs des Schuljahres. Der tiefere Grund ist der; wenn unser Bischof eine Erklärung von mir verlangen würde, wie sie derjenige von Köln von seinen Bonner Professoren verlangt hat: *sincero corde* credere et docere velle—so würde ich mich einer Lüge schuldig machen, falls ich selber unterzeichnen würde. Ich kann nur *Unterwerfung* unter die Dekrete des vatik. Concils versprechen. Man kann allenfalls einer Lehre sich unterwerfen, sogar gläubig unterwerfen, ohne dieselbe *wissenschaftlich* begründen und vertheidigen zu können« (STB, St. Gallen, Akt Bischof Greith) Auch am 25. Februar 1872 sind seine geschichtlichen exegetischen und logischen Schwierigkeiten keineswegs behoben, aber er glaubt, es im Gewissen verantworten zu können, sich unter den Ausspruch des Konzils zu beugen, der nachträglich von den Bischöfen akzeptiert sei (STB, St. Gallen, Akt Bischof Greith, Brief Tanners an Greith). Am 26. September schreibt er erneut an Greith: »Man kann allenfalls das sacrificio del intelletto bringen und dem Dogma sich unterwerfen; aber etwas anderes ist es, dasselbe wissenschaftlich zu erörtern, zu begründen und zu vertheidigen ... Die Autorität kann wohl den Glauben definieren und vorschreiben; aber nicht mit derselben Macht der Wissenschaft gebieten« (DA, St. Gallen, Akt Bischof Greith).

[12] Gratry unterwarf sich mit einem Schreiben vom 25. November 1871 an den Pariser Erzbischof Guibert (Coll. Lac. VII 1405 cd). Ähnlich wie Maret glaubte Gratry, die Dekrete in seinem Sinn interpretieren zu können, was sowohl Michaud (CONZEMIUS: *Eugène Michauds Briefe* 346) als auch Acton bestritten (MC ELRATH: *Acton* 40; 108). Kurz vor seinem Tode beteuerte Gratry gegenüber Döllinger, allein Diener der Wahrheit zu sein: »*Je sais profondément ce que je fais, et j'adore la vérité seule. Je vous demande d'être absolument convaincu de cela. Je le démontrais d'une manière éclatante, si je pouvais travailler. Mais ce billet épuise à peu*

flohen in die innere Emigration und schwiegen, wie die Professoren der katholisch-theologischen Fakultät Tübingen[13] und Lord Acton[14]. Diese Haltung war laut Friedrich von Schulte unter den Theologen häufig anzutreffen. Unter anderem habe ihm der Kirchengeschichtsprofessor Franz Xaver Kraus verraten, er glaube nicht an die päpstliche Unfehlbarkeit, er widerspreche ihr aber nicht[15]. Schulte berichtet weiter: »Gleiches habe ich von vielen gehört. Mir hat noch vor Jahren ein anderer sehr tüchtiger römischer Geistlicher gesagt: ›Ja, Sie haben vollständig recht; aber ich widerspreche nicht‹[16].«

Manche jedoch konnten und wollten nicht schweigen. Innerhalb kurzer Zeit wurden allein im deutschsprachigen Raum zwanzig Professoren der Theologie und geistliche Lehrer der Philosophie exkommuniziert[17]. Zwei Drittel aller katho-

---

près ma force d'une journée. Dites cela au P. Hyacinthe. Je le répète fièrement: *serviteur* et *adorateur* de la vérité *seule*, voilà ce que je suis depuis mon enfance jusqu'aujourd'hui« (BSTB, München, Doellingeriana II). Erzbischof Dechamps und Kardinal Bilio wechselten mehrere Briefe über die Unterwerfung Gratrys (ASV, Spoglio Card. Vilio, Nr. 40). Zeigt sich Kardinal Bilio in einem Brief vom 6. Dezember 1871 noch skeptisch und bezweifelt eine wirkliche Unterwerfung Gratrys (in der »Unità Cattolica« von Turin, 2. Dezember 1871, Nr. 280, wurde ein Brief Gratrys an einen Freund abgedruckt, in dem er behauptete, immer die päpstliche Unfehlbarkeit bekannt und nur gegen eine Schule gekämpft zu haben), so äußert er sich am 25. Dezember 1871 ganz zufrieden. Wahrscheinlich habe ihm die Krankheit, besonders aber der Eifer von Dechamps zur Unterwerfung verholfen (ASV, Spoglio Card. Bilio, Nr. 40). Dechamps und andere übten starken Druck auf Gratry aus (ASV, Spoglio Card. Bilio, Nr. 40, Dechamps an Bilio, 2. Oktober 1871; BN, Paris, Fonds Veuillot, n. a. fr. 24229, fol. 662, P. Charles Piccirillo an Louis Veuillot, 14. Dezember 1871).

[13] Vgl. S. 489 f.

[14] Obwohl Acton nicht an die päpstliche Unfehlbarkeit glaubte, wollte er trotzdem in der Communio mit Rom bleiben. Es gebe in der katholischen Kirche viel schlimmere Dinge als die vatikanischen Dekrete und die »Vor-Juli-Kirche« unterscheide sich nicht so wesentlich von der »Nach-Juli-Kirche«. Vgl. etwa seinen Brief vom 18. Juni 1875 an Döllinger (DÖLLINGER: *Briefwechsel* III 146 f.).

[15] *Lebenserinnerungen* I 390; vgl. KRAUS: *Tagebücher* 288; 296; 301; 308. Am 12. Januar 1872 schrieb Kraus an Hefele: »Ihre kirchliche Stellung kann ich sehr gut begreifen — und ich bin gewiss, in ähnlicher Lage dasselbe gethan zu haben — bin auch gegenwärtig ebenso von der Unzufriedenheit meiner Bonner und Münchener Freunde wie von dem Hasse der Ultramontanen — ich möchte fast sagen beehrt. Eine Kirchentrennung und Ausscheidung aller wissenschaftlichen Elemente aus der Kirche wäre mir etwas Unerträgliches, in meinen Augen viel Schlimmeres, als die gegenwärtige Unklarheit und die pax ubi non est pax« (DA, Rottenburg, Sammlung Linsenmann, Biographie Hefele, Bestand K 3, Büschel 2, Umschlag 8).

[16] *Lebenserinnerungen* I 390.

[17] In München Döllinger, Friedrich (GRANDERATH: *Geschichte* III 628), Frohschammer (*Aktenstücke des Ordinariats* 427 f.) und Meßmer (*Aktenstücke des Ordinariats* 272 f.; 422 f.), in Bonn Hilgers, Reusch, Langen, Knoodt (GRANDERATH: *Geschichte* III 631) und Privatdozent Birlinger (FRANZEN: *Fakultät Bonn* 237 ff.; 269), in Breslau Baltzer, Reinkens und Privatdozent Weber (SCHULTE: *Altkatholicismus* 184 f.; GRANDERATH: *Geschichte* III 555; 633), in

lischen Historiker, die an deutschen Universitäten lehrten, traten aus der Kirche aus[18]. In München vollzogen alle fünf Professoren der Geschichte diesen Schritt[19]. Auch in anderen Ländern verließen katholische Theologen aus Protest gegen die Unfehlbarkeitsdefinition die Kirche[20].

Die Einwände der Professoren gegen das Unfehlbarkeitsdogma sind nicht neu. Sie alle begegnen bereits bei den Bischöfen. Das Gewicht verlagert sich allerdings mit der Zeit von der formalen auf die inhaltliche Seite. Nicht die Bestreitung der Freiheit und Ökumenizität des Konzils steht im Vordergrund, sondern die sachlichen Bedenken sind es, die den Ausschlag geben. Am deutlichsten wird das bei Döllinger. Er vertritt die These, die Lehre von der päpstlichen Unfehlbarkeit sei weder in der Schrift noch in der Überlieferung der Kirche enthalten[21]. Die üblicherweise angeführten Schrifttexte[22] besagten gemäß den einstimmigen Aussagen der Väter — nach ihnen müßten sie verstanden werden — nichts über die Unfehlbarkeit des Papstes[23]. Die Behauptung, die päpstliche Unfehlbarkeit in Glaubensentscheidungen sei »in der Kirche von Anbeginn an durch alle Jahrhunderte hindurch und immer allgemein, oder doch beinahe allgemein, geglaubt und gelehrt worden, ... beruht ... auf einer vollständigen Verkennung der kirchlichen Ueberlieferung im ersten Jahrtausend der Kirche und einer Entstellung ihrer Geschichte; sie steht im Widerspruch mit den klarsten Thatsachen und Zeugnissen[24]«. Weiter beruft sich Döllinger auf die Tatsache, »daß zwei allgemeine Concilien [Konstanz und Basel] und mehrere Päpste bereits im 15. Jahrhundert durch feierliche, von den Concilien verkündigte, von den Päpsten wiederholt bestätigte Decrete die Frage von dem Machtumfange des Papstes und von seiner Unfehlbarkeit entschieden haben, und

---

Braunsberg Menzel, Wollmann, Michelis (SCHULTE: *Altkatholicismus* 173 ff.; GRANDERATH: *Geschichte* III 633) und Treibel (SCHULTE: *Altkatholicismus* 183), in Gießen Lutterbeck (MÜLLER: *Lutterbeck*. In: LThK¹ VI 740; REUSCH: *Lutterbeck*. In: ADB XIX 707—709), in Würzburg Brentano (FREUDENBERGER: *Die Universität Würzburg* 223), in Luzern Herzog (GILG: *Der antivatikanische Zeugenchor* 83) und in Prag von Schulte, Laie, aber der theologischen Fakultät zugehörig. WOLFGANG KRAHL spricht ohne nähere Angaben von 22 exkommunizierten Theologieprofessoren (*Oekumenischer Katholizismus* 137).

[18] CONZEMIUS: *Katholizismus ohne Rom* 60.

[19] Adolf v. Cornelius, Moritz Ritter, Max Lossen, Felix Stieve, August von Druffel (KOPP: *Altkatholizismus* 100; CONZEMIUS: *Aspects ecclésiologiques* 250) CONZEMIUS erwähnt neben den Historikern besonders auch die Juristen (*Katholizismus ohne Rom* 60).

[20] So in Frankreich Eugène Michaud, Hyacinthe Loyson und Jean Wallon. Zu Michaud vgl. R. DEDEREN: *Un réformateur catholique au XIXᵉ siècle*. Genf 1963 und die ausführliche Besprechung von V. CONZEMIUS: *Eugène Michaud, ein katholischer Reformator des 19. Jahrhunderts?* In: ZSKG 58 (1964) 177—204.

[21] Döllinger an Erzbischof Scherr, 28. März 1871 (DÖLLINGER: *Briefe und Erklärungen* 73—92).

[22] Mth 16, 18; Joh 21, 17 und Luk 22, 32.

[23] DÖLLINGER: *Briefe und Erklärungen* 74 f.

[24] DÖLLINGER: *Briefe und Erklärungen* 75.

daß die Decrete von 18. Juli 1870 in grellem Widerspruche mit diesen Beschlüssen stehen, also unmöglich verbindlich sein können [25]«.

Döllinger ist deshalb überzeugt, daß die Ergebnisse der geschichtlichen Forschung den vatikanischen Dekreten widersprechen. Verweise auf die formale Autorität der Kirche oder der Konzilien können ihm nicht mehr helfen, denn die Streitfrage ist ihm zu einer rein geschichtlichen Frage geworden, »welche denn auch einzig mit den hiefür zu Gebote stehenden Mitteln und nach den Regeln, welche für jede Forschung, jede Ermittlung vergangener, also der Geschichte angehöriger Thatsachen gelten, behandelt und entschieden werden muß [26]«. Schon vor dem Konzil hatte Döllinger Bischof Greith über die Unfehlbarkeitslehre nach St. Gallen geschrieben: »Ich müßte erst meine 50 Jahre theologische, geschichtliche, patristische Studien in den Lethe tauchen und als unbeschriebenes, weißes Blatt wieder hervorziehen, ehe ich diese moderne Erfindung auf die Tafel meines Geistes schreiben könnte [27].«

Döllinger stellt damit die grundsätzliche Frage nach dem Verhältnis der Geschichtswissenschaft zur kirchlichen Lehrautorität. Gegen sichere Ergebnisse der Geschichtswissenschaft vermögen seiner Meinung nach auch autoritative Entscheidungen der Kirche nichts auszurichten. Sein Kontrahent, Erzbischof Scherr, ist freilich anderer Meinung. Die Sache sei bereits entschieden, da ein ökumenisches Konzil gesprochen habe [28].

Ähnlich wie Döllinger — allerdings mit stärkerer Betonung der formalen Seite — argumentierten die Bonner Professoren Langen und Reusch [29]. Erzbischof Melchers warf Reusch vor, »von der Wissenschaft zu viel und von der Auctorität zu wenig [zu] halten [30]«. »... Sie sprechen überhaupt zu viel von Überzeugung [31].«

---

[25] DÖLLINGER: *Briefe und Erklärungen* 76. Der weitere Grund der Ablehnung, den Döllinger anführt, die neuen Dekrete seien schlechthin unvereinbar mit den Verfassungen der europäischen Staaten, insbesondere mit der bayerischen Verfassung, liegt auf der Ebene der Interpretation und ist nicht derart grundlegend wie die anderen Einwände. Döllinger hält verschiedene päpstliche Erlasse wie die Bullen »Unam Sanctam« und »Cum ex apostolatus officio« sowie den Syllabus für unfehlbar, was von den meisten Bischöfen bestritten wurde (DÖLLINGER: *Briefe und Erklärungen* 76).

[26] DÖLLINGER: *Briefe und Erklärungen* 88.

[27] STB, St. Gallen, Akt Bischof Greith, Brief ohne Datum.

[28] Hirtenbrief des Erzbischofs Scherr vom 2. April 1871 (DÖLLINGER: *Briefe und Erklärungen* 94).

[29] FRANZEN: *Fakultät Bonn* 246 ff.; 310; SCHULTE: *Altkatholicismus* 140 ff. »Die Gründe, die biblischen und traditionellen, für die Lehre, welche bis zum Juli unbestritten als kath. gegolten, sind für mich so überzeugend, und die Bedenken gegen die neue Lehre so unauflöslich, dass ich meine Ueberzeugung nur dann als Irrthum ansehen kann, wenn ich ganz unzweifelhafte Gewissheit habe, dass sie von den Lehrern der Kirche als Irrthum verworfen ist«, beteuerte Reusch am 12. Dezember 1870 Melchers gegenüber (SCHULTE: *Altkatholicismus* 145).

[30] SCHULTE: *Altkatholicismus* 143.

[31] SCHULTE: *Altkatholicismus* 141.

Hyacinte Loyson erklärte in einem öffentlichen Brief, die päpstliche Unfehlbarkeitslehre sei während des ganzen kirchlichen Altertums unbekannt gewesen und stelle eine illegitime Entwicklung dar[32].

Die Professoren, die sich nicht unterwarfen, glaubten ihrem religiösen und wissenschaftlichen Gewissen folgen zu müssen und nicht gegen ihre Überzeugung handeln zu können. Den Bischöfen jedoch genügte Überzeugung nicht; sie forderten Gehorsam[33].

Dem Protest der Professoren werden von katholischer Seite allerdings oft andere Motive unterschoben. Die häufigsten persönlichen Beschuldigungen, wie nationaler und wissenschaftlicher Dünkel, sind in ihrer Tendenz zu deutlich, als daß sie ernst genommen werden könnten[34]. Auch Urteile über allgemeine theologische Fehlhaltungen sind kaum überzeugend. Im Gegensatz zur Ausgewogenheit Hefeles findet z. B. Hagen bei Döllinger eine extreme Haltung, die sich in der Entfremdung von der Kirche, in Tendenzwissenschaft, falschem Kirchenbegriff, flachem Fortschrittsglauben und aristokratischem und individualistischem Bewußtsein äußere[35].

Gewichtiger ist die Behauptung, die Gegner des 1. Vatikanums hätten eine falsch verstandene, das heißt maßlos übertriebene Unfehlbarkeitslehre bekämpft. Hätten sie den wirklichen Sinn der vatikanischen Dekrete tatsächlich je verstanden, so wären ihre Schwierigkeiten wohl gegenstandslos geworden[36]. Es kann nicht bestritten werden, daß viele Opponenten die Konsequenzen des Dogmas übertrieben und exzessive Deutungen gaben. Mit einigem Recht konnten sie sich

---

[32] Wörtlich schrieb er in einem im »Journal des Débats« am 1. August 1870 veröffentlichten Brief: »Je proteste donc contre le prétendu dogme de l'infaillibilité du Pape, tel qu'il est contenu dans le décret du concile de Rome. C'est parce que je suis catholique et que je veux le demeurer, que je refuse d'admettre, comme s'imposant à la foi du fidèles, une doctrine inconnue à toute l'antiquité ecclésiastique, contestée aujourd'hui même par de nombreux et eminens théologiens et qui implique, non pas un développement régulier, mais un changement radical dans la constitution de l'Eglise et dans la règle immuable de sa foi.«

[33] Auf den Einwand von Reusch, er könne nicht gegen seine Überzeugung handeln, antwortete Erzbischof Melchers: »Sie müssen jetzt Ihrem Bischof gehorchen; ich übernehme tausendmal die Verantwortung für das, was ich von Ihnen verlange; Sie können doch nicht annehmen, daß Gott es Ihnen verübeln werde, wenn Sie gehorsam thun, was ich verlange« (SCHULTE: *Altkatholicismus* 141).

[34] So berichtet z. B. de Béhaine von der französischen Gesandtschaft in Rom am 19. April 1871 an Jules Favre, der Protest Döllingers beruhe vor allem auf seiner Meinung von der Superiorität der germanischen Rasse über die lateinische (AMAE, Paris, Cor. Pol. 1050, fol. 243 ff.).

[35] *Die Unterwerfung des Bischofs Hefele* 29 f.

[36] Dies behauptet FREUDENBERGER im Falle von Franz Brentano (*Die Universität Würzburg* 223). FINSTERHÖLZL meint, Döllinger habe »gegen ein *Zerrbild* der päpstlichen Unfehlbarkeit, aber nicht klar gegen diese selbst gekämpft« (*Die Kirche* 525).

dafür auf die von Rom belobigten Interpretationen berufen. Auch war noch keineswegs abzusehen, wie die Definition gehandhabt und sich auswirken würde. Insofern muß diese verschärfende Auslegung der Unfehlbarkeitsgegner wohl mehr als taktisches Kampfmittel verstanden werden. Welche Schwierigkeiten auch bei maßvoller Interpretation blieben, dafür sind die Bischöfe während und nach dem Konzil die besten Zeugen. Der Protest der Professoren war zu ernst und für sie selbst zu kostspielig, als daß er als Mißverständnis abgetan werden könnte.

V.

GELENKTE GESCHICHTSSCHREIBUNG

1. Die »offiziellen« Historiker des Konzils

Noch war das Konzil nicht zu Ende, da begann man sich an der römischen Kurie bereits Gedanken über die geschichtliche Darstellung des 1. Vatikanums zu machen. Im Juni 1870 berief Pius IX. den Kanoniker Eugenio Cecconi aus Florenz zum offiziellen Konzilshistoriker nach Rom[1]. Papst und Kurie waren bemüht, mit dem Konzil gleich auch eine offizielle Version seiner Geschichte mitzuliefern. Bestrebungen der gegnerischen Seite sollten damit abgefangen werden. Erzbischof Vincenzo Tizzani, einer der wenigen Kurialen, die sich auf seiten der Opposition engagierten, schrieb am 1. Februar 1871 Kardinal Schwarzenberg nach Prag: »Der Priester Cecconi aus Florenz ist hier in Rom eingetroffen. Ihm ist die Aufgabe übertragen, die Geschichte des Vatikanischen Konzils zu schreiben. Damit wird eine offizielle Geschichte vorhanden sein. Viele vermuten, Cecconi gebe lediglich seinen Namen her, schreiben würden die Jesuiten. Es interessiert mich nicht, was es damit auf sich hat. Ich werde meines Amtes walten und das schreiben, was ich hörte, als ich am Konzil teilnahm. Die Leser werden sehen, ob sie mir oder Cecconi oder beiden Glauben schenken sollen[2].«

---

[1] FRANCO: *Appunti*, 12. Juni 1870, 309 Nr. 738. An das Konzilsarchiv dachte Pius IX. noch früher. Bereits im Januar 1869 schlug er die Schaffung einer entsprechenden Kommission von vier bis fünf Leuten vor (GIUSTI: *L'archivio del Concilio Vaticano Primo* 6).

[2] ASCHST, Wien, Nachlaß Wolfsgruber, Schwarzenberg (Kopie).

Während Cecconi tatsächlich vier dicke Bände über das Konzil publizieren konnte[3], erschien von Tizzani nichts. Er sammelte zwar außerordentlich viel Material und bereitete eine Geschichte des 1. Vatikanischen Konzils vor, betrachtete aber offenbar die Zeitumstände als ungünstig für eine Publikation. Als er gestorben war, erwarb sich das Staatssekretariat seine sämtlichen Dokumente und Notizen und entzog sie damit bis heute jeglicher Benutzung[4].

Tizzani war nicht der einzige Bischof der Minorität, der sich mit dem Gedanken trug, eine Konzilsgeschichte zu schreiben. Auch Bischof Ramadié von Perpignan hatte solche Pläne. Während der Konzilszeit machte er ausführliche Notizen[5]. Im Juni 1871 hielt er es noch nicht für opportun, daraus eine Geschichte der Minorität zu verfassen. Die Ereignisse seien nicht in ihrem Sinn verlaufen[6]. 1872 beschäftigte sich Ramadié erneut mit seinen Notizen. Bischof Dupanloup vertraute er an, er halte seine Aufzeichnungen als nützlich für die Kirche und wolle sie,

---

[3] *Storia del Concilio Ecumenico Vaticano scritta sui documenti originali.* Roma 1872—1879. Cecconis Konzilsgeschichte geht nicht über die Vorbereitungszeit hinaus. Er konnte seinen Plan nicht zu Ende führen, da er Erzbischof von Florenz wurde.

[4] LETI berichtet über Tizzanis Nachlaß: »Un numero imponente di oppositori si andava seralmente trovando, dopo le sedute del concilio, in casa di mons. Vincenzo Tizzani, in via Sforza ai Monti. Lì si discuteva con dottrina e con calore; si redigevano, giorno per giorno, tutti gli atti compiuti dai padri del sacro consesso, e si allegavano i documenti storici, politici, teologici, con gli autografi dei singoli vescovi, che in una al Tizzani ne compilavano gli atti. — Mons. Tizzani, dopo la proclamazione del dogma, raccolse quel materiale in 16 volumi, che intitolò *Storia del concilio vaticano*, e che, lui morto, sua nepote contessa Lucrezia Accursi Gazzoli vendette al papa Leone XIII, nel 1901, ricavandone lire ventimila, di cento mila che il Vaticano le aveva promesse. Le trattative di siffatto acquisto furono condotte pel Vaticano da monsignor Rinaldo Angeli allora segretario particolare di Leone XIII, e da monsignor Luigi Tripepi, allora sostituto della segreteria di stato, poscia cardinale, dal 1895 al 1896, nel quale anno i volumi entrarono in Vaticano« (*Roma e lo Stato Pontificio* II 364 f.). Die ausbleibende Zahlung des Vatikans von 80000 Lire führte am 24. Juni 1901 zu einer Gerichtsverhandlung. Der Prozeß wurde jedoch später sistiert (LETI: *Roma e lo Stato Pontificio* II 364 Anm. 2). Tizzanis Material, das jetzt im Vatikanischen Archiv liegt, wird immer noch auf Anweisung des Staatssekretariates unter strengem Verschluß gehalten. Die von Lajos Pásztor schon 1969 angekündigte Aktenpublikation ist nach dessen eigenen Aussagen bis auf unbestimmte Zeit gestoppt worden (vgl. L. PÁSZTOR: *Il Concilio Vaticano I nel diario del Cardinale Capalti*. In: AHP 7 (1969) 401—489; bes. 402 Anm. 15). Eine Einsichtnahme wurde mir auf mehrere Anfragen hin verweigert. Außer Pásztor, Beamter des Vatikanischen Archivs, ist mir niemand bekannt, der die Papiere Tizzanis gesehen hätte.

[5] »L'Evêque der Perpignan tient un registre complet de tout ce qui se dit et se fait au Concile. Il écrit pendant tout le temps et rédige ensuite, quand il est de retour chez lui« (ASSTS, Icard: Journal, 23. April 1870, 366 f.).

[6] Brief vom 27. Juli 1871 an Dupanloup (BN, Paris, Fonds Dupanloup, n. a. fr. 24704, fol. 164^v).

sobald er Zeit habe, endgültig redigieren[7]. Dazu kam es aber nicht mehr, denn Ramadié wartete vergeblich auf günstigere Umstände. Heute sind nicht einmal mehr seine Notizen auffindbar[8].

Da war der offizielle Konzilshistoriker Cecconi sehr viel erfolgreicher. Er mußte es sich zwar gefallen lassen, daß Kardinal Bilio seine vier Bände einer Revision unterzog[9], dafür sorgte aber das Staatssekretariat für weite Verbreitung. Es ließ nicht nur allen Bischöfen Cecconis Werk zukommen[10], es beauftragte auch die Nuntien von München[11] und Paris[12], für eine deutsche und französische Übersetzung besorgt zu sein.

Gleichzeitig wurde von Rom aus der Kampf gegen die Schriften der Konzilsgegner, vor allem gegen Johann Friedrich von Schulte organisiert. Der frühere Konzilssekretär Bischof Feßlers begann den Abwehrkampf gegen Schulte mit seinem Buch »Die wahre und die falsche Unfehlbarkeit der Päpste[13]«. Als Schulte die Verbindlichkeit der vatikanischen Dekrete bestritt[14], schrieb Feßler auf ausdrücklichen Befehl des Papstes erneut gegen ihn[15]. Pius IX. lockerte Feßler für diese Aufgabe das Konzilsgeheimnis[16]. Feßler machte nach seinen eigenen Wor-

---

[7] Brief vom 25. Oktober 1872 an Dupanloup (BN, Paris, Fonds Dupanloup, n. a. fr. 24704, fol. 190).

[8] Nachfragen in den Archiven der Diözesen von Perpignan und Albi blieben vergeblich. G. BAZIN zitierte die Notizen Ramadiés noch in seiner Biographie über Maret (*Vie de Mgr. Maret* II 185; III 198 f.). Zu den historiographischen Bemühungen Marets vgl. S. 480.

[9] PICA: *Le cardinal Bilio* 44.

[10] ASV, Archivio Nunz. Bruxelles N. 32, Pos. 31, Sez. 7, N. 4, Circolare Antonellis vom 21. Januar 1873. Am 14. März 1873 dankt der Wiener Nuntius Falcinelli für die Übersendung von 66 Exemplaren der Konzilsgeschichte Cecconis (ASV, Segreteria di Stato, 1873, Rubrica 1, reg. Nr. 37871). Vgl. APB, Rom, Fonds Maret, Correspondance passive, Evêques, Ramadié an Maret, 9. Mai 1873.

[11] ASV, Archivio, Nunz. Monaco 130, Briefe Antonellis vom 26. August (Nr. 6223), 26. September (Nr. 6480) und 6. November 1872 (Nr. 6711) an Meglia.

[12] ASV, Archivio Nunz. Parigi, Segreteria di Stato, Antonelli an Chigi, 13. November 1872, Nr. 6850; vgl. ASV, Segreteria di Stato, 1873, Rubrica 1, Chigi an Antonelli, 8. Februar 1873, Nr. 1979.

[13] Wien-Gran-Pest 1871. Das Buch richtete sich gegen SCHULTE: *Die Macht der römischen Päpste über Fürsten, Länder, Völker, Individuen nach ihren Lehren und Handlungen zur Würdigung ihrer Unfehlbarkeit beleuchtet.* Prag 1871.

[14] *Das Unfehlbarkeits-Dekret vom 18. Juli 1870 auf seine kirchliche Verbindlichkeit geprüft.* Prag 1871.

[15] *Das Vatikanische Concilium, dessen äußere Bedeutung und innerer Verlauf.* Wien—Gran—Pest 1871. Am 16. Juni 1871 schrieb Feßler an Kardinal Bilio: »Gratissimo animo accepi litteras d. 28. Aprilis ad me datas; et quam primum licuit, accinxi me ad laborem, quem jussit B. P., suasit Em V. Revma« (ASV, Spoglio Card. Bilio, Nr. 40).

[16] Am 1. April 1871 ließ Feßler durch den Wiener Nuntius Falcinelli in Rom anfragen, ob er in seiner Widerlegung von Schultes Schrift auch Dinge schreiben könne, die unter das Secretum des Konzils fallen würden (ASV, Segreteria di Stato, 1871, Rubrica 1, Falcinelli an Antonelli,

ten von diesem Privileg nur vorsichtigen Gebrauch und deutete manche Dinge mehr an als sie wirklich zu erwähnen[17]. Von Kardinal Bilio, dem Präsidenten der Glaubensdeputation, verlangte er weitere vertrauliche Informationen, um Schulte wirksamer widerlegen zu können[18].

In ähnlicher Weise wie Bischof Feßler wurde auch der Regensburger Bischof Senestréy von Rom aus zur Bekämpfung der verschiedenen Bücher Schultes und der Schrift Ruckgabers über Honorius aufgefordert[19]. Es ist zu vermuten, daß auch andere polemische Schriften gegen die Konzilsgegner von Rom aus angeregt wurden[20].

Die Kurie sorgte sich außerdem um eine eigene vollständige Dokumentation. Sie forderte durch ihre Nuntiaturen nicht nur alle Pastoralschreiben und bischöflichen Dokumente zu den vatikanischen Dekreten an[21], sie verlangte auch, daß

---

1. April 1871, reg. Nr. A 1449). Bereits am 8. April kam die Antwort, der Papst sei ganz damit einverstanden (ASV, Segreteria di Stato, 1871, Rubrica 1, Antonelli an Falcinelli, Nr. 1449 (Entwurf)).

[17] In einem Brief vom 16. Juni 1871 an Kardinal Bilio meinte er darüber: »Ceterum ea in re satis caute ea, quae revelanda mihi videbantur ex permissione, S. P., revelata sunt, potius adumbrata, sicut fini servire poterant« (ASV, Spoglio Card. Bilio, Nr. 40).

[18] ASV, Spoglio Card. Bilio, Nr. 40, Brief vom 16. Juni 1871.

[19] Dies geht aus einem Antwortschreiben Senestréys an Kardinal Bilio vom 25. März 1871 hervor. Senestréy erwähnt darin einen Brief Bilios vom 15. März 1871, in dem er gebeten wurde, gegen die vier Bücher Schultes zu schreiben *(Die Macht der römischen Päpste über Fürsten, Länder Völker, Individuen nach ihren Lehren und Handlungen zur Würdigung ihrer Unfehlbarkeit beleuchtet.* Prag 1871; *Denkschrift über das Verhältnis des Staates zu den Sätzen der päpstlichen Constitution vom 18. Juli 1870, gewidmet den Regierungen Deutschlands und Österreichs.* Prag 1871; *Die Stellung der Concilien, Päpste und Bischöfe vom historischen und canonistischen Standpunkte und die päpstliche Constitution vom 18. Juli 1870. Mit den Quellenbelegen.* Prag 1871; *Das Unfehlbarkeits-Dekret vom 18. Juli auf seine kirchliche Verbindlichkeit geprüft.* Prag 1871).* Senestréy meinte in seiner Antwort, das erste Buch Schultes sei bereits erfolgreich von Feßler, Scheeben und Hergenröther zurückgewiesen worden und auch seine folgenden zwei Werke würden von den gleichen Autoren widerlegt werden. Nur gegen das vierte Buch Schultes möchte Senestréy etwas unternehmen und entweder seinen Sekretär Dr. Willibald Maier oder jemand anderen damit beauftragen, die Schulte'schen Argumente zu widerlegen. Im Falle von Ruckgaber will Senestréy die Jesuiten von Maria Laach und Prof. Dr. Reinerding vom Priesterseminar in Fulda zu Gegenschriften veranlassen (ASV, Spoglio Card. Bilio, Nr. 40).

[20] Nuntius Falcinelli berichtet am 28. März 1871 von der Widerlegung der Schulte'schen Schrift gegen die Unfehlbarkeit durch Hergenröther (ASV, Segreteria di Stato, 1871, Rubrica 1, reg. Nr. 1471).

[21] In einem Rundbrief vom 4. September 1872 schrieb Ludovico Jacobini, Subsekretär des Konzils an die verschiedenen Nuntien: »Desidera la Santità di N. S. che a corredo degli Atti dell' Ecumenico Concilio Vaticano si raccolgano nella Segreteria del medesimo le pastorali tutte, e qualsivoglia altro atto e decreto, che dai Prelati o Vicari Capitolari siasi pubblicato in occasione e in rapporto dello stesso Concilio« (ASV, Archivio Nunz. Bruxelles N. 32, Pos. 31, Sez. 7 N. 4, ohne Nummer). Vgl. das Schreiben des Stellvertreters des Münchener Nuntius, Taliani,

die Nuntien alle anderen Schriften über das Konzil nach Rom schickten[22]. In wichtigen Fällen bemühte sie sich ebenso um die Archive. Am 29. März 1877 forderte sie den Wiener Nuntius Falcinelli auf, bedeutsames Material über das Vatikanische Konzil aus dem Nachlaß Bischof Feßlers nach Rom zu senden[23]. Als der berühmte Oratorianerpater und Unfehlbarkeitsgegner A. Gratry in der Schweiz starb, ließ die Nuntiatur in Luzern sein posthumes Werk vor einer Publikation untersuchen[24].

Die eigentlichen historiographischen Bemühungen Roms gerieten jedoch ins Stocken. Das großangelegte Werk Cecconis kam nicht über die Vorbereitungszeit des Konzils hinaus, da Cecconi Erzbischof von Florenz wurde. Nach fast zwanzigjähriger Pause — inzwischen war die Geschichte des vatikanischen Konzils des Münchener Kirchengeschichtsprofessors und Altkatholiken Johann Friedrich erschienen[25] — beauftragte Papst Leo XIII. den Jesuiten Theodor Granderath mit der Darstellung des 1. Vatikanischen Konzils. Er gestattete ihm die Benützung sämtlicher in Rom vorhandener Archivalien: »Alle Aktenstücke stehen Ihnen zu Gebote. Nicht ein einziges ist Ihnen vorenthalten. Nun legen Sie den Verlauf des Konzils gerade so dar, wie er objektiv gewesen ist[26].« Granderath kam damit in den Genuß eines einmaligen Privilegs. Es dauerte noch über 70 Jahre, bis andere einigermaßen Zugang zum Archiv des 1. Vatikanischen Konzils erhielten[27].

---

an Bischof Eberhard vom 17. September 1872 (DA, Trier, 58, 4, Nr. Dokument 128). Der spätere Königgrätzer Bischof J. Hais sah darin einen Versuch Roms, zurückhaltende Bischöfe unter Druck zu setzen. Am 18. Oktober 1872 schrieb er an Kardinal Schwarzenberg: »Aus den vorzulegenden bezüglichen Akten wird man in Rom ersehen, daß die Entscheidung des Concils de Romani Pontificis infallibili magisterio zwar dem Clerus einfach mitgetheilt, aber dem Volke bis jetzt nicht publiziert worden ist, u. es ist nicht unwahrscheinlich, daß das Ersuchen um Einsendung der fraglichen Aktenstücke auch den Zweck hat, auf die hochwürdigsten b. Ordinariate in dieser Richtung einen moralischen Druck auszuüben« (ASCHST, Wien, Nachlaß Wolfsgruber, Schwarzenberg).

[22] Am 5. Oktober 1873 richtete sich Ludovico Jacobini erneut an die Nuntien: »Or dopo la collezione degli Atti Pastorali desidera altresì il S. Padre che si raccolga colla maggior possibile esattezza tutto ciò che, oltre i medesimi, intorno al concilio suddetto, si è scritto, dal momento della sua Indizione fino al presente.« Jacobini betraut die Nuntiaturen mit dieser Aufgabe und erwähnt als Hilfen die Bibliographie Erleckes und der »Civiltà Cattolica«. Das Staatssekretariat werde alle entstehenden Unkosten begleichen (ASV, Archivio Nunz. Bruxelles N. 32, Pos. 31, Sez. 7, N. 4; Archivio Nunz. Vienna 435, fol. 633).

[23] ASV, Segreteria di Stato, 1877, Rubrica 1, Antwortschreiben des Nuntius an Staatssekretär Simeoni vom 8. April 1877, Nr. A 22129. Das Material wurde am 14. April 1877 Kardinal Bilio übersandt.

[24] ASV, Archivio Nunz. Lucerna 431, fol. 576 f., Agnozzi an Antonelli, 12. Februar 1872, Nr. 480.

[25] *Geschichte des Vatikanischen Konzils.* 3 Bde. Bonn 1877—1887.

[26] GRANDERATH: *Geschichte* I 9.

[27] Vgl. S. 524 f.

Granderath enttäuschte die Erwartungen nicht. Er benützte seine begünstigte Position zu einer Darstellung des Konzils, die ganz im Sinne der Kurie lag. Seine Deutung wurde für die katholische Geschichtsschreibung bestimmend. Die Pläne der Minorität, den Konzilsverlauf darzustellen, kamen nie mehr zur Ausführung[28]. Publikationen über die Minoritätsbischöfe verharmlosten und verschwiegen vieles[29]. Selbst Aktenpublikationen ließen manches Unangenehme aus[30]. Auch die von L. Petit und J. B. Martin in den Jahren 1923 bis 1927 veranstaltete Publikation der Konzilsakten in der Sammlung Mansi kann kritischen Maßstäben keineswegs genügen. Ohne jede Begründung fehlen wichtige Dokumente in Bereichen, in denen die Herausgeber den Eindruck erwecken, alle Dokumente zu bringen. So wird z. B. Bischof Lecourtier bei den Adhäsionserklärungen mit keinem Wort erwähnt, obwohl sich zu diesem Fall eine ganze Reihe von Briefen im Vatikanischen Archiv befinden[31]. Ebenso fehlt das Protestschreiben Bischof Stroßmayers gegen die Unterbrechung seiner Konzilsrede am 22. März 1870[32]. Im Falle von Bischöfen, die keine ausdrückliche Zustimmung zu den Konzilsdekreten leisteten, führen Petit und Martin durch Auslassungen bewußt in die Irre[33].

Auch Werke über die Vertreter der Konzilsmehrheit beschönigen[34]. Eine auf den Quellen beruhende Darstellung des 1. Vatikanischen Konzils fehlt bis heute.

---

[28] Wie lange noch die Richtung von Maret und Dupanloup diskreditiert war, zeigt die Bemerkung von AUBIN: »It is noteworthy that none of the Maret followers ever achieved any ecclesiastical honor beyound a canonry; their only claim to history is that they went down with Dupanloup and Maret at Vatican I« (*The Evolution of a Gallican Ecclesiology* 272).

[29] Ein typisches Beispiel dafür sind die Bücher von Wolfsgruber über Kardinal Rauscher und Kardinal Schwarzenberg. Vgl. dazu G. BRAULIK: *Cölestin Wolfsgruber OSB Hofprediger und Professor für Kirchengeschichte (1848—1924)*. Wien 1968; KOVÁCS: *Die Bedenken des Kardinals Rauscher* 94; vgl. weiter S. 455 Anm. 40.

[30] F. GUÉDON liebte es, in seiner Veröffentlichung der Konzilsbriefe von Bischof Foulon Stellen auszulassen, die ihm anstößig erschienen, zuweilen ohne Kennzeichnung der Auslassung (*Autour du Concile du Vatican*. In: Les Lettres 15 (1928) 18—34; 190—206; 314—331). Es ist wahrscheinlich, daß Guédon diese Auslassungen auf Druck der Pariser Zensurbehörde hin vornahm. Als er sich mit dem Gedanken trug, aus seinen drei Artikeln in der Zeitschrift »Les Lettres« eine eigenständige Publikation zu machen, verweigerte ihm Mourret, der selbst über das 1. Vatikanische Konzil publiziert hatte, zum voraus das Imprimatur mit der Begründung, eine solche Publikation sei nicht opportun (Persönliche Mitteilung F. Guédons an den Verfasser).

[31] Vgl. S. 440 ff.

[32] Vgl. S. 74 f. Anm. 9.

[33] Vgl. S. 426 f. Anm. 65.

[34] Der Redemptorist Maurice Becqué schrieb am 10. März 1953 an Bischof Charue von Namur: »J'espère publier cette année-ci, le premier volume sur le Cardinal Dechamps, intitulé Le c. *Rédemptoriste*. Mais à Rome, ou toute histoire de la congrégation est censurée (exigence de la règle) on désire que soient adoucies certaines vérités un peu dures ...« (AD, Namur, Carton Nr. 11).

2. Die Hilfestellung der Indexkongregation

Rom begnügte sich nicht damit, die Konzilsgeschehnisse in seinem Licht dar-zustellen und die gegenteiligen Ansichten durch Schriften zu bekämpfen. Es be-nutzte zudem das bewährte Mittel des Bücherverbots. In der unmittelbaren Zeit nach dem 1. Vatikanischen Konzil entfaltete die Indexkongregation eine rege Tätigkeit. Bei bischöflichen Konzilsschriften ging sie einigermaßen behutsam vor. Erzbischof Kenrick von St. Louis entging aus persönlichen Gründen einer Indi-zierung[1]. Bei Bischof Maret gab sich die Indexkongregation mit Widerruf und Verkaufsverbot zufrieden[2]. Darstellungen des 1. Vatikanischen Konzils jedoch, die mit der offiziellen Ansicht nicht konform gingen, wurden nicht verschont. Indiziert wurden Werke von Lord Acton[3], Eberhard Zirngiebl[4], Johann Friedrich von Schulte[5], Franz Heinrich Reusch[6], Johann Friedrich[7], Joseph Langen[8], Joseph Hubert Reinkens[9], Joseph Berchtold[10], Thomas Braun[11], Joseph Wenzel

---

[1] Vgl. S. 439.

[2] Vgl. S. 438 f.

[3] *Zur Geschichte des Vaticanischen Conciles.* München 1871; *Sendschreiben an einen deutschen Bischof des Vaticanischen Concils.* Nördlingen 1870 (*Index* 6).

[4] *Das Vatikanische Concil mit Rücksicht auf Lord Actons Sendschreiben und Bischof von Kettelers Antwort kritisch betrachtet.* München 1871 (*Index* 508).

[5] *Die Macht der römischen Päpste über Fürsten, Länder, Völker und Individuen.* Prag 1871; *Denkschrift über das Verhältnis des Staates zu den Sätzen der päpstlichen Constitution vom 18. Juli 1870.* Prag 1871; *Die Stellung der Concilien, Päpste und Bischöfe vom historischen und canonistischen Standpunkte und die päpstliche Constitution vom 18. Juli 1870. Mit den Quellen-belegen.* Prag 1871; *Le pouvoir des papes depuis la proclamation du dogme de l'infaillibilité.* Übersetzt von Et. Patru. Paris 1879 (*Index* 434).

[6] *Das Unfehlbarkeits-Dekret vom 18. Juli 1870 auf seine kirchliche Verbindlichkeit geprüft.* Hrsg. von Johann Friedrich Ritter von Schulte. Prag 1871 (*Index* 475).

[7] *Tagebuch während des Vaticanischen Concils geführt.* Nördlingen 1871; *Geschichte des Vati-kanischen Konzils.* Bonn 1877—1887; *Der Kampf gegen die deutschen Theologen und theologi-schen Fakultäten in den letzten zwanzig Jahren.* Bern 1875 (*Index* 180 f.); ferner: *Der Mechanis-mus der Vatikanischen Religion. Nach den Fakultätsbüchern der Redemptoristen dargestellt.* Bonn 1875 (REUSCH: *Der Index* 1176).

[8] *Das vaticanische Dogma von dem Universal-Episcopat und von der Unfehlbarkeit des Papsts in seinem Verhältnis zum neuen Testament und der patristischen Exegese.* Bonn 1871—73 (*In-dex* 254; der vierte Band wurde nicht verboten).

[9] *Über die Einheit der katholischen Kirche. Einige Studien.* Würzburg 1877; *Ist an die Stelle Christi für uns der Papst getreten? Eine Rede gehalten zu Würzburg.* Würzburg 1873 (*Index* 396 f.).

[10] *Die Unvereinbarkeit der neuen päpstlichen Glaubensdekrete mit der bayerischen Staatsverfassung.* München 1871 (*Index* 46).

[11] *Katholische Kirche ohne Papst.* München 1871 (BGSTA, MA III 2527, Cetto an König Lud-wig, 12. Okt. 1872).

Reichel[12], Aemil Ruckgaber[13], Edmond de Pressensé[14], Jean Wallon[15], Rocco Bombelli[16], Antonio Cicuto[17], Pomponio Leto[18] sowie zwei anonyme Schriften[19]. Obwohl die Intention deutlich wird, alle gegnerischen Schriften über das 1. Vatikanische Konzil zu indizieren, so traf der Bannstrahl aus Rom doch keineswegs sämtliche Publikationen. Er blieb wie üblich willkürlich und wenig systematisch[20]. Die Nuntiaturen leisteten die gewohnten Zuträgerdienste und empfahlen die einzelnen oppositionellen Schriften in Rom zur Verurteilung[21].

---

[12] *Ist die Lehre von der Unfehlbarkeit des römischen Papstes katholisch? Eine Frage gestellt und beantwortet im Namen des hierüber noch nicht gehörten katholischen Volkes.* Wien 1871 (*Index* 396).

[13] *Die Irrlehre des Honorius und das vaticanische Decret über die päpstliche Unfehlbarkeit. Ein Versuch zur Verständigung.* Stuttgart 1871 (*Index* 421).

[14] *Le concile du Vatican, son histoire et ses conséquences politiques et religieuses.* Paris 1872 (*Index* 377).

[15] *La vérité sur le concile; réclamation et protestation des évêques; discours de Mgr Darboy, m. l'abbé Döllinger, Mgr Dechamps, Mgr Dupanloup; testament spirituel de Montalembert.* Paris 1872 (*Index* 496).

[16] *L'infallibilità del romano Pontefice ed il concilio ecumenico vaticano; dialogo fra un teologo ed un razionalista.* Milano 1872 (*Index* 57).

[17] *Il concilio vaticano sta in mezzo agli estremi.* (Rivista universale Bd. XIV (1870) und Bd. XV (1871), Fasz. 107—113). Florenz 1870—1871 (*Index* 94).

[18] Pseudonym für Francesco Nobili-Vitelleschi: *Otto mesi a Roma durante il concilio vaticano. Impressioni di un contemporaneo.* Florenz 1873 (*Index* 269).

[19] *Kleiner katholischer Katechismus von der Unfehlbarkeit. Ein Büchlein zur Unterweisung von einem Vereine katholischer Geistlicher.* Köln und Leipzig 1872 (*Index* 243); *La infallibilità pontificia e la libertà. Pensieri critici di un filosofo pratico.* Neapel 1873 (*Index* 231).

[20] Reusch: *Der Index* 1171—1179. Prof. Michelis in Braunsberg wurde von Bischof Krementz auf Geheiß Roms bei Strafe der Exkommunikation verboten, fernerhin das Mindeste in Sachen des Konzils zu publizieren (Friedberg: *Aktenstücke* I 130 Anm. 124).

[21] Der Wiener Nuntius Falcinelli denunzierte am 9. Januar 1871 Schultes Schrift *Die Macht der römischen Päpste.* Er schrieb an Antonelli: »Se sarà possibile, io tenterò a farne fare una sollecita confutazione, ma intanto sarei della subordinata opinione che al più presto possibile il detto libello venisse posto all'Indice, onde preservare i buoni cattolici da questa pestifera lettura« (ASV, Segreteria di Stato, 1871, Rubrica 1, reg. Nr. G 816). Antonelli antwortete ihm am 24. Januar 1871: »... e la Santità Sua lo ha ritenuto allo scopo di ordinare sollecitamente l'esame e la condanna conveniente. Lodo ampiamente il disegno che Ella mostra di far pubblicare una confutazione degli errori contenuti in siffatto empio lavoro ...« (ASV, Segreteria di Stato, 1871, Rubrica 1 (Entwurf)). Am 9. März übersandte er Schultes *Denkschrift über das Verhältnis des Staates zu den Sätzen der päpstlichen Constitution vom 18. Juli 1870* (ASV, Segreteria di Stato, 1871, Rubrica 1, Falcinelli an Antonelli, reg. Nr. A 1294). Am 12. Mai empfahl er Reichels Schrift *Ist die Lehre von der Unfehlbarkeit des Papstes katholisch?* zur Verurteilung (ASV, Segreteria di Stato, 1971, Rubrica 1, reg. Nr. AA. EE. 1841; vgl. Falcinellis Brief an den Sekretär der Indexkongregation vom 27. Mai 1871, Nr. 1841). Am 19. Juli 1871 sandte er erneut zwei Bücher Schultes nach Rom (ASV, Segreteria di Stato 1871, Rubrica

Der Kampf richtete sich auch gegen Zeitungen und Zeitschriften. Der Luzerner Nuntius Agnozzi brachte es fertig, daß alle schweizerischen Bischöfe nach dem Konzil das unfehlbarkeitsfeindliche Blatt »Katholische Stimme aus den Waldstätten. Organ für Besprechung religiöser Tagesfragen« mißbilligten. Im Dezember 1870 starb es[22]. Erzbischof Melchers von Köln verurteilte aus den gleichen Gründen den »Rheinischen Merkur[23]«. Ihm schloß sich Bischof Krementz von Ermland an[24]. Die Zeitung wurde zum Hauptorgan der altkatholischen Bewegung. Gelang es nicht, gegnerische Zeitungen zum Schweigen zu bringen, so wurde ihre Lektüre für Katholiken oft ausdrücklich verboten[25].

3. Die Archivpolitik

Die ängstliche Sorge vor den Geschehnissen rund um das 1. Vatikanische Konzil schlägt sich bis heute in einer Archivsituation nieder, welche die Wahrheitsfindung erheblich erschwert. Vor allem in den ersten Jahrzehnten nach dem Konzil versuchten Majorität wie Minorität Spuren zu verwischen. Besonders die Oppo-

---

1, reg. Nr. AA. EE. 2579). Am 25. Februar 1871 denunzierte der Münchener Nuntius Meglia ACTONS Buch *Zur Geschichte des Vaticanischen Conciles*. Acton habe das Vertrauen der Bischöfe mißbraucht, da er Teile ihrer Konzilsreden wörtlich zitiere (ASV, Segreteria di Stato, 1870, Rubrica 1, Brief an Antonelli Nr. 779). Etwas später berichtet er über die häretischen Ansichten der Broschüre von Aemil Ruckgaber über Honorius. Der Skandal sei um so größer, als Ruckgaber einer großen Pfarrei vorstehe und in engen Beziehungen zu Hefele stehe (ASV, Segreteria di Stato, 1870, Rubrica 1, Meglia an Antonelli, 9. März 1871, Nr. 787). Am 19. Mai berichtete Meglia Kardinal Patrizi über Ruckgabers Buch (ASV, Archivio Nunz. Monaco 129). Vgl. STOCKMEIER: *Die causa Honorii* 423 Anm. 48.

22 ASV, Archivio Nunz. Lucerna 431, fol. 406 f., Agnozzi an Antonelli, 2. Januar 1871, Nr. 348. Am 5. Januar 1871 lobte Agnozzi Bischof Greith von St. Gallen für sein Vorgehen gegen die »Katholische Stimme« (DA, St. Gallen, Akt Bischof Greith), ebenso am 10. Februar 1871 (STB, St. Gallen, Akt Bischof Greith). Am 16. Januar 1871 bedankt sich Antonelli bei Agnozzi für dessen Initiative (STB, St. Gallen, Akt Bischof Greith (Kopie)). Die Zeitschrift »Katholische Stimme aus den Waldstätten« wurde von einer Gesellschaft Luzerner Geistlicher in Zusammenarbeit mit Laien herausgegeben.

23 SCHULTE: *Altkatholicismus* 126.

24 SCHULTE: *Altkatholicismus* 175.

25 Am 6. Juli 1871 richtete Kardinal Patrizi folgendes Schreiben an die römische Bevölkerung: »... ne quis autem excusationem adducat, nescire se, quaenam sint ephemerides summopere impudentes, fictae mendaces et irreligiosae, quas proscribi vult Pater SSmus, praecipuas adnotamus: La Libertà: Gazzetta del populo; La Capitale: Gazzetta di Roma; — Il Tempo; — Il Tribuno — D. Pirlione figlio; — Il Diavolo; — Color di Rosa; — La nuova Roma; — La Raspa; — La Vita nuova; — La Concordia; Il Mefistofele« (ROSKOVÁNY: *Romanus Pontifex* IX 640).

nenten der Unfehlbarkeit gingen öfters bis zur Vernichtung ihnen unbequemer Akten.

Es wurde bereits erwähnt, wie Bischof Hefele nicht nur seinen gesamten Nachlaß zerstörte, sondern sich zudem sehr darum bemühte, seine Briefe von Freunden und Kollegen wieder zurückzuerhalten[1]. Auch die Papiere des Kardinals Place, des früheren Bischofs von Marseille, der zum Kern der französischen Minderheit gehörte, wurden beinahe restlos verbrannt. Auftrag dazu gab sein Sekretär, Kanonikus Richard[2]. In Ungarn verbrannte der bischöfliche Sekretär und römische Korrespondent der Zeitung»Fövárosi Lapok«, Gusztáv Jánosi, kurz vor seinem Tode seine zweibändigen Privataufzeichnungen über das Konzil[3]. Der Benediktiner Erzabt Kruesz von Pannonhalma/St. Martinsberg vernichtete ebenfalls seine elf registrierten Briefe aus Rom, in denen er die Konzilsereignisse schilderte, sowie jenen Teil der Autobiographie, der sich auf das Konzil bezog[4].

Weniger Erfolg scheint Bischof Foulon gehabt zu haben. Am 29. Dezember 1873 beschwor er seinen Freund Abbé Tapie, mit dem er während des Konzils in ausgedehntem Briefwechsel gestanden hatte:»Ich muß von Ihnen jetzt ein anderes Neujahrsgeschenk verlangen. Ich habe bereits darum gebeten. Heute insistiere ich darauf, besonders nachdem ich in diesen letzten Tagen meine römische Korrespondenz während des Konzils wiedergelesen habe. All das muß verbrannt werden, mit Ausnahme des ersten und vielleicht des zweiten Briefes. Ich werde von meiner Seite sehen, ob das gleiche für die Kopie geschehen soll, die Sie wohlwollender Weise haben anfertigen lassen. All das muß verschwinden. Ich zähle auf Ihre mutige Freundschaft, um Ihnen die Kraft zu geben, die Sie vielleicht nötig haben werden. Aber ich beschwöre Sie, tun Sie es[5].« Am 31. Dezember 1873 beruhigte Tapie Foulon, er werde alles verbrennen, was von nah oder fern nach Konzilspolemik aussehen könnte. Alles Kompromittierende werde verschwinden[6]. Ent-

---

[1] R. REINHARDT: *Der Nachlaß des Kirchenhistorikers und Bischofs Carl Joseph von Hefele (1809—1893)*. In: ZKG 82 (1971) 361—372; DERS.: *Zum Verbleib der Nachlaß-Papiere Hefeles*. In: ThQ 152 (1972) 26—29; DERS.: *Döllinger und Hefele* 439 ff.
Auch die Familie Schwarzenberg suchte die Briefe des Kardinals Schwarzenberg an Döllinger zurückzuerhalten. Am 20. April 1890 schrieb Prof. Knöpfler an Bischof Hefele: »Auf meine Bemerkung, daß ja die Familie Schwarzenberg die Briefe des † Cardinals zurückerhalten haben soll, erklärte Fräulein Döllinger dies für ganz und gar unrichtig. Die Familie habe allerdings bereits dreimal durch verschiedene Mittelspersonen die Briefe zurückbitten lassen, dafür sogar schweres Geld angeboten, sie aber nicht erhalten« (REINHARDT: *Döllinger und Hefele* 442).
[2] DE MONTCLOS: *Lavigérie* 597.
[3] ANDRIÁNYI: *Ungarn* V; 160.
[4] ANDRIÁNYI: *Ungarn* V.
[5] Archives Guédon, Paris.
[6] »Je vais étudier, et de très près, la question des lettres. Je brulerai tout ce qui de près ou de loin sentira la polémique du Concile. Je copierai le reste. Le sacrifice, pour n'être pas complet,

weder war Tapie sehr sorglos und beließ es zum Teil bei verbalen Versicherungen — Foulon kam auf sein Anliegen mehrfach zurück — oder aber die Sensibilität wuchs in dieser Beziehung in den kommenden Jahrzehnten noch weiter. Auf alle Fälle wagte es Francois Guédon 1928 nur, die noch verbliebenen Briefe Foulons mit zahlreichen Retouchen zu veröffentlichen[7]. Einige besonders interessante Stücke muß Tapie allerdings verbrannt haben. Foulons Antwort auf seine Anfrage während des Konzils, ob es zutreffe, daß der Papst eine Erscheinung der Mutter Gottes gehabt habe, die ihn für unfehlbar erklärte, ist beispielsweise nicht mehr aufzufinden[8].

Die Nachlässe anderer wichtiger Exponenten der Minorität sind verschollen, und es ist schwer auszumachen, ob sie nur zufällig oder aber absichtlich zerstört wurden, wie die Konzilsakten Erzbischof Haynalds[9], die Papiere Bischof Vérots[10], das dreibändige Tagebuch Erzbischof Simors, das auch während des Konzils geführt wurde[11], sowie die ausführlichen Notizen Bischof Ramadiés über das 1. Vatikanum[12].

Noch schwerer als die absichtliche Zerstörung von Archiven ist ihre Purifizierung nachträglich festzustellen. Im Falle des Nachlasses von Dupanloup weiß man, daß sein Sekretär Lagrange eine große Zahl von Briefen verbrannte, die »niemand etwas angingen[13]«. So fehlt z. B. die Korrespondenz Kardinal Mathieus mit Dupanloup über die Unterwerfung. Der reduzierte Zustand der Nachlässe anderer Minoritätsbischöfe läßt vermuten, daß auch sie erheblich gesäubert wurden[14].

---

n'en sera pas moins grand. Tout ce qui pourrait être compromettant aura disparu« (Archives Guédon, Paris).

[7] F. GUÉDON: *Autour du Concile du Vatican*. In: Les Lettres 15 (1928) 18—34; 190—206; 314—331.

[8] Vgl. S. 132 Anm. 8.

[9] ANDRIÁNYI: *Ungarn* V.

[10] GANNON: *Rebel Bishop* viii.

[11] ANDRIÁNYI: *Ungarn* V. Dupanloup notiert am 22. April 1870 über eine Begegnung mit Simor in sein Tagebuch: »Il me montre *ses notes depuis 5 mois*« (ASSTS, Journal, fol. 47). Am 24. Oktober 1974 schrieb mir Paul Rosdy, erzbischöflicher Archivar von Esztergom, es habe einmal vor Jahrzehnten im Archiv von Esztergom ein sogenanntes Tagebuch von Kardinal Simor mit ausführlichen Notizen über den Verlauf des 1. Vatikanischen Konzils in drei Bänden gegeben. Es sei nun aber leider verschwunden. Wahrscheinlich habe man geglaubt, es kompromittiere Kaiser Franz Joseph I., da es Notizen Simors über einige vom Kaiser vorbereitete Vetos enthalten habe. Bestimmte Kardinäle sollten im Falle des Todes von Leo XIII. nicht zum Papst gewählt werden. Darum sei das Tagebuch vielleicht nach dem Tode von Kardinal Simor von offizieller Seite im geheimen konfisziert worden.

[12] Vgl. S. 513 f.

[13] Archives du Loiret, Orléans, 2 J Collection, Notiz zu den Dossiers 2163—2190 (Episcopat de Mgr Dupanloup); vgl. MARCILHAZY: *Le Diocèse d'Orléans* XII.

[14] Z. B. die Papiere Greiths in der Stiftsbibliothek und im Diözesanarchiv St. Gallen.

Wenn auch weniger, so gab es doch auch auf infallibilistischer Seite Vernichtung von Archivalien. Im Archiv der Generalkurie der Jesuiten fehlen z. B. sämtliche Briefe aus Deutschland für die Zeit von 1860 bis 1870. Höchst wahrschein-
lich wurden sie vor Einzug der italienischen Truppen in Rom absichtlich zer-
stört[15]. Im gleichen Archiv ist auch die Korrespondenz des Jesuitengenerals
P. Beckx mit der Jesuitenzeitschrift »La Civiltà Cattolica« ausgerechnet für die
Jahre 1865 bis 1875 nicht mehr aufzutreiben[16]. Noch merkwürdiger ist es, daß im
Archiv der erwähnten, für den Vatikan offiziösen Zeitschrift, der eine zentrale
Rolle in der päpstlichen Konzilspolitik zufiel, alle Akten fehlen, die sich auf die
Tätigkeit der Jesuiten während des Konzils beziehen[17]. Vor allem gilt auch das
Tagebuch der »Civiltà Cattolica« für die Zeit von 1860—1890, das für die Rolle
der Jesuiten auf dem Konzil sehr aufschlußreich wäre, als verschwunden[18]. Vor
der italienischen Besetzung Roms am 16. und 17. September 1870 verbrannte
ebenfalls die päpstliche Polizeidirektion große Teile ihres Geheimarchivs[19]. Die
Vernichtung von Aktenmaterial hatte im päpstlichen Rom bereits Tradition. In den
Jahren 1815 bis 1817 hatten vatikanische Unterhändler in Paris mit der lobenden
Zustimmung von Kardinal Staatssekretär Consalvi 4158 Bände Prozeßakten der
römischen Inquisitionskongregation vernichten lassen[20].

Der Sieg des Ultramontanismus auf dem 1. Vatikanischen Konzil desavouierte
die Position der Konzilsminorität. Der dadurch verminderte Anreiz zur Publikation wirkte sich auch auf die Archivalien aus. Obwohl Bischof Maret in seinem
Testament seinen Notizen zum 1. Vatikanischen Konzil größte Bedeutung bei-
maß und der besonderen Sorge seiner Sekretäre empfahl[21], entgingen seine Aufzeichnungen später nur knapp der Vernichtung. Vor ihrer Rettung war einiges
bereits verheizt worden[22]. In dieser Vernachlässigung wichtiger Dokumente

---

[15] Laut Auskunft von Jesuitenpater Lamalle, Archivar.

[16] Nach einer freundlichen Mitteilung von P. Giacomo Martina, Pontificia Università Gregoriana, Rom.

[17] »Inexplicavelmente, desapareceram da Civiltà todos os documentos, que diziam respeito à
acção dos Jesuítas, durante o Concílio« (SOARES GOMES: *Infalibilidade* 83 Anm. 173; vgl. 32).

[18] Laut Auskunft von P. Lamalle, Archivar.

[19] LODOLINI: *L'archivio di Stato* 208.

[20] RITZLER: *Die Verschleppung der Päpstlichen Archive* 156 f.; 158 Anm. 95 und 97; vgl. J. TE-
DESCHI: *La Dispersione degli Archivi della Inquisizione Romana*. In: Rivista di storia e letteratura
religiosa 9 (1973) 298—213.

[21] Am 12. Februar 1884 schrieb Maret in seinem Testament an seine beiden Sekretäre Bazin und
Fabre: »Ils voudront bien conserver eux-même et avec le plus grand soin, ma collection de
documents relatif au Concile du Vatican« (APB, Rom, Fonds Maret, Testament).

[22] Nach Auskunft von P. Lamey, der heute als Archivar des Generalats der Weißen Väter in
Rom den Nachlaß Marets betreut, rettete Xavier de Montclos die Papiere Marets, die in
Chartres lagen, in letzter Minute, als ihm Teile davon zum Feuermachen überbracht wurden.

spiegelt sich unbewußt die allgemeine Auffassung, möglichst wenig an den Widerstand der ehemaligen Konzilsminorität zu rühren. In Aktenpublikationen über Minderheitsbischöfe wurde noch lange Unangenehmes ausgelassen. Ein besonders krasses Beispiel ist die Teilveröffentlichung der Tagebücher Dupanloups durch Louis Branchereau[23]; sie gibt von Dupanloups Konzilsnotizen ein völlig falsches Bild[24]. Häufig unterblieben solche Publikationen ganz, so daß bis heute wichtige Dokumente zum Verständnis des Konzilsgeschehens unveröffentlicht sind, wie z. B. das Protokoll der französischen Minderheit, die Aufzeichnungen Bischof Colets und das Tagebuch Icards. Auch besonders neuralgische Punkte auf seiten der ehemaligen Majorität werden nach wie vor abgeschirmt. Obwohl Mirbt schon 1908 den Wunsch äußerte, die umfangreichen Konzilstagebücher Senestréys möchten vollständig publiziert werden[25], zögern die Jesuiten, in deren Besitz sich diese Notizen befinden, immer noch mit einer Veröffentlichung[26]. Und obwohl der Jesuit Soares Gomes aufgrund dieses Materials neulich eine Dissertation schrieb, sind sie nicht gewillt, die Dokumente Senestréys der allgemeinen Forschung zugänglich zu machen[27]. Auch das Diözesanarchiv Regensburg verschließt seit längerer Zeit den Nachlaß Senestréys jeder Einsichtnahme mit der Begründung, er sei nicht geordnet[28]. Der Nachlaß des anderen Hauptführers der Infallibilisten, Kardinal Mannings, ist ebenfalls seit Jahrzehnten blockiert[29].

Im großen Stil wird diese restriktive Archivpolitik nach wie vor in Rom betrieben. Zwar öffnete Paul VI. im Dezember 1966 das Vatikanische Geheimarchiv für die ganze Zeit des Pontifikates von Pius IX. Damit wurde offiziell auch das Archiv des 1. Vatikanischen Konzils der allgemeinen Forschung zugänglich[30].

---

[23] *Journal intime de Mgr Dupanloup.* Paris 1902.

[24] *Journal intime* 308—310; vgl. auch die Aktenpublikation der Korrespondenz Foulon-Tapie durch François Guédon S. 517 Anm. 30.

[25] MIRBT: *Geschichtsschreibung des Vatikanischen Konzils* 536 f.

[26] SOARES GOMES meldet irrtümlicherweise, Senestréys Tagebücher würden sich im Archiv der Jesuitenzeitschrift »Stimmen der Zeit« in München befinden (*Infalibilidade* 364; 385). Tatsächlich liegen sie im Studienhaus der Jesuiten in St. Georgen/Frankfurt.

[27] Auf mehrfache Anfragen in Frankfurt erhielt ich keine Antwort.

[28] Briefe von Archivdirektor Dr. Paul Mai vom 13. März und 25. Mai 1975 an den Verfasser.

[29] Er wird betreut von P. Horace Tennent, S. Mary of the Angels, Bayswater, 41 Sutherland Place, London W 2 und von Abbé Alfonse Chapeau von der katholischen Universität Angers, der diesen Nachlaß für eine größere, seit langem vorliegende ungedruckte Studie über Manning ausgewertet hat. Chapeau schrieb mir allerdings am 4. Sept. 1976: »Mais vous savez sans doute que les ›Manning Papers‹ ont été dispersé et en partie détruits à plusieurs reprises. Tout ce qui existe encore sur le Concile du Vatican a été publié par Purcell ...«

[30] Archivpräfekt MARTINO GIUSTI schrieb am 14. Dezember 1969: »Anche l'Archivio del Concilio Vaticano I è ormai pertanto a disposizione degli studiosi, teologi e storici, desiderosi di rintracciare nelle testimonianze dei lavori non portati a compimento da quel Concilio le non

Aber ehe das ausgedehnte Archivmaterial wirklich benützbar wurde, schlossen sich die Tore von neuem. Nachdem in jahrelanger und mühevoller Arbeit drei Mitarbeiter des Vatikanischen Geheimarchivs das ganze Material bis auf die letzte Schachtel gesichtet und damit alle Vorarbeiten zur Erstellung eines ausführlichen Index geleistet hatten, wurde von Papst Paul VI. Ende 1969 eine kritische Edition der Konzilsakten angekündigt. Diese Aktenpublikation werde eine lange Zeit beanspruchen, vorher aber könne ein Inventar des archivistischen Materials publiziert werden[31]. Was für jeden im vatikanischen Sprachgebrauch Erfahrenen klar war, trat ein: Das Inventar wurde nicht veröffentlicht und die angekündigte Aktenpublikation entpuppte sich hauptsächlich als bequemer Vorwand, das Archivmaterial des 1. Vatikanischen Konzils der Forschung weiter vorzuenthalten und eine Übersicht über das vorhandene Material zu verhindern. Die bisherige Durchführung der päpstlichen Ankündigung läßt am ernsthaften Willen zu einer umfassenden, kritischen Edition zweifeln[32].

Andere Teile des Archivs aus der Zeit Pius' IX. wurden für den öffentlichen Gebrauch zurechtgemacht. Vertrauliches Material des besonderen Nachlasses Pius' IX.[33] wanderte in eine Schachtel ohne Nummer und wurde damit unbestellbar[34].

Noch schwerwiegender ist, daß wichtige Teile der römischen Kurie ihr gesamtes Archivmaterial des 19. Jahrhunderts für jede öffentliche Benützung gesperrt haben. Besonders fällt die »Congregazione degli Affari Ecclesiastici straordinari« (Kongregation für die besonderen Angelegenheiten der Kirche) ins Gewicht. Diese Kongregation war eines der wichtigsten kurialen Organe und konnte für alle bedeutenden Angelegenheiten eingesetzt werden. Mehrfach beschäftigte sie sich mit Konzilsangelegenheiten, besonders in Fragen der Unterwerfung von Minoritätsbischöfen[35]. Auch das Archiv der Inquisitionskongregation ist nach

---

lontane premesse del risveglio ecclesiologico del Vaticano II« (L'archivio del Concilio Vaticano Primo 10). Einige auserwählte und erprobte Historiker wie Eugenio Cecconi, Theodor Granderath und Michele Maccarone hatten schon lange vorher Zugang.

[31] Un edizione critica dei documenti. In: L'Osservatore della domenica 36 Nr. 50 (14. Dezember 1969) 3.

[32] Es ist zu befürchten, daß durch Mons. Dolinar, der vom Staatssekretariat mit den Editionsaufgaben betreut wurde, auch anderes Archivmaterial, wie der Fondo Schwarzenberg, der vorher nicht zum Konzilsarchiv gehörte, für längere Zeit blockiert wird. Bei nochmaligem Verlangen wurde mir und anderen nur noch etwa der dritte Teil des vorherigen Materials ausgehändigt. Wichtige Stücke, wie die beiden Gutachten für Kardinal Schwarzenberg über das weitere Vorgehen der Minoritätsbischöfe nach dem Konzil — nach einer früheren Konsultation hatte ich glücklicherweise Mikrofilme machen lassen—, fehlten nun und waren angeblich nicht mehr aufzufinden.

[33] Fondo Particolare Pio IX.

[34] Aufgrund eines alten Index konnte dieses Material dann doch eruiert und mit Hilfe eines Freundes eingesehen werden.

wie vor nicht zugänglich. Zahlreiche Hinweise lassen jedoch vermuten, daß auch hier nicht unerhebliches Material, besonders für die Unterwerfungsgeschichte, liegt[36].

---

[35] Vgl. S. 485; vgl. L. Pásztor: *La Congregazione degli Affari Ecclesiastici Straordinari tra il 1814 e il 1850*. In: AHP 6 (1968) 191—318. Die zuweilen erteilte Erlaubnis zur Benützung bestätigt die Regel. Am 14. April 1975 (Prot. Nr. 2226/75) teilte mir Erzbischof Casaroli mit, »che nelle carte della Sacra Congregazione per gli Affari Ecclesiastici Straordinari non si trova una Sezione particolare sul Concilio Vaticano I. Le Posizioni che contengono documenti delle Nunziature da Lei elencate nella Sua del 24 ottobre 1974 non si riferiscono a questioni attinenti al Concilio. Inoltre, esse sono in fase di riordinamento e non sono in gardo di prevedere quando potranno essere rese accessibili agli studiosi«.

[36] Vgl. S. 485. Auf meine Anfrage erhielt ich am 26. August 1975 (Prot. N. A. T. 75/4) vom Archivar der Glaubenskongregation, P. Innocenzo Mariani, eine ausweichende Antwort.

RÜCKBLICK:

VATIKANUM I UND IDEOLOGIEKRITIK

Die Geschichte des ersten Vatikanischen Konzils aufgrund der Quellen muß erst noch geschrieben werden. Die vorliegende Untersuchung hatte keinerlei Ambitionen, diese Lücke aufzufüllen. Sie beschränkte sich auf einige Aspekte der Unfehlbarkeitsdefinition. In dieser Zentralfrage des Vatikanischen Konzils drängt sich als Ergebnis allerdings auf, einige Akzente anders als bisher zu setzen.

1.

Der Einspruch der Konzilsminderheit war grundsätzlicher Natur. Das zeigen nicht nur die Konzilsreden mit ihren zahllosen Argumenten und die offiziellen Eingaben, das zeigen auch die persönlichen Notizen und Briefe der Minorität. Das zeigen ebenso die vielen Zeugnisse der Niedergeschlagenheit, der Verzweiflung und der Angst vor einem großen Unglück für die Kirche. Auf eine grobe Formel gebracht, war der Papst für sie nicht allein, sondern nur zusammen mit den Bischöfen unfehlbar. Durch die entgegengesetzte Bestimmung hob die Unfehlbarkeitsdefinition in ihren Augen wesentliche Rechte des Episkopates auf und zerstörte die gottgewollte Konstitution der Kirche. Darum setzten sie alle Hebel in Bewegung, um eine Dogmatisierung zu verhindern, und scheuten sich nicht, die Intervention der Staaten zu betreiben.

In den neueren katholischen Darstellungen wird die Schwere des Konfliktes vertuscht. Zwar darf die These, die weitaus meisten Minoritätsbischöfe hätten nur die Opportunität der Unfehlbarkeitslehre bekämpft, teilweise als besiegt gelten; überwunden ist sie immer noch nicht. Dafür wird nun aber der Eindruck erweckt, es habe sich im Grunde nur um terminologische Schwierigkeiten gehandelt. Es sei nur darum gegangen, die richtigen Worte zu finden. In der Sache sei man sich einig gewesen[1].

Diese Deutung macht das Verhalten der Bischöfe während und nach dem Konzil unerklärlich. Wenn sie sich auf konziliantere Töne unmittelbar vor der Definition oder nach erfolgter Verkündigung beruft, stellt sie nicht in Rechnung, daß

---

[1] AUBERT: *Die Ekklesiologie beim Vatikankonzil* 313 und 315; CONZEMIUS: *Das »Geheimnis« auf dem Ersten Vatikanischen Konzil* 170; GADILLE: *La pensée et l'action politique* I 116; FRANZEN: *Die katholisch-theologische Fakultät Bonn* 330; BEUMER: *Ein neu veröffentlichtes Tagebuch* 423; REYNOLDS: *Three cardinals* 221; zur Auseinandersetzung mit SCHATZ (*Kirchenbild*) vgl. S. 481—484.

das Dogma für die Bischöfe nun einmal da war und diese sich mit ihm abzufinden hatten.

Als Verharmlosung erscheint es auch, wenn Houtepen behauptet, das 1. Vatikanische Konzil habe nicht die Lehre von der päpstlichen Unfehlbarkeit »dogmatisiert« und »keine absolute Unveränderlichkeit der dogmatischen Formeln postuliert[2]«. Durch eine überspitzte Formulierung, für die sich auf dem 1. Vatikanum allerdings keine Belege finden lassen, erweckt Houtepen den Eindruck, die Unfehlbarkeitsdefinition sei nicht als eine für alle Zeiten verbindliche Aussage betrachtet worden. Das war aber zweifellos der Fall. Allein die Unterwerfungsgeschichte genügt, sich davon zu überzeugen.

Houtepen glaubt die Bedeutung der Unfehlbarkeitsdefinition weiter durch die These einschränken zu können, es gehe dabei nicht so sehr um die Frage der Wahrheit, sondern um das Problem der letzten Autorität in der Kirche[3]. Abgesehen davon, daß für die Behauptung, dem Papst gebühre aufgrund göttlicher Stiftung das letzte Wort in Fragen des Glaubens und der Sitten, die Beweislast keineswegs geringer wird, kann Houtepen diese Trennung der juridischen und theologischen Seite auf dem 1. Vatikanum nicht einsichtig machen. Das Papstwort galt eben gerade deshalb als unwiderrufbar, weil es unfehlbar war[4].

2.

Die Mehrheit der Konzilsväter hatte nicht den spontanen Wunsch nach einer Definition der päpstlichen Unfehlbarkeit. Hinter dem Plan der Dogmatisierung stand vielmehr eine kleine Gruppe kämpferischer Bischöfe; ausschlaggebend war, daß sie ganz auf den damaligen Papst Pius IX. zählen konnten. Sie setzten sich selbst gegen starken Widerstand innerhalb der Kurie, der bis ins Konzilspräsidium hinaufreichte und der auch wichtige Teile des italienischen Episkopats ergriff, durch. Vor allem die Rolle Pius' IX. auf dem Weg, der zur Unfehlbarkeitsdefinition führte, wurde bisher über Gebühr vernachlässigt. Die Motive und die Art und Weise seines Einsatzes für das neue Dogma lassen daran zweifeln, ob er noch volle Verantwortung für seine Entscheidungen übernehmen konnte. Zumindest bedeutet die psychische Situation Pius' IX. ein wichtiges Element zur Erklärung der Frage, wie es 1870 zur Definition der päpstlichen Unfehlbarkeit kommen konnte.

---

[2] *Onfeilbaarheid en Hermeneutiek* 374 f.
[3] HOUTEPEN: *Onfeilbaarheid en Hermeneutiek* 326 f.; 344 f. 376.
[4] Hinter der minimalisierenden Interpretation Houtepens steht der an sich löbliche Versuch, die durch das 1. Vatikanum zementierten Fronten für die ökumenische Bewegung wieder aufzureißen. Leider läßt sich nicht sehen, wie er mit der historischen Wirklichkeit vereinbart werden könnte. Houtepen bleibt mit seinen Überlegungen allzu sehr auf der rein theoretischen Ebene.

Um eine Fehldeutung handelt es sich, wenn Pottmeyer behauptet, Pius IX. habe die Unfehlbarkeitsdefinition als Notstandsmaßnahme »in einer Situation von apokalyptischer Dimension« verstanden[5], und wenn er selbst das Vatikanum I als eine »Notstandsregelung« interpretiert[6]. Diese Begründung begegnet weder bei Pius IX., noch bestimmt sie die Führer der Infallibilisten. Angesichts der gezielten Aktionen Roms, die Unfehlbarkeitsdiskussion erst anzuschüren, um eine Entscheidung angeblich notwendig zu machen, mutet das Argument Pottmeyers kurios an[7]. Der spätere Kardinal Newman war keine vereinzelte Stimme, als er am 28. Januar 1870 Bischof Ullathorne schrieb: »Wann war denn eine Lehrdefinition *de Fide* ein Luxus, den sich die Devotion leistet, und nicht ein furchtbares, schmerzliches Gebot der Not? Warum sollte einer angriffslustigen, unverschämten Sondergruppe erlaubt sein, ›die Herzen der Gerechten in Trauer zu versetzen, die nicht der Herr selbst traurig gemacht hat‹? Warum kann man uns nicht in Ruhe lassen, wenn wir Frieden hielten und an kein Übel dachten[8]?«

3.

Das Ausmaß der Manipulation während und nach dem Konzil war viel größer, als die katholischen Darstellungen vermuten lassen. Die Unfehlbarkeitsdebatte entartete zu einer »rituellen« Scheindiskussion. An eine unvoreingenommene Prüfung der Sachfrage war nicht gedacht und war nicht zu denken. Mannigfache Druckmittel beeinträchtigen die Entscheidungsfreiheit auch der Konzilsmehrheit. Die Minderheit wurde in der dogmatischen Frage der Unfehlbarkeit majorisiert. Die Praktiken Roms, die einzelnen Opponenten zur Unterwerfung zu bringen, entwerteten ihre nachträgliche Zustimmung.

---

[5] »Festzuhalten bleibt, daß Pius IX. durchaus im Bewußtsein einer Notstandssituation handelte, die außerordentliche, wenn auch theologisch legitime Mittel notwendig machte, um die Einheit und Unabhängigkeit der Kirche zu wahren. Die Möglichkeit, ohne rechtliche Einschränkungen allein, souverän und mit voller Rechtswirksamkeit handeln und entscheiden zu können, war das wichtigste dieser Mittel. ... Wiewohl Pius IX. von der Unfehlbarkeit des päpstlichen Lehramtes persönlich und theologisch überzeugt war, war sie für ihn wie für die Mehrheit der Bischöfe in erster Linie keine theologische Frage, sondern eine Lebensfrage der Kirche in einer Situation von apokalyptischer Dimension« (*Unfehlbarkeit* 60; vgl. 428).

[6] »*Auctoritas suprema ideoque infallibilis*« 519 f. Vgl. V. Conzemius: *Warum wurde der päpstliche Primat gerade im Jahre 1870 definiert?* In: Concilium 7 (1971) 263—267.

[7] Damit soll nicht in Abrede gestellt werden, daß die Infallibilisten die Unfehlbarkeitsdefinition als höchst nützlich erachteten, aber das ist wohl etwas anderes. Pottmeyer neigt durch seine abstrakte Betrachtungsweise zu Konstruktionen, die mit der Realität kaum mehr etwas zu tun haben. Er verrät z. B. keine Kenntnis der Persönlichkeit und Anschauungen Pius' IX., auf die sich seine Aussagen stützen könnten.

[8] Butler-Lang: *Das Vatikanische Konzil* 169.

Bisher vermied man es, die manipulativen Prozesse ernsthaft zu studieren und erweckte den Eindruck, Papst und Kurie hätten es gar nicht nötig gehabt, die Bischöfe »auf Vordermann« zu bringen, da ihre überwältigende Mehrheit sowieso die Unfehlbarkeitsdefinition gewünscht habe[9]. Durch Lenkung der Konzilsgeschichtsschreibung sorgte Rom selbst für derartige Verharmlosungen.

4.

In ihrer Argumentation für die päpstliche Unfehlbarkeit lehnten die Infallibilisten nicht nur die historisch-kritische Methode ab, sie gingen bis zum Mißbrauch der Geschichte. Neben einer sehr verbreiteten Unkenntnis der Kirchengeschichte war dafür vor allem ihr Traditionsbegriff verantwortlich, der die Interpretation und Erforschung der Vergangenheit ganz der Autorität des kirchlichen Lehramtes unterordnete. Trotzdem wurde eine »wissenschaftliche« Beweisführung für notwendig erachtet. Mit einer ermüdenden Aufzählung von zumeist geschichtlichen Argumenten sollte die These von der päpstlichen Unfehlbarkeit gestützt werden. Dieser Versuch der Majorität muß als gescheitert angesehen werden. Was bleibt, ist das Selbstzeugnis des Lehramtes.

Der Konzilsminorität fehlte diese Einsicht keineswegs. Andererseits aber war auch sie derart von den Voraussetzungen der Majorität geprägt, daß die Konsequenzen ausblieben. Was die Bischöfe 1870 noch wußten, wurde in den kommenden Jahrzehnten erneut verschüttet. Damit aber gelangte das ganze Ausmaß des Konfliktes zwischen dem historischen Wissen und dem auf dem Vatikanum neu verkündeten Dogma bisher nicht zu klarem Bewußtsein.

Rückblickend erscheinen die Vorgänge rund um die Unfehlbarkeitsdefinition als Musterbeispiel der Dogmatisierung und Durchsetzung einer Ideologie. Im Anschluß an die in der heutigen Forschung überwiegende Bedeutung wird Ideologie hier verstanden als eine Lehre, die kein Fundament in der Realität hat und an deren Entstehen, Verbreitung und Bewahrung sich vor allem gesellschaftliche Interessen knüpfen[10]. Entsprechend wird Ideologiekritik als umfassende kritische

---

[9] Vgl. S. 171 f. KÜNG: Unfehlbar? 105; CONZEMIUS: *Warum wurde der päpstliche Primat gerade im Jahre 1870 definiert?* 266.

[10] Vgl. W. HOFMANN: *Wissenschaft und Ideologie.* In: ARSP 53 (1967) 201 f.; DERS.: *Universität, Ideologie, Gesellschaft* 55. Auf eine Begriffsanalyse muß hier verständlicherweise verzichtet werden. Als dafür besonders hilfreich erschienen: H. BARTH: *Wahrheit und Ideologie.* Franfurt 1974; H. R. SCHLETTE: *Ideologie.* In: Handbuch Philosophischer Grundbegriffe II 720—728; H. J. LIEBER-H. G. BÜTOW: *Ideologie.* In: Sowjetsystem und Demokratische Gesellschaft III 1—25; E. BRAND: *Ideologie.* Düsseldorf 1972; BARION, J.: *Was ist Ideologie?* Bonn 1972.

Prüfung begriffen, die auch die eigenen Voraussetzungen miteinbezieht[11]. Dieser kritizistische Standpunkt entscheidet sich für keine spezifische inhaltliche Gesellschaftslehre, sondern versucht, sie zu hinterfragen; er läßt sich dabei von den anerkannten Regeln der wissenschaftlichen Methode leiten. Zentral für dieses Vorgehen ist das Kriterium der Wahrheit. Theorien müssen letztlich an der Realität überprüft, das heißt falsifiziert werden können, was allerdings nicht mit empirischer Beobachtbarkeit gleichgesetzt werden soll[12].

Die Perspektiven der Ideologiekritik rücken die Geschehnisse des 1. Vatikanischen Konzils in ein deutlicheres Licht. Die Berechtigung zu einer derartigen abschließenden Betrachtung erbrachte besonders der zweite Teil dieser Untersuchung. Die Unfehlbarkeit des Papstes erweist sich darin als eine Lehre, die durch die geschichtliche Realität widerlegt wird. Schon damals erachteten die Opponenten die Argumente der Infallibilisten als nicht triftig, ein Urteil, das die heutige Forschung voll bestätigt. Im Widerspruch zur Realität und dem Zurückbleiben hinter dem bereits erreichten Erkenntnisstand zeigen sich wesentliche Merkmale der Ideologisierung[13]. Weitere Phänomene verstärken den Ideologieverdacht. Der erste Teil macht deutlich, wie es einer Pressure-Group innerhalb des Konzils mit Hilfe des Papstes gelang, die Bischöfe zu Lehrentscheidungen zu zwingen, die sie gar nicht fällen wollten. Die neu dogmatisierte Lehre konnte endlich nur mit den verschiedenen Mitteln der Repression durchgesetzt und aufrechterhalten werden. Daß handfeste Interessen des Papsttums mit im Spiel waren, braucht hier wohl nicht eigens betont zu werden.

Die ideologiekritische Analyse kompliziert sich allerdings dadurch, daß es sich im Falle der päpstlichen Unfehlbarkeit nicht um eine einfache Ideologie, sondern um eine Meta-Ideologie handelt, um die Ideologisierung der Ideologie[14]. Die These von der Unfehlbarkeit des päpstlichen Lehramtes in Kathedralentscheidungen über Fragen des Glaubens und der Sitten ist zusammen mit der — allerdings nie definierten — Unfehlbarkeit der Kirche gleichsam das Formalprinzip des Katholizismus. Es handelt sich nicht mehr um die eine oder andere Lehre, sondern es geht um das ganze Lehrgebäude, dem das Konzil in seinen wesentlichen Punkten Unfehlbarkeit zuspricht. Die päpstliche Unfehlbarkeit wird zum krönenden Schlußstein des Lehrsystems. Sie hat es zu verteidigen und gegen alle Angriffe zu immunisieren. Die Absicherung ist vollkommen: Vom Papst gibt es keine Berufung an eine andere Instanz.

---

[11] ALBERT: *Traktat über kritische Vernunft* 29 ff.; DERS.: *Plädoyer für kritischen Rationalismus* 15 ff.; DERS.: *Konstruktion und Kritik* 13 ff. MÜNCH: *Gesellschaftstheorie und Ideologiekritik* 170 ff.

[12] Vgl. MÜNCH: *Gesellschaftstheorie und Ideologiekritik* 178 ff.; K. R. POPPER: *Logik der Forschung* 14 ff.; 47 ff.

[13] HOFMANN: *Wissenschaft und Ideologie* 201; ACHAM: *Vernunft und Engagement* 20.

[14] Damit soll freilich nicht behauptet werden, die ganze katholische Lehre sei Ideologie.

Es ist nicht zu übersehen, wie diesem Dogma eine eminent praktische Bedeutung zukommt; es gibt allen, die es akzeptieren, ein hohes Maß an Verhaltenssicherheit. Auf die wesentlichsten Lebensfragen ermöglicht es eindeutige und unbezweifelbare Antworten und vermittelt so Halt und ein Gefühl der Geborgenheit. Das Unfehlbarkeitsdogma übt damit eine emotionelle Entlastungsfunktion aus, wie das häufig bei Ideologien der Fall ist[15]. Diese Funktion erklärt wohl am besten, weshalb das neue Dogma sich trotz großer Widerstände in der Kirche bald allgemein durchsetzen konnte.

Allerdings ist nachträglich zu fragen, ob sich das Papsttum damals nicht in mancher Hinsicht übernommen hat. Schon auf dem Konzil wurde dieser Gewaltakt der totalen Inanspruchnahme der Wahrheit von einzelnen logisch als unmöglich und letztlich als selbstzerstörerisch empfunden. Das Papsttum habe sich in einer Sackgasse hineinmanövriert, aus der es ohne entscheidenden Autoritätsverlust kein Entrinnen mehr gebe. Der katholische Kirchenhistoriker Franz Xaver Kraus notierte am 9. Februar 1900 in sein Tagebuch: »So treten jetzt die Folgen des Vatikanischen Dekrets von 1870 heraus. Rom hat den Schlüssel hinter dem Gange abgedreht, durch welchen es noch entwischen konnte. So scheint denn wirklich nichts übrigzubleiben als, wie es Döllinger gesehen hat, der Zusammenbruch des ganzen Papstsystems[16].«

Daß hinter diesen letztlich selbstzerstörerischen Bestrebungen ein Papst mit den geistigen und psychischen Eigenschaften eines Pius IX. stand, macht besonders nachdenklich.

Es ist frappierend, wie fast alle Phänomene, die die Ideologiekritik herausgearbeitet hat, im Zusammenhang mit der Unfehlbarkeitsdefinition auftreten. Ideologien beruhen zunächst auf einer Reihe von denkimmanenten Voraussetzungen. Besonders grundlegend ist der Totalitätsanspruch auf Wahrheit. In dieser Geisteshaltung wird der fragmentarische Charakter, der jeder Aussage eignet, geleugnet und die eigene Deutung und Denkweise verabsolutiert[17]. Wenn das Vatikanische Konzil über sein Verhältnis zur Wahrheit auch nicht ausdrücklich gesprochen hat, so war diese Sicht doch stillschweigende Voraussetzung. Anders läßt sich der Wunsch nach unfehlbaren Entscheidungen nicht erklären[18].

---

[15] TOPITSCH-SALAMUN bezeichnen diese psychologische Funktion der Ideologie im Anschluß an Sigmund Freud auch als »Milderung des Druckes der Realität« (Ideologie 95). Vgl. TOPITSCH: Vom Wert wissenschaftlichen Erkennens 366.

[16] Tagebücher 730.

[17] Vgl. STÜTTGEN: Kriterien einer Ideologiekritik 37 — 46; TOPITSCH-SALAMUN: Ideologie 56 ff.

[18] In diesem und manchen anderen Phänomenen deckt sich Ideologie mit Dogmatismus. Dazu vgl. J. NOLTE: Dogma in Geschichte. Versuch einer Kritik des Dogmatismus in der Glaubensdarstellung. Freiburg—Basel—Wien 1971.

Als zweites denkimmanentes Kennzeichen der Ideologie gilt ihre Erfahrungs-fremdheit[19]. »Man tendiert in weit stärkerem Maße dazu, bestätigende Informa-tionen zu sammeln, als auf widersprechende Informationen zu achten, weil man auf diese Weise unerwünschte kognitive Dissonanzen vermeiden kann[20].« Auf dem 1. Vatikanischen Konzil äußerte sich diese Haltung vor allem durch die Ab-schirmung vor der historischen Kritik. Der im zweiten Teil dieser Untersuchung festgestellte Mißbrauch der Geschichte zeigt, wie schwerwiegend der Konflikt mit der Realität in der Tat war.

Mit der Ablehnung der Empirie verbindet sich zumeist eine Undurchsichtig-keit der Denkvoraussetzungen[21]. »Wahrheit erscheint als Ideologie, wenn sie nicht auf ihre Denkvoraussetzungen hin kritisch reflektiert wird[22].« Im Falle des 1. Va-tikanischen Konzils wurde die ausschlaggebende Basis, auf die sich die These von der päpstlichen Unfehlbarkeit stützte, nämlich das Selbstzeugnis der Kirche, genauerhin das Selbstzeugnis des päpstlichen Lehramtes, im Dunkeln gelassen. Die im wissenschaftlichen Kleid geführte Scheindiskussion vermochte diesen Tatbestand nur mühsam zu überdenken[23].

Daß auf dem 1. Vatikanischen Konzil Vorurteil und Klischee eine große Rolle spielten, versteht sich nach dem Gesagten von selbst[24]. Sehr viele Bischöfe durch-schauten nicht, was eigentlich vor sich ging. Unkontrolliert und passiv übernahmen sie die Aussagen anderer und versuchten sich bei dem Gedanken einer ziemlich unbestrittenen vermeintlichen Tradition zu beruhigen[25].

Eine Lehre, die auf derart prekären Voraussetzungen beruht, ist immer ge-fährdet. Da sie zudem ihre wesentliche Funktion der psychischen Entlastung nur ausüben kann, wenn sich gegen sie keine Bedenken regen, muß sie von einem gan-zen Kranz von Immunisierungsvorkehrungen gegen mögliche Kritik umgeben werden[26].

Zunächst betrifft das den Aussageinhalt der Unfehlbarkeitslehre. Er ist so formuliert und derart mit Klauseln versehen, daß faktisch nie mit Sicherheit ge-sagt werden kann, er treffe nun zu. Vor allem die Bestimmung, nur Kathedralent-scheidungen des Papstes seien unfehlbar, macht die Unfehlbarkeitsdefinition zu einer Leerformel für die vorausgegangen Jahrhunderte. Diese Immunisierungs-strategie — die Lehre wird wegen fehlenden Gehalts nicht mehr falsifizierbar —

---

[19] Vgl. STÜTTGEN: *Kriterien einer Ideologiekritik* 46—51; TOPITSCH- SALAMUN: *Ideologie* 98 ff.
[20] ALBERT: *Plädoyer für kritischen Rationalismus* 23.
[21] STÜTTGEN: *Kriterien einer Ideologiekritik* 55—61.
[22] STÜTTGEN: *Kriterien einer Ideologiekritik* 55.
[23] Vgl. S. 365.
[24] Vgl. STÜTTGEN: *Kriterien einer Ideologiekritik* 61—66.
[25] Vgl. S. 365.
[26] Vgl. ALBERT: *Plädoyer für kritischen Rationalismus* 16 f.

ist in der Ideologiekritik ein bekanntes Phänomen. Solche Leerformeln sind mit jeder faktisch auftretenden Sachlage vereinbar[27]. In unserem Fall wird die Formel leer durch die Vagheit und Unbestimmtheit der Ausdrücke. Wie auch immer der Papst gesprochen hat, es braucht nie eine Kathedralentscheidung gewesen zu sein[28].

Die Vagheit der Begriffe kann je nach Bedürfnis allerdings auch für eine weitere Ausdehnung benützt werden. Die Diskussion über die Unfehlbarkeit des ordentlichen Lehramtes zeigt, wie der Papst auf einmal weit über Kathedralentscheidungen hinaus unfehlbar werden kann[29]. In der Tat ist diese mehr oder weniger deutlich ausgesprochene Unfehlbarkeit des ordentlichen Lehramtes für

---

[27] »Unter pseudo-empirischen Leerformeln kann man *sprachliche Formulierungen verstehen, die mit dem Anspruch auftreten, über die empirische Realität zu informieren, tatsächlich aber keinen Informationsgehalt besitzen*« (TOPITSCH-SALAMUN: *Ideologie* 114). Es handelt sich dabei um Aussagen, »die infolge ihres fehlenden Gehaltes prinzipiell nicht falsifizierbar sind, d. h. sie sind mit jeder logisch möglichen bzw. faktisch auftretenden Sachlage vereinbar« (DEGENKOLBE: *Über logische Struktur und gesellschaftliche Funktionen von Leerformeln* 329).

[28] »Sätze mit sehr geringem Gehalt entstehen dort, wo zwar tautologische Formulierungen vermieden werden, die Prädikate aber, die in den betreffenden Aussagen auftauchen, vieldeutig sind, womit im Extremfall nur noch wenige Sachverhalte ausgeschlossen werden. Die Einführung sehr vager Begriffe macht es unmöglich, sich Klarheit darüber zu verschaffen, wovon die Rede ist. Eine Bestimmung des Gehalts muß man sich entsprechend versagen« (SCHMID: *Leerformeln und Ideologiekritik* 200). Zum Problem der Leerformeln aufgrund der Vagheit der Begriffe vgl. ebda. 98—105, zur empirischen Falsifizierbarkeit von kognitiven Leerformeln vgl. 106—129. Vgl. weiter TOPITSCH-SALAMUN: *Ideologie* 116 f.; E. TOPITSCH: *Über Leerformeln*. In: ders.: Probleme der Wissenschaftstheorie. Wien 1960, 233—264.

[29] Die Enzyklika »Humani Generis« Pius' XII. schärfte ein, auch Entscheidungen des ordentlichen Lehramtes würden Diskussionen definitiv beenden: »Neque putandum est, ea quae in Encyclicis Litteris proponuntur, assensum per se non postulare, cum in iis Pontifices supremam sui Magisterii potestatem non exerceant. Magisterio enim ordinario haec docentur, de quo illud etiam valet: ›Qui vos audit, me audit‹; ac plerumque quae in Encyclicis Litteris proponuntur et inculcantur, iam aliunde ad doctrinam catholicam pertinent. Quodsi Summi Pontifices in actis suis de re hactenus controversa data opera sententiam ferunt, omnibus patet rem illam, secundum mentem ac voluntatem eorundem Pontificum, quaestionem liberae inter theologos disceptationis iam haberi non posse« (AAS 42 (1950) 568; DENZINGER-SCHÖNMETZER: *Enchiridion Symbolorum* Nr. 3885). Darauf entspann sich eine Kontroverse, in der manche Theologen auch dem ordentlichen Lehramt des Papstes Unfehlbarkeit zusprachen. Vgl. J. SALAVERRI: *Valor de las Enciclicas a la luz de la »Humani generis«*. In: Miscelaneas Comillas 17 (1952) 135—172; 513—532; B. BRINKMANN: *Gibt es unfehlbare Äußerungen des Magisterium ordinarium des Papstes?* In: Scholastik 28 (1953) 202—221; J. BEUMER: *Sind päpstliche Enzykliken unfehlbar?* In: ThGl 42 (1952) 262—269; H. STIRNIMANN: *Magisterio enim ordinario haec docentur*. In: FZThPh 1 (1954) 17—47; P. NAU: *Le magistère pontifical ordinaire au premier concile du Vatican*. In: RThom 62 (1962) 341—397; M. CAUDRON: *Magistère ordinaire et infaillibilité pontificale d'après la Constitution »Dei Filius«*. In: EThL 36 (1962) 393—431.

die Kurie von weit größerer Bedeutung als die seltenen Kathedralentscheidungen[30].
Die Gloriole der Unfehlbarkeit ist wichtiger als ihre tatsächliche Ausübung.

Zur weiteren Immunisierung gegenüber der Geschichtswissenschaft beanspruchte das kirchliche, d. h. in diesem Fall das päpstliche Lehramt ein Interpretationsmonopol der Schrift und der Tradition. Nicht die historisch-kritischen Untersuchungen über die Vergangenheit, sondern das geistgeleitete Wort des Lehramtes hatten als verbindlich zu gelten. Durch die Unfehlbarkeitsdefinition wurde
dieses Interpretationsmonopol des Papstes noch verstärkt. Die Bindung an Schrift
und Tradition wird zu einer reinen Selbstbindung. Der Papst gilt als von der
Zustimmung der Kirche unabhängig; seine Entscheidung ist inappellabel.

Um den Widerspruch aufzufangen, der sich trotz allem immer wieder regen
kann, läßt man zuweilen verschiedene Interpretationen zu. Dieses Phänomen, das
in der Ideologiekritik ebenfalls häufig begegnet[31], zeigte sich besonders bei der
Unterwerfungsgeschichte der Minoritätsbischöfe. Wichtiger als alles andere war
für Rom die Annahme der Formel; was darunter verstanden wurde, galt als zweitrangig. In taktisch bedeutsamen Fällen (z. B. Bischof Hefele von Rottenburg)
fand sich die Kurie zu weitgehenden Zugeständnissen bereit. Damit gelang es,
der einen Formel allgemeine Gültigkeit zu verschaffen, obwohl dafür gar keine
sachliche Basis vorhanden war. Die sehr stark divergierenden Meinungen konnten unter einem einheitlichen sprachlichen Gewand zusammengefaßt werden und
gefährdeten so Einheit und Aktionsfähigkeit der Kirche nicht.

Bedenken werden auch vom heutigen Bewußtsein her laut; es sieht die Kirche
mehr als demokratische denn als monarchisch strukturierte Gemeinschaft. Ihnen
versucht man ebenfalls mit Hilfe der Exegese zu begegnen. Neuere Interpreten der
vatikanischen Unfehlbarkeitslehre setzen Akzente, wie die Notwendigkeit der
Verbindung mit der Kirche und der Tradition, ja die Notwendigkeit der vorgängigen Zustimmung der Kirche, die sich im Text selbst nicht finden. Durch solche
Deutungen kaschiert man faktisch vorgenommene Änderungen und kann die
Fiktion der Kontinuität der einen Formel aufrechterhalten. Der tatsächlich geschehene Wandel wird geleugnet und das Bestehen einer konstanten Wahrheit
vorgetäuscht[32].

---

[30] Vgl. die außerordentlich weite Ausdehnung der päpstlichen Unfehlbarkeit z. B. bei GALLATI:
Wenn die Päpste sprechen 21 ff.

[31] Vgl. TOPITSCH-SALAMUN: *Ideologie* 90 f.

[32] Vgl. z. B. K. SCHATZ: *Kirchenbild und päpstliche Unfehlbarkeit.* Rom 1975; H. FRIES: »*Ex sese,
non autem ex consensu Ecclesiae*«. In: Volk Gottes. Freiburg—Basel—Wien 1967, 480—500.
Zur ganzen Problematik vgl. auch ALBERT: *Plädoyer für kritischen Rationalismus* 39 f. LEM
BERG macht auf das interessante Phänomen aufmerksam, daß ideologische Systeme auch dann
ihre Macht behalten und nicht aufgegeben werden, wenn sie schon längst als falsch erkannt
worden sind (*Ideologie und Gesellschaft* 17).

Durch diesen ausgeklügelten Prozeß der Interpretation ergibt sich wie von selbst die Scheidung zwischen einer Elite und den übrigen Mitgliedern der Kirche. Der Elite wird aus taktischen Gründen eine liberalisierendere Deutung zugestanden als anderen. Rom nahm z. B. nach dem 1. Vatikanum bei Bischöfen Einschränkungen der Unfehlbarkeitsdefinition hin, die es bei Professoren nicht durchgehen ließ. Das »einfache Volk« hingegen ist gar nicht in der Lage, die subtilen Unterscheidungen der Theologen mitzuvollziehen.

Zu diesen der Lehre inhärenten Immunisierungsstrategien gesellen sich institutionelle Vorkehrungen zur Abschirmung der Kritik. Rom verhängte in einzelnen Fällen Rede- und Schreibverbot. Wenn das nicht half, griff es zum Mittel der Zensur oder setzte unliebsame Bücher auf den Index. In hartnäckigen Fällen wurde Suspension und Exkommunikation ausgesprochen. Über die Möglichkeit körperlicher Repressionen von Freiheitsentzug bis zu physischer Vernichtung verfügte die Kirche damals nicht mehr. Alle anderen Mittel hingegen wurden zur Durchsetzung der Unfehlbarkeitsdefinition angewandt[33]. Mit der Zeit spielte sich die Abschirmung vor der wissenschaftlichen Kritik von selbst ein. Was gefährlich erschien, wurde nicht mehr behandelt. Die stetige Prämierung des Gehorsams machte sich bezahlt[34]. Publikationszensur und Archivpolitik taten ein übriges.

Die zahlreichen Maßnahmen, die eine Überprüfung der in Frage stehenden Lehre verhindern sollen, machen auf ein gespanntes Verhältnis zur Wirklichkeit aufmerksam. Die Geschlossenheit des Systems bezahlt sich mit einem Realitätsverlust. Die Immunisierungsvorkehrungen verdeutlichen aber auch, daß das bessere Wissen — wenn auch verschüttet — seinen Einfluß stets geltend macht. Wäre das nicht der Fall, könnte man sich sehr viel gelassener geben. Ideologien bilden immer einen denkgeschichtlichen Regreß[35].

Oskar Köhler sprach neulich von Bewußtseinstörungen im Katholizismus und sah die Ursache dafür in der Verdrängung der eigenen Geschichte der letzten Jahrhunderte[36]. Die vielen Phänomene, die er damit anspricht, scheinen sich mir im 1. Vatikanischen Konzil wie in einem Kristallisationspunkt zu konzentrieren. Trotz aller Bedenken wurde die Unfehlbarkeitsdefinition akzeptiert. Aber dieses Leben wider besseres Wissen konnte auf die Dauer nicht gut gehen, sondern mußte zu Bewußtseinsspaltungen führen[37].

---

[33] Vgl. MÜNCH: *Gesellschaftstheorie und Ideologiekritik* 208 ff.; TOPITSCH: *Vom Wert wissenschaftlichen Erkennens* 366; ALBERT: *Plädoyer für kritischen Rationalismus* 23.

[34] Vgl. ALBERT: *Plädoyer für kritischen Rationalismus* 25.

[35] HOFMANN: *Wissenschaft und Ideologie* 201; ACHAM: *Vernunft und Engagement* 20.

[36] *Bewußtseinstörungen im Katholizismus* 16; 25.

[37] KÖHLER: *Bewußtseinstörungen im Katholizismus* 21 f.; J. GABEL: *Ideologie und Schizophrenie*.

Eine leise Hoffnung auf Besserung ergab sich, als aus Anlaß der Hundertjahr-feier des 1. Vatikanischen Konzils die Diskussion über das Unfehlbarkeitsdogma von neuem aufbrach und Gegenstand einer heftigen Debatte wurde[38]. Sie war aber wohl schon deshalb in ihrem Ansatz verfehlt, weil sie den Eindruck erweckte, etwas ganz Neues zu tun, während doch bereits 1870 diese Lehre in weitesten Kreisen bestritten wurde, einmal davon abgesehen, daß die Rede Küngs von unfehlbaren Sätzen die Meinung des 1. Vatikanischen Konzils keineswegs wieder-gab und die ganze Diskussion verwirrte. Damit aber beschränkte man sich auf die Unfehlbarkeitslehre selbst, wiederholte die bereits vor hundert Jahren wohlbe-kannten Gegenargumente und versäumte, den Gründen nachzugehen, die es er-möglichten, eine solch umstrittene und bestrittene Lehre durchzusetzen.

Die ganze Diskussion erwies sich im nachhinein als folgenlos. Mit den gleichen Mitteln wußte sich Rom auch diesmal der Einwände seiner Gegner zu erwehren. Den Tübinger Professoren war schon vor hundert Jahren in dieser Sache Schwei-gen geboten worden.

Bei einer Behandlung der Unfehlbarkeitsdefinition des 1. Vatikanischen Kon-zils genügt die Auseinandersetzung mit der Unfehlbarkeitslehre anhand von her-meneutischen, sprachphilosophischen und geschichtswissenschaftlichen Über-legungen wohl nicht. Es müßte das ganze Phänomen, auch in seinen psycholo-gischen, gesellschaftlichen und kirchenpolitischen Bezügen ins Auge gefaßt wer-den. Die Art und Weise, wie die Unfehlbarkeit des Papstes zum Dogma werden konnte, ist Zeichen einer tiefer liegenden Krankheit. Bloße Symptombehandlungen bleiben erfolglos. Man ist bereits auf dem besten Weg, die Wunde wieder zuzu-decken und weiter schwären zu lassen.

Frankfurt am Main 1967; G. Dorfles: *Demitizzazione e ideologia patologica.* In: E. Castelli: Demitizzazione e ideologia 279—291.

[38] Vgl. F. Simons: *Infallibility and the evidence.* Springfield 1968; H. Küng: *Unfehlbar?* Zürich-Einsiedeln—Köln (1970); H. Küng (Hrsg.): *Fehlbar?* Zürich-Einsiedeln—Köln 1973 (515—524 ausführliche Bibliographie über die Unfehlbarkeitsdebatte); K. Blei: *De Onfeilbaarheid van de Kerk.* Kampen 1972; K. Rahner (Hrsg.): *Zum Problem Unfehlbarkeit.* Freiburg—Basel—Wien 1971.

QUELLEN UND LITERATUR

1. Unedierte Quellen

Bonn, Auswärtiges Amt, Politisches Archiv (AA, PA):
Akten betreffend das durch den Papst zum 8. Dezember 1869 nach Rom berufenen ökumenischen Concil, I A. B. e 46, Bd. 1—8;
— — Acta betreffend Schriftwechsel mit der Königlichen Gesandtschaft zu Rom, sowie mit anderen Königlichen Missionen und fremden Kabinetten über die inneren Zustände und Verhältnisse des Kirchenstaates (1869—1870), I A. B. e (Italien) 47;
— — Acta betreffend Schriftwechsel mit der Königlichen Gesandtschaft am päpstlichen Hofe, sowie mit anderen Missionen und fremden Kabinetten über die inneren Zustände und Verhältnisse der Curie (1873), I A. B. e (Italien) 58/1;
— — Acta betreffend Schriftwechsel mit der Königlichen Gesandtschaft in Rom, sowie mit anderen Missionen und fremden Kabinetten über die inneren Zustände und Verhältnisse des Kirchenstaates (1871), I A. B. e (Italien) 53/1; (1872) I A. B. e (Italien) 54/1;
— — Acta betreffend den Cardinal Fürsten von Hohenlohe, I A. B. e (Italien) 65/1.2.
Besançon, Archives de l'archevêché (AA):
Fonds Cardinal Mathieu.
Brüssel, Archives du Ministère des Affaires Etrangères (AMAE):
Correspondance Politique, Légation St. Siège. 13/1 (1866 — Juni 1869); 13/2 (Juli 1869 bis 1870).
Den Haag, Algemeen Rijksarchief (ARA):
Ministerie van Buitenlandse Zaken, n. 2831 (Berichte der holländischen Gesandten in Rom und Florenz aus dem Jahre 1869); n. 2832 (Berichte des holländischen Gesandten in Rom aus dem Jahre 1870); n. 2833 (Berichte des holländischen Gesandten in Florenz aus dem Jahre 1870);
— — Ministerie van Buitenlandse Zaken, Kabinet, gez. Rapporten 492 (Rom, Dezember 1870 bis 1872); 493 (Rom 1873).
London, Archives of the Archdiocese of Westminster (AAW):
Cardinal Manning's Notes on the Vatican Council;
— — Bishops I, Printed Circulars, Faculties 1858—1881.
— *Public Record Office, Foreign Office (PRO, FO):*
General Correspondence Rome, 43/103 B (1869); 43/106 (January to February 1870); 43/107 (March to April 1870); 43/108 (May to July 1870); 43/109 (July to September 1870); 43/110 (October to December 1870);
— — 361/1 (Clarendon Papers 1867—1870).
— *British Library, Departement of Manuscripts (BLM):*
Gladstone Papers, Additional Manuscripts 44423—44428 (General Correspondence November 1869 — December 1870); 44445 (General Correspondence 1874; zahlreiche Briefe von Döllinger); 44249 (Correspondence with Cardinal Henry E. Manning 1867—1871); 44134 (Correspondence with Lord Clarendon, September 1869—1870); 44140 (Correspondence with Döllinger); 44093 (Correspondence with Sir John Dalberg Acton 1860 bis 1887);
— — Maskell Papers, Additional Manuscripts 37824.

Madrid, Los Archivos del Ministerio de los Asuntos Exteriores (AMAE):
Diplomatische Berichte des spanischen Geschäftsträgers in Rom, José Fernandez Ximenes (ohne Registratur).

München, Bayerisches Staatsarchiv (BSTA):
Aktenstücke über die kirchliche Frage. Infallibilität des Papstes, vol. I 1869—1872 (MK 19783);

– –Das ökumenische Concil 1869, vol. I 1869 und 1870 (MK 19785);

– –Das ökumenische Concil vol. II 1871/72 (MK 19786);

– –Den Vollzug des Concordates betreffend, vol. III 1873—1917 (MK 19800).

– Bayerisches Geheimes Staatsarchiv (BGSTA):
Das oecumenische Koncil zu Rom Anno 1868/69, 1868 — 14. Juli 1869 (MA I 636); Das oecumenische Koncil zu Rom Anno 1868/69, 20. Juli — 30. September 1869 (MA I 637); Das oecumenische Koncil in Rom Anno 1870, 1. Januar—30. April 1870 (MA I 638); Mai 1870 — 15. Mai 1874 (MA I 639);

– –Römische Frage 1870, August 1870 — 10. Juni 1872 (MA I 641);

– –Das Dogma der päpstl. Infallibilität in specie das Einschreiten gegen den Stiftsprobst Döllinger betreffend, 1. April 1871 — 27. October 1872 (MA I 642);

– –Bayerische Gesandtschaft, Päpstlicher Stuhl 1869, Manuskripte (813); Dezember 1869 bis Juli 1870 (815); politischer Schriftwechsel 1870 (816); politischer Schriftwechsel 1871 (817); politischer Schriftwechsel 1872 (818);

– –Rom (Päpstlicher Stuhl), politische Berichte der Königlich Bayerischen Gesandtschaft in Rom 1868 (MA III 2523); 1869 (MA III 2524); 1870 (MA III 2525), 1871 (MA III 2526); 1872 (MA III 2527).

– Bayerische Staatsbibliothek, Abteilung Manuskripte (BSTB):
Doellingeriana.

– Universitätsbibliothek:
Johann Friedrich: Geschichte des Vaticanischen Konzils. Bonn 1877—1887, Handexemplar Friedrichs, Cod. ms. 392;

– –Johann Friedrich: Tagebuch. Während des Vatikanischen Concils geführt. Nördlingen 1871, Handexemplar Friedrichs, Cod. ms. 393.

Namur, Archives Diocésaines de l'Evêché (AD):
Journal du Concile de Mgr Gravez 1869—1870 (journal et lettres), Carton Nr. 11.

Orléans, Archives du Loiret:
Collection Jarry, Episcopat de Mgr Dupanloup, 2 J 2163—2190;

– –Fonds Dupanloup, 50 J 592 (Correspondance Dupanloup); 50 J 40 (Voyage de l'evêque à Rome, dit „Visites ad limina Apostolorum" etc.).

Paris, Bibliotèque Nationale — Manuscrits (BN):
Fonds de Mgr Dupanloup, 1re partie: n. a. fr. 24672—24710 (Correspondance passive); 2e partie: n. a. fr. 24711—24715 (papiers divers);

– –Fonds de Louis Veuillot et de sa famille, 1re partie: n. a. fr. 24220—24239; complément: n. a. fr. 14617—24635.

– Archives Nationales (AN):
Papiers Mgr Dupanloup, AB XIX, 510—529, besonders 520—527;

– –Ministère des Cultes, Dossiers über das 1. Vatikanische Konzil und die französischen Bischöfe: F 19, 1939; F 19, 1940; F 19, 1941; F 19, 1942; F 19, 1947; F 19, 2531; F 19, 2532; F 19, 2533; F 19, 2539; F 19, 2540; F 19, 2553; F 19, 2555; F 19, 2568; F 19, 5616 (Incidents divers: Vieux catholiques); F 19, 6177 (Chapitre St. Denis, De Las Cases 1869—1870); F 19, 6178 (Chapitre St. Denis, Lecourtier, Maret);

– –Archives privées (AP), Papiers Jules Simon, Carton 10 I, Questions religieuses, (1) Correspondance des évêques adressés au ministre du Culte; (2) Correspondance avec le nonce au sujet des nominationsd'évêques.

– *Archives du Séminaire de St. Sulpice (ASSTS):*
   Fonds Foulon;
– –Fonds Dupanloup;
– –Journal de Mgr Dupanloup 22. November 1869 — 18. Juli 1870; 1870—1878 (Die Auslassungszeichen in den Zitaten stammen von Dupanloup);
– –Henri Icard: Journal de mon voyage et mon séjour à Rome, 21 novembre 1869 — 19 juillet 1870;
– –Procès-verbaux de la Minorité française.

– *Ministère des Affaires Etrangères, Archives (AMAE):*
   Correspondance Politique, Rome 1869—1873, vol. 1043—1057; Rome, Mémoires et documents 1868—1870, vol. 107; Rome, Mémoires et documents, vol. 118; Prussie, vol. 377—378; Italie, vol. 25—27; Bavière, vol. 246—247; Autriche, vol. 499—502;
– –Papiers d'Agents: Emile Ollivier, Concile 1870; Varia vol. 2.

– *Archives de L'Institut Catholique (AIC):*
   Papiers de Mgr Landriot, Ms. fr. 209, 6 vol.

– *Archives de l'archevêché (AP):*
   Mgr Darboy et le Concile du Vatican (1 D VIII, 4);
– –Journal de Mgr Darboy. Souvenirs de Mgr Darboy (1 D VIII, 6);
– –1er Concile du Vatican (4 A I, 1);
– –„Souvenirs du Concile du Vatican" par Mgr Colet, évêque de Luçon (4 A I, 2,2°).

– *Archives du Chanoine Francois Guédon:*
   Correspondance Mgr Foulon-Abbé Tapie 1869—1873.

Prag, Zentralverwaltung der Archive der CSSR (ZVA):
   S.[alesius] Mayer O. Cist.: Vom Concilium Vaticanum. Tagebuch.

Rom, Ministero degli Affari Esteri, Archivio Storico-Diplomatico (MAEAS):
   Archivi di Gabinetto (1861—1887), Concilio Ecumenico 1869—1870 n. 209—212 (besonders Konzilsberichte des Grafen Ladislaus Kulczycki).

– *Istituto Storico del Risorgimento(ISTR):*
   Manoscritti vol. 668—669, Carte del prefetto di Caserta [Colucci] riguardante l'azione del Governo italiano durante il :Concilio ecumenico vaticano (1869—1870).

– *Archivio di Stato in Roma (ASTR)*
   Archivio Segreto della Direzione Generale di Polizia Pontificia, 1869: vol. 718; 719; 720; 721; 1869/70: vol. 722; 1870: vol. 723; 724; 725; 726;
– –Archivio della Direzione Generale di Polizia Pontificia, Rubriche dei Registri di Protocollo, 1869 1. sem.: vol. 225; 226; 2. sem.: vol. 227; 228; 229; 1870: vol. 230; 231; 232; 233; 234;
– –Archivio Politico della Gendarmeria Pontificia, Rapporti politici, 1869: vol. 178; 179; 180; 181; 1870: vol. 182, 183; 184.

– *Archives des Pères Blancs (APB):*
   Fonds Maret, Affaires Générales 1867—1870 (Concile du Vatican); Affaires Générales 1870—1872 (Concile du Vatican); Correspondance passive, 1° Cardinaux et évêques; 2° Correspondants non-évêques; 3° Saint-Siège, Nonciature, Ministères; 4° Correspondance de famille;
– –Fonds Lavigérie.

– *Archives des Pères Assomptionistes (APA):*
   Fonds du Père Emmanuel d'Alzon, Correspondance active (400 lettres pendant le concile); Correspondance passive;

– –Fonds du Père Galabert; Cahiers du P. Galabert relatifs aux séances du Concile du Vatican 1869 et 1870 (Ecrits divers II, Journal 1869—1874); Correspondance active;

– –Fonds Gaume;

– –Secretaria Concilii Vaticani, Verbale del Sotto-Segretario del Concilio, Msgr. Jacobini (Bibliothèque 21/6—1).

– *Archivio del Generalato dei Padri Redemptoristi (AGPR):*
Provincia Belgica, Dechamps;

– –P. Carl Dilgskron: Das sogenannte Geheimnis der höheren Leitung und seine Geschichte (Manuskript, ohne Datum).

– *English College:*
Talbot Papers.

– *Archivio della S. Congregazione per l'Evangelizazzione »De Propaganda Fide« (APF):*
Fondo Lettere 1869—1870.

Rottenburg, Diözesanarchiv (DA):
Sammlung Linsenmann, Biographie Hefele, Bestand K 3.

St. Gallen, Stiftsbibliothek (STB):
Akt Bischof Greith.

– *Diözesanarchiv (DA):*
Akt Bischof Greith.

Trier, Bistumsarchiv (BA):
Aufzeichnungen und Erinnerungen des Bischofs Matthias Eberhard vom November 1866 bis zu seinem Tode am 30. Mai 1875, Abt. 40, Nr. 52;

– –Matthias Eberhard, Bischof von Trier: Tagebuch vom Vatikanischen Konzil, Abt. 40, Nr. 53;

– –Vatikanisches Konzil, Abt. 58, Nr. 1;

– –Personalakten des Bischofs Matthias Eberhard (1867—1876), Abt. 85, Nr. 5006—5008.

Vatikan, Archivio Segreto Vaticano (ASV):
Fondo Concilio Vaticano I, Acta Concilii Vaticani. Observationes in caput IX schematis de Ecclesia Christi et caput additum de infallibilitate Romani pontificis, vol. I (n. 1—80); vol. II (n. 81—148);

– –Fondo Concilio Vaticano I, Acta Concilii Vaticani. Observationes in priora decem capita et XIII canonem [sic!] schematis constitutionis de Ecclesia Christi, vol. I (n. 1—60); vol. II (n. 61—124);

– –Fondo Concilio Vaticano I, Acta commissionis pro rebus dogmaticis, Protocollum, Volumen secundum (Gutachten von Cardoni, Perrone, Hettinger und Schrader über die päpstliche Unfehlbarkeit);

– –Fondo Concilio Vaticano I, Congressus Praesidum perdurante Concilio (Notizen der Konzilssekretäre Feßler und Jacobini über die Sitzungen der Konzilspräsidenten);

– –Fondo Concilio Vaticano I, Adhaesiones;

– –Fondo Concilio Vaticano I, Acta Concilii Vaticani, Appendix ad Congregationem generalem LXXXVI (16. Juli 1870), 2 Bde;

– –Fondo Concilio Vaticano I, Varia, Schwarzenberg, Lettere;

– *Archivio della Segreteria di Stato:*
besonders Rubrica 1 der Jahre 1869—1873;

– –Spoglio Card. Bilio;

– –Spoglio Card. Reisach;

– –Spoglio Mons. Guidi;

– –Archivio della Nunziatura di Monaco 128; 129; 130;

——Archivio della Nunziatura di Lucerna 431; 212; 213; 270; 271;
——Archivio della Nunziatura di Vienna 434; 435;
——Archivio della Nunziatura di Bruxelles Nr. 32;
——Archivio della Nunziatura di Parigi;
——Fondo Particolare Pio IX, casette n. 1—39;
——Archivio Particolare Pio IX, Oggetti vari;
——Archivio Pio IX, Lettere scritte da Sua Santità Pio Papa IX ai Sovrani Principi Reali Capi di Governo e Particolari e viceversa;
——Carte Theiner, 4 scatole.

Wien, Haus-Hof- und Staatsarchiv (HHSTA), Politisches Archiv (P.A.):
   XI: Protokoll 1866—1870, Bd. 178; Berichte 1869 I—VI, Varia 1868, Bd. 212; Berichte 1869 VII—XII, Weisungen, Varia 1869, Bd. 213; Berichte 1870 I—V, Bd. 214; Berichte 1870 VI—XII, Bd. 215; Berichte, Varia 1870, Bd. 216; Berichte 1871 I—V, Bd. 217; Berichte 1871 VI—VII, Bd. 218; Weisungen, Varia 1871; Berichte, Weisungen, Varia 1872; Berichte, Weisungen, Varia 1873, Bd. 219; Papstwahl 1878 (I: Berichterstattung über das Kardinalskollegium 1872—1878), Bd. 257.
— *Erzbischöfliches Archiv (EA):*
   Kardinal Rauscher, Bischofsakten IV. Conc. Vat.;
——Korrespondenz Schwarzenberg—Rauscher, Mikrofilm des Schwarzenberg'schen Zentralarchivs in Krumau.
— *Archiv der Benediktinerabtei Unserer Lieben Frau von den Schotten (ASCHST):*
   Nachlaß Prof. Wolfsgruber.

2. Edierte Quellen und Literatur

ACHAM, K.: *Vernunft und Engagement. Sozialphilosophische Untersuchungen.* Wien 1972.
Acta Conciliorum Oecumenicorum. Hrsg. von E. SCHWARTZ. 25 Bde. Berlin 1914—1940.
Acta Congregationum Generalium quae a Patribus Sacrosancti Oecumenici Concilii Vaticani usque ad eius intermissionem habitae sunt. 5 Bde. Vatikan 1875—1884.
ACTON, J. E. LORD: *Sendschreiben an einen deutschen Bischof des Vaticanischen Concils.* Nördlingen 1870.
— *Zur Geschichte des Vaticanischen Conciles.* München 1871.
ADAM, K.: *Causa finita est.* In: Beiträge zur Geschichte des christlichen Altertums und der Byzantinischen Literatur. Festgabe Albert Ehrhard. Hrsg. von A. M. Koeniger. Bonn—Leipzig 1922, 1—23.
ADAMES, N.: siehe DONCKEL E.
AICHINGER, ST.: *Maximilian Joseph v. Tarnóczy, Kardinal und Fürstbischof von Salzburg.* (Ungedruckte theol. Dissertation). Salzburg 1963.
Aktenstücke des Ordinariates des Erzbisthums München und Freising betreffend das allgemeine Vatikanische Concil. Regensburg 1871.
ALBERIGO, G.: *Neue Grenzen der Kirchengeschichte?* In: Concilium 6 (1970) 486—495.
ALBERT, H.: *Traktat über kritische Vernunft.* (Die Einheit der Gesellschaftswissenschaften. Studien in den Grenzbereichen der Wirtschafts- und Sozialwissenschaften. Bd. 9). Tübingen ²1969.
— *Plädoyer für kritischen Rationalismus.* (Serie Piper, 310). München 1971.
— *Konstruktion und Kritik. Aufsätze zur Philosophie des kritischen Rationalismus.* Hamburg 1972.
ALBERTI, O.: *I Vescovi Sardi al Concilio Vaticano I.* (Collezione Pio IX, 1). Rom 1963.

ALBRECHT, D.: *Döllinger, die bayerische Regierung und das erste Vatikanische Konzil.* In: Spiegel der Geschichte. Festgabe für Max Braubach. Münster 1964, 795−815.

Allgemeine Deutsche Biographie. 55 Bde. Leipzig 1875−1900.

ALTANER, B. − STUIBER, A.: *Patrologie. Leben, Schriften und Lehre der Kirchenväter.* Freiburg i. Br. [7]1966.

ANDRIÁNYI, G.: *Ungarn und das 1. Vatikanum.* (Bonner Beiträge zur Kirchengeschichte. Bd. 5). Köln 1975.

Annuario Pontificio. Rom 1862 ff.

La doctrine de S. Antonin archevêque de Florence sur l'infaillibilité du Pape et l'autorité du concile oecuménique, par un théologien. Paris 1869.

ANTONINUS [PIEROZZI]: *Summa theologica.* 4 Bde. Verona 1740. Nachdruck Graz 1959.

APPOLIS, E.: *Un complot ultramontain sous l'Ordre Moral. La démission de Mgr Le Courtier, évêque de Montpellier (août − decembre 1873).* In: Actes du 79e Congès des sociétés savantes, Alger 1954. Section d'histoire moderne et contemporaine. Paris 1954, 333−346.

Atteinte portée à la Constitution de l'Eglise par le Programme des Romanistes à l'occasion de la convocation des Evêques le 9 juin 1867, par un catholique Français. Paris 1867.

AUBERT, R.: *Documents concernant le tiers parti au concile du Vatican.* In: Abhandlungen über Theologie und Kirche. Festschrift für K. Adam. Düsseldorf 1952, 241−259.

− Artikel *Dupanloup.* In: DHGE XIV 1070−1122.

− *La géographie ecclésiologique au XIXe siècle.* In: M. Nédoncelle: L'ecclésiologie au XIXe siècle. (Unam Sanctam, 34). Paris 1960, 11−55.

− *L'ecclésiologie au Concile du Vatican.* In: Le concile et les conciles. Paris-Chèvetogne 1960, 245−284.

− *Monseigneur Dupanloup au début du Concile du Vatican.* In: Miscellanea historiae Ecclesiasticae. Congrès de Stockholm Août 1960. Löwen 1961, 96−116.

− *Die Ekklesiologie beim Vatikankonzil.* In: Das Konzil und die Konzile. Ein Beitrag zur Geschichte des Konzilslebens der Kirche. Hrsg. von B. Botte u. a. Stuttgart 1962, 285−330.

− *Le pontificat de Pie IX (1864−1878).* (Histoire de l'Eglise depuis les origines jusqu'à nos jours. Bd. 21). Paris [2]1963.

− *Vatican I.* (Histoire des Conciles Oecuméniques. Bd. 12). Paris 1964.

− *Erstes Vatikanisches Konzil.* In: LThK X 636−642.

− *La composition des Commissions préparatoires du Premier Concile du Vatican.* In: Reformata Reformanda. Festgabe für H. Jedin. Hrsg. von E. Iserloh und K. Repgen. 2 Bde. Münster 1965, II 447−482.

− *Das schwierige Erwachen der katholischen Theologie im Zeitalter der Restauration.* In: ThQ 148 (1968) 9−38

− *L'apport des méthodes historiques nouvelles à l'histoire du 1er Concile du Vatican.* In: Mélanges offertes á G. Jacquemyns. Brüssel 1968, 21−34.

− *Die Geschichte der Kirche als unentbehrlicher Schlüssel zur Interpretation der Entscheidungen des Lehramtes.* In: Concilium 6 (1970) 501−507.

− *Motivations théologiques et extra-théologiques des partisans et des adversaires de la définition dogmatique de l'infaillibilité du Pape à Vatican I.* In: L'infaillibilité. Son aspect philosophique et théologique. Hrsg. von E. Castelli. Paris 1970, 91−103.

− *Die katholische Kirche und die Revolution.* In: Handbuch der Kirchengeschichte. Hrsg. von H. Jedin. Bd. VI/1. Freiburg−Basel−Wien 1971, 1−99.

− *Die erneuerte Stellung des Heiligen Stuhls in der Kirche.* In: Handbuch der Kirchengeschichte VI/1, 127−139.

– *Die Fortführung der katholischen Erneuerung in Europa.* In: Handbuch der Kirchengeschichte VI/1, 415–504.

– *Licht und Schatten der katholischen Vitalität.* In: Handbuch der Kirchengeschichte VI/1, 650–695.

– *Ultramontane Fortschritte und letzte gallikanische Widerstände.* In: Handbuch der Kirchengeschichte VI/1, 761–773.

– AUBERT, R. – MARTINA, G.: *Il Pontificato di Pio IX.* (Storia della Chiesa dalle origini ai nostri giorni XXI, 1 und 2). Turin ²1970.

– AUBERT, R. – PALANQUE, J. R.:*Lettres de Lady Blennerhasset à la Marquise de Forbin d'Oppède au lendemain du Concile du Vatican.* In: RHE 58 (1963) 82–148.

AUBIN, M. J.: *The Evolution of a Gallican Ecclesiology – Bishof H. L. C. Maret.* (Ungedruckte Dissertation, Boston College, Departement of History). Boston 1973.

AUDINET, J.: *L'enseignement »De Ecclesia« à St Sulpice sous le premier empire, et les débuts du gallicanisme modéré.* In: M. Nédoncelle: L'ecclésiologie au XIXᵉ siècle. (Unam Sanctam, 34). Paris 1960, 115–139.

AVACK, A. D': *Il ruolo degli oppositori nella definzione del dogma dell'infallibilità pontificia.* In: Idea 26 (1970) 76–79.

BACHT, H.: *Ein verschollenes Tagebuch zum Ersten Vaticanum. Eine Suchanzeige* In: Th Ph 48 (1973) 371–397.

BÄUMER, R.: *Die Unfehlbarkeitslehre Albert Pigges.* (Ungedruckte Dissertation). Bonn 1956.

– *Die Wiederentdeckung der Honoriusfrage.* In: RQ (1961) 200–214.

– *Das Kirchenverständnis Albert Pigges. Ein Beitrag zur Ekklesiologie der vortridentinischen Kontroverstheologie.* In: Volk Gottes. Zum Kirchenverständnis der katholischen, evangelischen und anglikanischen Theologen. Festgabe für J. Höfer. Hrsg. von R. Bäumer und H. Dolch. Freiburg–Basel–Wien 1967, 306–322.

– *Die Zahl der allgemeinen Konzilien in der Sicht von Theologen des 15. und 16. Jahrhunderts.* In: AHC 1 (1969) 288–313.

– *Manipulation oder Freiheit auf dem Ersten Vatikanischen Konzil?* In: Anzeiger für die katholische Geistlichkeit 80 (1971) 197–200.

BALTHASAR, H.U. VON: *Klarstellungen. Zur Prüfung der Geister.* (Herder-Bücherei, 393). Freiburg i. Br. 1971.

– *Der antirömische Affekt.* (Herder-Bücherei, 492). Freiburg i. Br.1974.

BARBIER, A. A.: *Dictionnaire des ouvrages anonymes et pseudonymes composées, traduits ou publiés en français et en latin, avec les noms des auteurs, traducteurs et éditeurs.* Revue et augmentée par O. BARBIER, R. et P. BILLARD. 4 Bde. Paris 1872–1879.

BARILARO, A.: *Il Card. Filippo Maria Guidi e la definizione dell'infallibilità pontificia.* In: Memorie Domenicane 59 (1942) 97–101; 132–136; 60 (1943) 8–13; 67–72; 134–140.

BARION, J.: *Was ist Ideologie?* Bonn 1972.

BARONIUS, C.: *Annales ecclesiastici.* 12 Bde. Rom 1593–1607.

BARRAL, L. M. DE: *Défense des libertés gallicanes et de l'assemblée du clergé de France tenu en 1682, ou réfutation de plusieurs ouvrages publiés récemment en Angleterre sur l'infaillibilité du pape.* Paris 1817.

BARTH, H.: *Wahrheit und Ideologie.* (Suhrkamp Taschenbuch, Wissenschaft, 68). Frankfurt 1974.

BASETTE, L.: *Le fait de La Salette 1846–1854.* Paris ²1965.

BATTIFOL, P.: *Lettres d'un évêque français pendant le concile du Vatican* [= Mgr. Devoucoux, Bischof von Evreux]. In: RHEF 13 (1927) 199–213.

[BAUER, R.]: *Die Honoriusfrage. Eine kritische Beleuchtung der Schrift des hochw. H. Bischofs von Rottenburg.* Regensburg–New York–Cincinnati 1870.

– *Papst Honorius und Prof. Dr. Aemil Ruckgaber, Pfr. v. Wurmlingen.* Regensburg – New York – Cincinnati 1871.

BAUMGARTNER, A.: *Erinnerungen an Dr. Karl Johann Greith, Bischof von St. Gallen.* Freiburg i. Br. 1884.

BAUNARD, L.: *Histoire du Cardinal Pie, évêque de Poitiers.* 2 Bde. Poitiers – Paris 1886.

– *L' épiscopat français depuis le Concordat jusqu'à la séparation 1802—1905.* Paris 1907.

BAZIN, G.: *Vie de Mgr. Maret. Son temps et ses oeuvres.* 3 Bde. Paris 1891.

BECQUÉ, M.: *Le cardinal Dechamps.* 2 Bde. Löwen 1956.

BEGEY, A.-FAVERO, A.: *S. E. Mons. Arcivescovo L. Puecher Passavalli. Ricordi e Lettere (1870—1897).* Mailand 1911.

BELLARMIN, R. F.: *Disputationes de controversiis christianae fidei adversus huius temporis haereticos.* Ingolstadt 1588—1593.

– *De potestate Summi Pontificis in rebus temporalibus adversus Gulielmum Barclaium.* Rom 1610.

BELLONE, B.: *I vescovi dello Stato Pontificio al concilio Vaticano I.* (Corona Lateranensis, 8). Rom 1966.

BENZ, E.: *Augustins Lehre von der Kirche.* (Abhandlungen der Akademie der Wissenschaft und der Literatur. Geistes- und sozialwissenschaftliche Klasse, 2). Mainz 1954.

BERCHTOLD, J.: *Die Unvereinbarkeit der neuen päpstlichen Glaubensdekrete mit der bayerischen Staatsverfassung.* München 1871.

BERNARDS, M.: *Zur Teilnahme deutscher Theologen an der Vorbereitung des Vaticanums I. Gestalt und Werk des Kölner Konsultors Kaspar Anton Heuser.* In: AHC 1 (1969) 314—335.

– *Die Kölner Partikularsynode von 1860. Zum Anteil der Provinzialkonzile am Ausbau der Ekklesiologie im 19. Jahrhundert.* In: Die Kirche im Wandel der Zeit. Festschrift für Joseph Kardinal Höffner. Köln 1971, 149—168.

BERTIER, G. DE: *Vatican I. Lettres de Mgr Poirier et du P. Le Doré. Au fil de notre vie.* In: Notre vie, Revue eudiste de Spiritualité et d'Information 9 (1963) 305—344.

BESANÇON, A.: *Histoire et éxpérience du moi.* Paris 1971.

– *L'histoire psychanalytique. Une anthologie.* (Le savoir historique, 7). Paris 1974.

BESSON, L.: *Vie de son Eminence Monseigneur le Cardinal Mathieu.* 2 Bde. Paris 1882.

– *Vie du Cardinal de Bonnechose archevêque de Rouen.* 2 Bde. Paris 1887.

BETTI, U.: *I Frati Minori al Concilio Vaticano.* In: Antonianum 32 (1957) 17—46; 203—260.

– *L'autoritá di S. Antonino e la questione dell'infallibilitá pontificia al concilio Vaticano.* In: Memorie Domenicane 76 (1959), 173—192.

– *La Costituzione dommatica »Pastor Aeternus« del Concilio Vaticano I.* (Spicilegium Pontificii Athenaei Antoniani, 14). Rom 1961.

– *»L'assenza dell'autorità di S. Tommaso nel decreto vaticano sull'infallibilitá pontificia«.* In: Divinitas 6 (1962) 407—422.

BEUMER, J.: *Sind die päpstlichen Enzykliken unfehlbar?* In: ThGl 42 (1952) 262—269.

– *Pater Wilhelm Wilmers S. J. und seine Tätigkeit auf dem Kölner Provinzialkonzil von 1860 und auf dem Ersten Vaticanum.* In: AHC 3 (1971) 137—155.

– *Ein neu veröffentlichtes Tagebuch zum ersten Vatikanum. Anmerkungen zu: Appunti storici sopra il Concilio Vaticano, hrsg. v. Giacomo Martina (= Miscellanea Historiae Pontificiae, 33).* Rom 1972. In: AHC 6 (1974) 399—423.

– *Bischof Martin von Paderborn und sein Einsatz für das Erste Vatikanum nach dessen Abschluß.* In: ThGl 65 (1975) 383—389.

BÉVENOT, M.: *St. Cyprian's De Unitate, chap. 4 in the Light of the Manuscripts.* Rom 1937; London 1939.

BIAGIONI-GAZZOLI, F.: *Memorie die Mons. Tizzani. Con biografia e note.* Rom 1945.

BIANCHI, J. A.: *Della potestà e della polizia della Chiesa trattati due contro le nuove opinioni di Pietro Giannone.* 7 Bde. Rom 1745—1751.

BIANCHI, R.: *De constitutione monarchica Ecclesiae et de infallibilitate Romani Pontificis iuxta D. Thomam Aquinatem eiusque scholam in Ord. Praedicatorum.* Rom 1870.

BIEMER, G.: *Überlieferung und Offenbarung. Die Lehre von der Tradition nach John Henry Newman.* (Die Überlieferung in der neueren Theologie. Bd. 4). Freiburg i. Br. 1961.

BIHLMEYER, K.—TÜCHLE, H.: *Handbuch der Kirchengeschichte.* 3 Bde. Paderborn 15 1956.

BILANCIO, P.: *I vescovi della Campania al Concilio Vaticano.* (Pontificia Facultas Theologica S. Aloisii ad Pausilypum, Neapoli). Neapel 1952.

BLAKISTON, N.: *The Roman Question. Extracts from the despatches of Odo Russell from Rome 1858—1870.* London 1962.

BLANK, J.: *Neutestamentliche Petrus-Typologie und Petrusamt.* In: Concilium 9 (1973) 173—179.

[BLAU, F. A.]: *Kritische Geschichte der kirchlichen Unfehlbarkeit zur Beförderung einer freieren Prüfung des Katholizismus.* Frankfurt a. M. 1791.

BLEI, K.: *De onfeilbaarheid van de Kerk.* Kampen 1972.

BLEWETT, P. F.: *The Gallicanism of L.E. Du Pin.* (Phil. Dissertation, Boston College 1969, Xerokopie). Ann Arbor, Michigan 1970.

BOECKLER, R.: *Der moderne römisch-katholische Traditionsbegriff. Vorgeschichte, Diskussion um das Assumptio-Dogma, Zweites Vatikanisches Konzil.* (Kirche und Konfession. Veröffentlichungen des Konfessionskundlichen Instituts des Evangelischen Bundes. Bd. 17). Göttingen 1967.

BOLGENI, V.: *Esame della vera idea della S. Sede.* Piacenza 1784.

BOMBELLI, R.: *L'infallibilità del romano Pontefice ed il Concilio ecumenico Vaticano. Dialogo fra un teologo ed un razionalista.* Mailand 1872.

BONALD, L. G. A. DE: *Théorie du pouvoir politique et religieux dans la société civile démontrée par la raison et par l'histoire.* Konstanz 1796.

— *Essai analytique sur les lois de l'ordre social ou du pouvoir, du ministère et du sujet dans la société.* Paris 1800.

— *Législation primitive considerée dans les derniers temps par les seuls lumières de la raison suivie de plusieurs traités et discours politiques.* Paris 1802.

BORNKAMM, G.: *Die Binde- und Lösegewalt in der Kirche des Matthäus.* In: Die Zeit Jesu. Festschrift für H. Schlier. Freiburg — Basel — Wien 1970, 93—107.

BOSSUET, J. B.: *Defensio declarationis conventus Gallicani an. 1682 de ecclesiastica potestate* 2 Bde. Amsterdam 1745.

BOTTALLA, P.: *Pope Honorius before the tribunal of reason and history.* London 1868.

— *Reply to Mr. Renouf I: The nature and character of Monothelism and its leaders.* In: Dublin Review 17 NS 34 (1871) 361—377; *II: Orthodoxy of Pope Honorius I.* In: Dublin Review 19 NS 37 (1872) 85—103; *III: The condemnation of Pope Honorius I.* In: Dublin Review 20 NS 39 (1873) 137—158.

BOUVIER, J. B.: *Institutiones theologicae ad usum seminariorum.* 6 Bde. Paris 1834.

BRANCHEREAU, L.: *Journal intime de Mgr. Dupanloup, Evêque d'Orleans.* Paris 1902.

BRAND, E.: *Ideologie.* (Studienreihe Sozialwissenschaften). Düsseldorf 1972.

BRANDMÜLLER, W.: *Die Publikation des 1. Vatikanischen Konzils in Bayern. Aus den Anfängen des bayerischen Kulturkampfes.* In: ZBLG 31 (1968) 197—258; 575—634.

BRAULIK, G.: *Coelestin Wolfsgruber OSB Hofprediger und Professor für Kirchengeschichte (1848—1924).* (Wiener Beiträge zur Theologie. Bd. 19). Wien 1968.

BRAUN, TH.: *Katholische Kirche ohne Papst.* München 1871.

BRAUN, W.: *Der Historiker Johannes Janssen. Seine Prägung durch die Tübinger Schule und seine Haltung zum Vatikanum I.* In: ThQ 152 (1972) 269—274.

BRIGHT, W.: *The Roman See and the Early Church.* London 1896.

BRINKMANN, B.: *Gibt es unfehlbare Äußerungen des Magisterium ordinarium des Papstes?* In: Scholastik 28 (1953) 202—221.

BRISSON, J. P.: *Autonomisme et christianisme dans l'Afrique Romaine de Septime Sévère à l'invasion vandale.* Paris 1958.

BROSSE, O. DE LA: *Le Pape et le Concile. La comparaison de leurs pouvoirs à la veille de la Réforme.* (Unam Sanctam, 58). Paris 1965.

BROWNE, H. J.: *The Letters of Bishop Mc Quaid from the Vatican Council.* In: CHR 41 (1956) 408—441.

BROX, N.: *Kirchengeschichte als »Historische Theologie«.* In: Kirchengeschichte heute. Geschichtswissenschaft oder Theologie? Hrsg. von R. Kottje. Trier 1970, 49—74.

BUCHHEIM, K.: *Ultramontanismus und Demokratie. Der Weg der deutschen Katholiken im 19. Jahrhundert.* München 1963.

BULGAKOV, S.: *The Vatican Dogma.* South Canaan 1959.

BUTLER, C. — LANG, H.: *Das Vatikanische Konzil. Seine Geschichte von innen geschildert in Bischof Ullathornes Briefen.* München 1933.

BUTTERFIELD, H.: *Journal of Lord Acton: Rome 1857.* In: The Cambridge Journal of History 8 (1946) 186—204.

Callahin, M. T.: *The gallicanism of Claude Fleury.* (Phil. Dissertation, Boston College 1970, Xerokopie). Ann Arbor, Michigan 1971.

CAMERON, J. M.: *Newman and the Empiricist Tradition.* In: The Rediscovery of Newman: an Oxford Symposium. Hrsg. von J. Coulson und A. M. Allchin. London 1967, 92—94.

CAMPANA, E.: *Il Concilio Vaticano.* 2 Bde. Lugano — Bellinzona 1926.

CAMPENHAUSEN, H. VON: *Ambrosius von Mailand als Kirchenpolitiker.* Berlin 1929.

— *Kirchliches Amt und geistliche Vollmacht in den ersten drei Jahrhunderten.* (Beiträge zur historischen Theologie. Bd. 14). Tübingen 1963.

CAPRILE, G.: *»La Civiltà Cattolica« al Concilio Vaticano.* In: La Civiltà Cattolica 120, 4 (1969) 333—341; 538—548.

CARBONE, V.: *Diario del Concilio Vaticano di L. Dehon.* Rom 1962.

CARDONI, J.: *Elucubratio de dogmatica Romani Pontificis infallibilitate.* Rom 1870.

CASPAR, E.: *Geschichte des Papsttums von den Anfängen bis zur Höhe der Weltherrschaft.* 2 Bde. Tübingen 1930—1933.

Catholicisme. Hier-Aujourd'hui-Demain. Hrsg. von G. JACQUEMET. Paris 1948 ff.

Les catholiques libéraux au XIXᵉ siècle. Actes du Colloque international d'histoire religieuse de Grenoble des 30 septembre—3 octobre 1971. (Collection du Centre d'Histoire du Catholicisme, 11). Grenoble 1974.

CAUDRON, M.: *Magistère ordinaire et infaillibilité pontificale d'après la Constitution »Dei Filius«.* In: EThL 36 (1962) 393—431.

CECCONI, E.: *Storia del Concilio Ecumenico Vaticano scritta sui documenti originali.* 4 Bde. Rom 1872—1879.

CECCONI, E. — MOLITOR, W.: *Geschichte der allgemeinen Kirchenversammlung im Vatikan.* Bd. I, 1. Regensburg 1873.

CECCUTI, C.: *Il Concilio Vaticani I nella stampa italiana (1868—1870).* (Collana di Storia del movimento cattolico, 28). Rom 1970.

Ce qui se passe au Concile. Paris 1870.

CESARE, R. DE: *Roma e lo Stato del Papa. Dal ritorno di Pio IX al XX settembre 1850—1870.* Mailand 1970 (Neudruck).

CHADWICK, O.: *From Bossuet to Newman. The idea of Doctrinal Development.* Cambridge 1957.

CHATEAUBRIAND, F. R. DE: *Génie du christianisme ou Beautés de la religion chrétienne.* Paris 1802.
– *Les Martyrs ou le Triomphe de la religion chrétienne.* Paris 1809.
CHOLVY, G.: *Autorité episcopale et ultramontanisme: La démission de l'Evêque de Montpellier (1873).* In: RHE 69 (1974) 735—759.
– *Un aspect du catholicisme libéral sous le Second Empire: Les milieux néo-gallicans du diocèse de Montpellier.* In: Les catholiques libéraux. Grenoble 1974, 281—298.
CICUTO, A.: *Il concilio Vaticano sta in mezzo agli estremi.* (Rivista universale Bd. XIV (1870) und Bd. XV (1871), Fasz. 107—113). Florenz 1870—1871.
CLASTRON, J.: *Mgr. Plantier.* 2 Bde. Paris 1882.
Collatio censurae in glossas juris canonici, jussu Pii V P. anno 1572 editae cum iisdem glossis, Gregorio XIII mandato, anno 1580, recognitis et approbatis. Straßburg 1609.
Collectio Lacensis: Acta et Decreta Sacrorum Conciliorum Recentiorum. Hrsg. von den Jesuiten aus Maria Laach. 7 Bde. Freiburg i. Br. 1870—1890.
COLLINS, P. W.: *Vatican I and Doctrinal Development.* In: AER 164 (1971) 219—231.
COLSON, J.: *L'Episcopat catholique. Collégialité et primauté dans les trois premiers siècles de l'église.* Paris 1963.
Das ökumenische Concil vom Jahre 1869. Periodische Blätter zur Mittheilung und Besprechung der Gegenstände, welche sich auf die neueste allgemeine Kirchenversammlung beziehen. Hrsg. von M. J. Scheeben. 3 Bde. Regensburg – New York – Cincinnati 1869—1871.
Le concile et le bas clergé français. Paris 1870.
Conciliorum oecumenicorum decreta. Hrsg. vom Centro di Documentazione. Instituto per le Scienze Religiose, Bologna. Basel – Barcelona – Freiburg – Rom – Wien 1962.
Concilium Tridentinum. Diariorum, Actorum, Epistularum, Tractatuum nova collectio, edidit Societas Goerresiana, promovendis inter Catholicos Germaniae Litterarum Studiis. 13 Bde. Freiburg i. Br. 1901—1961.
CONGAR, Y. M. J.: *Gallicanisme.* In: Catholicisme IV 1731—1739.
– *L'ecclésiologie de la révolution française au Concile du Vatican, sous le signe de l'affirmation de l'autorité.* In: M. Nédoncelle: L'ecclésiologie au XIXᵉ siècle (Unam Sanctam, 34). Paris 1960, 77—114.
– *Aspects ecclésiologiques de la querelle entre mendiants et séculiers dans la seconde moitié du XIIIᵉ siècle et le début du XIVᵉ.* In: AHD 36 (1961) 35—151.
– *Die Tradition und die Traditionen.* Mainz 1965.
– *L'ecclésiologie du haut Moyen Age. De saint Grégoire le Grand à la désunion entre Byzance et Rome.* Paris 1968.
– *L'eglise. De saint Augustin à l'époque moderne.* (Histoire des dogmes. Bd. III: Christologie – Sotériologie – Mariologie, Faszikel 3). Paris 1970.
– *Die Lehre von der Kirche. Von Augustinus bis zum Abendländischen Schisma.* (Handbuch der Dogmengeschichte 3, 3c). Freiburg i. Br. 1971.
– *Infaillibilité et indéfectibilité.* In: RSPhTh 54 (1970) 601—618.
– *Die Geschichtlichkeit der Kirche als »locus theoligicus«.* In: Concilium 6 (1970) 496—501.
CONTI, N. [NATALIS COMITIS]: *Universae historiae sui temporis libri triginta, ab anno salutis nostrae 1545 usque ad annum 1581.* Venedig 1581.
CONZEMIUS, V.: *Aspects ecclésiologiques et l'évolution de Döllinger et du Vieux-Catholicisme.* In: RevSR 34 (1960) 247—270.
– *»Römische Briefe vom Konzil«.* In: ThQ 140 (1960) 427—462.
– *Acton, Döllinger und Ketteler. Zum Verständnis des Ketteler-Bildes in den Quirinus-Briefen und zur Kritik an Vigeners Darstellung Kettelers auf dem Vaticanum I.* In: AMK 14 (1962) 194—238.

- *Das »Geheimnis« auf dem ersten Vatikanischen Konzil.* In: Orientierung 27 (1963) 168—172.
- *Die »Römischen Briefe vom Konzil«. Eine entstehungsgeschichtliche und quellenkritische Untersuchung zum Konzilsjournalismus Ignaz von Döllingers und Lord Actons.* In: RQ 59 (1964) 186—229; 60 (1965) 76—119.
- *Eugène Michaud, ein katholischer Reformator des 19. Jahrhunderts? Zu einer Michaud-Biographie.* In: ZSKG 58 (1964) 177—204.
- *Eugène Michauds Briefe an Ignaz von Döllinger.* In: ZSKG 58 (1964) 309—356.
- *Der Schweizerische Bundesrat und das Erste Vatikanische Konzil.* In: Schweizerische Zeitschrift für Geschichte 15 (1965) 205—228.
- *Katholizismus ohne Rom. Die altkatholische Kirchengemeinschaft.* Zürich — Einsiedeln — Köln 1969.
- *Lord Acton and the first Vatican Council.* In: JEH 20 (1969) 267—294.
- *Preußen und das erste Vatikanische Konzil.* In: AHC 2 (1970) 353—419.
- *Die Minorität auf dem Ersten Vatikanischen Konzil: Vorhut des Zweiten Vatikanums.* In: ThPh 45 (1970) 409—434.
- *Warum wurde der päpstliche Primat gerade im Jahre 1870 definiert?* In: Concilium 7 (1971) 263—267.
- *Kirchengeschichte als »nichttheologische« Disziplin. Thesen zu einer wissenschaftstheoretischen Standortbestimmung.* In: ThQ 155 (1975) 187—197.

CORNUT, E.: *Monseigneur Freppel — d'après des documents authentiques et inédits.* Paris 1893.

COULTON, J. G.: *Papal Infallibility.* London 1932.

CUE, J. F. MC: *The Roman Primacy in the Second Century and the Problem of the Development of Dogma.* In: ThSt 25 (1964) 161 — 196.
- *Der Römische Primat.* In: Concilium 7 (1971) 245 — 250.

CWIEKOWSKI, F. J.: *The English Bishops and the First Vatican Council.* (Bibliothèque de la Revue d'histoire ecclésiastique, 52). Löwen 1971.

DANSETTE, A.: *Histoire Religieuse de la France contemporaine.* 2 Bde. Paris 1948—1951.

Mgr. Darboy et le Saint-Siège. Documents inedits. In: RHLR 12 (1907) 240—281.

DECHAMPS, V. A.: *Le libre examen de la vérité de la foi. Entretiens sur la démonstration catholique de la révélation chrétienne.* Tournai ²1857.
- *La Question religieuse résolue par les faits ou de la certitude en matière de religion.* 2 Bde. Paris — Tournai 1860.
- *L'infaillibilité et le Concile Général. Etude de science religieuse à l'usage des gens du monde.* Malines 1869.
- *Gesammelte Briefe an Msgr. Dupanloup, Bischof von Orléans und P. Gratry (Autorisierte Übersetzung).* Trier 1870.
- *Oeuvres complètes.* 18 Bde. Malines 1874—1883.

DEDEREN, R.: *Un réformateur catholique au XIXe siècle. Eugène Michaud (1839—1917). Vieux-catholicisme — Oecuménisme.* Genf 1963.

DEGENKOLBE, G.: *Über logische Struktur und gesellschaftliche Funktionen von Leerformeln.* In: KfS 17 (1965) 327—338.

DEHARBE, J.: *Großer katholischer Katechismus für sämtliche Bistümer Bayerns.* Regensburg 1857; 1864; 1869.

DEHON, L.: siehe CARBONE, V.

DEJAIFVE, G.: *»Ex sese, non autem ex consensu Ecclesiae«.* In: De Doctrina Concilii Vaticani Primi. Vatikan 1969, 506—520.

DEMONSTIER, A.: *Episcopat et union à Rome selon Saint Cyprian.* In: RSR 52 (1964) 337—369.

DENIS, M. — PEARSE, E.: *Le Château de Craon foyer de rayonnement des idées de l'Univers. Lettres inédites des Veuillots, des Champagné et de leurs amis (1860—1878)*. In: Bulletin de la Commission historique et archéologique de la Mayenne 16 (239) (1967) 3—50.

DENZLER, G.: *Das 1. Vatikanische Konzil und die Theologische Fakultät der Universität München*. In: AHC 1 (1969) 412—455.

DENZINGER, H. — SCHÖNMETZER, A. :*Enchiridion Symbolorum, definitionum et declarationum de rebus et morum*. Barcelona — Freiburg — Rom — New York ³⁴1967.

DEREK HOLMES, J.: *A Note on Newman's* Historical Method. In: The Rediscovery of Newman: an Oxford Symposium. Hrsg. von J. Coulson und A. M. Allchin. London 1967, 97—99.

— *Cardinal Newman and the first Vatican Council*. In: AHC 1 (1969) 374—398.

La dernière heure du Concile. München 1870.

DESANCTIS, L.: *Roma papale descritta in una serie di lettere con note*. Florenz 1865.

Dictionnaire d'Histoire et de Géographie Ecclésiastique. Hrsg. von A. BAUDRILLART u. a. Paris 1912 ff.

Dictionnaire de Theologie Catholique. Hrsg. von A. VACANT und E. MANGENOT, fortgesetzt von E. AMANN. Paris 1930 ff.

DIETRICH, W.: *Das Petrusbild der lukanischen Schriften*. Stuttgart — Berlin — Köln — Mainz 1972.

DILTHEY, W.: *Gesammelte Schriften*. Bd. VII: *Der Aufbau der geschichtlichen Welt in den Geisteswissenschaften*. Stuttgart — Göttingen ²1961.

Dizionario Biografico degli Italiani. Hrsg. von A. M. GHISALBERTI. Rom 1960 ff.

DOBMAYER, M.: *Systema theologiae catholicae*. Opus posthumum cura et studio Theodori Pantaleonis Senestréy editum. 8 Bde. Sulzbach 1807—1819.

DÖLLINGER, J. J. I. von: *Von der Eucharistie in den ersten drei Jahrhunderten. Historisch-theologische Abhandlung*. I. [einziger] Teil. Mainz 1826.

— *Christentum und Kirche in der Zeit der Grundlegung*. Regensburg 1860; ²1868.

— *Die Papstfabeln des Mittelalters. Ein Beitrag zur Kirchengeschichte*. München 1963; Stuttgart ²1890.

— *Erwägungen für die Bischöfe des Conciliums über die Frage der päpstlichen Unfehlbarkeit*. Augsburg 1869.

— *Akademische Vorträge*. 3 Bde. Nördlingen — München 1888—1891.

— *Das Papsttum*. (Neubearbeitung des »Janus«: Der Papst und das Concil durch J. Friedrich). München 1892.

— *Briefe und Erklärungen über die Vatikanischen Dekrete 1869 bis 1887*. Hrsg. von F. H. Reusch. Darmstadt 1968 (Nachdruck).

DÖLLINGER, I. VON — ACTON, LORD: *Briefwechsel 1850—90*. Hrsg. von der Kommission für Bayerische Landesgeschichte, bearb. von V. Conzemius. 3 Bde. München 1963—1971.

DÖLLINGER, J. J. I. VON: siehe JANUS.

DONCKEL, E.: *Reise nach Rom zum 1. Vatikanischen Konzil. Tagebuch von Bischof Nikolaus Adames 15. November 1869—15. Mai 1870*. Luxemburg 1963.

DORFLES, G.: *Demitizzazione e ideologia patologica*. In: E. Castelli: Demitizzazione e ideologia. (Archivo di Filosofia 1973. Bd. 2 und 3). Padua 1973, 279—291.

DOUGALL, H. A. MAC: *The Acton-Newman Relations. The Dilemma of Christian Liberalism*. New York 1962.

DROYSEN, J. G.: *Historik. Vorlesungen über Enzyklopädie und Methodologie der Geschichte*. München und Berlin ²1943.

DUDDEN, F. H.: *The life and times of St. Ambrose*. 2 Bde. Oxford 1935.

DUPANLOUP, F.: *Lettre de Mgr l'évêque d'Orléans au clergé de son diocèse relativement à la définition de l'infaillibilité au prochain concile*. Paris ²1869.

– *Réponse de Mgr l'évêque d'Orléans à Mgr Dechamps.* Paris ⁴1870.

DUPRÉ, G.: *Formation et rayonnement d'une personalité catholique au XIX ème siècle: Le Père Emmanuel D'Alzon (1810—1880).* (Ungedruckte Dissertation der Faculté des Lettres et des Sciences Humaines, Aix-en-Provence). Aix-en-Provence 1971.

DUVAL, A. – CONGAR, Y.: *Le Journal de Mgr. Darboy au Concile du Vatican (1869—1870).* In: RSPhTh 54 (1970) 417—453.

DVORNIK, F.: *The Photian Schism. History and Legend.* Cambridge 1948.

– *The Patriarch Photius in the light of recent research.* In: Berichte zum XI. Internationalen Byzyntinistenkongreß München 1958. München 1959, III, 2 (mit Korreferaten von P. Stephanou und K. Bonis).

– *Byzance et la Primauté Romaine.* Paris 1964.

– *Which Councils are Ecumenical?* In: JES 3 (1966) 314—328.

EBELING, G.: *Kirchengeschichte als Geschichte der Auslegung der Heiligen Schrift.* (Sammlung gemeinverständlicher Vorträge und Schriften aus dem Gebiet der Theologie und Religionsgeschichte, 189). Tübingen 1947.

– *Die Bedeutung der historisch-kritischen Methode.* In: ZThK 47 (1950) 1—46.

– *Die Geschichtlichkeit der Kirche und ihrer Verkündigung als theologisches Problem.* (Sammlung gemeinverständlicher Vorträge und Schriften aus dem Gebiet der Theologie und Religionsgeschichte, 207/208). Tübingen 1954.

EBERHARD, M.: *Hirtenbrief an den Klerus vom 14. September 1870.* In: Kirchlicher Amtsanzeiger 18 (1870) 103—118.

Eglise infaillible ou intemporelle? Hrsg. von B. DUPUY u. a. Paris 1973.

EHRHARD, A.: *Die historische Theologie und ihre Methode.* In: Festschrift S. Merkle zu seinem 60. Geburtstage gewidmet von Schülern und Freunden. Hrsg. unter der Mitwirkung von J. Helm und F. Tillmann von W. Schellberg. Düsseldorf 1922, 117—136.

Eine literarische Fehde zwischen Alt- und Neukatholiken. Herausgegeben von einem katholischen Laien. Mit einem Anhang. Aus brieflichen Mittheilungen von Prof. Dr. Friedrich in München. Heidelberg 1877.

ELRATH, D. MC: *Lord Acton. The Decisive Decade 1864—1874. Essays and Documents.* (Bibliothèque de la Revue d'histoire ecclésiastique, 51). Löwen 1970.

ENGEL-JANOSI, F.: *Die österreichische diplomatische Berichterstattung über das vatikanische Konzil.* In: MIÖG 62 (1954) 595—615.

– *Österreich und der Vatikan 1846—1918.* Bd. I: *Die Pontifikate Pius IX. und Leos XIII. (1846—1903).* Graz – Wien – Köln 1958.

ENIERY, P. MC: *Pope Gregory the Great and Infallibility.* In: JES 11 (1974) 263—280.

ERLECKE, A.: *Die Literatur des römischen Concils 1869 etc. Ein Beitrag zur Bibliographie der Kirchengeschichte.* Leipzig 1871.

EYBEL, J. V.: *Introductio in Jus Ecclesiasticum Catholicorum.* 2 Bde. in 4 Teilen. Wien 1777—1779.

EYNDE, D. VAN DER: *La double édition du »De Unitate« de S. Cyprien.* In: RHE 29 (1933) 5—24.

FABI, J.: *Pro Honorio et Sede Apostolica contra R. P. D. Carolum Josephum de Hefele, ep. Rottenburgensem.* Florenz 1870.

FACCHINI, T.: *Il papato principio di unità e Pietro Ballerini di Verona. Dal concetto di unità ecclesiastica al concetto di monarchia infallibile.* Padua 1950.

FEBRONIUS J. [WEIHBISCHOF NIKOLAUS VON HONTHEIM]: *De statu ecclesiae et legitima potestate romani pontificis ad reuniendos dissidentes in religione christianos compositus.* 5 Bde. Bouillon – Frankfurt 1763.

FERNESSOLE, P.: *Pie IX pape.* 2 Bde. Paris 1960—63.

FERRALI, S.: *Il Concilio Vaticano I in lettere e carte di Mons. Bindi*. In: RSTI 16 (1952) 108—127.

FESSLER, J.: *Die wahre und die falsche Unfehlbarkeit der Päpste. Zur Abwehr gegen Herrn Prof. Dr. Schulte.* Wien — Gran — Pest ³1871.

Das Vaticanische Concilium, dessen äußere Bedeutung und innerer Verlauf. Wien — Gran — Pest 1871.

FIGGIS, J. N. — LAURENCE, R. V.: *Selections from the Correspondence of the First Lord Acton.* Bd. I: *Correspondence with Cardinal Newman, Lady Blennerhassett, W. E. Gladstone and others.* London 1917.

FINK, K. A.: *Das Vatikanische Archiv. Einführung in die Bestände und ihre Erforschung unter besonderer Berücksichtigung der deutschen Geschichte.* Rom 1943.

— *Konzilien-Geschichtsschreibung im Wandel?* In: Theologie im Wandel. Festschrift zum 150-jährigen Bestehen der katholisch-theologischen Fakultät an der Universität Tübingen 1817—1967. München — Freiburg 1967, 179—189.

— *Das abendländische Schisma und die Konzilien.* In: Handbuch der Kirchengeschichte. Bd. III/2. Hrsg. von H. Jedin. Freiburg — Basel — Wien 1968, 490—516; 539—588.

— *Zur Geschichte der Kirchenverfassung.* In: Concilium 6 (1970) 531—536.

[FINLAYSON]: *»Bad popes«.* In: Dublin Review 38 (1855) 1—72.

— *Luther.* In: Dublin Review 39 (1855) 1—60.

FINSTERHÖLZL, J.: *Ignaz von Döllinger. Leben und Werk.* (Wegbereiter heutiger Theologie). Graz 1963.

— *Die Kirche in der Theologie Ignaz von Döllingers bis zum ersten Vatikanum.* Aus dem Nachlaß hrsg. von J. Brosseder. (Studien zur Theologie und Geistesgeschichte des neunzehnten Jahrhunderts. Bd. 9). Göttingen 1975.

FLAMAND, J.: *Saint Pierre interroge le Pape.* Paris 1970.

FLIR, A.: *Briefe aus Rom.* Innsbruck 1864.

FOERSTER, H.: *Liber diurnus Romanorum Pontificum. Gesamtausgabe.* Bern 1958.

FOUCHER, L.: *La philosophie catholique en France au XIXe siècle avant la renaissance thomiste et dans son rapport avec elle (1800—1880).* Paris 1955.

FOULON, J. A.: *Histoire de la vie et des oeuvres de Mgr Darboy, archevêque de Paris.* Paris 1889.

FRANCISCIS, P. DE: siehe PIO IX.

FRANCHI, A.: *Il Concilio II di Lione (1274) secondo la Ordinatio Concilii Generalis Lugdunensis. Edizione del testo e note.* (Studi e testei francescani, 33). Rom 1965.

FRANCO, G. G.: *Appunti storici sopra il Concilio Vaticano.* Eingeleitet und bearbeitet von G. Martina. (Miscellanea Historiae Pontificiae. Bd. 33). Roma 1972.

FRANZEN, A.: *Kleine Kirchengeschichte.* Freiburg i. Br. ²1968.

— *Die Katholisch-Theologische Fakultät Bonn im Streit um das erste Vatikanische Konzil, zugleich ein Beitrag zur Entstehungsgeschichte des Altkatholizismus am Niederrhein.* (Bonner Beiträge zur Kirchengeschichte. Bd. 6). Köln 1974.

FRAYSSINOUS, D. L. A.: *Les vrais principes de l'Eglise gallicane sur le gouvernement ecclésiastique, la papauté, les libertés gallicans, la promotion des évêques, les trois concordats et les appels comme d'abus.* Paris 1818.

FREUDENBERGER, TH.: *Die Universität Würzburg und das erste vatikanische Konzil. Ein Beitrag zur Kirchen- und Geistesgeschichte des 19. Jahrhunderts. 1. Teil: Würzburger Professoren und Dozenten als Mitarbeiter und Gutachter vor Beginn des Konzils.* (Quellen und Beiträge zur Geschichte der Universität Würzburg. Bd. I/1). Neustadt a. d. Aisch 1969.

FRIEDBERG, E.: *Sammlung der Aktenstücke zum ersten Vatikanischen Concil mit einem Grundriß der Geschichte desselben.* 2 Bde. Tübingen 1872—1876.

FRIEDRICH, J.: *Tagebuch. Während des Vaticanischen Concils geführt.* Nördlingen ²1873.

554   Quellen und Literatur

- *Die Wortbrüchigkeit und Unwahrhaftigkeit deutscher Bischöfe. Offenes Antwortschreiben an Wilhelm Emmanuel von Ketteler in Mainz.* Konstanz 1873.
- *Der Mechanismus der Vatikanischen Religion. Nach dem Fakultätenbuch der Redemptoristen dargestellt.* Bonn 1875.
- *Briefe Augustin Theiners aus den Jahren 1867—1871.* In: Deutscher Merkur 6 (1875) 73—75.
- *Der Kampf gegen die deutschen Theologen und theologischen Fakultäten in den letzten zwanzig Jahren. Rede gehalten zur Eröffnung der katholisch-theologischen Fakultät an der Hochschule Bern am 11. Dezember 1874.* Bern 1875.
- *Über Wahrheit und Gerechtigkeit. Antwort auf die im Oktober 1875 von den Bischöfen Bayerns bei Sr. Majestät dem König eingereichte Vorstellung.* München 1876.
- *Documenta ad illustrandum Concilium Vaticanum.* 2 Bde. Nördlingen 1877.
- *Geschichte des Vatikanischen Konzils.* 3 Bde. Bonn 1877—1887.
- *Ignaz von Döllinger. Sein Leben aufgrund seines schriftlichen Nachlasses dargestellt.* 3 Bde. München 1899—1901.
- *Meine Briefe an Döllinger aus dem Konzilsjahre 1869/70.* In: IKZ 6 (1916) 27—55; 174—214; 300—334; 401—453.

Aus brieflichen Mittheilungen von J. Friedrich. Heidelberg 1877; siehe: *Eine literarische Fehde.*

FRIES, H.: *»Ex sese, non autem ex consensu Ecclesiae«.* In: Volk Gottes. Zum Kirchenverständnis der katholischen, evangelischen und anglikanischen Theologie. Festgabe für J. Höfer. Hrsg. von R. Bäumer und H. Dolch. Freiburg — Basel — Wien 1967, 480—500.
- *Ist der Papst allein unfehlbar? Ein umstrittener Satz des Ersten Vatikanischen Konzils (1869/70).* In: Wort und Antwort 9 (1968) 65—72.

FROHSCHAMMER, J.: *Das Recht der eigenen Überzeugung.* Leipzig 1869.

FROMMANN, TH.: *Geschichte und Kritik des Vaticanischen Concils von 1869 und 1870.* Gotha 1872.

FROND, V.: *Actes et Histoire du Concile de Rome.* Bd. V—VII: *Biographie, portraits et autographes des Pères du Concile premier du Vatican.* Paris 1871.

FUHRMANN, H.: *Konstantinische Schenkung und Silvesterlegende in neuer Sicht.* In: DAM 15 (1959) 523—540.
- *Die Fälschungen im Mittelalter.* (Mit Diskussionsbeiträgen von K. Bosl, H. Patze und A. Nitschke). In: HZ 197 (1963) 529—601.
- *Konstantinische Schenkung und abendländisches Kaisertum.* In: DAM 22 (1966) 63—178.
- *Päpstlicher Primat und Pseudoisidorische Dekretalen.* In: QFIAB 49 (1969) 313—339.
- *Einfluß und Verbreitung der pseudoisidorischen Fälschungen. Von ihrem Auftauchen bis in die neuere Zeit.* (Schriften der Monumenta Germaniae historica. Bd. 24/I—III). Stuttgart 1972—1974.

FUNK, F. X.: *Die Berufung der ökumenischen Synoden des Altertums.* In: Kirchengeschichtliche Abhandlungen und Untersuchungen 1 (1897) 39—86.
- *Die päpstliche Bestätigung der acht ersten allgemeinen Synoden.* In: Kirchengeschichtliche Abhandlungen und Untersuchungen 1 (1897) 87—121.

GABEL, J.: *Ideologie und Schizophrenie. Formen der Entfremdung.* Frankfurt a. M. 1967.

GADILLE, J.: *La pensée et l'action politique des évêques français au début de la IIIᵉ République 1870—1883.* 2 Bde. Paris 1967.
- *Albert du Boÿs. Ses »Souvenirs du Concile du Vatican, 1869—1870«. L'intervention du gouvernement impérial à Vatican I.* (Bibliotèque de la Revue d'Histoire Ecclésiastique. Bd. 46). Löwen 1968.
- *La phase décisive de Vatican I: mars—avril 1870.* In: AHC 1 (1969) 336—347.

GALLATI, F. M.: *Wenn die Päpste sprechen. Das ordentliche Lehramt des Apostolischen Stuhles und die Zustimmung zu dessen Entscheidungen.* Wien 1960.

GALLETTI, P.: *Memorie storiche intorno al Padre Ugo Molza e alla Compagnia di Gesù in Roma durante il secolo XIX*. Rom 1912.

– *Memorie storiche intorno alla Provincia Romana della Compagnia di Gesù 1814—1870*. Bd. II: 1849—1870. Rom 1939.

GALLUS, T.: *Primatus infallibilitatis in metaphora »Petrae« indicatus (Mt 16, 18)*. In: VD 30 (1952) 193—204.

– *De primatu infallibilitatis ex Mt 16, 13 eruendo*. In: VD 33 (1955) 209—214.

GAMS, P. B.: *Verhandlungen der Versammlung katholischer Gelehrter in München vom 28. Sept. – 1. Okt. 1863*. Regensburg 1863.

GANNON, M. V.: *Rebel Bishop. The life and era of Augustin Vérot*. Milwaukee 1964.

GANZER, K.: *Bischof Matthias Eberhard von Trier und das 1. Vatikanische Konzil*. In: TTHZ 79 (1970) 208—229.

– *Reaktionen gegen das 1. Vatikanische Konzil im Bistum Trier*. In: AMK 23 (1971) 209—231.

GAQUÈRE, F.: *Pierre de Marca (1594—1662). Sa vie, ses oeuvres, son gallicanisme*. Paris 1932.

GATZ, E.: *Bischof Philippus Krementz und die Rezeption des Ersten Vatikanischen Konzils im Bistum Ermland*. In: AHC 4 (1972) 106—187.

GAUDEMET, J.: *L'Eglise dans l'Empire Romaine (IVe – Ve siècles)*. (Histoire du Droit et des Institutions de l'Eglise en Occident. Bd. 3). Paris 1958.

GEISELMANN, J. R.: *Die lebendige Überlieferung als Norm des christlichen Glaubens. Die apostolische Tradition in der Form der kirchlichen Verkündigung — das Formalprinzip des Katholizismus dargestellt im Geiste der Traditionslehre von Joh. Ev. Kuhn*. (Die Überlieferung in der neueren Theologie. Bd. 3). Freiburg i. Br. 1959.

GEANAKOPLOS, D. J.: *Emperor Michael Palaeologus and the West (1258—1282). A Study in Byzantine-Latin Relations*. Cambridge/Mass. 1959.

– *Byzantine East and Latin West: Two Worlds of Christendom in Middle Ages and Renaissance. Studies in Ecclesiastical and Cultural History*. Oxford 1966.

GEIGER, H.: *Gregor von Scherr, Erzbischof von München-Freising (O.S.B.) 1804—1877. In seinem Leben und Wirken geschildert*. München 1877.

GERDIL, G. S.: *Opuscula quatuor ad hierarchicam Ecclesiae constitutionem pertinentia*. Bologna 1789.

GÉRIN, CH.: *Recherches historiques sur l'assemblée du Clergé de France de 1682*. Paris 1869.

GETZENY, H.: *Stil und Form der ältesten Papstbriefe bis auf Leo den Großen*. Günzburg 1922.

GILG, O.: *Der antivatikanische Zeugenchor nach dem 18. Juli 1870*. In: IKZ 60 (1970) 60—84.

GILL, J.: *The Council of Florence*. Oxford 1964.

– *Personalities of the Council of Florence and other essays*. Oxford 1964.

– *Konstanz und Basel – Florenz*. (Geschichte der ökumenischen Konzilien. Bd. 9). Mainz 1967.

GISIGER, H.: *P. Theiner und die Jesuiten. Rückerinnerungen an P. Theiner, Präfekten des vatikanischen Archivs*. (Bilder aus der Geschichte der katholischen Reformbewegung des 18. und 19. Jahrhunderts. Hrsg. von J. Rieks. 1. Serie, 1. Bd., 5. und 6. Heft). Mannheim 1875.

GIUSTI, M.: *L'archivio del Concilio Vaticano Primo*. In: L'Osservatore della Domenica 36 Nr. 50 (14. Dezember 1969) 6—10.

GLADSTONE, W. E.: *The Vatican Decrees in their bearing on Civil Allegiance. A Political Expostulation*. London 1874.

– *Reden Pius' IX*. Nördlingen 1876.

GLOMBITZA, O.: *Petrus — der Freund Jesu. Überlegungen zu Joh. XXI, 15ff*. In: NovT 6 (1963) 277—285.

GMEINER, F. X.: *Institutiones juris ecclesiastici ad principia juris naturae et civitatis adornatae et Germaniae accomodatae*. 2 Bde. Graz 1782.

Gómez-Heras, J. M. G.: *Presencia de la fe y del magistero en la inteligencia y progreso del dogma segun el concilio vaticano I.* In: AHC 3 (1971) 98—136.

Gooch, G. P.: *Geschichte und Geschichtsschreibung im 19. Jahrhundert.* Frankfurt a. M. 1964.

Götten, J.: *Christoph Moufang, Theologe und Politiker 1817—1890. Eine biographische Darstellung.* Mainz 1969.

Grabowski, St. J.: *Saint Augustine and the Primacy of the Roman Bishop.* In: Traditio 4 (1946) 89—113.

— *The Church. An Indroduction to the Theology of St. Augustine.* St. Louis — London 1957.

Granderath, Th.: *Geschichte des Vatikanischen Konzils von seiner ersten Ankündigung bis zu seiner Vertagung. Nach den authentischen Dokumenten dargestellt.* Hrsg. von K. Kirch. 3 Bde. Freiburg i. Br. 1903—1906.

Gratry, A. J. A.: *M. L'Evêque d'Orléans et Mgr L'Archevêque de Malines. 1ère — 4ème Lettre à Mgr Dechamps.* Paris 1870.

Gregorio XVI [Cappellari, M.]: *Il trionfo della Santa Sede e della Chiesa contro gli assalti dei Novatori combattuti e respinti colle stesse loro armi.* Venedig 1799; zitierte Auflage Venedig 1832.

Gregorovius, F.: *Römische Tagebücher.* Hrsg. von F. Althaus. Stuttgart 1892.

Grillmeier, A.: *Konzil und Rezeption.* In: ThPh 45 (1970) 321—352.

Grotz, H.: *Der wissenschaftstheoretische Standort der Kirchengeschichte heute.* In: ZKTh 92 (1970) 146—166.

Gruber, S.: *Mariologie und katholisches Selbstbewußtsein. Ein Beitrag zur Vorgeschichte des Dogmas von 1854 in Deutschland.* (Beiträge zur neueren Geschichte der katholischen Theologie. Bd. 12). Essen 1970.

Gualco, D.: *L'infallibilità del Papa.* Rom 1870.

[Guanzelli, G. M.]: *Indicis librorum expurgandorum in studiosorum gratiam confecti per Fr. Jo. Mariam Brasichellen.* Rom 1607.

Guédon, F.: *Autour du concile du Vatican* [Briefe von Bischof Foulon von Nancy]. In: Les Lettres 15 (1928) 18—34; 190—206; 314—331.

Gülzow, H.: *Cyprian und Novatian. Der Briefwechsel zwischen den Gemeinden in Rom und Karthago zur Zeit der Verfolgung des Kaisers Decius.* (Beiträge zur historischen Theologie, 48). Tübingen 1975.

Guéranger, P.: *De la monarchie pontificale à propos du livre de Mgr l'Evêque de Sura.* Paris 1870.

Guettée, R. F. W.: *Histoire de l'église de France composée sur les documents originaux et authentiques.* 7 Bde. Paris 1847.

Guilday, P.: *A History of the Councils of Baltimore 1791—1884.* New York 1932.

Gurian, W.: *Die politischen und sozialen Ideen des französischen Katholizismus 1789/1914.* Mönchen-Gladbach 1929.

Haacke, W.: *Die Glaubensformel des Papstes Hormisdas im Acacianischen Schisma.* (Analecta Gregoriana. Bd. 20). Rom 1939.

Hagen, A.: *Hefele und das Vatikanische Konzil.* In: ThQ 123 (1942) 223—252.

— *Die Unterwerfung des Bischofs Hefele unter das Vatikanum.* In: ThQ 124 (1943) 1—40.

— *Gestalten aus dem schwäbischen Katholizismus.* Bd. II. Stuttgart 1950.

Hahn, F.: *Die Petrusverheissung Mt 16, 18f. Eine exegetische Skizze.* In: MD 21 (1970) 8—13.

Hajjar, J.: *L'épiscopat catholique oriental et le 1er Concile du Vatican d'après la correspondance diplomatique française.* In: RHE 65 (1970) 423—455; 737—788.

Hales, E. E. Y.: *Pio IX. A study in European politics and religion in the XIXth Century.* London 1954.

HALLER, J.: *Das Papsttum. Idee und Wirklichkeit.* 5 Bde. München 1965.

HAMMANS, H.: *Die neueren katholischen Erklärungen der Dogmenentwicklung.* (Beiträge zur neueren Geschichte der katholischen Theologie. Bd. 7). Essen 1965.

HARNACK, AD. VON: *Aus der Werkstatt des Vollendeten als Abschluß seiner Reden und Aufsätze.* (Reden und Aufsätze. Bd. 5. Hrsg. von Axel von Harnack). Gießen 1930.

HASE, K. VON: *Handbuch der protestantischen Polemik gegen die römisch-katholische Kirche.* Leipzig ⁵1890.

HASEMANN, J.: *Papst Pius IX. Ein Bild seiner Persönlichkeit, seines Lebens und seiner Kirchenleitung.* Leipzig 1878.

HASLER, A.: *Rom — Wittenberg — Genf. Kirchenamtlicher Dialog in der Krise.* In: Begegnung. Beiträge zu einer Hermeneutik des theologischen Gesprächs. Festschrift für H. Fries. Hrsg. von M. Seckler, O. H. Pesch, J. Brosseder und W. Pannenberg. Graz — Wien — Köln 1972, 389—401.

HAYWARD, F.: *Pie IX et son temps.* Paris 1948.

HEFELE, C. J.: *Conciliengeschichte. Nach den Quellen bearbeitet.* 9 Bde. Bd. VIII und IX von J. Hergenröther. Freiburg i. Br. 1855—1890; Bd. I—VI ²1873 — 90.

— *Honorius und das sechste allgemeine Concil. Autorisierte Übersetzung. Mit einem Nachwort des Verfassers.* Tübingen 1870.

— *Die Honorius-Frage. Aus dem Lateinischen übersetzt von H. Rump.* Münster 1870.

— *Causa Honorii Papae.* Neapel 1870.

— *Defensio Episcopi Rottenburgensis.* Neapel 1870.

HEILER, F.: *Altkirchliche Autonomie und päpstlicher Zentralismus.* München 1941.

HENNESEY, J.: *J. A. Corcorans Mission to Rome 1868—69.* In: CHR 48 (1962) 157—181.

— *The first Vatican Council. The American Experience.* New York 1963.

— *»Nunc venio de America«. The American Church and Vatican I.* In: AHC 1 (1969) 348 bis 373.

— *National Traditions and the First Vatican Council.* In: AHP 7 (1969) 491—512.

HERGENRÖTHER, J.: *Die »Irrthümer« von mehr als vierhundert Bischöfen und ihr theologischer Censor. Ein Beitrag zur Würdigung der von Herrn Döllinger veröffentlichten »Worte über die Unfehlbarkeitsadresse«.* Freiburg 1870.

— *Anti-Janus. Eine historisch-theologische Kritik der Schrift: Der Papst und das Konzil v. Janus.* Freiburg i. Br. 1870.

HEYER, F.: *Die katholische Kirche von 1648 bis 1870.* In: Die Kirche in ihrer Geschichte. Ein Handbuch. Hrsg. von K. D. Schmidt und E. Wolf. Bd. IV/1. Göttingen 1963.

HIPPCHEN, J.: *Die Stellung der deutschen Bischöfe und Gelehrten zum Vatikanischen Konzil in der Frage der päpstlichen Unfehlbarkeit.* (Ungedruckte theologische Dissertation). Wien 1940.

HINSCHIUS, P.: *Decretales Pseudo-Isidorianae et Capitula Angilramni.* Leipzig 1843.

HOCEDEZ, E.: *Histoire de la Théologie au XIXᵉ siècle.* 3 Bde. Brüssel 1947—1952.

HÖDL, L.: *Wie fehlbar und unfehlbar ist die kirchliche Lehrverkündigung?* In: ThPh 48 (1973) 174—193.

HÖTZL, P.: *Ist Döllinger Häretiker?* München ²1870.

HOFFMANN, P.: *Der Petrus-Primat im Matthäusevangelium.* In: Das Papsttum in der Diskussion. Hrsg. von G. Denzler. Regensburg 1974, 9—35.

HOFMANN, F.: *Der Kirchenbegriff des hl. Augustinus in seinen Grundlagen und in seiner Entwicklung.* München 1933.

HOFMANN, G.: *Papato, conciliarismo, patriarcato.* In: Miscellanea Historiae Pontificiae 2 (1940) 1—82.

HOFMANN, W.: *Wissenschaft und Ideologie.* In: ARSP 53 (1967) 197—213.

– *Universität, Ideologie, Gesellschaft. Beiträge zur Wissenschaftssoziologie.* (edition suhrkamp, 261). Frankfurt a. M. 1968.

Denkwürdigkeiten des Fürsten Chlodwig zu Hohenlohe-Schillingsfürst. Hrsg. von F. Curtius. 2 Bde. Stuttgart – Leipzig 1906.

Zur Orientierung über die Honoriusfrage. In: Das ökumenische Concil. Hrsg. von M. Scheeben. Regensburg – New York – Cincinnati 1870, II 91—118; II 163—167; II 202—204.

HORST, F. V. D.: *Das Schema über die Kirche auf dem 1. Vatikanischen Konzil.* (Konfessionskundliche und kontroverstheologische Studien. Bd. 7). Paderborn 1963.

HORST, U.: *Papst, Bischöfe und Konzil nach Antonin von Florenz.* In: RThAM 32 (1965) 76—116.

– *Kirche und Papst nach Dominicus Bañez.* In: FZThPh 18 (1971) 213—254.

HOUTEPEN, W. J.: *Onfeilbaarheid en hermeneutiek. De betekenis van het infallibilitas-concept op Vaticanum I.* Brügge 1973.

HÜNERMANN, P.: *Der Durchbruch geschichtlichen Denkens im 19. Jahrhundert. Johannes Gustav Droysen, Wilhelm Dilthey, Graf Paul Yorck v. Wartenburg. Ihr Weg und ihre Weisung für die Theologie.* Freiburg 1967.

HURTER, H.: *Nomenclator literarius theologiae catholicae, theologos exhibens aetate, natione, disciplinis distinctos.* 6 Bde. Innsbruck 1903—1913; Neudruck: New York [o. J.] 1963.

JACINI, S.: *Il tramonto del potere temporale nelle relazioni degli ambasciatori austriaci a Roma.* Bari 1931.

JACQUES, J.: *Du Pape et du concile, ou doctrine complète de S. Alphonse de Liguori sur ce double sujet. Traités traduits, classés et annotés.* Paris 1869.

JACQUIN, R.: *Comment comprendre »Ab his qui sunt undique« dans le texte de saint Irénée sur l'Eglise de Rome.* In: RevSR 24 (1950) 72—87.

JANUS, [J. J. I. v. DÖLLINGER]: *Der Papst und das Concil. Eine weiter ausgeführte und mit dem Quellennachweis versehene Neubearbeitung der in der Augsburger Allgemeinen Zeitung erschienenen Artikel: Das Concil und die Civiltà.* Leipzig 1869.

JARNO, E.: *Zur Geschichte der Beziehungen zwischen Ketteler und Dupanloup.* In: Jahrbuch für das Bistum Mainz (Festgabe A. Stohr) 5 (1950) 442—454.

JEANTET, L.: *Le cardinal Mermillod.* Paris 1906.

JEDIN, H.: *Krisis und Wendepunkt des Trienter Konzils. Die neuentdeckten Geheimberichte des Bischofs Gualterio von Viterbo an den heiligen Karl Borromäus erstmals herausgegeben und gewürdigt.* Würzburg 1941.

– *Die Geschäftsordnungen der beiden letzten ökumenischen Konzilien in ekklesiologischer Sicht.* In: Catholica 14 (1960) 105—118.

– (Hrsg.): *Handbuch der Kirchengeschichte.* 6 Bde. Freiburg – Basel – Wien 1962 ff.

– *Der Abschluß des Trienter Konzils 1562/63. Ein Rückblick nach vier Jahrhunderten.* (Katholisches Leben und Kämpfen im Zeitalter der Glaubensspaltung. Verreinsschriften der Gesellschaft zur Herausgabe des Corpus Catholicorum, 21). Münster 1963.

– *Ursprung und Durchbruch der Katholischen Reform bis 1563.* In: Handbuch der Kirchengeschichte. Hrsg. von H. Jedin. Bd. IV. Freiburg – Basel – Wien 1967, 449—520.

– *Kirchengeschichte ist Theologie und Geschichte.* In: Kirchengeschichte heute. Geschichtswissenschaft oder Theologie? Hrsg. von R. Kottje. Trier 1970, 33—48.

Augustin Theiner zum 100. Jahrestag seines Todes am 9. August 1874. In: Archiv für schlesische Kirchengeschichte 31 (1973) 134—176.

La infallibilità pontificia e la libertà. Pensieri critici di un filosofo pratico. Neapel 1873.

Index Librorum prohibitorum SSmi D. N. Pii PP. XII iussu editus. Vatikan 1940.

ISERLOH, E.: *Was ist Kirchengeschichte?* In: Kirchengeschichte heute. Geschichtswissenschaft oder Theologie? Hrsg. von R. Kottje. Trier 1970, 10—32.

– *Wilhelm Emmanuel von Ketteler zur Infallibilität des Papstes.* In: Konzil und Papst. Historische Beiträge zur Frage der höchsten Gewalt in der Kirche. Festgabe für H. Tüchle. Hrsg. von G. Schwaiger. München – Paderborn – Wien 1975, 521—542.

KASPER, W.: *Die Lehre von der Tradition in der Römischen Schule.* (Die Überlieferung in der neueren Theologie. Bd. 5). Freiburg – Basel – Wien 1962.

– *Schrift — Tradition — Verkündigung.* In: Ders.: Glaube und Geschichte. Mainz 1970, 159—196.

Kleiner katholischer Katechismus von der Unfehlbarkeit. Ein Büchlein zur Unterweisung von einem Vereine katholischer Geistlicher. Köln – Leipzig 1872.

KEENAN, ST.: *Controversial Catechism; or Protestantism refuted and Catholicism established, by an appeal to the Holy Scriptures, the Testimony of the Holy Fathers, and the Dictates of Reason; in which such portions of Scheffmacher's Catechism, as suit modern controversy, are embodied.* Edinburgh – Dundee – Glasgow 1846

KESSLER, E.: *Johann Friedrich (1836—1917). Ein Beitrag zur Geschichte des Altkatholizismus.* (Miscellanea Bavarica Monacensia, Heft 55). München 1975.

KETTELER, W. E. FREIHERR VON: *Die Minorität auf dem Concil. Antwort auf Lord Actons Sendschreiben an einen deutschen Bischof des Vaticanischen Concils.* Mainz 1870.

– *Das unfehlbare Lehramt des Papstes nach der Entscheidung des vaticanischen Concils.* Mainz 1871; zum größten Teil auch abgedruckt in: Katholik 25 (1971) 301—343.

Ein Brief des Hochwürdigsten Herrn Wilhelm Emmanuel Freiherrn von Ketteler Bischofs von Mainz über die von Dr. Friedrich und Dr. Michelis 9. Februar 1873 in Konstanz gehaltenen Reden. Freiburg i. Br. 1873.

Freiherr von Ketteler und die übrigen Bischöfe der Minorität als Märtyrer der Überzeugung. Freunden der Wahrheit bei Gelegenheit des 25jährigen Jubiläums des Bischofs von Mainz gewidmet vom Verein zur Unterstützung der katholischen Reformbewegung in Mainz. Mainz 1875.

KIDD, B. J.: *The Roman Primacy to 461.* London 1936.

KLEIN, G.: *Die Verleugnung des Petrus. Eine traditionsgeschichtliche Untersuchung.* In: ZThK 58 (1961) 285—328.

[KLEUTGEN, J.]: *De Romani Pontificis suprema docendi potestate disputatio theologica.* Neapel 1870.

KLINKENBERG, H. M.: *Der römische Primat im 10. Jahrhundert.* In: ZSavRGkan 41 (1955) 1—57.

KLÜPFEL, E.: *Institutiones theologicae dogmaticae.* 2 Teile. Wien 1789.

[KNAUER, V.]: *Malleus Haereticorum das ist: Römisch-katholische Briefe zur gründlichen Abfertigung der schrecklich um sich greifenden altkatholischen Ketzereien.* Prag 1872.

KNOPP, J. N.: *Dr. Philippus Krementz, Erzbischof von Köln. Ein Lebens- und Zeitbild.* Trier 1885.

KOCH, H.: *Cyprian und der römische Primat.* Leipzig 1910.

– *Cyprianische Untersuchungen.* (Arbeiten zur Kirchengeschichte, 4). Bonn 1926.

– *Cathedra Petri. Neue Untersuchungen über die Anfänge der Primatslehre.* (Beihefte zur Zeitschrift für die neutestamentliche Wissenschaft, 11). Gießen 1930.

KÖHLER, O.: *Bewußtseinsstörungen im Katholizismus.* Frankfurt a. M. 1972.

KOPP, M.: *Der Altkatholizismus in Deuschland (1871—1912).* Bern – Kempten 1913.

KOROLEVSKIJ, C.: *Histoire des patriarches melchites (Alexandrie, Antioche, Jérusalem) depuis le schisme monophysite du sixième siècle jusqu'à nos jours.* 3 Bde. Rom 1910—1911.

KOTTJE, R. (Hrsg.): *Kirchengeschichte heute. Geschichtswissenschaft oder Theologie?* Trier 1970.

KOVÁCS, E.: *Die Bedenken des Kardinals Joseph Othmar von Rauscher, Fürsterzbischof von Wien 1853—1875, zur Dogmatisierung der päpstlichen Unfehlbarkeit während des Ersten Vaticanums 1869/70.* In: Festschrift F. Loidl zum 65. Geburtstag. 3 Bde. Wien 1971, III 94—121.

KRAHL, W.: *Ökumenischer Katholizismus. Alt-Katholische Orientierungspunkte und Texte aus 2 Jahrtausenden.* Bonn 1970.

KRAUS, F. X.: *Tagebücher.* Hrsg. von H. Schiel. Köln 1957.

KREUZER, G.: *Die Honoriusfrage im Mittelalter und in der Neuzeit.* (Päpste und Papsttum. Bd. 8). Stuttgart 1975.

KÜMMERINGER, H.: *Es ist Sache der Kirche, »iudicare de vero sensu et interpretatione scripturarum sanctarum«. Zum Verständnis dieses Satzes auf dem Tridentinum und Vaticanum I.* In: ThQ 149 (1969) 282—296.

KÜNG, H.: *Unfehlbar? Eine Anfrage.* Zürich — Einsiedeln — Köln 1970.

— (Hrsg.): *Fehlbar? Eine Bilanz.* Zürich — Einsiedeln — Köln 1973.

KÜPPERS, W.: *Die Altkatholische Position heute im Rückblick auf Vatikanum I.* In: IKZ 60 (1970) 124—167.

KUTTNER, ST.: *L'édition Romaine des conciles généraux et les actes du premier concile de Lyon.* In: Miscellanea historiae Pontificiae III, 4—5 (1940) 73—83.

LAGRANGE, F.: *Vie de Mgr Dupanloup.* 3 Bde. Paris 1883—1884.

LAMENNAIS, F. R. DE: *Essai sur l'indifférence en matière de religion.* In: Ders.: Œuvres complètes. Bd. I—IV. Paris 1836—1837.

De la religion considérée dans ses rapports avec l'ordre politique et civil. In: Ders.: Œuvres complètes. Bd. VII. Paris 1836—1837.

Das Tagebuch des Hochwürdigsten Herrn Abtes Utto Lang von Metten beim allgemeinen Konzil in Rom 1869—70. In: Alt- und Jungmetten 1 (1926/27) 86—88; 121—125; 2 (1927/28) 10—15; 80—83; 120—123; 3 (1928/29) 15—17; 59—61; 88—91; 115—117; 6 (1931/32) 35—40; 78—80; 7 (1932/33) 8—11; 50—52; 81—84; 110—112; 8 (1933/34) 20—24; 89—91; 124—126; 9 (1934/35) 77—80.

Abt Utto Lang (1806—1884). Briefe vom Vatikanischen Konzil. In: Alt- und Jungmetten 16 (1939/40) 27—31; 51—55.

LANGEN, J.: *Das vatikanische Dogma von dem Universal-Episkopat und der Unfehlbarkeit des Papstes.* 4 Bde. Bonn 1871—1876.

LANGLOIS, CL.: *L'infaillibilité, une idée neuve au XIXe siècle.* In: Eglise infaillible ou intemporelle? Paris 1973, 63—78.

— *Die Unfehlbarkeit — eine neue Idee des 19. Jahrhunderts.* In: Fehlbar? Eine Bilanz. Hrsg. von H. Küng. Zürich — Einsiedeln — Köln 1973, 146—160.

LATREILLE, C.: *Joseph de Maistre et la papauté.* Paris 1906.

LECCISOTTI, T.: *In Margine al Primo Concilio Vaticano.* Montecassino 1962.

LEFÈBVRE, H.: *Probleme des Marxismus heute.* Frankfurt a. M. 1965.

LEMBERG, E.: *Ideologie und Gesellschaft. Eine Theorie der ideologischen Systeme, ihrer Struktur und Funktion.* Stuttgart — Berlin — Köln — Mainz 1971.

LEMOYNE, G. B.: *Memorie biografiche di San Giovanni Bosco.* 20 Bde. Bd. X hrsg. von A. Amadei, Bd. XI—XX hrsg. von E. Ceria. Turin 1898—1939.

— *Vita del venerabile servo di Dio Giovanni Bosco.* 2 Bde. Turin 1927.

LENHART, L.: *Kettelers Briefe vom Vaticanum an Domdekan Heinrich.* In: AMK 4 (1952) 307 bis 325.

— *Des Ketteler-Sekretärs J. M. Raich Vaticanum-Briefe an den Mainzer Domdekan Dr. J. B. Heinrich.* In: AMK 6 (1954) 208—226.

— *Regens Moufang von Mainz als Konsulator zur Vorbereitung des Vaticanums im Lichte seines römischen Tagebuches.* In: AMK 9 (1957) 227—255.

— *Bischof Ketteler.* 3 Bde. Mainz 1966—1968.

LEONARDI, CL.: *Per la storia dell'edizione Romana dei concili ecumenici (1608—1612) da Antonio Augustin a Francesco Aduarte.* In: Mélanges Eugène Tisserant, 6. (Studi e testi, 236). Vatikan 1964, 583—637.

LE PAGE RENOUF, P.: *The condemnation of Pope Honorius.* London 1868.
— *The case of Pope Honorius reconsidered with reference to recent apologies.* London 1869.

LEQUEUX, J. F. M.: *Manuale compendium iuris cononici ad usum seminariorum iuxta temporum circumstantias accomodatum.* 4 Bde. Paris ³1850—1851.

LESLIE, S.: *Cardinal Manning. His life and labours.* New York 1954.

LETI, G.: *Roma e lo Stato Pontificio dal 1849 al 1870.* 2 Bde. Ascoli-Piceno ²1911.

LETO, POMPONIO [NOBILI-VITELLESCHI, F.]: *Otto mesi a Roma durante il Concilio Vaticano. Impressioni di un contemporaneo.* Florenz 1873.

LETURIA, P.: *El viaje a América del futuro Pontífice Pio IX 1823—1825.* In: Xenia Piana SSmo Dno Nro Pio Papae XII a Fac. Hist. Eccl. in Pont. Univ. Gregoriana dicata. (Miscellanea Historiae Pontificiae. Bd. 7). Rom 1943, 367—444.

LEVISON, W.: *Konstantinische Schenkung und Silvester-Legende.* In: Miscellanea F. Ehrle, 2. (Studi e testi, 38). Vatikan 1924, 159—247.

Lexikon für Theologie und Kirche. 10 Bde. 1. Auflage hrsg. von M. BUCHBERGER. Freiburg i. Br. 1930—1938; 2. Auflage hrsg. von J. HÖFER und K. RAHNER. Freiburg i. Br. 1957—1965.

LIBERATORE, M.: *L'infallibilità pontificia ed il gallicanesimo.* In: La Civiltà Cattolica, Serie VII, vol. 3 (1868) 513—531.

Liber diurnus siehe FOERSTER, H.

LIEBER, H. J. — BÜTOW, H. G.: *Ideologie.* In: Sowjetsystem und demokratische Gesellschaft. Eine vergleichende Enzyklopädie. Bd. III. Freiburg — Basel — Wien 1969, 1—25.

LIGUORI, ALFONS MARIA VON: *Opere ascetiche, dogmatiche e morali.* 10 Bde. Turin 1887.

LILL, R.: *Zur Verkündigung des Unfehlbarkeitsdogmas in Deutschland.* In: Geschichte in Wissenschaft und Unterricht 14 (1963) 469—483.
— *Die ersten deutschen Bischofskonferenzen.* Freiburg—Basel—Wien 1964; auch in: RQ 59 (1964) 127—185; 60 (1965) 1—75.
— *Die deutschen Theologieprofessoren vor dem Vatikanum I im Urteil des Münchener Nuntius.* In: Reformata Reformanda. Festgabe für H. Jedin. Hrsg. von E. Iserloh und K. Repgen. Münster 1965, II 483—508.
— *Historische Voraussetzungen des Dogmas vom Universalepiskopat und von der Unfehlbarkeit des Papstes.* In: StdZ 95 (1970) 289—303.

LIVERANI, F.: *Il papato, l'impero e il Regno d'Italia. Memoria.* Florenz ³1861.

LODOLINI, A.: *L'archivio di Stato di Roma.* Rom 1960.

LÖSCH, ST.: *Döllinger und Frankreich. Eine geistige Allianz 1823—1871.* München 1955.

LOEWENBERG, P.: *Psychohistorical Perspectives on Modern German History.* In: Journal of Modern History 47 (1975) 229—279.

LOEWENICH, W. V.: *Der moderne Katholizismus. Erscheinung und Problem.* Witten 1955.

LOOFS, F.: *Symbolik oder christliche Konfessionskunde.* (Grundriß der theologischen Wissenschaften, 1). Tübingen 1902.

LORTZ, J.: *Geschichte der Kirche in ideengeschichtlicher Sicht.* 22./23. Auflage. Münster 1965.

LUDWIG, J.: *Der heilige Martyrerbischof Cyprian von Karthago. Ein kulturgeschichtliches und theologisches Zeitbild aus der afrikanischen Kirche des 3. Jahrhunderts.* München 1951.
— *Die Primatsworte Mt 16, 18, 19 in der altkirchlichen Exegese.* (Neutestamentliche Abhandlungen. Bd. XIX, 4). Münster 1952.

LÜTCKE, K. H.: *»Auctoritas« bei Augustin.* (Tübinger Beiträge zur Altertumswissenschaft, 44). Stuttgart — Berlin — Köln — Mainz 1968.

LUZERNE, C. G. DE LA: *Dissertation sur la Déclaration de l'assemblée du clergé de France de 1682.* Paris 1821.

MAASS, F.: *Der Josephinismus.* (Fontes rerum Austriacarum II, Bd. 71—75). Wien 1951—1961.

MACCARRONE, M.: *Una questione inedita dell' Olivi sull'infallibilità del papa.* In: RSTI 3 (1949) 309—343.

— *Il Concilio Vaticano I e il Giornale di Mons. Arrigoni.* 2 Bde. Padua 1966.

MAI, P.: *Bischof Ignatius' von Senestréys Aufzeichnungen vom I. Vatikanischen Konzil.* In: AHC 1 (1969) 399—411.

— *Bischof Ignatius von Senestréy als Mitglied der Deputation für Glaubensfragen auf dem I. Vatikanum.* In: Verhandlungen des Historischen Vereins für Oberpfalz 109 (1969) 115—143.

— (Hrsg.): *Ignatius von Senestréy. Beiträge zu seiner Biographie. Festschrift zur 150. Wiederkehr seines Geburtstages.* Bärnau 1968.

MAIOLI, G.: *Pio IX. Da Vescovo a Pontefice. Lettere al Card. Luigi Amat (Agosto 1839 — Luglio 1848).* (Collezione storica del Risorgimento italiano. Serie II, Bd. 38). Modena 1949.

MAISTRE, J. DE: *Du pape.* Lyon 1819.

— *Considérations génerales sur la France.* London (Lausanne) 1796.

— *De l'Eglise gallicane dans ses rapports avec le Souverain Pontife.* Lyon 1821.

— *Correspondance IV (1811—1814).* In: Ders.: *Œuvres complètes.* Nouvelle édition. 14 Bde. Lyon 1884—1886.

— *Vom Papste.* Übersetzt von M. Lieber, hrsg. von J. Bernhart. 2 Bde. München 1923.

MAMACHI, TH. M.: *De ratione regendae christianae reipublicae deque legitima romani pontificis potestate.* 3 Bde. Rom 1776—1778.

— *Pisti Alethini epistolarum ad auctorem anonymum opusculi anonymi: Quid est Papa?* 2 Bde. Rom 1787.

MANNING, H. E.: *Vernunft und Offenbarung, oder das Wirken des heiligen Geistes auf Erden.* Regensburg 1867.

— *The Oecumenical Council and the infallibility of the Roman Pontiff. A Pastoral Letter to the Clergy.* London ²1869.

— *Die wahre Geschichte des Vaticanischen Concils.* Autorisierte Übersetzung von W. Bender. Berlin 1877.

MANSI, J. D.: *Sacrorum conciliorum nova et amplissima collectio.* Neudruck und Fortsetzung hrsg. von L. Petit und J. B. Martin. 60 Bde. Paris 1899—1927; Arnhem — Leipzig 1923—1927; unveränderter Nachdruck Graz 1960—1961.

MANUEL, F. E.: *The Use and Abuse of Psychology in History.* In: Daedalus. Journal of the American Academy of Arts and Sciences 100 (1971) 187—213.

MARCILHACY, CH.: *Le Diocèse d'Orléans sous l'épiscopat de Mgr Dupanloup 1849—1878.* Paris 1962.

MARCHESE, V.: *Le mie impressioni al Concilio Vaticano.* Saluzzo 1912.

MARET, H. L. C.: *Du Concile général et de la paix religieuse — Première Partie. La constitution de l'Eglise et la periodicité des Conciles généraux. Memoire soumis au prochain Concile oecuménique du Vatican.* 2 Bde. Paris 1869.

MARGERIES, A. DE: *Le Pape Honorius et le bréviaire Romain. Lettres au R. P. Gratry, en réponse à sa lettre à Mgr Dechamps.* Paris — Nancy ²1870.

MARI, C.: *Il Concilio Vaticano I° e le sue ripercussioni in Italia.* (Ungedruckte Dissertation der Università degli Studi di Firenze, Facoltà di Magistero, 1968—1969). Florenz 1969.

MARON, G.: *Hundert Jahre päpstliche Unfehlbarkeit.* In: MD 21 (1970) 48—54.

MARSCHALL, W.: *Karthago und Rom. Die Stellung der nordafrikanischen Kirche zum Apostolischen Stuhl in Rom.* (Päpste und Papsttum. Bd. 1). Stuttgart 1971.

MARTIMORT, A.-G.: *Le Gallicanisme de Bossuet.* (Unam Sanctam, 24). Paris 1953.

MARTIN, J.: *Pourquoi Mgr Darboy ne fut jamais cardinal.* In: Etudes. Revue Mensuelle 335 (1971) 609—623.

MARTIN, K.: *Der wahre Sinn der Vatikanischen Lehrentscheidungen über das unfehlbare päpstliche Lehramt.* Paderborn 1871.

MARTIN. V.: *Le Gallicanisme politique et le clergé de France.* Paris 1929.

— *Les origines du Gallicanisme.* 2 Bde. Paris 1938—1939.

MARTINA, G.: *Il Concilio Vaticano I e la fine del potere temporale.* In: Rassegna Storica Toscana 16 (1970) 131—149.

— *Pio IX (1846—1850).* (Miscellanea Historiae Pontificiae. Bd. 38). Rom 1974.

MASSI, P.: *Magistero infallibile del papa nella teologia di Giovanni da Torquemada.* (Scrinium Theologicum. Bd. 8). Turin 1957.

MAURAIN, J.: *Le Saint-Siège et la France de décembre 1851 à avril 1853.* Paris 1930.

— *La politique ecclésiastique du Second Empire de 1852 à 1869.* Paris 1930.

MAYER, G. C.: *Zwei Thesen für das allgemeine Konzil.* Bamberg 1868.

MAYEUR, J. M.: *Mgr Dupanloup et Louis Veuillot devant les »prophéties contemporaines« en 1874.* In: Revue d'histoire de la spiritualité 48 (1972) 193—204.

MAYR, J.: *Die Ekklesiologie Honoré Tournelys.* (Beiträge zur neueren Geschichte der katholischen Theologie. Bd. 6). Essen 1964.

MAZLISH, B. (Hrsg.): *Psychoanalysis and History.* Englewood Cliffs N. J. 1963.

MEINHOLD, P.: *Geschichte der kirchlichen Historiographie.* (Orbis Academicus. Problemgeschichte der Wissenschaft in Dokumenten und Darstellungen. Bd. III/5). Freiburg — München 1967.

MENN, M.: *Aktenstücke Hefele und die Infallibilität betreffend.* In: Internationale Theologische Zeitschrift/Revue internationale de Théologie 16 (1908) 485—506; 671—694.

— *Briefwechsel zwischen Friedrich Michelis und Ignaz von Döllinger.* In: IKZ 2 (1912) 319—344; 456—483; 3 (1913) 62—83.

MENNA, N.: *Vescovi italiani anti-infallibilisti al Concilio Vaticano.* Neapel 1958.

MERCATI, A.: *Il decreto d'unione del 6 luglio 1439 nell'Archivio Segreto Vaticano.* In: Orientalia Christiana Periodica 11 (1945) 5—44.

MEULENBERG, L. F. J.: *Der Primat der römischen Kirche im Denken und Handeln Gregors VII.* (Mededelingen van het Nederlands Historisch Instituut te Rome. Bd. XXXIII/2). s'Gravenhage 1965.

[MEURIN, J. L.]: *Monumenta quaedam causam Honorii papae spectantia cum notulis.* Rom 1870.

MEYER, H.: *Das Wort Pius' IX.: »Die Tradition bin ich«. Päpstliche Unfehlbarkeit und apostolische Tradition in den Debatten und Dekreten des Vatikanum I.* (Theologische Existenz Heute, 122). München 1965.

MICHAUD, E.: *De la falsification des catéchismes français et des manuels de théologie par le parti romaniste de 1670 à 1868.* Paris 1872.

— *Guignol et la Révolution dans l'église romaine. Mr. Veuillot et son parti, condamnés par les archevêques et évêques de Paris, Tours, Viviers, Orléans, Marseille, Verdun, Chartres, Moulins etc.* Paris 1872.

MICHELIS, F.: *Fünfzig Thesen über die Gestaltung der kirchlichen Verhältnisse der Gegenwart.* Braunsberg 1868.

— *Der Fuldaer Hirtenbrief in seinem Verhältnis zur Wahrheit.* Braunsberg 1870.

— *Kurze Geschichte des Vatikanischen Konzils.* Konstanz 1875.

MIGNE, J. P. (Hrsg.): *Patrologia Graeca.* 161 Bde. Paris 1857—1866.

— *Patrologia Latina.* 217 Bde. und 4 Reg.-Bde. Paris 1878—1890.

MIKO, N.: *Die Römische Frage und das Erste Vatikanische Konzil.* In: RömHM 4 (1960/61) 255—271.

– *Zur Frage der Publikation des Dogmas von der Unfehlbarkeit des Papstes durch den deutschen Episkopat im Sommer 1870. Aktenstücke aus dem Historischen Archiv der Erzdiözese Köln.* In: RQ 58 (1963) 28—50.

– *Das Ende des Kirchenstaates.* 4 Bde. Wien 1962—1964.

MILBURN, D.: *Impressions of English Bishops at the First Vatican Council. Letters of Bishop Chadwick of Hexham and Newcastle to the President of Ushaw.* In: The Wiseman Review 493 (1962) 217—235.

MILLER, S.: *Peter Richard Kenrick, Bishop and Archbishop of St. Louis, 1806—1896.* In: RACHS 84 (1973) 3—163.

MIRBT, C.: *Die Geschichtsschreibung des Vatikanischen Konzils.* In: HZ 101 (1908) S. 527—600.

MIRBT, C. – ALAND, K.: *Quellen zur Geschichte des Papsttums und des römischen Katholizismus.* Bd. I: *Von den Anfängen bis zum Tridentinum.* Tübingen ⁶1967.

MISNER, P.: *John Henry Newman and the Primacy of the Pope.* (Ungedruckte theologische Dissertation.) München 1968; überarbeitet 1970.

– *John Henry Newman über den Primat des Papstes.* In: Newman-Studien. Veröffentlichungen des Internationalen Cardinal Newman Kuratoriums. 8. Folge. Hrsg. von H. Fries und W. Becker. Nürnberg 1972, 219—227.

MOLLAT, G.: Artikel *Concile de Florence.* In: Catholicisme IV 1351—1356.

MONTCLOS, X. DE: *Lavigérie, le Saint-Siège et l'Eglise de l'avènement de Pie IX à l'avènement de Léon XIII (1846—1878).* Paris 1965.

MONTI, A.: *Pio IX nel risorgimento italiano. Con documenti inediti e illustrazioni.* Bari 1928.

MOURRET, F.: *Le Concile du Vatican d'après des documents inédits.* Paris 1919.

MOYNE, J. LE: *Saint Cyprien est-il bien l'auteur de la rédaction brève du De unitate, chap. IV.* In: Revue Bénédictine 68 (1953) 70—115.

MOZLEY, TH.: *Letters from Rome on the occasion of the Oecumenical Council 1869—1870.* 2 Bde. London 1891.

MÜLLER, G.: *Die unbefleckte Empfängnis Mariens im Urteil päpstlicher Ratgeber 1848—1852.* In: ZKG 78 (1967) 300—339.

– *Die Immaculata Conceptio im Urteil der mitteleuropäischen Bischöfe. Zur Entstehung des mariologischen Dogmas von 1854.* In: KuD 14 (1968) 46—70.

– *Theologische Erkenntnis und päpstliche Infallibilität. Vincenzo Tizzani über die Lehre von der »Immaculata Conceptio« am Vorabend ihrer Dogmatisierung.* In: Humanitas-Christianitas. Festschrift für W. v. Loewenich zum 65. Geburtstag. Hrsg. von K. Beyschlag u. a. Witten 1968, 182—192.

MÜLLER, O.: *Lutterbeck.* In: LThK VI 740 (1. Auflage).

MÜNCH, R.: *Gesellschaftstheorie und Ideologiekritik.* (Hoffmann & Campe, Kritische Wissenschaft). Hamburg 1973.

MUN, A. DE: *Ma vocation sociale. Souvenirs de la fondation de l'oeuvre des cercles catholiques d'ouvriers (1871—1875).* Paris 1908.

MUZZARELLI, A.: *De auctoritate Romani Pontificis in concilis generalibus.* Gand 1815.

NASRALLAH, J.: *Mgr Grégoire 'Ata et le concile du Vatican.* In: Proche Orient chrétien 11 (1961) 297—320; 12 (1962) 97—122.

NAU, P.: *Le magistère pontifical ordinaire au premier Concile du Vatican.* In: RThom 62 (1962) 341—397.

NAUTIN, P.: *Irénée »Adv. haer.« III 3,2. Eglise de Rome ou Eglise universelle?* In: RHR 151 (1957) 37—78.

NÉDONCELLE, M.: *L'ecclésiologie au XIXᵉ siècle.* (Unam Sanctam, 34). Paris 1960.

– *The Revival of Newman Studies.* In: Downside Review 86 (1968) 385—394.

NEMBACH, U.: *Die Stellung der evangelischen Kirche und ihrer Presse zum ersten Vatikanischen Konzil.* Zürich 1962.

NEMBRO, G. DA: *La definibilità dell'Immacolata Concezione negli scritti a nell' attività di G. Perrone.* Mailand 1961.

NEMESSZEGHY, E.: *Infallibility and Logic.* In: HeythrJ 9 (1968) 179—183.

NEWMAN, J. H.: *A Letter addressed to His Grace the Duke of Norfolk on occasion of Mr. Gladstone's recent Expostulation.* London 1875.

— *Ist die katholische Kirche staatsgefährlich? Offener Brief an Seine Gnaden den Herzog von Norfolk, aus Veranlassung von Gladstone's Anklageschrift: »Die vatikanischen Dekrete in ihrer Bedeutung für die Unterthanentreue«.* Freiburg i. Br. 1875.

— *An Essay on the Development of Christian Doctrine.* London [10]1897.

NOACK, U.: *Geschichtswissenschaft und Wahrheit. Nach den Schriften von John Dalberg-Acton, dem Historiker der Freiheit 1834—1902.* Frankfurt a. M. 1935.

— *Liberale Ideen auf dem ersten Vatikanischen Konzil — Lord Acton in Rom. 1869/70. In: HZ 205 (1967) 81—100.*

NOBILI-VITELLESCHI, F.: siehe LETO, POMPONIO.

NOLTE, J.: *Dogma in Geschichte. Versuch einer Kritik des Dogmatismus in der Glaubensdarstellung.* (Ökumenische Forschungen II. Soteriologische Abteilung. Bd. 3). Freiburg — Basel — Wien 1971.

OAKLY, F.: *Pierre d'Ailly and Papal Infallibility.* In: MS 26 (1964) 353—358.

OBRIST, F.: *Echtheitsfragen und Deutung der Primatstelle Mt 16, 18 f. in der deutschen protestantischen Theologie der letzten dreißig Jahre.* Münster 1961.

OER, F. VON: *Fürstbischof Johannes Bapt. Zwerger von Seckau. In seinem Leben und Wirken.* Graz 1897

OESCH, J : *Dr. Carl Johann Greith, Bischof von St. Gallen. Biographisch-historische Studie.* St. Gallen 1909.

OLLIVIER, E.: *L'Eglise et l'Etat au Concile du Vatican.* 2 Bde. Paris 1879.

ORSI, G. A.: *Storia Ecclesiastica.* 20 Bde. Rom 1746—1762.

OSTROUMOFF, J. N.: *The History of the Council of Florence.* Boston 1971.

PALANQUE, J. R.: *Saint Ambroise et l'Empire Romain. Contribution à l'histoire des rapports de l'église et de l'état à la fin du quatrième siècle.* Paris 1933.

— *Catholiques libéraux et gallicans en France face au Concile du Vatican 1867—1870.* (Publication des Annales de la Faculté des Lettres, Nouvelle Série No. 34). Aix-en-Provence 1962.

— *Les amitiés européennes de Mme de Forbin d'Oppède.* In: Les Catholiques libéraux au XIXe siècle. Grenoble 1974, 127—145.

PALLAVICINO, SFORZA P.: *Istoria del Concilio di Trento.* 3 Bde. Mailand 1745.

Pareri dell'Episcopato cattolico, di capituli, di congregazioni, di università . . . etc. sulla definizione dogmatica dell'immacolato concepimento della B. V. Maria. 10 Bde. Rom 1851 — 1854.

PASSAGLIA, C.: *De immaculato deiparae semper Virginis conceptu commentarius.* 3 Bde. Rom 1854—1855.

PASTOR, L. VON: *Tagebücher, Briefe, Erinnerungen.* Hrsg. von W. Wühr. Freiburg i. Br, 1950.

PÁSZTOR, L.: *La Congregazione degli Affari Ecclesiastici Straordinari tra il 1814 e il 1850.* In: AHP 6 (1968) 191—318.

— *Il cardinale Mertel e il Concilio Vaticano I.* In: RSTI 23 (1969) 441—466.

— *Il Concilio Vaticano I nel diario del Cardinale Capalti.* In: AHP 7 (1969) 401—489.

PEHEM, J. J. N.: *Praelectiones in jus ecclesiasticum universum.* 3 Teile. Wien 1789—1790.

PELLETIER, V.: *Mgr Dupanloup. Episode de l'histoire contemporaine, 1845—1875.* Paris 1876.

PELLICO, F.: *Un nuovo tributo a S. Pietro.* In: La Civiltà Cattolica, Serie VI, vol. 10 (1867) 640—651.

PENNACCHI, J.: *De Honorio Romani Pontificis causa in concilio VI dissertatio. Ad Patres Concilii Vaticani.* Rom 1870.

PERI, V.: *Il numero dei concili ecumenici nella tradizione cattolica moderna.* In: Aevum. Rassegna di science storiche-linguistiche-filologiche 37 (1963) 430—501.

— *Due protagonisti dell'Editio Romana dei concili ecumenici: Pietro Morin ed Antonio d'Aquino.* In: Mélanges Eugène Tisserant, 7. (Studi e testi, 237). Vatikan 1964, 131—232.

— *I concili e le chiese. Ricerca storica sulla tradizione d'universalità dei sinodi ecumenici.* Rom 1965.

PERLER, O.: *Zur Datierung der beiden Fassungen des vierten Kapitels »De Unitate ecclesiae«.* In: RQ 44 (1936) 1—44.

— *De catholicae ecclesiae, cap. 4—5. Die ursprünglichen Texte: ihre Überlieferung und ihre Datierung.* In: RQ 44 (1936) 151—168.

PERRONE, J.: *De Traditione. Praelectiones theologicae in compendium redactae.* Bd. 1. Löwen 1846.

PESCH, O. H.: *Kirchliche Lehrformulierung und persönlicher Glaubensvollzug.* In: Fehlbar? Eine Bilanz. Hrsg. von H. Küng. Zürich — Einsiedeln — Köln 1973, 249—279.

PESCH, R.: *Die Stellung und Bedeutung Petri in der Kirche des Neuen Testamentes. Zur Situation der Forschung.* In: Concilium 7 (1971) 240—253.

Peter in the New Testament. A Collaborative Assessment by Protestant and Roman Catholic Scholars. Hrsg. von R. E. BROWN, K. P. DONFRIED, J. REUMANN. Minneapolis — New York — Toronto 1973.

PETRUCCELLI DE LA GATTINA, F.: *Storia Arcana del Pontificato di Leone XII, Gregorio XVI e Pio IX di E. About, con documenti diplomatici.* Mailand 1861.

PFÜLF, O.: *Bischof Ketteler. Eine geschichtliche Darstellung.* 3 Bde. Mainz 1899.

PIANCIANI, L.: *La Roma dei Papi. Illustrata da 50 Desegni.* 2 Bde. Rom 1892.

PICA, I. M.: *Le cardinal Bilio barnabite. Un des présidents du concile du Vatican (1826—1884).* Paris 1898.

PICHLER, A.: *Geschichte der kirchlichen Trennung zwischen dem Orient und dem Occident.* 2 Bde. München 1864—1865.

— *Die Theologie des Leibniz.* 2 Bde. München 1869—1870.

— *Die wahren Hindernisse und die Grundbedingungen einer durchgreifenden Reform der katholischen Kirche zunächst in Deutschland.* Leipzig 1870.

PINCHERLE, A.: *Sant'Agostino d'Ippona, Vescovo e Teologo.* Bari 1930.

Pii IX Pontificis Maximi Acta. 9 Bde. Rom 1854—1878.

Discorsi del Sommo Pontefice Pio IX pronunziati in Vaticano dal principio della sua prigione fino al presente. Hrsg. von P. DE FRANCISCIS. 4 Bde. Rom 1872—1878.

(Pius IX., Beatifikationsprozeß): *Elenchus scriptorum quae in S. Sedus archivis adservantur.* Rom 1954.

— *Appendix ed Elenchum scriptorum.* Rom 1955.

— siehe *Sacra Rituum.*

PLANTIER, C. H. A.: *Über die allgemeinen Kirchenversammlungen. Anläßlich des von Sr. H. dem Papste Pius IX. auf den 8. Dezember 1869 einberufenen ökumenischen Concils, übersetzt von Theodor Freiherrn von Lamezan.* Freiburg i. Br. 1869.

— *Die Dogmatische Definition der päpstlichen Unfehlbarkeit in ihrer geschichtlichen Entwicklung.* Wien — Gran — Pest 1871.

PLANNET, W.: *Die Honoriusfrage auf dem Vatikanischen Konzil.* (Ungedruckte Dissertation). Marburg 1912.

PLONER, S.: *Ricerche sull'arcivescovo Luigi Puecher-Passavalli (1820—1897).* In: Studi Trentini di Science storiche 44 (1965) 42—55; 117—152; 238—249; 354—375; 45 (1966) 13—35.

POBLÁDURA, M. A.: *Historia generalis Ordinis Minorum Cappuccinorum*. Teil III (1761—1940). Rom 1951.

POPPER, K. R.: *Logik der Forschung*. Tübingen ⁴1971.

POSCHMANN, B.: *Ecclesia Principalis. Ein kritischer Beitrag zur Frage des Primats bei Cyprian*. Breslau 1933.

POTTMEYER, H. J.: *Der Glaube vor dem Anspruch der Wissenschaft. Die Konstitution über den katholischen Glauben »Dei Filius« des 1. Vatikanischen Konzils und die unveröffentlichten theologischen Voten der vorbereitenden Kommission*. (Freiburger Theol. Studien. Bd. 87). Freiburg — Basel — Wien 1968.

— *Die historisch-kritische Methode und die Erklärung zur Schriftauslegung in der dogmatischen Konstitution Dei Filius des I. Vaticanums*. In: AHC 2 (1970) 87—111.

— *Der wissenschaftliche Charakter der Theologie nach dem I. Vatikanum*. In: Catholica 24 (1970) 194—204.

— *Unfehlbarkeit und Souveränität. Die päpstliche Unfehlbarkeit im System der ultramontanen Ekklesiologie des 19. Jahrhunderts*. (Tübinger Theologische Studien. Bd. 5). Mainz 1975.

— *»Auctoritas suprema ideoque infallibilis«. Das Mißverständnis der päpstlichen Unfehlbarkeit als Souveränität und seine historischen Bedingungen*. In: Konzil und Papst. Historische Beiträge zur Frage der höchsten Gewalt in der Kirche. Festgabe für H. Tüchle. Hrsg. von G. Schwaiger. München — Paderborn — Wien 1975, 503—520.

PRECHT, H.: *Die Begründung des römischen Primates auf dem Vatikanischen Konzil nach Irenaeus und dem Florentinum*. (Ungedruckte Dissertation). Hannover 1923.

PRESSENSÉ, E. DE: *Le Concile du Vatican. Son histoire et ses conséquences politiques et religieuses*. Paris 1872.

PROVENT, A.: *Un évêque de la minorité à Vatican I, Mgr Ginoulhiac*. (Ungedruckte Dissertation). Lyon (ohne Jahr).

PURCELL, E. S.: *Life of Cardinal Manning. Archibishop of Westminster*. 2 Bde. London 1896.

Quaestio siehe: QUARELLA F.

[QUARELLA, F.]: *Quaestio. Ad instar Manuscripti impressum*. Solothurn 1870.

QUINTAVALLE, F.: *La conciliazione fra l'Italia e il Papato nelle lettere del P. Luigi Tosti e del Senatore Gabrio Casati con un saggio su la questione romana negli opuscoli liberali fra il 1859 e il 1870*. Mailand 1907.

QUIRINUS (Pseudonym): *Römische Briefe vom Concil*. München 1870.

RAAB, H.: *Die Concordata Nationis Germaniae in der kanonistischen Diskussion des 17. bis 19. Jahrhunderts. Ein Beitrag zur Geschichte der episkopalistischen Theorie in Deutschland*. (Beiträge zur Geschichte der Reichskirche in der Neuzeit. Heft 1). Wiesbaden 1956.

RADICE, G.: *Pio IX e Antonio Rosmini*. (Studi piani, 1). Vatikan 1974.

RAMIÈRE, H.: *Les contradictions de Mgr Maret*. Paris 1869.

— *Les doctrines romaines sur le libéralisme envisagé dans leurs rapports avec le dogme chrétien et avec le besoin des sociétés modernes*. Paris 1870.

RAGUCCI, R. M.: *La amistad de dos Grandes. El Padre Santo Pio IX y San Juan Bosco*. Buenos Aires 1966.

RAHNER, K. (Hrsg.): *Zum Problem Unfehlbarkeit. Antworten auf die Anfrage von Hans Küng*. (Quaestiones disputatae, 54). Freiburg — Basel — Wien 1971.

[RAUSCHER, J. O. VON]: *Observationes quaedam de infallibilitatis Ecclesiae subjecto*. Neapel 1870.

RECHBERGER, G.: *Enchiridion juris ecclesiastici*. 2 Bde. Linz 1809.

REICHARDT, A.: *Ignaz von Döllingers Stellung zum Infallibilitätsdogma*. (Ungedruckte phil. Dissertation). Erlangen 1953.

REICHEL, J. W.: *Ist die Lehre von der Unfehlbarkeit des römischen Papstes katholisch? Eine*

Frage gestellt und beantwortet im Namen des hierüber noch nicht gehörten katholischen Volkes. Wien 1871.

REINERDING, F. H.: *Beiträge zur Honorius- und Liberiusfrage.* Münster 1865.

REINHARDT, R.: *Johannes Joseph Ignaz von Döllinger und Carl Joseph von Hefele.* In: ZBLG 33 (1970) 439—446.

— *Der Nachlaß des Kirchenhistorikers und Bischofs Karl Josef v. Hefele (1809—1893).* In: ZKG 82 (1971) 361—372.

— *Zum Verbleib der Nachlaß-Papiere Hefeles.* In: ThQ 152 (1972) 26—29.

— *Deutsche Professoren und das Vatikanum I. Zu einer Arbeit von Theobald Freudenberger.* In: ThQ 152 (1972) 30—35.

— *Unbekannte Quellen zu Hefeles Leben und Werk.* In: ThQ 152 (1972) 54—77.

— *Deutsche Theologen nach dem Vatikanum I. Johann Baltzer — Franz Xaver Linsenmann — Hubert Theophil Simar.* In: ThQ 152 (1972) 275—283.

— *Hefeles Konziliengeschichte im Lichte seiner Korrespondenz mit Benjamin Herder.* In: Konzil und Papst. Historische Beiträge zur Frage der höchsten Gewalt in der Kirche. Festgabe für H. Tüchle. Hrsg. von G. Schwaiger. München — Paderborn — Wien 1975, 543—583.

— *Karl Joseph von Hefele (1809—1893).* In: Katholische Theologen Deutschlands im 19. Jahrhundert. Hrsg. von H. Fries und G. Schwaiger. München 1975, II 163—211.

REINKENS, J. H.: *Die Unregelmäßigkeit und Unfreiheit des Vaticanischen Concils.* Münster 1871.

— *Die päpstlichen Decrete vom 18. Juli 1870. 6 Hefte.* Münster 1871.

— *Über die Einheit der katholischen Kirche. Einige Studien.* Würzburg 1872.

— *Ist an die Stelle Christi für uns der Papst getreten? Eine Rede gehalten in Würzburg.* Würzburg 1873.

REUSCH, F. H.: *Der Index der verbotenen Bücher. Ein Beitrag zur Kirchengeschichte und Literaturgeschichte.* 2. Bd., 1. Abteilung. Bonn 1885.

— *Die Fälschungen in dem Tractat des heiligen Thomas von Aquin gegen die Griechen.* (Abhandlungen der III. Classe der königlich-bayerischen Akademie der Wissenschaften. 18. Bd., 3. Abteilung). München 1889.

— *Lutterbeck, Johann Anton Bernhard.* In: ADB XIX 707—709.

REYNOLDS, E. E.: *Three cardinals, Newman, Wiseman, Manning.* New York 1958.

RICHER, E.: *Historia conciliorum generalium.* 4 Bde. Köln 1680.

RICHTER, G.: *Bischof von Hefele anerkennt Unfehlbarkeitsdogma.* In: Stuttgarter Zeitung vom 6. Juli 1971.

RIED, U.: *Studien zu Kettelers Stellung zum Infallibilitätsdogma 18. Juli 1870.* In: HJ 47 (1927) 657—726.

RIEGGER, P. J.: *Institutiones jurisprudentiae ecclesiasticae.* 4 Teile. Wien 1768—1772.

— *Elementa Juris Ecclesiastici.* 2 Teile. Wien 1774—1775.

RIGAUX, B.: *Der Apostel Petrus in der heutigen Exegese.* In: Concilium 3 (1967) 585—600.

RITZLER, R.: *Die Verschleppung der Päpstlichen Archive nach Paris unter Napoleon I. und deren Rückführung nach Rom in den Jahren 1815 bis 1817.* In: RömHM 6/7 (1962/63 und 1963/64) 144—190.

ROBERG, B.: *Die Union zwischen der griechischen und lateinischen Kirche auf dem II. Konzil von Lyon.* Bonn 1964.

ROCFER, P.: *Souvenirs d'un prélat romain sur Rome et la cour pontificale au temps de Pie IX.* Paris 1896.

ROETHELI, E. W.: *La Salette. Das Buch der Erscheinung.* Olten 1945.

RONDET, H.: *Vatican I. Le Concile de Pie IX — La préparation — Les méthodes de travail — Les schémas restés en suspens.* (Collection »Theologie, Pastorale et Spiritualité, Recherches et Synthèses«). Paris 1962.

ROSKOVÁNY, A. DE: *Romanus Pontifex tamquam Primas Ecclesiae et Princeps Civilis e monumentis omnium seculorum demonstratus addita amplissima literatura.* 20 Bde. Nitra 1867—1890.

ROTHENSTEINER, J.: *History of the Archdiocese of St. Louis.* 2 Bde. St. Louis 1928

ROVÉRIE DE CABRIÈRES, F. M. DE: *Réflexions sur la lettre de Mgr d'Orléans à son clergé en date du 11 novembre 1869.* Nîmes 1869.

RUCKGABER, A.: *Die Irrlehre des Honorius und das Vaticanische Decret über die päpstliche Unfehlbarkeit. Ein Versuch zur Verständigung.* Stuttgart 1871.

RÜCKERT, H.: *Schrift, Tradition und Kirche.* Lüneburg 1951.

Sacra Rituum Congregatione, E.mo ac Rev.mo Dom. Card. F. Tedeschini relatore, Romana seu Senogalliensi, Spoletana seu Imolensi et Neapolitana beatificationis et canonizationis servi Dei Pii IX S. P., Tabella testium et summarium. Positio super introductione causae. 2 Bde. Rom 1954.

SALAVERRI, J.: *Valor de las Enciclicas a la luz de la »Humani generis«.* In: Miscelaneas Comillas 17 (1952) 135—172; 513—532.

SALLES-DABADIE, J. M. A.: *Les conciles oecuméniques dans l'histoire.* Paris — Genf 1962.

SAMBIN, J.: *Histoire du Concile Oecuménique et général du Vatican 1869—70.* Lyon 1872.

SARDI, V.: *La solenne definizione del dogma dell' immacolato concepimento di Maria santissima. Atti e documenti.* Rom 1905.

[SARPI, P.]: *Historia inquisitionis P. Pauli Veneti cui adjuncta est confessio fidei, quam ex italica lingua latinam fecit Andreas Colvius.* Rotterdam 1651.

SARPI, P.: *Istoria del Concilio Tridentino.* 3 Bde. Bari 1935.

SAURER, E.: *Kirchengeschichte als historische Disziplin?* In: Denken über Geschichte. Hrsg. von F. Engel-Janosi, G. Klingenstein, H. Lutz. (Wiener Beiträge zur Geschichte der Neuzeit. Bd. 1). München 1974, 157—169.

SAUTER, J. A.: *Fundamenta Iuris Ecclesiastici Catholicorum.* 2 Bde. Freiburg i. Br. ³1825.

SAVIGNAC, J. DE — STRACMANS, M.: *Lettre de Sir Le Page-Renouf au Chanoine Doellinger sur l'infaillibilité attribuée aux Papes par le Concile du Vatican.* In: RHPhR 36 (1956) 61—72.

SCAVINI, P.: *Theologia moralis universa ad mentem S. Alphonsi.* Novarra 1847.

SCHATZ, K.: *Kirchenbild und päpstliche Unfehlbarkeit bei den deutschsprachigen Minoritätsbischöfen auf dem 1. Vatikanum.* (Miscellanea Historiae Pontificae. Bd. 40). Rom 1975.

— *Papst, Konzil und Unfehlbarkeit bei Wilhelm Emmanuel Freiherrn v. Ketteler, Bischof von Mainz. Neue Gesichtspunkte zum Thema „Ketteler und das 1. Vatikanum".* In: ThPh 50 (1975) 206—231.

SCHEEBEN, J. M.: siehe *Das ökumenische Concil.*

SCHEFFCZYK, L.: *Theologie im Aufbruch und Widerstreit. Die deutsche katholische Theologie im 19. Jahrhundert.* Bremen 1965.

SCHENK, M.: *Die Unfehlbarkeit der Päpste in der Heiligsprechung. Ein Beitrag zur Erhellung der theologiegeschichtlichen Seite der Frage.* (Thomistische Studien. Bd. 9). Freiburg i. Ue. 1965.

SCHLETTE, H. R.: *Ideologie.* In: Handbuch philosophischer Grundbegriffe II. München 1973, 720—728.

SCHLÖZER, C. VON: *Römische Briefe 1864—1869.* Hrsg. von Karl von Schlözer. Stuttgart — Berlin 1913.

SCHMID, M.: *Leerformeln und Ideologiekritik.* (Heidelberger Sociologica, 11). Tübingen 1972.

SCHMIDLIN, J.: *Papstgeschichte der neuesten Zeit. Bd. II: Papsttum und Päpste gegenüber den modernen Strömungen. Pius IX. und Leo XIII. (1846—1903).* München 1934.

SCHMIDT, E.: *Bismarcks Kampf mit dem politischen Katholizismus.* Teil I: *Pius der IX. und die Zeit der Rüstung 1848—1870.* Hamburg 1942.

SCHMITZ, C.: *Ist der Papst persönlich unfehlbar? Aus Deutschlands und des P. Deharbe Katechismen beantwortet.* München 1870.

SCHMUCK, F.: *Les évêques de la minorité au premier Concile du Vatican. Mémoire présenté pour l'obtention du grade de Licencié en théologie. Université catholique de Louvain.* (Ungedruckt). Löwen 1965.

SCHNEEMANN, G.: *Studien über die Honoriusfrage.* Freiburg 1864.

SCHNEIDER, B.: *Statistische Beobachtungen zum ersten Vatikanischen Konzil.* In: StdZ 170 (1961/62) 200—207.

SCHOETERS, K.: *P. J. Beckx S. J. (1795—1887) en de »Jezuiten-Politiek« van zijn tijd.* Antwerpen 1965.

SCHRADER, C.: *Der Papst und die modernen Ideen.* 3 Bde. Wien 1864—1865; Bd. III: *Pius IX. als Papst und als König.* Wien 1865.

— *De theologia generatim commentarius. In sacram theologiam ὁδηγός.* Poitiers 1874.

SCHÜRMANN, H.: *Der Abendmahlsbericht Lukas 22,7—38 als Gottesdienstordnung, Lebensordnung.* In: Ursprung und Gestalt. Erörterungen und Besinnungen zum Neuen Testament. Düsseldorf 1970, 108—150.

SCHÜTZEICHEL, H.: *Wesen und Gegenstand der kirchlichen Lehrautorität nach Thomas Stapleton. Ein Beitrag zur Geschichte der Kontroverstheologie im 16. Jahrhundert.* (Trierer theologische Studien. Bd. 20). Trier 1966.

SCHULTE, J. F. RITTER VON: *Das Unfehlbarkeits-Dekret vom 18. Juli 1870 auf seine kirchliche Verbindlichkeit geprüft.* Prag 1871.

— *Die Stellung der Concilien, Päpste und Bischöfe vom historischen und canonistischen Standpunkte und die päpstliche Constitution vom 18. Juli 1870. Mit den Quellenbelegen.* Prag 1871.

— *Denkschrift über das Verhältnis des Staates zu den Sätzen der päpstlichen Constitution vom 18. Juli 1870, gewidmet den Regierungen Deutschlands und Österreichs.* Prag 1871.

— *Die Macht der römischen Päpste über Fürsten, Länder, Völker, Individuen nach ihren Lehren und Handlungen seit Gregor VII. zur Würdigung ihrer Unfehlbarkeit beleuchtet und den entgegengesetzten Lehren der Päpste und Concilien der ersten 8 Jahrhunderte über das Verhältnis der weltlichen Gewalt zur Kirche gegenübergestellt.* Prag ²1871.

— *Der Altkatholicismus. Geschichte seiner Entwicklung, inneren Gestaltung und rechtlichen Stellung in Deutschland. Aus den Akten und anderen authentischen Quellen dargestellt.* Gießen 1887.

— *Theiner.* In: ADB XXXVII 674—677.

— *Lebenserinnerungen. Mein Wirken als Rechtslehrer, mein Anteil an der Politik in Kirche und Staat.* 3 Bde. Gießen 1908—1909.

SCHULZ, W.: *Dogmenentwicklung als Problem der Geschichtlichkeit der Wahrheitserkenntnis. Eine erkenntnistheoretisch-theologische Studie zum Problemkreis der Dogmenentwicklung.* (Analecta Gregoriana. Bd. 173. Series Theologicae: Sectio B n. 56). Rom 1969.

SCHWAIGER, G.: *Ignaz von Döllinger im Lichte der neueren Forschung.* In: MThZ 18 (1967) 143 bis 151.

— (Hrsg.): *Hundert Jahre nach dem Ersten Vatikanum.* Regensburg 1970.

— *Die Münchener Gelehrtenversammlung von 1863 in den Strömungen der katholischen Theologie des 19. Jahrhunderts.* In: Begegnung. Beiträge zu einer Hermeneutik des theologischen Gesprächs. Festschrift für H. Fries. Hrsg. von M. Seckler, O. H. Pesch, J. Brosseder, W. Pannenberg. Graz — Wien — Köln 1972, 735—747.

SCLOPIS DI SALERNO, F.: *Diario Segreto (1859—1878).* Hrsg. von P. Pirri. Turin 1959.

SECKLER, M.: *Die Theologie als kirchliche Wissenschaft nach Pius XII. und Paul VI.* In: ThQ 149 (1969) 209—234.

SEGESSER, PH. VON: *Am Vorabend des Conciliums. Studien und Glossen zur Tagesgeschichte.* Basel 1869.

SEITERICH, E.: *Wege der Glaubensbegründung nach der sogenannten Immanenzapologetik.* (Freiburger Theologische Studien. Heft 49). Freiburg i. Br. 1938.

SENESTRÉY, IGNAZ VON: *Hirtenbriefe.* Regensburg 1858—1883.

— *Hirtenbrief vom 15. November 1869.* Regensburg 1869.

— *Beati Alberti Magni ecclesiarumque Germaniae doctrina de infallibili Romani Pontificis magisterio testimoniis aliquot illustrata. Reverendissimis Concilii Vaticani patribus ad manus.* Neapel 1870.

— *Eine Selbstbiographie.* Hrsg. von P. Mai. In: Beiträge zur Geschichte des Bistums Regensburg. Bd. 1. Regensburg 1967, 29—40.

SEPPELT, F. X.: *Geschichte der Päpste von den Anfängen bis zur Mitte des 20. Jahrhunderts.* 5 Bde. München ²1954.

SERAFINI, A.: *Pio Nono. Giovanni Maria Mastai Ferreti. Dalla Giovinezza alla morte nei suoi scritti e discorsi editi e inediti. Bd. I: Le vie della divina providenza.* Vatikan 1958.

SICKEL, TH.: *Römische Erinnerungen. Nebst ergänzenden Briefen und Aktenstücken.* Hrsg. von L. Santifaller. (Veröffentlichungen des Instituts für österreichische Geschichtsforschung. Bd. 3). Wien 1947.

SIEBEN, H. J.: *Zur Entwicklung der Konzilsidee. I: Werden und Eigenart der Konzilsidee des Athanasius von Alexandrien.* In: ThPh 45 (1970) 353—389; *II: Die fides Nicaena als Autorität nach dem Zeugnis vorephesinischen Schrifttums.* In: ThPh 46 (1971) 40—70; *III: Der Konzilsbegriff des Vinzenz von Lerin.* In: ThPh 46 (1971) 364—386; *IV: Konzilien in Leben und Lehre des Augustin von Hippo.* In: ThPh 46 (1971) 496—528; *V: Leo der Große über Konzilien und Lehrprimat des römischen Stuhls.* In: ThPh 47 (1972) 358—401; *VI: Vom »Konzil der 318 Väter« zu den »katholischen Konzilien« der Kirche.* In: ThPh 48 (1973) 28—64; *VII: Päpste und afrikanische Theologen des 5. und 6. Jahrhunderts über Konzilsautorität.* In: ThPh 48 (1974) 37—71; *VIII: Theodor Abû Qurra über »unfehlbare« Konzilien.* In: PhTh 48 (1974) 489—509; *IX: Aspekte der Konzilsidee nach den Konzilssynopsen des 6. bis 9. Jahrhunderts.* In: ThPh 50 (1975) 347 bis 380; *X: Die Konzilsidee des Lukas.* In: ThPh 50 (1975) 481—503.

SIEGFRIED, N. [CATHREIN, V.]: *Aktenstücke betreffend den preußischen Kulturkampf.* Freiburg i. Br. 1882.

SILVAGNI, D.: *La corte e la società romana nei secoli XVIII e XIX.* 3 Bde. Rom 1883—1885.

SILVESTRE, H.: *Le problème des faux au moyen âge.* In: MA 66 (1960) 351—370.

SIMONS, F.: *Infallibility and the Evidence.* Springfield 1968.

SIMOR, J.: *Traditionis de infallibili Romani Pontificis magisterio apud nos testimonia. Mit dem Appendix: Mens et sententia illustrissimi et reverendissimi domini Cornelii Jansenii.* Esztergom 1871. In: Roskovány: Romanus Pontifex VII 892—986.

— *Epistola pastoralis, in qua monumenta traditionis catholicae de infallibili magisterio Romani Pontificis recensentur, illustrantur et vindicantur.* Esztergom 1872. In: Roskovány: Romanus Pontifex VII 988—1118.

— *Observationes in ambas Constitutiones dogmaticas S. Concilii Vaticani.* Esztergom 1872. In: Roskovány: Romanus Pontifex VII 1128—1227.

SISIC, F.: *J. J. Strossmayer. Dokumenti i korespondencija.* Zagreb 1933.

SOARES GOMES, F.: *Três discutidos pormenores sobre a história do Concilio Vaticano I.* In: Theologica. Revista de Ciencias Sagradas, Ser. 2, vol. 5 (1970) 465—486.

— *A infalibilidade do Papa. Sacrifício da inteligência? Nos Bastidores do Vaticano I.* Porto 1975.

SPARROW SIMPSON, W. J.: *Roman Catholic opposition to papal infallibility.* London 1909.

SPEIGL, J.: *Traditionslehre und Traditionsbeweis in der historischen Theologie Ignaz Döllingers.* (Beiträge zur neueren Geschichte der katholischen Theologie. Bd. 5). Essen 1964.

– *Das Traditionsprinzip des Vinzenz von Lerinum: id teneamus, quod ubique, quod semper, quod ab omnibus creditum est (Common 2)*. Ein unglückliches Argument gegen die Definition der Unfehlbarkeit des Papstes. In: Hundert Jahre nach dem Ersten Vatikanischen Konzil. Hrsg. von G. Schwaiger. Regensburg 1970, 131—150.

SPEYER, W.: *Die literarische Fälschung im heidnischen und christlichen Altertum. Ein Versuch ihrer Deutung*. (Handbuch der Altertumswissenschaft I, 2). München 1971.

SPÖRLEIN, J.: *Theologische Einwendungen gegen die scholastisch-philosophische Lehre vom Menschen im Entwurf dargelegt*. Bamberg 1867.

SRBIK, H. RITTER VON: *Geist und Geschichte vom deutschen Humanismus bis zur Gegenwart*. 2 Bde. München – Salzburg ³1964.

STÄRK, F.: *Die Bischöfe der Diözese Rottenburg*. Stuttgart 1928.

STECCANELLA, V.: *Adversus novam doctrinam de necessitate unanimis episcoporum consensus theologica disquisitio*. Rom 1870.

STELLA, P.: *Crisi religioso nel primo ottocento piemonteste* (Biblioteca del »Salesianum«, 55). Turin 1959.

– *Don Bosco nella Storia della religiosità cattolica*. 2 Bde. Zürich 1968—1969.

STEPISCHNEGG, J. M.: *Papst Pius IX. und seine Zeit*. 2 Bde. Wien 1879.

STICKLER, A. M.: *Papal Infallibility. — A thirteen-century invention? Reflection on a recent book*. In: CHR 60 (1974) 427—441.

– *A rejoinder to Professor Tierney*. In: CHR 61 (1975) 274—279.

STIERNON, D.: *Constantinople IV*. (Histoire des Conciles Oecuméniques. Bd. 5). Paris 1967.

– *Il y a cent ans ... Vatican I. Le Père d'Alzon était dans les coulisses ...* In: L'Assomption et ses oeuvres 561 (1970) 8—10.

STIRNIMANN, H.: *Magisterio enim ordinario haec docentur. Zu einer Kontroversstelle der Enzyklika »Humani Generis«*. In: ZFThPh 1 (1954) 17—47.

STOCKMEIER, P.: *Die Kirchenväter und die katholische Tübinger Schule*. In: Theologie im Wandel. Festschrift zum 150jährigen Bestehen der katholisch-theologischen Fakultät an der Universität Tübingen 1817—1967. München – Freiburg 1967, 131—154.

– *Die causa Honorii und Karl Josef von Hefele*. In: ThQ 148 (1968) 405—428.

– *Kirchengeschichte in der katholischen Tübinger Schule*. In: Kirchengeschichte heute. Geschichtswissenschaft oder Theologie? Hrsg. von R. Kottje. Trier 1970, 95—111.

– *Der Fall des Papstes Honorius und das Erste Vatikanische Konzil*. In: Hundert Jahre nach dem Ersten Vatikanum. Hrsg. von G. Schwaiger. Regensburg 1970, 109—130.

STOCKMEIER, P. – TÜCHLE, H.: *Briefe des Rottenburger Bischofs Karl Josef von Hefele an Carl Johann Greith, Bischof von St. Gallen*. In: ThQ 152 (1972) 39—53.

STÜRMER, K.: *Konzilien und ökumenische Kirchenversammlungen. Abriß ihrer Geschichte*. (Kirche und Konfession. Bd. 3). Göttingen 1962.

STÜTTGEN, A.: *Kriterien einer Ideologiekritik. Ihre Anwendung auf Christentum und Marxismus*. Mainz 1972.

STUTZ, U.: *Der Geist des Codex iuris canonici. Eine Einführung in das auf Geheiß Papst Pius X. verfaßte und von Papst Benedikt XV. erlassene Gesetzbuch der kathlischen Kirche*. Stuttgart 1918.

SUIBHNE, M. MAC: *Ireland at the Vatican Council*. In: Irish Ecclesiastical Records 93 (1960) 209 bis 222; 295—307.

SULJAK, A.: *Il vescovo G. G. Strossmayer e il Concilio Vaticano I*. (Ungedruckte Dissertation der kirchengeschichtlichen Fakultät der Universität Gregoriana). Rom 1971.

SYLVAIN, CH.: *Histoire de Pie IX le Grand et de son pontificat*. 2 Bde. Paris 1878.

Tamborra, A.: Imbro I. Tkalac e l'Italia. (Istituto per la Storia del Risorgimento Italiano. Biblioteca Scientifica. Bd. XXIV). Rom 1966.

TEDESCHI, J.: *La Disperione degli Archivi della Inquisizione Romana.* In: Rivista di storia e letteratura religiosa 9 (1973) 298—312.

TEJEDOR, M. J.: *España y el Concilio Vaticano I.* In: Hispania Sacra 20 (1967) 99—175.

— *El concilio Vaticano I. El compromiso di un centenario.* In: Razón y Fe 182 (1970) 359—380.

TERRIEN, E.: *Mgr Freppel. Sa vie, ses oeuvres, son influence et son temps, d'après des documents inconnus et inédits.* 2 Bde. Angers 1931—32.

Briefe des P. August Theiner an Prof. F. Friedrich. In: Deutscher Merkur 5 (1874) 301—304; 331—332.

THEINER, A.: *Geschichte der geistlichen Bildungsanstalten.* Mainz 1885.

THIÉBAUD, V. J.: *Souvenirs historiques et documents officiels relatifs à l'Episode Vaticano-Bisontin pendant le Concile (1870).* Besançon ²1874.

THILS, G.: *L'infaillibilité pontificale, source-conditions-limites.* (Recherches et synthèses). Gembloux 1969.

— *La primauté pontificale. La doctrine de Vatican I. Les voies d'une révision.* Gembloux 1972.

— *Wahrheit und Verifikation auf dem Ersten Vatikanum.* In: Concilium 9 (1973) 164—168.

THOMAS VON AQUIN: *Summa Theologiae.* Editio altera Romana. Rom 1894.

— *Summa Theologiae.* Turin — Rom 1962.

— *Quaestiones disputatae et Quaestiones duodecim Quodlibetales.* Turin — Rom 1931.

— *Opuscula theologica.* Turin — Rom 1954.

THOMPSON, J. W.: *A History of historical writing.* 2 Bde. Gloucester ²1967.

THYSMAN, R.: *Le gallicanisme de Mgr Maret et l'influence de Bossuet.* In: RHE 52 (1957) 401 bis 465.

TIERNEY, B.: *Origins of Papal Infallibility 1150—1350. A Study on the Concepts of Infallibility. Sovereignty and Tradition in the Middle Ages.* (Studies in the History of Christian Thought. Bd. 6). Leiden 1972.

— *Ursprünge der päpstlichen Unfehlbarkeit.* In: Fehlbar? Eine Bilanz. Hrsg. von H. Küng. Zürich—Einsiedeln—Köln 1973, 121—145.

— *Infallibility and the medieval canonists. A discussion with Alfons M. Stickler.* In: CHR (1975) 265—274.

[TKALAC, I. I.]: *Epistolae obscurorum virorum de Sanctissimo Concilio Vaticano et de Sacrilega Usurpatione Gubernii subalpini scriptae ex Gesu in Germaniam.* Leipzig 1872.

TONSOR, S. J.: *Ignaz von Döllinger. A Study in Catholic Historism.* (Ungedruckte Dissertation der Universität von Illinois). Urbana/Illinois 1955.

TOPITSCH, E.: *Über Leerformeln.* In: Ders.: Probleme der Wissenschaftstheorie. Wien 1960, 233 bis 264.

— *Vom Wert wissenschaftlichen Erkennens.* In: Werturteilsstreit. Hrsg. von H. Albert und E. Topitsch. Darmstadt 1971, 365—382.

TOPITSCH, E. — SALAMUN, K.: *Ideologie. Herrschaft des Vor-Urteils.* (Langen-Müller Stichworte, 5). München — Wien 1972.

TRANIELLO, F.: *Cattolicesimo conciliatorista. Religione e cultura nella tradizione rosminiana lombardo-piemontese (1825—1870).* Mailand 1970.

TRILLING, W.: *Zum Petrusamt im Neuen Testament. Traditionsgeschichtliche Überlegungen anhand von Matthäus, 1 Petrus und Johannes.* In: ThQ 151 (1971) 110—133.

TROLLOPE, T. A.: *The Story of the Life of Pius the Ninth.* 2 Bde. London 1877.

TÜCHLE, H.: *Karl Josef von Hefele.* In: ThQ 152 (1972) 1—22.

Della unanimitá nei decreti dommatici del Concilio. (Estratto della Civiltà Cattolica, Serie VII, vol. X, fasc. 428). Rom 1870.

De l'Unanimité Morale nécessaire dans les conciles pour les définitions dogmatiques. Memoire présenté aux Pères du Concile du Vatican. Neapel 1870.

UNGER, D. J.: *St. Irenaeus and the Roman Primacy.* In: ThSt 13 (1952) 359—418.

VAILHÉ, S.: *Vie du P. Emmanuel d'Alzon, Vicaire général de Nîmes. Fondateur des Augustins de l'Assomption.* Bd. III. Paris 1934.

VALJAVEC, F.: *Der Josephinismus. Zur geistigen Entwicklung Österreichs im achtzehnten und neunzehnten Jahrhundert.* Wien 1945.

VALLIN, P.: *Pour l'histoire du concile du Vatican I. La démarche de la minorité auprès de Pie IX, le 15 juillet 1870.* In: RHE 60 (1965) 844—848.

VEUILLOT, E. und F.: *Louis Veuillot.* 4 Bde. Paris 1902—1913.

VEUILLOT, L. M.: *La liberté du Concile.* Paris 1870.

— *Œuvres complètes.* Paris 1924 ff.

VIGENER, F.: *Ketteler und das Vatikanum. Ein Beitrag zur Geschichte der Minorität auf dem Konzil.* In: Forschung zur Geschichte des Mittelalters und der Neuzeit. Festschrift für D. Schäfer. Jena 1915, 652—746.

— *Ketteler. Ein deutsches Bischofsleben des 19. Jahrhunderts.* München 1924.

— *Bischofsamt und Papstgewalt. Zur Diskussion um Universalepiskopat und Unfehlbarkeit des Papstes im deutschen Katholizismus zwischen Tridentinum und Vatikanum I.* 2. Auflage überarbeitet und hrsg. von G. Maron. (Kirche und Konfession, 6). Göttingen 1964.

VÖGTLE, A.: *Messiasbekenntnis und Petrusverheißung. Zur Komposition Mt 16, 13—23 par.* In: BZ NF 1 (1957) 252—272; 2 (1958) 85—103; ebenfalls in: Das Evangelium und die Evangelien. Beiträge zur Evangelienforschung. Düsseldorf 1971, 137—170.

— *Zum Problem der Herkunft von Mt 16, 17—19.* In: Orientierung an Jesus. Zur Theologie der Synoptiker: Festschrift J. Schmid. Hrsg. von P. Hoffmann u. a. Freiburg 1973, 372—393.

VOGT, A.: *Florence.* In: DThC VI 23—50.

Voti del clero italiano per la definizione dogmatica dell' infallibilità pontificia, con offerte dei sacerdoti al Santo Padre Pio IX. in omaggio ed in aiuto al Concilio Ecumenico Vaticano. 3 Bde. Turin 1870.

V. P. [anonym]: *L'infallibilità del Papa secondo S. Tommaso d'Aquino.* Neapel 1870.

VRIES, W. DE: *Rom und die Patriarchate des Ostens.* (Orbis Academicus. Problemgeschichten der Wissenschaft in Dokumenten und Darstellungen. Bd. III/4). Freiburg — München 1963.

— *Die Struktur der Kirche gemäß dem III. Konzil von Konstantinopel.* In: Volk Gottes. Festgabe für Josef Höfer. Hrsg. von R. Bäumer und H. Dolch. Freiburg—Basel—Wien 1967, 262—285.

— *Neuerungen in Theorie und Praxis des römischen Primates. Die Entwicklung nach der konstantinischen Wende.* In: Concilium 7 (1971) 250—253.

WAGNER, F.: *Moderne Geschichtsschreibung. Ausblick auf eine Philosophie der Geschichtswissenschaft.* (Erfahrung und Denken. Schriften zur Förderung der Beziehungen zwischen Philosophie und Einzelwissenschaften. Bd. 4). Berlin 1960.

— *Geschichtswissenschaft.* (Orbis Academicus. Problemgeschichten der Wissenschaft in Dokumenten und Darstellungen. Bd. I/1). Freiburg — München ²1966.

WALKER, G. S. M.: *The churchmanship of St. Cyprian.* (Ecumenical Studies in History, 9). London 1968.

WALLACE, L. P.: *Papacy and European Diplomacy 1869—1878.* London 1948.

WALLON, J.: *La vérité sur le concile. Réclamations et protestations des évêques. Discours de Mgr Darboy, M l'Abbé Doellinger, Mgr Dechamps, Mgr Dupanloup. Testament spirituel de Montalembert.* Paris 1872.

WALZ, A.: *I cardinal domenicani. Note bio-bibliografiche.* Rom 1940.

— *Von Cajetans Gedanken über Kirche und Papst.* In: Volk Gottes. Festgabe für Josef Höfer. Hrsg. von R. Bäumer und H. Dolch. Freiburg — Basel — Wien 1967, 336—360.

WAPPMANSPERGER, L.: *Leben und Wirken des Papstes Pius des Neunten.* Regensburg 1878.

WARD, G. — GHEZZI, B.: *Pius IX's Voltaire. Louis Veuillot and Vatican I.* In: Thought. A Review of Culture and Idea 176 (1970) 346—370.

WARD, G. W.: *The Authority of doctrinal decisions which are not definitions of faith considered in a short series of essays reprinted from »The Dublin Review«.* London 1866.

— Mr. *Renouf on Pope Honorius.* In: Dublin Review 11 NS 21 (1868) 200—233.

— *De infallibilitatis extensione theses quaedam et quaestiones.* London 1869.

— *The orthodoxy of pope Honorius.* In: Dublin Review 12 NS 23 (1869) 173—202.

— Mr. *Renouf's reply on Pope Honorius.* In: Dublin Review 14 NS 28 (1870) 372—402.

— *Essays on the Church doctrinal Authority.* London 1880.

WARD, W.: *William George Ward and the Catholic Revival.* London 1893.

WARNEFRIED, C. B. A.: *Seherblicke in die Zukunft. Eine Sammlung auserlesener Prophezeiungen mit Bezug auf unsere Zeit.* Erste Abteilung. Regensburg 1861.

WEBER, M.: *Das 1. Vatikanische Konzil im Spiegel der bayerischen Politik.* (Miscellanea Bavarica Monacensia, 28). München 1970.

WEHLER, H. U.: *Zum Verhältnis von Geschichtswissenschaft und Psychoanalyse.* In: HZ 208 (1969) 529—554.

WEILER, A.: *Kirchengeschichte und Neuorientierung der Geschichtswissenschaft.* In: Concilium 6 (1970) 459—467.

WEINZIERL, E. (Hrsg.): *Die päpstliche Autorität im katholischen Selbstverständnis des 19. und 20. Jahrhunderts.* (Forschungsgespräche des Internationalen Forschungszentrums für Grundfragen der Wissenschaften Salzburg, 11. Forschungsgespräch). Salzburg — München 1970.

WEISS, O.: *Die Redemptoristen in Bayern (1790—1909). Ein Beitrag zur Geschichte des Ultramontanismus.* (Ungedruckte philosophische Dissertation). München 1976.

WEITLAUFF, M.: *Die Dogmatisierung der Immaculata Conceptio (1854) und die Stellungnahme der Münchener Theologischen Fakultät.* In: Konzil und Papst. Historische Beiträge zur Frage der höchsten Gewalt in der Kirche. Festgabe für H. Tüchle. Hrsg. von G. Schwaiger. München — Paderborn — Wien 1975, 433—501.

[WERKMEISTER, B. M. VON]: *Thomas Freykirch; oder freymüthige Untersuchungen über die Unfehlbarkeit der katholische Kirche von einem katholischen Gottesgelehrten.* Frankfurt und Leipzig 1792.

WENINGER, F. X.: *Die Apostolische Vollmacht des Papstes in Glaubensentscheidungen.* Innsbruck 1841.

— *Handbuch der christkatholischen Religion.* Regensburg 1858.

— *Großer Katechismus.* Regensburg 1861.

— *Die Unfehlbarkeit des Papstes als Lehrer der Kirche und dessen Beziehung zu einem allgemeinen Concilium.* Einsiedeln 1869.

— *Pie IX est-il infaillible? L'infaillibilité du Pape devant la raison et l'Ecriture, les Papes et les Conciles, les Pères et les théologiens, les rois et les empereurs.* Paris — Lyon 1869.

WESSENBERG, I. H. VON: *Die großen Kirchenversammlungen des 15ten und 16ten Jahrhunderts in Beziehung auf Kirchenverbesserung geschichtlich und kritisch dargestellt mit einleitender Übersicht der früheren Kirchengeschichte.* 4 Bde. Konstanz 1840.

WESTERMAYER, A.: *Döllingers Stellung zur katholischen Kirche. Erwiderung auf die Schrift des Herrn Franziskaner-Lektors P. Petrus Hötzl in München.* Regensburg—New York—Cincinnati ²1870.

— *P. Petrus Hötzl, sein anonymer Vertheidiger & Compagnie, oder: der revolutionäre jansenistische Kirchenbegriff in München.* Regensburg — New York — Cincinnati 1870.

Dr. A. Westermayer und Petrus Hötzl. Von einem katholischen Geistlichen. München 1870.

WICKERT, U.: *Sacramentum unitatis. Ein Beitrag zum Verständnis der Kirche bei Cyprian.* (Zeitschrift für die neutestamentliche Wissenschaft und die Kunde der älteren Kirche. Beiheft 41). Berlin – New York 1971.

WIEST, St.: *Institutiones theologicae.* 3 Bde. Eichstätt 1786.

WILLIS, E. F.: *Pope Honorius and the new Roman Dogma. Papal infallibility irreconciliable with condemnation of a pope for heresy by three ecumenical councils. To which is appended an examination of Pennacchi's treatise on the case of Honorius I, adresses to the Vatican council.* London 1879.

[WILMERS, W.]: *Animadversiones in quatuor contra Romani Pontificis infallibilitatem editos libellos.* Neapel 1870.

WINTER, E.: *Der Josephinismus und seine Geschichte.* Brünn – München – Wien 1943.

WITTRAM, R.: *Das Interesse an der Geschichte. Zwölf Vorlesungen über Fragen des zeitgenössischen Geschichtsverständnisses.* (Kleine Vandenhoeck-Reihe, 59/60/61). Göttingen ³1968.

WOLFSGRUBER, C.: *Joseph Othmar Cardinal Rauscher, Fürsterzbischof von Wien. Sein Leben und sein Wirken.* Freiburg i. Br. 1888.

– *Friedrich Kardinal Schwarzenberg.* 3 Bde. Wien – Leipzig 1906–1917.

WOLMAN, B. B. (Hrsg.): *The Psychoanalytic Interpretation of History.* New York 1971.

WOLTER, H. – HOLSTEIN, H.: *Lyon I et Lyon II.* (Histoire des Conciles Oecuméniques. Bd. 7). Paris 1966.

ZACCARIA, F. A.: *Antifebronio sia Apologia storico-polemica del Primato del Papa.* 3 Bde. Pesaro 1767–1770.

– *Antifebronius vindicatus seu suprema Romani Pontificis potestas.* 4 Bde. Cesena 1771–1772.

– *Antifebronius. Febronius abbreviatus cum notis adversus neotericos theologos et canonistas.* Augsburg 1783–1785.

– *Breviculus modernarum controversiarum seu compendium Febronii abbreviati.* Augsburg 1789.

ZIEGLER, TH.: *Die geistigen und sozialen Strömungen des 19. Jahrhunderts.* Berlin 1899.

ZINNHOBLER, R.: *Pius IX. in der katholischen Literatur seiner Zeit. Ein Baustein zur Geschichte des Triumphalismus.* In: Konzil und Papst. Historische Beiträge zur Frage der höchsten Gewalt in der Kirche. Festgabe für H. Tüchle. Hrsg. von G. Schwaiger. München – Paderborn – Wien 1975, 387–432.

ZIRNGIEBL, E.: *Das Vaticanische Concil mit Rücksicht auf »Lord Actons« Sendschreiben und Bischof »v. Kettelers« Antwort kritisch betrachtet.* München 1871.

Nach Abschluß der Arbeit erschienen:

ANDRIÁNYI, G.: *Das römische Tagebuch des Fürstprimas Simor aus der Zeit des Ersten Vaticanums.* In: AHC 7 (1975) 459-466.

SCHATZ, K.: *Ein Konzilszeugnis aus der Umgebung des Kardinals Schwarzenberg. Das römische Tagebuch des Salesius Mayer OCist. (1816–1876).* (Veröffentlichungen des Instituts für Kirchengeschichte von Böhmen – Mähren – Schlesien. N. F. Band 6). Königstein im Taunus 1975.

ABKÜRZUNGEN

AA	Auswärtiges Amt	AMK	Archiv für mittelrheinische
AA, Besançon	Archives de l'archevêché,		Kirchengeschichte. Speyer
	Besançon		1949 ff.
AAP	Archives de l'archevêché de	AN	Archives Nationales
	Paris	AP	Archives Privées
AAS	Acta Apostolicae Sedis.	APA	Archives des Pères
	Rom 1909 ff.		Assomptionistes
AAW	Archives of the Arch-	APB	Archives des Pères Blancs
	diocese of Westminster,	APF	Archivio della S. Congre-
	London		gazione per L'Evangelizaz-
ACO	Acta conciliorum oecu-		zione »De Propaganda
	menicorum. Hrsg. von		Fide«
	E. Schwartz. 25 Bd.	ARA	Algemeen Rijksarchief
	Berlin 1910—1940	ARSP	Archiv für Rechts- und
AD	Archives diocésaines		Sozialphilosophie. Berlin
ADB	Allgemeine Deutsche Bio-		1907 ff.
	graphie. 55 Bde. Leipzig	ASCHST	Archiv der Benediktiner-
	1875—1910		abtei Unserer Lieben Frau
AER	The American ecclesiasti-		von den Schotten
	cal Review. Washington	ASSTS	Archives du Séminaire
	1889 ff.		St. Sulpice
AGPR	Archivio del Generalato	ASTR	Archivio di Stato in Roma
	dei Padri Redemptoristi	ASV	Archivio Segreto Vaticano
AHC	Annuarium Historiae Con-	BA	Bistumsarchiv
	ciliorum. Amsterdam	BLM	British Library, Departe-
	1969 ff.		ment of Manuscripts
AHD	Archives d'Histoire doctri-	BN	Bibliothèque Nationale
	nale et littéraire du Moyen-	BSTB	Bayerische Staatsbibliothek
	âge. Paris 1926 ff.	BZ	Biblische Zeitschrift.
AHP	Archivum historiae ponti-		Freiburg i. Br. 1903 bis
	ficiae. Rom 1963 ff.		1929; Paderborn 1931 bis
AIC	Archives de l'Institut		1939; 1957 ff.
	Catholique	Catholicisme	Catholicisme. Hier —
AkathKR	Archiv für katholisches		Aujourd'hui — Demain.
	Kirchenrecht. (Innsbruck)		Hrsg. von G. Jacquemet.
	Mainz 1857 ff.		Paris 1948 ff.
AMAE, Bruxelles	Archives du Ministèrè des	Coll. Lac.	Collectio Lacensis: Acta et
	Affaires Etrangères,		Decreta Sacrorum Conci-
	Bruxelles		liorum Recentiorum. Hrsg.
AMAE, Madrid	Los Archivos del Mini-		von den Jesuiten aus
	sterio de los Asuntos Ex-		Maria Laach. 7 Bde. Frei-
	teriores, Madrid		burg i. Br. 1870—1890
AMAE, Paris	Ministère des Affaires	CHR	The Catholic historical
	Etrangères, Archives,		Review. Washington
	Paris		1915 ff.

DA	Diözesanarchiv	LThK	Lexikon für Theologie und Kirche. 2. Auflage. Hrsg. von J. Höfer und K. Rahner. 10 Bde. Freiburg i. Br. 1957—1965
DAM	Deutsches Archiv für Erforschung des Mittelalters. Köln − Graz 1950 ff.		
DHGE	Dictionaire d'Histoire et de Gèographie Ecclésiastiques. Hrsg. von A. Baudrillart u. a. Paris 1912 ff.	MA	Le Moyen-âge. Revue d'histoire et de philologie. Paris 1888 ff.
DThC	Dictionnaire de Théologie Catholique. Hrsg. von A. Vacant und E. Mangenot, fortgesetzt von E. Amann. Paris 1930 ff.	MAEAS	Ministero degli Affari Esteri, Archivio Storico-Diplomatico, Rom
		Mansi	J. D. Mansi: Sacrorum conciliorum nova et amplissima collectio. Neudruck und Fortsetzung hrsg. von L. Petit und J. B. Martin. 60 Bde. Paris 1899—1927; Arnhem − Leipzig 1923 bis 1927; unveränderter Nachdruck Graz 1960 bis 1961
EA	Erzbischöfliches Archiv		
EThL	Ephemerides Theologiae Lovanienses. Brügge 1924 ff.		
FO	Foreign Office		
FZThPh	Freiburger Zeitschrift für Theologie und Philosophie. Freiburg i. Ue. 1954 ff.		
HeythrJ	The Heythrop Journal. Oxford 1960 ff.	MD	Materialdienst des konfessionskundlichen Instituts Bensheim 1959 ff.
HHSTA	Haus-, Hof- und Staatsarchiv, Wien	MIÖG	Mitteilungen des Instituts für österreichische Geschichtsforschung. (Insbruck) Graz − Köln 1880 ff.
HJ	Historisches Jahrbuch der Görres-Gesellschaft. (Köln 1880 ff.); München 1950 ff.		
HZ	Historische Zeitschrift. München 1859 ff.	MS	Mediaeval Studies. Toronto 1939 ff.
		Ms. fr.	Manuscrits français
IKZ	Internationale Kirchliche Zeitschrift. Bern 1911 ff.	MThZ	Münchener Theologische Zeitschrift. München 1950 ff.
ISTR	Istituto Storico del Risorgimento, Rom		
JEH	The Journal of Ecclesiastical History. London 1950 ff.	n. a. fr.	nouvelles acquisitions françaises
		NF	Neue Folge
JES	Journal of Ecumenical Studies. Pittsburgh 1964 ff.	NovT	Novum Testamentum. Leiden 1956 ff.
		NS	Neue Serie
		PA	Politisches Archiv
KfS	Kölner Zeitschrift für Soziologie und Sozialpsychologie. Köln 1948 ff.	PG	Patrologia Graeca. Hrsg. von J. P. Migne. 161 Bde. Paris 1857 − 1866
KuD	Kerygma und Dogma. Göttingen 1955 ff.	PL	Patrologia Latina. Hrsg. von J. P. Migne. 217 Bde.

und 4 Reg.-Bde. Paris
1878 – 1890

PRO   Public Record Office.
London

QFIAB   Quellen und Forschungen
aus italienischen Archiven
und Bibliotheken. Rom
1897 ff.

RACHS   Records of the American
Catholic Historical Society.
Philadelphia 1884 ff.

RevSR   Revue des Sciences Religieuses. Straßburg 1921 ff.

RHE   Revue d'histoire ecclésiastique. Löwen 1900 ff.

RHEF   Revue d'histoire de
l'Eglise de France. Paris
1910 ff.

RHLR   Revue d'histoire et de
littérature religieuse.
Paris 1896 – 1907

RHPhR   Revue d'histoire et de
philosophie religieuse.
Straßburg 1921 ff.

RömHM   Römische Historische
Mitteilungen. Graz – Köln
1958 ff.

RHR   Revue d'histoire des
religions. Paris 1880 ff.

RQ   Römische Quartalschrift
für christliche Altertums-
kunde und für Kirchen-
geschichte. Freiburg i. Br.
1887 ff.

RSPhTh   Revue des sciences philo-
sophiques et théologiques.
Paris 1907 ff.

RSR   Recherches de science religieuse. Paris 1910 ff.

RSTI   Rivista di storia della
chiesa in Italia. Rom
1947 ff.

RThAM   Recherches de théologie
ancienne et médiévale.
Löwen 1929 ff.

RThom   Revue Thomiste. Paris
1893 ff.

StdZ   Stimmen der Zeit. Freiburg
i. Br. 1871 ff.

STB   Stiftsbibliothek

ThGl   Theologie und Glaube.
Paderborn 1909 ff.

ThQ   Theologische Quartalschrift. Tübingen 1819 ff.;
Stuttgart 1946 ff.

ThPh   Theologie und Philosophie. Vierteljahres-
schrift (früher Scholastik).
Freiburg i. Br. 1926 ff.

ThRv   Theologische Revue.
Münster 1902 ff.

ThSt   Theological Studies.
Baltimore 1940 ff.

TThZ   Trierer Theologische
Zeitschrift (bis 1944
Pastor Bonus). Trier
1888 ff.

VD   Verbum Domini. Rom
1921 ff.

ZBLG   Zeitschrift für Bayerische
Landesgeschichte.
München 1928 ff.

ZKG   Zeitschrift für Kirchengeschichte. (Gotha)
Stuttgart 1876 ff.

ZKTh   Zeitschrift für katholische
Theologie. (Innsbruck)
Wien 1877 ff.

ZSavRGkan   Zeitschrift der Savigny-
Stiftung für Rechts-
geschichte, Kanonistische
Abteilung. Weimar 1911 ff.

ZThK   Zeitschrift für Theologie
und Kirche. Tübingen
1891 ff.

ZSKG   Zeitschrift für Schweizerische Kirchengeschichte.
Freiburg i. Ue. 1907 ff.

ZVA   Zentralverwaltung der
Archive der CSSR

BERICHTIGUNGEN ZUM ERSTEN HALBBAND

S. 48, Z. 17:   Gozze (statt Gozzé)

S. 58, Z. 13:   führten (statt ührten)

S. 95, Anm. 7, Z. 18:   Vorsak (statt Vorzak)

S. 352, Z. 13:   I. H. von Wessenberg (statt J. I. H. von Wessenberg)

S. 387, Anm. 38, Z. 6 muss lauten: Melchior Cano (ASV, Observationes in priora X Capita n. 37). Connollys Sekretär schrieb aus

REGISTER DER PERSONEN UND ORTE

Bei Autoren des 20. Jahrhunderts werden keine näheren Angaben gemacht und die Vornamen abgekürzt wiedergegeben. Das Stichwort Mansi ist nicht aufgenommen worden.

Abkürzungen des Registers:

versch.	verschieden		Kard.	Kardinal
amerik.	amerikanisch		kath.	katholisch
Apost.	Apostolisch		lat.	lateinisch
B.	Bischof		n. Chr.	nach Christus
bayer.	bayerisch		niederl.	niederländisch
belg.	belgisch		österr.	österreichisch
bes.	besonders		ord.	ordentlich
byz.	byzantinisch		orient.	orientalisch
christl.	christlich		päpstl.	päpstlich
dt.	deutsch		poln.	polnisch
Eb.	Erzbischof		preuß.	preußisch
engl.	englisch		Prof.	Professor
evang.	evangelisch		prot.	protestantisch
frz.	französisch		röm.	römisch
geb.	geboren		russ.	russisch
gest.	gestorben		schweiz.	schweizerisch
griech.	griechisch		span.	spanisch
Jh.	Jahrhundert		v. Chr.	vor Christus
ital.	italienisch		versch.	verschieden

Aachen (Deutschland 101
Accursi Gazzoli, Lucrezia Contessa (um 1900), Nichte von Eb. Vincenzo Tizzani 513
Acham, K. 531, 536
Acquapendente (Italien) 38
Acton, Lord John Emmerich Edward (1834– 1902), Schüler Döllingers, 1895 Prof. für Geschichte in Cambridge 19, 28, 31, 43, 57, 82, 83, 95, 99, 101, 104, 110, 114–116, 134, 139, 146, 158, 159, 164, 186, 193, 194, 199, 287, 352, 353, 408, 411, 432, 439, 448, 453, 465, 466, 468, 471, 473, 476, 490, 495–498, 500, 504, 505, 507, 508, 518, 520
Adam, K. 236, 237
Adames, Nikolaus (1813–1887), 1863 Apost. Vikar von Luxemburg, 1870 B. von Luxemburg 34, 37, 155, 306
Adria (Italien) 101
Aeneas von Paris (gest. 870), 856 B. von Paris 291

Afrika 81, 280
Agatho, Hl., Papst (678–681) 182, 212, 213, 240, 242, 269, 281, 288
Aggarbati, Giuseppe (1813–1880), Augustiner, 1867 B. von Senigallia (Italien) 231
Agnozzi, Giovanni Battista (1821–1888), 1868 Nuntius in Luzern, 1882 Apost. Delegat in Kolumbien 87, 402, 404, 405, 407, 421, 423, 424, 430, 434, 435, 437, 454, 516, 520
Aichinger, St. 400, 402, 430
Ailly, Pierre d' (1352–1420), frz. Theologe, 1411 Kard. 302
Aix (Frankreich) (Provinzialsynode von 1850) 24, 26
Akazianisches Schisma (484–519) 268
Aland, K. 220, 246, 256, 359
Alba (Piemont, Italien) (Synode von 1873) 468
Alberigo, G. 364
Albert, H. 531, 533, 535, 536

Alberti, O.   38

Albertus Magnus, Hl. (um 1200—1280). Dominikaner, Kirchenlehrer   291, 292, 458

Albi (Frankreich)   514
— (Provinzalkonzil von 1850)   26

Alby sh . Albi

Alcala (Spanien)   305

Alcazar, Ilario (1818—1870), 1848 Apost. Vikar vom östlichen Tongking   373

Aldhelm, Hl. (um 639—709), 675 Abt von Malmesbury, 705 B. von Sherborne   290

Aleander, Hieronymus, der Ältere (1480—1542), Humanist und Legat, 1524 Eb. von Brindisi, 1536 Kard.   53

Alemany, Joseph Sadoc (1814—1888), Dominikaner, 1850 B. von Monterey, 1853 Eb. von San Francisco, Mitglied der Glaubensdeputation des Konzils   201, 206, 215, 225, 227, 229—233, 238, 260, 262, 264, 267—269, 273, 274, 292, 294, 298, 308, 314, 317

Aleppo (Syrien)   119, 407, 487

Alexander II., Papst (1061—1073)   312

Alexander III., Papst (1159—1181)   272

Alexander IV., Papst (1254—1261)   218, 274

Alexander VII. (geb. 1610), Papst (1689—1691)   276, 277, 377

Alexandrien (Ägypten)   206, 232, 245, 262

Alfons Maria von Liguori, Hl. (1696—1787), Redemptorist, Kirchenlehrer   11, 20, 212, 219, 298, 322, 339

Alfons de Castro (1495—1558), Franziskaner, Theologe in Salamanca   272, 294, 295

Alfonsus Tostatus de Madrigal (um 1400—1455), span. Theologe, 1449 B. von Ávila   294

Alitarp, D' (um 1870) orientalischer Prälat in Rom   119

Alkuin (um 730—804), Gelehrter am Hofe Karls des Großen, 796 Abt von St. Martin in Tours   291, 310

Allioli, Joseph Franz (1793—1873), 1823 Prof. der orient. Sprachen, der Exegese und Archäologie, 1826 Prof. in München   312

Almain, Jacques (um 1480—1515) frz. Theologe   300

Aloysius von Gonzaga, Hl. (1568—1591), Jesuit   131

Altaner, B.   235

Altieri, Ludovico (1805—1867), 1826 Nuntius in Wien, 1845 Kard.   30

Altötting (Bayern)   39, 131, 134

Alzog, Johann Baptist (1808—1878), 1853 Prof. der Kirchengeschichte in Freiburg i. Br., 1869 Konsultor der theologischen Vorbereitungskommission für das 1. Vatikanische Konzil   42, 506

Alzon, Emmanuel d' (1810—1880), 1835 Generalvikar in Nîmes, 1845 Begründer der Kongregation der Assumptionisten   5, 7, 8, 30—33, 35, 36, 39, 47, 48, 58, 65, 67—69, 75, 80, 83, 92, 93, 97, 100, 103, 107, 109—112, 115, 134, 138, 141, 161, 163, 164, 166, 168, 169, 173, 328, 403, 417, 434, 481

Amat, Thaddaeus C. (1810—1878), 1853 B. von Monterey und Los Angeles   293, 375, 377

Ambrosius, Hl. (um 339—397), B. von Mailand, Kirchenlehrer   183, 206, 212, 230, 235, 236, 280

Amerika   81, 407, 478, 496

Amiens (Frankreich)   66

Anastasius II., Papst (496—498)   322

Anaya, Emmanuel Joseph, Prokurator von Giuseppe Romero, 1866 B. von Dibon und Apost. Vikar von S. Marta (Kolumbien)   196, 200, 205, 209, 214, 216, 230, 237, 238, 246, 260, 261, 278, 294—298, 303, 310, 366

Andrea, Girolamo Marchese d' (1812—1868), 1841 Titularb. von Mytilene, 1852 Kard., 1860 B. von Santa Sabina   141

Andriány, G.   63, 66, 76, 113, 160, 163, 166, 173, 405, 407, 414, 420, 423, 424, 430, 457, 461, 470, 521, 522

Anfossi, Filippo (gest. 1825), Theologe aus dem Dominikanerorden   310

Angeli, Rinaldo (gest. 1915), Prälat, Geheimkaplan Leos XIII., Benefiziat, dann Kanonikus   513

Angelis, Filippo De (1792—1877), 1838 Kard., 1842 Eb. von Fermo, erster Präsident der Generalkongregationen des Konzils   32, 33, 61, 62, 68, 71, 77—79, 142, 152, 328, 439

Angers (Frankreich)   524

Aniketos (Anicet), Hl., Papst (um 154/155—166)   227

Anselm von Canterbury, Hl. (1033/1034—1109), Benediktiner, Kirchenlehrer 291

Anselmus (gest. 1271—1278), 1250 erster B. von Ermland 458

Antiochien (Syrien) 262, 266

Antonelli, Giacomo (1806—1876), 1847 Kard., 1850 Staatssekretär, Mitglied der Kommission für die Postulate des Konzils 18, 26, 30—32, 35, 41, 44, 45, 60, 63, 66, 72, 75, 77, 78, 86—90, 103, 106, 111, 120, 132, 138, 142, 147, 154, 167, 402, 404, 405, 413, 415, 416, 421—430, 434, 435, 437, 442, 443, 445—447, 454, 470, 485, 486, 488, 495, 500, 514—516, 519, 520

Antonianus (3. Jh.), B., Gegner des Novatian 229

Antoninus (Antonin) Pierozzi, Hl. (1389—1459), Dominikaner, Moralist und Chronist, 1431 Eb. von Florenz 194, 203, 293, 294, 302, 319, 322, 376, 377, 391

Antonucci, Antonio B. (1798—1879), 1851 B. von Ancona und Umana, 1855 Kard. 186, 205, 210, 225, 228, 229, 231, 238, 260

Apokalypse 206

Apollinarios der Jüngere (4. Jh.), Theologe, 360 B. einer Gemeinde in Laodikeia 266

Apostelgeschichte 201, 204, 214, 264, 395

Appolis, E. 444

Apuzzo, Francesco Saverio (1807—1880), 1855 Eb. von Sorrent, Mitglied der Kommission für die Postulate des Konzils, 1871 Eb. von Capua, 1877 Kard. 295, 307, 314, 398

Arcangeli, Giovanni (um 1870), Prälat in der Diözese Pistoia 100

Arco Valley, Louis Graf (1845—1891), Diplomat, 1869 bayer. Gesandtschaftsattaché in Rom, 1872 an der dt. Botschaft in Washington 110, 446, 496

Arezzo (Italien) 101

Argentré, Charles Du Plessis d' (1673—1740), frz. Theologe, 1723 B. von Tulle 311

Arius (Areios) (um 260—336), Priester, Begründer der Lehre des Arianismus 266

Arles (Frankreich) 269, 281
— (Konzil von 314) 265, 266
— (Synode von 451) 310

Armagh (Irland) (Provinzialkonzil von 1854) 26

Arnim-Suckow, Harry Graf von (1824—1881), dt. Diplomat, 1864 Gesandter in Rom, 1872 Botschafter in Paris, 1874 Botschafter in Konstantinopel 3, 36, 44, 45, 55, 74, 75, 84, 97, 110, 116, 117, 136, 137, 148, 165—167, 170, 419

Aronne, Eleonoro (1799—1886), 1842 Titularb. von Lystra, 1846 B. von Montalto (Kirchenstaat) 205, 210, 214, 225, 238, 262, 320

Arras (Frankreich) 101

Arriete y Llano, Felix Maria (1811—um 1880), Kapuziner, 1863 B. von Cádiz und Ceuta (Spanien) 200, 225, 303

Arrigoni, Giulio (1806—1875), Franziskaner, 1849 Eb. von Lucca 78

Asien 81

Asmar, Andreas Emmanuel (gest. 1876), 1859 B. des chaldäischen Ritus in Zaku (Kurdistan) 388, 395

Athanasius (Athanasios), Hl. (um 295—373), Patriarch von Alexandrien, Kirchenlehrer 218, 229, 230, 234, 241, 245, 266, 333
— (Athanasisches Glaubensbekenntnis) 263

Athanasius I. (geb. um 1230), Patriarch von Konstantinopel (1289—1293; 1303—1309) 247

Aubert, R. XI, 2, 6, 7, 11—13, 16, 17, 19—23, 26, 38, 40, 44, 63, 65, 107, 115, 117, 121, 131, 141, 142, 146, 147, 157, 171, 172, 192, 360, 402, 403, 455, 465, 483, 497, 504, 527

Aubin, M. J. 480, 517

Auch (Frankreich) (Provinzialsynode von 1851) 26, 397

Audinet, J. 13

Audisio, Guglielmo (1802—1882), 1850 Rechtslehrer an der Universität Rom, Kanoniker von St. Peter 8, 34, 38, 58, 63, 174, 329, 419

Audu, Joseph (1790—1878) chaldäischer Patriarch von Babylon 116, 117, 143

Augsburg (Deutschland) 106, 111, 119, 259, 312—314, 431, 445, 446, 450, 459, 475, 480
— (Konzil von 1062) 312
— (Synode von 1566) 312

Augustinus, Hl. (354—430), B. von Hippo, Kirchenlehrer 182, 203, 206, 207, 221, 231, 232, 234—237, 245, 265, 267, 289, 377, 388

Augustinus Triumphus (1243—1328), Theologe und Schriftsteller 293

Autun (Frankreich) 293, 440, 445

Avack, A. D' 455

Avanzo, Bartolomeo D' (1811—1884), 1852 B. von Castellaneta, 1860 von Calvi und Teano, Mitglied der Glaubensdeputation des Konzils, 1876 Kard. 123, 246, 251, 255, 293, 296, 298, 317, 374, 376—378, 412, 483

Avignon (Frankreich) 101, 402
— (Provinzialsynode von 1849) 23, 26

Avitus (Alcimus Ecdicius) von Vienne, Hl. (um 450—518), um 494 Eb. von Vienne 234

Baal, Sturm- und Fruchtbarkeitsgott der Westsemiten 499

Bach, Joseph von (1833—1901), kath. Theologe, 1867 Prof. in München 488, 489, 506

Bacht, H. 49

Bäumer, R. 55, 172—174, 245, 246, 259, 282, 288, 302

Bagot, Jean (1591—1664), frz. Jesuit, 1620 Prof. der Philosophie, 1624 der Theologie, 1639—1643 Büchergeneralrevisor in Rom 290

Bagotius, Johannes sh. Bagot, Jean

Bailly, Emmanuel (1842—1917), Assumptionist, 1903—1917 Generalsuperior der Kongregation 32, 33, 35, 39, 48, 58, 75, 80, 83, 92, 97, 103, 107, 110, 163, 481

Bailly, Louis (1730—1808), frz. Theologe, Prof. der Dogmatik in Dijon 13, 19, 20, 145

Bailly, Paul (Vincent de Paul) (1832—1912), Assumptionist 32, 33, 35, 39, 47, 65, 93, 111, 112, 138, 141, 168, 169, 174, 403, 418

Ballerini, Paolo A. (1801—1875), 1859 Eb. von Mailand, 1867 lateinischer Patriarch von Alexandrien 205, 214, 215, 217, 225, 231, 260, 262, 265, 269, 273, 274, 285, 313, 314

Ballerini, Pietro (1698—1769), ital. Theologe 10, 241, 272, 290, 298, 302, 339

Ballerini, Raffaele (1830—1907), ital. Jesuit, Mitarbeiter bei der »Civiltà Cattolica« 44, 89, 134

Baltahasar, H. U. von 6

Balthausen (Deutschland) 507

Baltimore (USA) 24, 308
— (Synode von 1846) 314
— (1. Plenarkonzil von 1852) 24
— (2. Plenarkonzil von 1866) 24, 26, 314

Baltzer, Johann Baptist (1803—1871), kath. Dogmatiker, 1831 Prof. in Breslau 508

Bamberg (Deutschland) 91, 461

Báñez, Domingo (1528—1604), span. Theologe aus dem Dominikanerorden 294, 302

Banneville, Gaston Robert Morin Marquis de (1818—1881) frz. Diplomat, 1868 Gesandter beim Hl. Stuhl 31—33, 45, 47, 66, 117, 121, 122, 134, 135, 143, 149, 164, 166, 174

Barbier, Antoine Alexandre (1765—1825), frz. Publizist 158

Bardini, G. (um 1809), Bürgermeister von Volterra 126

Barilaro, A. 123

Barion, J. 530

Barluzzi, Giulio (um 1872), Commendatore, Minutante im Staatssekretariat 427

Baroche, Pierre Jules (1802—1870), frz. Staatsmann, 1850—1851 Innenminister, 1852—1869 Präsident des Staatsrates im Ministerrang, 1863 Minister für Justiz und Kultus 165, 441

Barola, Paolo (um 1829/1830), röm. Priester, Jugendfreund Pius' IX. 131

Barnabò, Alessandro (1801—1874) 1856 Kard., Präfekt der Propaganda Fide 36, 78, 81—84, 424, 448, 451, 456, 468, 487

Barne, L. (um 1870), Priester der Diözese Montpellier 102

Baronius, Caesar (1538—1607), Kirchenhistoriker, 1596 Kard. 10, 251, 286, 334

Barral, Louis Mathias de (1746—1816), 1790 B. von Troyes, 1805 B. von Tours 12

Bartatar, Petrus M. (1800—1884), 1858 Eb. des chaldäischen Ritus in Seerth (Kurdistan) 447

Barth, H. 530

Bartholi Feltriensis sh. Bartoli

Bartoli, Giovanni Battista (1695—1776), Prof. des kanonischen Rechts, 1747 B. von Feltre 284

Basel (Schweiz) (Konzil von 1431—1437 bzw. 1448) 243, 259, 300, 509

Basilius (Basileios), Hl., der Große (329/331—379), Kirchenlehrer 218, 221, 230, 234, 241

Bassette, L. 132

Bastide, Paul (um 1870), frz. Prälat, Seelsorge-
chef der frz. Okkupationstruppen in Rom,
Platzanweiser auf dem Konzil 44

Batbie, Anselme Polycarp (1828—1887), frz.
Staatsmann, 1873 Minister für Kultus und
Unterricht 439, 442, 444

Bathiarian, Grégoire (gest. 1885), 1850 Eb. von
Diarbekir (Mesopotamien) 84, 85

Battifol, P. 40

Baudry, Charles Théodore (1817—1863), Prof.
der Theologie in Nantes und Paris, 1861 B.
von Périgueux 480

Bauer, Reuward (1823—1883), Jesuit, Mitarbeiter bei den »Stimmen aus Maria
Laach« 288

Bauerband, Johann Joseph (1800—1878), Jurist, 1844 Prof. in Bonn 406, 453, 463, 470,
498

Baumgartner, Alex (1841—1910), schweiz.
Jesuit, Schriftsteller 454, 455

Baunard, Louis (1826—1900), frz. Theologe,
Ehrenkanoniker von Orléans 38, 40, 63,
89, 119

Bayern 44, 314, 459, 473, 489

Bayeux (Frankreich) 445

Bazin, Grégoire (um 1870), frz. Theologe,
Chanoine von St. Denis 75, 88—90, 111,
157, 165, 438, 480, 514, 523

Bécel, Jean Marie (geb. 1825) 1866 B. von Vannes 445

Beck, Louise (1822—1879), »Seherin« in Altötting und Gars 39, 134

Beckmann, Johannes E. (1803—1879), 1866 B.
von Osnabrück 313, 423, 433, 456, 468,
470, 475

Beckx, Pierre Jean (1795—1887), 1853 22. Ordensgeneral der Jesuiten 523

Becqué, M. 51, 90, 347, 517

Beda Venerabilis, Hl. (672/673—735), engl.
Benediktiner, Kirchenlehrer 234

Begey, A. 503

Béhaine, de sh. Lefebvre de Béhaine

Bélét, Jean Pierre (um 1870), frz. Prälat 104

Belgien 44, 50, 87, 404, 416

Bellarmin, Robert Franz Romulus, Hl. (1542—
1621), Jesuit, Theologe, 1599 Kard. 10,
212, 213, 219, 227, 241, 245, 268, 275, 286,
290, 295, 297, 305, 318, 334, 338, 352, 376,
377, 387, 392, 397

Bellone, B. 38, 124

Benedetti, Vincent (1817—1900), frz. Diplomat, 1864 Botschafter in Berlin 166, 167

Benedikt IX., Papst (1032—1045) 322

Benedikt XIV. (geb. 1675), Papst (1740—1758)
277, 296

Benjamin, 1863 griechisch-unierter B. in Ga-
lata (Konstantinopel) 84

Benz, E. 236, 237

Béranger (um 1870), Priester der Diözese Marseille 101

Berardi, Giuseppe (1810—1878), 1862 Titulareb. von Nizäa, 1868 Kard. 32, 369, 373

Berchtold, Joseph (1833—1894), 1868 Prof. der
Rechte in München, Altkatholik 518

Berka, Sbigneus de (gest. 1607), 1593 Eb. von
Prag 313

Berlin 110, 145, 162, 489

Bern (Schweiz) XII

Bernadou, Victor Félix (1816—1891), 1862 B.
von Gap, 1867 Eb. von Sens, 1886 Kard.
77, 136, 157, 387, 399, 402

Bernards, M. 27

Bernhard, Bischof von Autun sh. Bertrandi,
Petrus

Bernhard von Clairvaux, Hl. (um 1090—1153),
Zisterzienser, Kirchenlehrer und Abt 203,
291, 296

Berteaud, Jean Baptiste Pierre Léonhard
(1798—1879), 1842 B. von Tulle 252, 367

Berti, Domenico (1820—1897), ital. Politiker
und Literat 4, 8

Berti, Giovanni Lorenzo (1696—1766), Theologe, Hauptvertreter der jüngeren Augusti-
nerschule 298

Bertier, G. de 147, 168

Bertrand, V. (um 1870), frz. Konsul von Aleppo 119, 407, 408

Bertrandi, Petrus (gest. 1349), Jurist und Politiker, 1320 B. von Nevers, 1322 B. von Autun,
1331 Kard. und Eb. von Bourges 293

Besançon (Frankreich) 12, 21, 25, 26, 101,
113, 140, 144, 149, 168, 313, 413, 436, 437,
440, 443, 453, 488, 492
— (Provinzialsynode von 1849) 25

Besançon, A. 7

Besi, Ludovico (gest. 1871), 1839 Titularb. von Canopo 293, 377

Bessarion (um 1403−1472), Förderer der Union mit den Griechen, 1437 Eb. von Nizäa (Nikaia), 1439 Kard. 256, 258, 261

Besson, François Nicolas Xavier Louis (1821−1888), 1875 B. von Nîmes 49, 119, 134, 425

Betti, U. 106, 181, 184, 300

Beumer, J. 27, 46, 485, 527, 534

Beust, Friedrich Ferdinand Graf von (1809−1886), 1867 österr. Ministerpräsident 137, 140, 147, 167, 417, 419, 432, 433

Bévenot, M. 279

Beyens, E., Baron, belg. Diplomat, 1864−1893 Botschafter in Paris 136

Bianchi, Johannes Antonius (1686−1758), Franziskanerobservant, Theologe 10, 339

Bianchi, Raimondo (um 1870), Generalprokurator der Dominikaner, Konsultor der Kongregation »Vescovi e Regolari« 104, 292, 294

Bianchi Dottula, Giuseppe de (1809−1892), 1848 Eb. von Trani, Nazareth und Barletta 115, 269

Biella (Italien) 170

Biemer, G. 354

Biffani, Alfonso (gest. 1885), Abt, Kanonikus in Rom 38

Bihlmeyer, K. 455

Bilancio, P. 38, 123

Bilio, Luigi (1826−1884), Barnabit, 1866 Kard., Präsident der Glaubensdeputation, einer der Präsidenten des 1. Vatikanischen Konzils 7, 30, 32, 33, 35, 42, 48, 64, 65, 69−71, 73, 75, 78, 79, 123, 184, 324, 325, 403, 407, 426, 460, 472, 473, 482, 485, 488, 489, 496, 508, 514−516

Billuart, Charles René (1685−1757), Dominikaner, Theologe 298

Bindi, Enrico (1812−1876), 1867 B. von Pistoia und Prato, 1871 Eb. von Siena 100, 101, 210, 214

Birlinger, Anton (1834−1891), Privatdozent für Theologie in Bonn 508

Biró de Kezdi-Polány, Ladislaus (1806−1876), 1866 B. von Szatmár (Ungarn) 186, 202, 204, 222, 239, 240, 256, 266, 268, 270−272, 286, 308, 324-326, 371, 386, 398, 399, 460, 468

Bismarck, Otto Fürst von (1815−1898), Reichskanzler, Gründer des Dt. Reiches von 1871 3, 77, 84, 97, 98, 117, 136, 145, 148, 166, 167, 170, 419, 433, 434, 446, 477, 486, 487, 496

Bizzarri, Giuseppe A. (1802−1877), 1854 Titulareb. von Philippi, 1863 Kard., einer der Präsidenten des 1. Vatikanischen Konzils 41, 71, 79

Blacas d'Aulps, Pierre Louis Duc de (1771−1839), frz. Staatsmann 14

Blakiston, N. 43, 72, 93, 121, 122, 134, 164, 170, 402

Blanchet, François Norbert (1795−1883), 1843 Titularb. von Draza, 1846 Eb. von Oregon City (USA) 308, 369

Blank, J. 208, 209, 214, 216

Blanquart de Bailleul, Louis Marie Edmond (1795−1868), 1833 B. von Versailles, 1844 Eb. von Rouen, 1858 Kanoniker von St. Denis 12, 17, 25

Blau, Felix Anton (1754−1798), kath. Theologe der Aufklärungszeit, 1779 Prof. für theoretische Philosophie in Mainz 302

Blei, K. 537

Blennerhassett (geb. Leyden), Charlotte Gräfin (1843−1917), dt.-engl. Schriftstellerin 431, 465, 473, 494−497, 504

Blewett, P. F. 301, 302

Blois (Frankreich) 440

Bochum (Deutschland) XI

Boeckler, R. 338−340, 362, 363

Böhmen 305, 308, 457

Bolgeni, Giovanni Vincenzo (1733−1811), Jesuit, Prof. für Philosophie und Theologie in Macerata 11, 339

Bologna (Italien) 121, 122, 124, 131

Bombelli, Rocco (1837—1881), ital. Historiker und Publizist 519

Bonald, Louis Gabriel Ambroise Vicomte de (1754−1840), frz. Staatsmann und Philosoph 14

Bonald, Maurice de (um 1870), Amtsperson in Rodez 101

Bonaventura, Hl. (1217/1218—1274), Franziskaner, 1273 Kardinal-Bischof, Kirchenlehrer 289, 293, 391

Bonifatius IV., Hl., Papst (608−615) 269

Bonifatius VIII. (geb. um 1230), Papst (1294—1303) 273, 274, 331, 359

Bonifatius, Hl. (672/675—754), Benediktiner, Apostel Deutschlands 270, 312

Bonis, K. 250

Bonn (Deutschland) XI, 3, 31, 32, 35, 36, 44, 45, 52, 53, 55, 61, 74, 75, 77, 84, 87, 93, 97, 98, 103, 110, 113, 114, 117, 122, 125, 132, 136—140, 142, 145, 147, 148, 162—167, 170, 173, 329, 406, 419, 432—434, 446, 463, 468, 469, 471, 477, 478, 486, 487, 490, 497, 505, 507, 508

Bonnaz, Alexander (1812—1889), 1860, B. von Csanád und Temesvár (Ungarn) 163, 195, 202, 222, 224, 226, 239, 256, 293, 375, 377, 427, 428

Bonnechose, Henri Marie Gaston de (1800—1883), 1847 B. von Carcassonne, 1855 von Evreux, 1858 Eb. von Rouen, 1863 Kard., Mitglied der Kommission für die Postulate des Konzils 49, 60, 61, 73, 79, 110, 119, 134, 146, 192, 195, 200, 205, 208, 210, 215, 266, 269, 285, 320

Bonomi (um 1870), Generalvikar von Clifton 160

Bordas-Demoulin, Jean Baptise (1798—1859), frz. Theologe 92

Bordeaux (Frankreich) 94
— (Provinzialsynode von 1850) 24, 26
— (Provinzialsynode von 1859) 24, 26
— (Provinzialsynode von 1868) 26, 27

Bordier, Henri Léonhard (1817—1888), frz. prot. Gelehrter 92

Bornkamm, G. 208, 209

Borromeo (Borromäus), Carlo, Hl. (1538—1584), 1560 Kardinaldiakon, 1563 B. von Mailand 137

Bosco, Don Giovanni, Hl. (1815—1888), Stifter der Kongregation der Salesianer 132—134, 139

Bosl, K. XI

Bossuet, Jacques Bénigne (1627—1704), frz. Prediger, Kirchenpolitiker und Theologe, 1681 B. von Meaux 64, 203, 225, 276, 285, 296—298, 300, 301, 377

Bostani, Pietro (1820—1899), 1856 Titulareb. von Acrida, 1866 maronitischer Eb. von Tyrus und Sidon 315, 449

Boston (USA) XI

Bottalla, Paolo (1823—1896), Jesuit, Theologieprof. am St. Benno's College in Wales 287

Boudinet, Jacques Antoine Claude Marie (1806—1873), 1856 B. von Amiens 66

Bouix, Marie Dominique (1808—1870), frz. Kanonist 219, 310

Bouland (um 1870), frz. Abbé 95

Bourges (Frankreich) (Provinzialsynode von 1850) 24, 26

Bouvier, Jean Baptiste (1783—1854), frz. Dogmatiker und Moralist 13, 232

Boÿs, Albert du (1804—1889), frz. Publizist und Diplomat, Freund B. Dupanloups 67, 95, 112, 113, 123, 158, 327, 329

Braga (Portugal) 269

Brancati, Laurentius (Lauria) (1612—1693), Franziskaner, 1681 Kard. 301

Branchereau, L. 524

Brand, E. 530

Brandmüller, W. 111, 407, 429, 461, 462, 465, 475

Braulik, G. 517

Braulius (Braulio), Hl. (geb. nach 581, gest. um 651), 631 B. von Saragossa 307

Braun, Thomas (gest. 1884), Theologe, exkommuniziert wegen Ablehnung des Dogmas von der Unbefleckten Empfängnis Mariens 518

Braun, W. 507

Braunsberg (Ostpreußen) 91, 404, 476, 505, 509, 519

Bravard, Jean Pierre (1811—1976), 1853 B. von Coutance 73, 202, 210, 212, 217, 248, 249, 252, 254, 256, 318, 370, 372, 444, 469

Bray-Steinburg, Otto Graf von (1807—1899), bayer. Staatsmann, 8. 3. 1870—25. 7. 1871 Ministerpräsident 46, 94, 117, 147, 155

Breda, Paul de, Graf (geb. 1830), frz. Diplomat und Journalist 48, 49

Breitbrunn am Ammersee XII

Brentano, Franz (1838—1917), dt. Priester, Philosoph 509, 511

Breslau (Schlesien) 103, 313, 405, 413, 431, 508

Bright, W. 237

Brindisi (Italien) 53

Brinkmann, B. 534

Brisson, J. P.   279

Brixen (Südtirol)   64

Brodenham, Lord (um 1870), engl. kath. Laie, Mitarbeiter im internationalen Pressebüro des Konzils   48

Broglie, Jacques Victor Albert Duc de (1821 – 1901), frz. Staatsmann, Publizist und Historiker   347, 443

Brosse, O. de la   301

Brown, R. E.   IX

Brown, Thomas Joseph (1798 – 1880), Benediktiner, 1850 B. von Newport und Menevia (England)   497

Browne, H. J.   98

Brox, N.   334

Bruchmann, Franz Joseph Ritter von (1798 – 1867), Redemptoristenprovinzial in Altötting   131

Brüssel (Belgien)   2, 7, 32, 44, 52, 87, 88, 134 – 136, 163, 166, 168, 415, 416, 434, 514 – 516

Brunnen (Kt. Schwyz, Schweiz)   404

Bruno, Giordano (1548 – 1600), ital. Dominikaner, Philosoph   8

Brutus, Marcus Iunius (85 – 42 v. Chr.), einer der Mörder Cäsars   124

Buchheim, K.   15

Bütow, H. G.   530

Bulgakov, S.   176

Butler, C.   105, 110, 117, 121, 171, 455, 486, 529

Butterfield, H.   114

Byzanz sh. Konstantinopel

Cabrières, François Marie Anatole de Rovérié de (1830 – 1921), Privatsekretär von B. Plantier, später Generalvikar von Nîmes, 1873 B. von Montpellier, 1911 Kard.   104, 434, 442

Cadore, Marquis de, frz. Diplomat, 1867 Botschafter in München   405

Caelestius, Schüler des Pelagius, um 400 Mönch   266

Caesar, Gaius Julius (100 – 44 v. Chr.), Feldherr und Staatsmann Roms   124

Cahors (Frankreich)   420

Caixal y Estradé, José (1803 – 1879), 1853 B. von Urgel (Spanien)   192, 196, 200, 210, 231, 241, 261, 265, 270, 291, 311, 316, 367, 368, 375, 378, 386, 393, 395, 396,

Cajazzo (Italien)   161

Cajetan de Vio, Thomas (1469 – 1534), Dominikaner, Theologe, 1508 Ordensgeneral, 1517 Kard.   294, 302, 320, 334

Calixtus, Hl., Papst (217 – 222)   264

Callahan, M. T.   301, 302

Callot, Jean Baptiste Irénée (1814 – 1875), 1867 B. von Oran   200, 202, 222, 275, 290, 293, 377, 469

Cameron, J. M.   354

Cammarota, Filippo (1809 – 1876), 1849 Titularb. von Kapharnaum, 1854 Eb. von Gaeta   100

Camp, Maxime Du (1825 – 1898), frz. Schriftsteller, 1880 Mitglied der Académie Française   149

Campana, E.   90, 105, 120, 133, 454, 481, 503

Campenhausen, H. von   235, 236

Canisius, Petrus (1521 – 1597), Jesuit, Kirchenlehrer   20, 294, 305, 314

Cano, Melchior (1509 – 1560), Theologe aus dem Dominikanerorden   294, 295, 320, 387, 399

Canossa, Luigi dei Marchesi di (1809 – 1900), 1861 B. von Verona, 1877 Kard.   425

Canterbury (England)   291

Cantimorri, Felice (1811 – 1870), 1846 B. von Bagnorea, 1854 B. von Parma   206, 210, 215, 229, 230, 238, 395

Capaccio-Vallo (Italien)   101

Capalti, Annibale (1811 – 1877), 1868 Kard., einer der Präsidenten des 1. Vatikanischen Konzils   32, 36, 71, 74 – 76, 78, 79, 141

Capniste (Kapnist), Peter Alexevitch, Graf (1839 – 1904), russ. Diplomat, bis 1875 in der russ. Gesandtschaft in Rom   3, 31, 36, 137

Cappellari, Mauro sh. Gregor XVI.

Caprile, G.   45

Carafa, Domenico (1805 – 1879), 1844 Kard. und Eb. von Benevent   32, 200, 216, 262, 385

Cardelli, Luigi Maria (geb. 1777), Franziskaner, 1818 Eb. von Smyrna, 1832 Titulareb. von Acrida   29

Cardoni, Giuseppe (1802 – 1873), 1863 B. von Recanati und Loreto, 1867 Titulareb. von Edessa, Konsultor für die Vorbereitungen des Konzils 41, 181, 182, 201, 207, 210, 213, 216, 221, 226–230, 232–234, 237, 241–243, 246, 260, 264–269, 271, 291, 292, 302, 303, 319, 320, 333, 366, 367, 374, 377

Casali del Drago, Giovanni Battista (1838–1908), 1866 wirklicher Geheimkämmerer, 1895 lat. Titular-Patriarch von Konstantinopel, 1899 Kard. 137

Casangian, Placidus, 1864 armenischer Eb. von Antiochien, Generalabt der armenischen Antoniter vom Berge Libanon 84–86, 192

Casaroli, Agostino, Eb., 1975 Sekretär des »Consiglio per gli Affari Pubblici della Chiesa« 526

Casati, Gabrio (1798–1872), Senator, 1859–1860 Erziehungsminister Italiens 31, 32, 45, 66, 125

Case, George (um 1870), engl. Priester 467

Caseneuve (um 1870), Priester der Diözese Marseille 101

Caserta (Italien) 3, 7, 8, 34, 38, 66, 100, 118, 173

Caspar, E. 236, 237, 279–281

Caterini, Prospero (1795–1881), 1853 Kard. 86

Cattani, Giacomo (1823–1887), 1868 Nuntius in Brüssel, 1877 Nuntius in Madrid, 1879 Kard. 87, 88, 415, 416, 434

Caudron, M. 534

Cecconi, Eugenio (1834–1888), Kanonikus und Vizerektor des Seminars in Florenz, Historiker des Konzils von Florenz, 1875 Eb. von Florenz 41, 43, 51, 52, 54, 88, 103, 261, 452, 512–514, 516, 525

Celano, Emilio (gest. 1893), Advokat, ital. Beamter, 1870 Unterpräfekt und Reggente von Formia 100

Celesia, Pietro Geremia Michelangelo (1814–1904), Benediktiner, 1860 B. von Patti, 1871 Eb. von Palermo, 1884 Kard. 200, 216, 238, 246, 251, 255, 260, 262, 267, 269, 295, 303, 386

Celle (Deutschland) 291

Cenni, Antonio (um 1870), röm. Prälat, Privatsekretär und Geheimkaplan Pius' IX., »Caudatario« des Papstes 145

Cerboni, Tommaso M. (1723–1795), Dominikaner, Prof. der Philosophie und Theologie

am Kolleg der Propaganda Fide in Rom 297

Cerruti, Giovanni Battista (1813–1879), 1867 B. von Savona und Noli 254, 318

Cesare, Guglielmo de, Benediktiner, 1859 Abt von Monte Vergine 160

Cesare, Raffaele De (1845-1918), Senator, Historiker und Journalist 8, 38, 117, 135, 141, 143

Cesena (Italien) 101

Cetto, Anton Freiherr von (1835–1906), bayer. Diplomat, 1866 Legationssekretär der bayer. Botschaft beim Hl. Stuhl, 1872 Legationsrat 518

Chabert, Louise (um 1870), Mitglied des 3. Ordens der Assumptionisten in Nîmes 138

Chadwick, O. 354

Chaillot, Louis (um 1800–1891), Kirchenrechtler und Publizist, 1861 röm. Prälat, später Gegner der ultramontan-kurialen Richtung 87

Châlons (Frankreich) 420

Chalzedon (Konzil von 451, 4. ökumenisches) 239, 241, 242, 244, 267, 268, 271, 281

Chambord, Henri de Bourbon, Duc de Bordeaux, Comte de (1820 — 1834), legitimistischer frz. Thronanwärter unter dem Namen Henri V. 3

Chapeau, A. 524

Charon, Cyrille sh. Korolevskij

Charton, Edouard (1807–1890), frz. Schriftsteller und Politiker 92

Chartres (Frankreich) 291, 523

Charue, André Marie (geb. 1898), 1942 B. von Namur 517

Chastel, L. G. I. F. Du, Graf (1808–1880), niederl. Diplomat, 1866 Gesandter beim Hl. Stuhl 7, 45, 161, 174

Chateaubriand, François René Vicomte de (1768–1848), frz. Apologet und Schriftsteller 13, 14

Checa, José Ignazio, 1866 B. von Ibarra, 1868 Eb. von Quito (Ekuador) 225, 314, 369

Chelidonius (5. Jh.), B. von Vesontium 267

Chelmno (Culm, Polen) 313

Chiara sh. Clara

Chicago (USA) XI

Chigi, Flavio (1810–1885), 1856 Nuntius in München, 1861 Nuntius in Paris, 1873

Kard. 18, 19, 25, 26, 35, 47, 88, 89, 100, 102, 103, 164, 413—415, 421, 429, 435, 436, 438, 440, 442, 443, 495, 514

Childerich III. (um 734—755), Frankenkönig, der letzte aus dem Haus der Merovinger 270

Cholvy, G. 441, 444

Christianus Lupus (1612—1681), Augustiner, Philosoph und Theologe 241, 242, 272

Cicuto, Antonio (um 1871), ital. Priester 519

Cincinnati (USA) 40, 163, 404, 417

Clairvaux (Frankreich) 291

Clara von Montefalco (Clara vom Kreuz), Hl. (um 1275—1308), Mystikerin 131

Clarendon, 4. Earl of (George W. Fr. Villiers) (1800—1870), engl. Staatsmann und Diplomat, 1868 Außenminister 101, 149, 170, 402, 412

Clarendon, Emily Villiers, Tochter des 4. Earl of Clarendon, verheiratet mit Odo Russell 149

Claret y Clará, Antón M. (1807—1870), 1851 Eb. von Santiago de Cuba, 1860 Titulareb. von Trajanopoli 201, 202, 217, 225, 238

Clastron, J. 40

Clemens I., Papst (92—101) 264

Clemens IV., Papst (1265—1268) 254

Clemens VI. (geb. 1292), Papst (1342—1352) 274

Clemens VII. (geb. 1478), Papst (1523—1534) 245, 251

Clemens VIII. (geb. 1536), Papst (1592—1605) 275, 295

Clemens XI. (geb. 1649), Papst (1700—1721) 277, 391

Clemens XIV. (geb, 1693), Papst (1758—1769) 277

Clementi, Giuseppe (19./20. Jh.), röm. Prälat, Prof., Biograph Pius' IX., Zeuge im Kanonisationsprozeß dieses Papstes 130

Clifford, William Joseph Hugh (1823—1893), 1857 B. von Clifton 73, 78, 113, 114, 147, 160, 198, 217, 241, 247, 248, 254, 276, 298, 304, 305, 308, 309, 317, 377, 417, 467, 468, 471, 495, 497

Clifton (England) 113, 144, 160

Closkey, John Mc (1801—1885), 1847 B. von Albany, 1864 Eb. von New York 42

Coelestin I., Hl., Papst (422—432) 233, 240, 241, 267

Coelestin III., Papst (1191—1198) 272

Colet, Charles Théodore (1806—1883), 1861 B. von Luçon, 1874 Eb. von Tours 30, 36, 40, 59—61, 66, 67, 77, 99, 102, 170, 246, 249, 256, 320—322, 420, 436, 477, 493, 524

Collège de l'Assomption de Nîmes 33, 48, 109, 141, 328

Collegium Romanum (Jesuitenuniversität in Rom) 338

Colli, Antonio (geb. 1811), 1867 B. von Alessandria della Paglia 386

Collins, P. W. 356

Colocza sh. Kalocsa

Colson, J. 235

Colucci, Giuseppe, Advokat, ital. Beamter, 1867—1872, Präfekt von Caserta, 1891—1892 Präfekt von Palermo 3, 7, 8, 66, 100, 118, 173

Conde y Corral, Bernardo (1814—1880), 1857 B. von Plasencia, 1863 von Zamora (Spanien) 319

Congar, Y. 11, 12, 16, 18, 62, 112, 122, 236, 281—283, 300, 301, 339, 356, 362

Connolly, Thomas (1815—1876), Kapuziner, 1852 B. von St. John, 1859 Eb. von Halifax (Neuschottland) 82, 83, 121, 186, 187, 199, 202, 204, 206, 207, 210—212, 215, 217—219, 226—231, 239—241, 248, 249, 253, 254, 256, 262, 268, 276, 286, 293, 299, 305, 329, 337, 376, 377, 387, 451, 456, 473

Consalvi, Ercole Marchese (1757—1824), 1800 Kard. und Staatssekretär 13, 523

Constantine (Nordafrika) 439, 440

Constantinus (Konstantinos) Pogonatus, byz. Kaiser (668—685) 182, 213

Contenson, Vincent de (1641—1674), Dominikaner, Theologe 297

Conti, Natale (1520—1582), ital. Humanist 10

Conzemius, V. XI, 49, 59, 110, 166, 167, 171—173, 348, 360, 361, 364, 455, 495, 507, 509, 527, 529, 530

Corcelles, Claude François Philibert Tircuy de (1802—1892), frz. Politiker 436, 443

Corcoran, James A. (1820—1889), amerik. Theologe, Konsultor der vorbereitenden theologischen Kommission des Konzils 42, 43

Cornelius, Hl., Papst (251–253) 253, 265

Cornelius, Adolf von (1819–1903), dt. Historiker, 1854 Prof. in München 509

Cornelius a Lapide (1567–1637), Theologe aus dem Jesuitenorden, Exeget 203

Cornut, E. 64, 92, 119

Corradi, Raffaele (1810–1884) Unbeschuhter Karmelit, 1867 B. von Bagnorea (Kirchenstaat) 369, 372, 386

Correnson, Marie Emmanuel sh. Marie Emmanuel

Corsi, Cosimo (1798–1870), 1842 Kard., 1853 Eb. von Pisa, Mitglied der Kommission für die Postulate des Konzils 71, 200, 201, 205, 210, 215, 229–233, 256, 261, 266, 267, 269, 272, 276, 277, 285, 290, 292, 303, 319

Cosi, Eligio (1819—1885), 1865 Titulareb. von Priene 186, 210, 319, 320

Coulin (um 1870), Priester der Diözese Marseille 101

Coulton, J. G. 497

Cousseau, Charles Antoine (1805–1875), 1850 B. von Angoulême 97

Coutance (Frankreich) 73

Croy Chanel, René Pierre Viscomte de (um 1870), 2. Sekretär der frz. Botschaft beim Hl. Stuhl 52, 90

Csanád (Ungarn) 428

Cue, J. F. Mc 235, 279, 280

Cullen, Paul (1803–1878), 1849 B. von Armagh, 1852 Eb. von Dublin, 1866 Kard., Mitglied der Kommission für die Postulate des Konzils 73, 200, 208, 211, 213, 215, 216, 225, 228, 233, 260, 261, 265, 269, 277, 285, 286, 289, 291, 293, 303, 304, 307, 309, 318, 320, 482

Cwiekowski, F. J. 19, 29, 160, 346, 407, 417, 471

Cyprian, Hl. (um 200/210–258), Kirchenschriftsteller, B. von Karthago 203, 229, 231, 265, 279, 280, 318

Cyrill (Kyrillos) (gest. 444), Patriarch von Alexandrien, Kirchenlehrer 206, 212, 232, 233

Cyrill (Kyrillos) (um 313–387), B. von Jerusalem, Kirchenlehrer 229

Czacki, Vladimir Graf (1834–1888), päpstl. Diplomat, 1879 Nuntius in Paris, 1882 Kard. 72

Dabert, Nicolas Joseph (1811–1901), 1863 B. von Périgueux 200, 369

Dalmatien 173, 307, 429

Damaskus (Syrien) XI

Damasus I., Hl. (geb. um 305), Papst (366–384) 229, 266

Dansette, A. 82, 440, 445

Darboy, Georges (1813–1871), 1859 B. von Nancy und Toul, 1863 Eb. von Paris 1, 5, 12, 18, 19, 29, 55, 57, 62, 64, 67, 74, 78, 80, 81, 84, 86, 93, 94, 99, 110, 112, 117, 121, 144, 157, 158, 162–166, 168, 191, 194, 199, 202, 217, 220, 222, 226, 233, 239, 243, 290, 293, 315, 317, 318, 326, 370, 372, 377, 409, 411, 415, 416, 422, 440, 441, 450, 451, 493–496

Dardanien 307

Daru, Napoléon Comte (1807–1890), frz. Staatsmann, 1869/1870 Außenminister 67, 72, 87, 112, 113, 117, 140, 156, 158, 164, 167, 174, 327, 329, 405

David, Augustin (1812–1882), 1862 B. von St. Brieuc 90, 92, 99, 110, 112, 169, 218, 220, 222, 226, 229, 231, 233, 243, 262, 263, 276, 277, 293, 295–297, 305, 306, 308, 309, 311, 313, 318, 319, 322, 372, 377, 415, 425, 468, 478, 479, 493

Decazes, Louis Charles Elie Amanieu Duc (1819–1889), frz. Staatsmann, 1873 Außenminister 436

Dechamps, Victor Auguste Isidore (1810–1883), Redemptorist, 1865 B. von Namur, 1867 Eb. von Malines, Mitglied der Glaubensdeputation des Konzils, 1875 Kard. 2, 4, 31, 37, 39, 48, 50–52, 71, 90, 112, 119, 152, 153, 161, 184, 192, 216, 217, 225, 233, 237, 242, 246, 260, 277, 288, 294–298, 342, 347, 368, 375, 407, 452, 460, 496, 508, 517

Dederen, R. 509

Degenkolbe, G. 534

Deharbe, Josef (1800–1871), Jesuit, Theologe 20, 313

Dehon, Léon (1843–1925), Begründer der Herz-Jesu-Priester 190

Deinlein, Michael (1800−1875), 1856 B. von Augsburg, 1858 Eb. von Bamberg 91, 406, 407, 448, 457, 461, 468

Dejaifve, G. 483

Delaplace, Louis Gabriel (1820−1884), 1852 Titulareb. von Adrianopoli, 1854 Apost. Vikar von Tsche-Kiang (China) 373, 374

Delicati, Pio (um 1870), Kanoniker, Professor an der Universität Sapienza in Rom 46

Demartis, Salvatore Angelo (1817−1902), Karmelit, 1867 B. von Galtelli-Nuoro (Sardinien) 186, 200, 225, 238, 260, 274, 276−278, 303, 319

Démétriadis (um 1870), griechisch-kath. Priester, Privatsekretär von Patriarch Gregor Jussef 118

Demonstier, A. 279

Den Haag (Niederlande) 45, 83, 93, 96, 105, 161, 174

Denk, A. 157

Denzinger, Heinrich Joseph (1819−1883), kath. Theologe, 1854 Prof. für Dogmatik in Würzburg 16, 20, 183, 206, 210, 246, 247, 252, 256, 257, 263, 291, 300, 335, 338, 481, 534

Denzler, G. X, XII, 208, 488, 506, 507

Derek Holmes, J. 346, 354, 506

Desprez, Julien Florian Félix (1807−1895), 1850 B. von Réunion, 1857 von Limoges, 1859 Eb. von Toulouse, 1879 Kard. 392, 393

Deutsche Demokratische Republik 167

Deutschland 13, 15, 17, 20, 29, 35, 68, 113, 163, 166, 310, 312, 313, 406, 411, 429, 432, 433, 445, 448, 457, 463, 465, 478, 488, 491, 523

Devoucoux, Jean Sébastien Adolphe (1804−1870), 1858 B. von Evreux 40, 90

Diakovar (Jugoslawien) 56, 408, 413, 415, 434

Dieringer, Franz Xaver (1811−1876), kath. Dogmatiker, Prof. in Bonn 42, 506

Dietrich, W. 214

Dijon (Frankreich) 99, 168, 415, 435, 436, 488

Dilgskron, Carl (1843−1912), Redemptorist, 1866 Prof. für Philosophie und Dogmatik in den Ordenskollegien von Mantua und Rom,

1883−1909 Generalkonsultor der Kongregation 39

Dillingen (Deutschland) 312, 446

Dilthey, Wilhelm Christian Ludwig (1833−1911), Philosoph 335

Dingsbey, Lord (um 1870), engl. kath. Laie, Mitarbeiter im internationalen Konzilspressebüro in Rom 48

Dinkel, Pankraz (1811−1894), 1858 B. von Augsburg 111, 202, 204, 206, 211, 212, 215, 305, 314, 317, 319, 385, 404, 413, 431, 445, 446, 450, 456, 457, 459, 468, 475, 476, 480, 482

Dionysius, Hl. (gest. 264/265), Patriarch von Alexandrien 265

Dobmayer, Marian (1753−1805), 1787 Prof. der Theologie in Amberg, 1794 Prof. der Dogmatik in Ingolstadt 301

Döllinger, Johannes Joseph Ignaz von (1799−1890), 1823 Prof. für Kirchengeschichte und Kirchenrecht in Aschaffenburg, 1826−1890 in München 8, 20, 22, 28, 29, 31, 35, 36, 41, 45, 47, 53, 56−59, 63, 67, 78, 81−83, 86, 91, 93, 95, 103, 104, 106, 107, 109, 110, 113−117, 119, 120, 134, 135, 139, 140, 146, 148, 153, 158−160, 163, 174, 186, 193, 194, 199, 258, 259, 287, 329, 330, 333, 334, 345, 346, 348−355, 360, 361, 405, 407, 408, 411, 423, 425, 430, 433, 448, 453, 454, 461, 464, 471, 484, 490, 491, 495−498, 500−502, 505−511, 521, 532

Döllinger sh. auch Janus und Quirinus

Döllinger, Elisabeth Christine (1861−1917), Nichte des I. von Döllinger, verheiratet mit Karl Uhl 521

Dolinar, Francesco, röm. Prälat, um 1970 mit der Edition der Akten des 1. Vatikanischen Konzils beauftragt 525

Domenec, Michael (1794−1878), 1860 B. von Pittsburgh 162, 197, 217, 304, 308, 309, 448, 451

Doney, Jean Marie (1794−1871), 1844 B. von Montauban 186, 197, 200, 210, 217, 225, 238, 246, 251, 290, 303, 316

Donfried, K. P. IX

Donnet, Ferdiand François Auguste (1795−1882), 1835 Titularb. von Rasa, 1836 Eb. von Bordeaux, 1852 Kard. 115, 303

Dorfles, G. 537

Dorrian, Patrick (1814—1885), 1860 Titularb. von Gabala, 1865 B. von Down und Connor 309

Dougall, H. A. Mac 354

Doumet, Madame (um 1870), Mitglied des 3. Ordens der Assumptionisten in Nîmes 68

Dours, Jean Jules (1809—1876), 1863 B. von Soissons 290, 293, 377, 432, 444, 468

Dressel, Albert (1808—1875), dt. Philologe, Korrespondent der »Allgemeinen Zeitung« in Rom 95

Dreux-Brézé, Pierre Simon Louis Marie de (1811—1893), 1850 B. von Moulins 205, 209, 214, 217, 225, 237, 244, 246, 251, 255, 260, 319, 369

Droysen, Johann Gustav Bernhard (1808—1884), Historiker 335, 363

Druffel, August von (1841—1891), Historiker in München 509

Dublin (Irland) 211

Dubreil, Louis Anne (1808—1880), 1861 B. von Vannes, 1863 Eb. von Avignon 388, 402

Dudden, F. H. 236

Düsseldorf (Deutschland) XI

Dumazer, Joseph Emilien Alexis (1844—1894), Assumptionist, 1882 Direktor des Collège de Nîmes 164, 328

Dupanloup, Félix Antoine Philibert (1802—1878), 1849 B. von Orléans 2, 4, 7, 26, 28, 29, 31, 34, 35, 39—42, 44, 47, 50, 52, 55, 57—61, 63, 64, 68, 69, 76—78, 80—83, 90, 93, 95, 96, 100, 103, 108, 109, 111—116, 121, 122, 125, 131, 132, 135—140, 142—146, 149, 150, 153, 158, 160, 162—166, 168—170, 186, 193, 199, 206, 210, 211, 217, 222, 248, 252—254, 256, 290, 293, 318, 319, 327—332, 346, 347, 370—372, 375—377, 382, 386, 402, 405, 407—409, 411, 413, 415, 418, 420, 422, 424, 425, 432—435, 437, 440, 442—444, 447, 451—453, 456, 465, 470, 471, 490, 493—496, 513, 514, 517, 522, 524

Dupin, André Marie Jean Jacques (1783—1865), frz. Jurist und Politiker 92

Dupont des Loges, Paul Georges Marie (1804—1886), 1843 B. von Metz 168, 447

Durand, C. (um 1870), frz. Theologe, Freund B. Marets 480, 493

Dusmet, Giuseppe Benedetto (1818—1894), Benediktiner, 1867 Eb. von Catania, 1889 Kard. 38, 231

Duval, André (1564—1638), frz. Theologe, 1597 Lektor an der Sorbonne 18, 62, 112, 122, 296

Dvornik, F. 250, 251

Ebeling, G. 362, 364

Ebelius sh. Eybel

Eberhard, Matthias (1815—1876), 1862 Titularb. von Paneade, 1867 B. von Trier 56, 60, 96, 97, 99, 112, 113, 122, 123, 144, 147, 153, 168, 222, 304, 305, 315, 330, 370, 372, 413, 431, 448, 451, 456, 458, 463, 469, 472, 516

Edessa (Mesopotamien) 181, 264

Ehrhard, A. 363

Eichstätt (Deutschland) 63

Eleutherius, Hl., Papst (um 174—189) 264

Elrath, D. Mc 352, 432, 473, 477, 495, 496, 498, 504, 505, 507

Empie, P. C. IX

Enfants de la Marie de l'Assomption 134

Engel-Janosi, F. 98, 121, 455

England 13, 19, 29, 44, 45, 50, 81, 102, 308, 407

England, John (1786—1842), 1820 erster B. von Charleston (USA) 308

Eniery, P. Mc 281

Epheserbrief 204, 206

Ephesus (Kleinasien) 228

— (Konzil im Jahre 431, 3. ökumenisches) 241, 242, 267

Epiphanios von Konstantinopel, Patriarch (520—535) 234

Epiphanios von Salamis (um 315—403), Mönch und Theologe 229

Erlangen (Deutschland) XI

Erlau (Eger, Ungarn) 97

Erlecke, A. 516

Ermland (Ostpreußen) 66, 313, 445, 457, 458, 484, 520

Errington, Georges (1804—1886), B. von Plymouth, 1855 Titulareb. von Trapezunt 73, 78, 198, 331, 385, 417, 447, 448

Esztergom (Ungarn) 522
− (Provinzialsynode von 1560) 307
− (Provinzialkonzil von 1858) 27, 307
Etienne, Jean Baptiste (1801−1874), 1843−
1874 Generalsuperior der Lazaristen, ihr
zweiter Begründer 101
Eugen III., Papst (1145−1153) 272
Eugen IV. (geb. um 1383), Papst (1431−1447)
257, 274
Europa 81, 166
Eutyches (geb. um 378), als Irrlehrer verurteilt
233
Evilly, John Mac (1818−1902), 1857 B. von
Galway, 1881 Eb. von Tuam (Irland) 201,
225, 303, 309, 314, 319, 369
Eybel, Josef Valentin (1741−1805), 1777 ord.
Prof. des Kirchenrechts in Wien 11, 257,
302
Eynde, D. van der 279

Fabi, Giuseppe (um 1870), ital. Priester 286,
288
Fabre (um 1870), frz. Abbé, Sekretär von B.
Maret 95, 480, 523
Fabre, Joséphie (um 1870), Mitglied des 3. Ordens der Assumptionisten in Nîmes 68
Facchini, T. 302
Falcinelli-Antoniacci, Mariano (1806−1874),
1863 Nuntius in Wien, 1873 Kard. 404,
405, 421−423, 426−430, 434, 436, 500,
514−516, 519
Falconieri Mellini, Chiarissimo (1794−1859),
1826 Eb. von Ravenna, 1838 Kard. 131
Falloux du Coudray, Alfred Comte de (1811−
1885), frz. Staatsmann und Historiker, 1849/
1850 Unterrichtsminister, 1856 Mitglied der
Académie Française 144
Falloux du Coudray, Fédéric de (1807−1884),
1861 Regens der Apost. Kanzlei, 1877 Kard.
142
Fania, Antonio Maria (1804−1880), Franziskaner, 1867 B. von Potenza und Marsico
Nuovo 38
Faùli, Anselmo Francesco (1817−1876), Kar-
melit, 1867 B. von Grosseto 260, 369, 386
Favero, A. 503
Favre, Gabriel Jules Claude (1809−1880), frz.
Staatsmann, 1871 Außenminister 435, 511

Febronius sh. Hontheim, J. N. von
Felinski, Sigismund Felix (geb. 1822), 1862 Eb.
von Warschau 304
Felix I., Hl., Papst (268/269−273/274) 322,
333
Fénélon de Salignac de la Mothe, François
(1651−1715), frz. Theologe, 1695 Eb. von
Cambrai 297
Fernessole, P. 495
Ferrandus von Karthago, Diakon (6. Jh.),
Schüler und Briefkorrespondet des hl. Ful-
gentius von Ruspe 234
Ferrara (Italien) 129, 251
Ferrè, Pier Maria (1815−1886), 1857 B. von
Crema, 1859 von Pavia, 1867 von Casale
213, 215, 232, 246, 252, 261, 269, 293, 294,
296, 335, 369
Ferriali, S. 100
Feßler, Joseph (1813−1872), 1862 Titularb.
von Nissa, 1864 B. von St. Pölten, Sekretär
des Konzils 40, 50, 59, 60, 69, 70, 71, 78−
80, 95, 97, 120, 184, 186, 427, 460, 466, 472,
473, 477, 484, 486, 488, 490, 498, 502, 514−
516
Figgis, J. N. 43
Fillion, Charles Jean (1817−1874), 1858 B.
von St. Claude, 1862 von Le Mans 292
Fink, K. A. 1, 258, 259, 352, 353
Finlayson (um 1855), Mitarbeiter bei der »Dublin Review« 351
Finsterhölzl, J. 349, 350, 361, 511
Firmilian (Firmilianos), Hl., um 230−268, B.
von Cäsarea in Kappadozien 265
Fitzgerald, Edward (1833−1907), 1866 B.von
Little Rock (USA) 40
Flavia (Domitilla), Hl. (1. Jh.), Enkelin Vespa-
sians, Gattin des Konsuls Flavius Clemens
261
Flavian (gest. 449), Patriarch von Konstantinopel (446−449) 234, 239, 267, 281
Fleury, Claude (1640−1732), frz. Kirchenhistoriker 10, 301
Florenz XII, 8, 94, 118, 122, 137, 145, 162,
293, 417, 419, 485, 487, 491, 512, 516
− (17. ökumenisches Konzil von 1438−1445)
27, 188, 218, 221, 243−245, 251, 254−259,
320, 329, 357

Florez, Enrique (1702—1773), span. Augustiner, Kirchenhistoriker 307

Foerster, H. 287

Förster, Heinrich (1799—1881), 1853 B. von Breslau 59, 97, 103, 114, 153, 159, 167, 222, 319, 330, 405—407, 411, 413, 430, 448, 456, 504

Fogarasy, Michael (1800—1882), 1865 B. von Siebenbürgen 163, 186, 202, 222, 304, 315, 330, 386

Forbin d'Oppède, Marie Aglaé Roselyne de Villeneuve Bargemont Marquise de (1822—1884), vermählt mit Marquis Pallamide de Forbin d'Oppède auf Schloß St. Marcel bei Marseille, historisch gebildet 431, 465, 473, 494—497, 504

Forcade, Théodore Augustin (1816—1885), 1853 B. von Guadeloupe, 1861 B. von Nevers, 1873 Eb. von Aix-en-Provence 154, 436

Formia (Italien) 100

Formosus, Papst (891—896) 271

Fornari, Raffaele (1788—1854), 1842 Nuntius in Paris, 1850 Kard. 21

Forwerk, Ludwig (1816—1875), 1854 Titularb. von Leontopoli und Apost. Vikar von Sachsen 198, 404, 409, 471

Foucher, L. 14

Foulon, Joseph Alfred (1823—1893), 1867 B. von Nancy und Toul, 1882 Eb. von Besançon, 1887 von Lyon, 1889 Kard. 34, 35, 39, 52, 60, 68, 93, 100, 105, 108, 112, 123, 132, 136, 138, 161, 165, 166, 168, 425, 440, 451, 477, 494, 496, 517, 521, 522, 524

Franchi, A. 255

Franchi, Alessandro (1819—1878), 1856 Titulareb. von Tessalonich, 1873 Kard. und Staatssekretär 200, 201, 210, 215, 216, 224, 225, 235, 262, 314, 373, 375, 377, 434, 500

Francisco de Toledo (1534—1596), Jesuit, Theologe, 1593 Kard. 294

Franckenberg, Johann Heinrich Ferdinand Graf von (1726—1804), 1759 Eb. von Mecheln, 1778 Kard. 277

Franco, Giuseppe Giovanni (1824—1904), Jesuit, Schriftsteller, Mitarbeiter bei der »Civiltà Cattolica« 8, 32, 33, 44—46, 48—50, 53, 58, 61, 72, 80, 85, 94, 95, 98, 105, 109—

114, 116, 117, 119, 121, 139, 154, 176, 329, 416, 436, 512

Frankfurt am Main (Deutschland) XI, 524
— (Konzil von 794) 270, 271

Franken 461

Frankreich 11—13, 17, 21, 29, 35, 44, 50, 68, 91, 92, 100, 105, 108, 131, 165, 166, 259, 296, 297, 300, 301, 310—312, 407, 409, 415, 429, 431, 432, 441, 457, 478, 509

Franz Joseph I. (1830—1916), 1848—1916 Kaiser von Oesterreich 522

Franz von Sales, Hl. (1567—1622), Kirchenlehrer 296

Franzelin, Johannes Baptist (1816—1886), Jesuit, Theologe, 1876 Kard. 74, 338

Franzen, A. 173, 455, 486, 506, 508, 510, 527

Frascati (Italien) 124, 475

Frayssinous, Denis L. A. Comte de (1765—1841), frz. Politiker und Prälat, 1819 Generalvikar von Paris, 1822 Titularb. von Hermopolis 12

Freiburg i. Br. (Deutschland) 426, 505, 507

Freising (Deutschland) 103

Freppel, Charles Emile (1827—1891), 1870 B. von Angers 40, 42, 64, 73, 92, 119, 200, 218, 228, 241, 321, 373, 380, 415

Freudenberger, Th. 509, 511

Freydié (um 1870), Abbé aus Bordeaux 94

Fribourg (Schweiz) XI

Friedberg, Emil (1837—1910), Kanonist, 1869 Prof. in Leipzig 18, 27, 37, 50, 51, 54, 68, 76, 90, 92, 101, 104, 105, 107—109, 120, 405, 406, 454, 459, 476, 498, 499, 506, 519

Friedrich, Johannes (1836—1917), Kirchenhistoriker, Altkatholik, Prof. in München 8, 19, 22—24, 32, 36, 41, 46—48, 50, 53, 64, 73, 75, 82, 83, 85, 90, 93, 95—97, 99, 101, 103—107, 110, 114, 115, 117, 119, 121, 123, 127, 128, 132, 134, 137, 139, 140, 146—148, 153, 154, 156—160, 174, 175, 191, 243, 261, 292, 293, 334, 343, 348, 352, 355, 420, 430, 437, 452, 454, 468, 498, 500, 502—506, 508, 516, 518

Friedrichshafen (am Bodensee, Deutschland) 405

Friedrichsruh (Deutschland) 167

Fries, H. 482, 483, 535

Frohschammer, Jakob (1821–1893), kath. Philosoph und Theologe, Prof. in München 91, 508

Frommann, Theodor (1842–1875), prot. Theologe 74, 175, 176, 495

Fünfkirchen (Ungarn) 428, 465

Fürstenberg, Friedrich (1812–1892), Eb. von Olmütz, 1879 Kard. 73, 114, 199, 220, 222, 233, 319, 413, 433, 448

Fuhrmann, H. 333

Fulda (Deutschland) 405, 407, 414, 428–431, 456, 461, 462, 467, 469, 472, 486, 506, 515

Fulgentius (geb. 6. Jh.), B. von Astigi, Bruder des hl. Isidor von Sevilla 290, 306

Fulgentius, Claudius Gordianus, Hl. (476–532), Theologe, B. von Ruspe 234

Funk, F. X. 352

Gabel, J. 536

Gabrielle, Mère M. sh. Marie Gabrielle

Gabrielli, Giovanni Battista (1653–1711), Zisterzenser, Theologe, 1697 Kard. 297

Gadille, J. XI, 32, 50–52, 67, 72, 82, 112, 113, 123, 140, 156, 158, 165, 327, 329, 527

Gaduel, Jean Pierre Laurent (1811–1888), frz. Theologe, Generalvikar von Orléans 17, 21

Gaeta (Italien) 100, 129, 137

Gai, Germano (um 1870), Abt des Klosters S. Praxedis in Rom, Generalabt der Kongregation von Valle Umbrosa 398

Gaillard, Pierre M. Auguste (1837–1897), Lektor der Theologie in Lyon 158

Galabert, Victorin (1830–1885), Assumptionist, Superior der orient. Mission, Konzilstheologe von B. Raphael Popoff 33, 58, 75, 76, 84, 93, 112, 168, 328, 418

Galaterbrief 203, 205

Galilei, Galileo (1564–1642) Mathematiker und Naturwissenschaftler 8, 275, 297

Gallati, F. M. 535

Galletti, P. 37

Gallus, T. 208

Gams, Pius Bonifacius (1816–1892), Schriftsteller und Kirchenhistoriker aus dem Benediktinerorden 20

Gandolfi, Francesco (1812–1892), 1848 B. von Corneto und Civitavecchia, 1882 Titularb. von Doliche 195

Gannon, M. V. 522

Ganzer, K. 451

Gaquère, F. 301

Garcia Gil, Emanuel (1802–1881), Dominikaner, 1853 B. von Badajoz, 1858 Eb. von Saragossa, 1877 Kard., Mitglied der Glaubensdeputation des Konzils 224, 225, 238, 240, 260, 285

Garcia de Loaysa Giron, 1598–1599 Eb. von Toledo 307

Garibaldi, Giuseppe (1807–1882), Patriot, Kämpfer für die Einigung Italiens, General 111

Garnier, Jean (1612–1681), Jesuit, Patristiker 284

Garrelon, Ephrem Maria (1827–1873), 1868 Titularb. von Nemesi und Apost. Vikar von Quilon (Vorderindien) 228, 246, 262, 296, 310

Gars (Oberbayern) 131, 134

Gasser, Rudolph Freiherr von (1829–1904), 1868 bayer. Gesandter in Stuttgart 406, 497

Gasser, Vinzenz F. (1809–1879), 1857 B. von Brixen, Mitglied der Glaubensdeputation des Konzils 63, 64, 190, 192, 195, 204, 205, 213, 221, 222, 228, 230–232, 240, 241, 247, 250, 254, 257, 263, 317, 320–322, 331, 358, 367, 369–374, 378, 379, 479

Gassiat, Bernardin (um 1870), frz. Prälat, Pfarrer in Marnes-la-Coquette (Seine-et-Oise) 12

Gassmann, G. X

Gastaldi, Lorenzo (1815–1883), 1867 B. von Saluzzo, 1871 Eb. von Turin 196, 209, 221, 231, 233, 241, 244, 255, 261, 267, 269, 273, 285, 296, 303, 311, 316, 319, 322, 375

Gatz, E. 476

Gaudemet, J. 236

Gazzaniga, Pietro Maria (1722–1799), Theologe aus dem Dominikanerorden 297

Geanakoplos, D. J. 255, 259

Geerts, Cornelius (gest. 1819), Jesuit, Prof. der Theologie in Antwerpen 12

Geiger, H. 455

Geissel, Johannes von (1796–1864), 1845 Eb. von Köln, 1850 Kard. 26

Gelasius I., Papst (492–496) 212, 268, 281, 307

Genf (Schweiz) 155

Gennadius (gest. 492/505), Presbyter von Marseille, Theologe 234

Gennaro, San sh. Januarius

Genua (Italien) 101

Gerdil, Hyacinthe Sigismond (1718–1802), Barnabit, Philosoph und Theologe, 1777 Kard. 11, 339

Gérin, Charles (1824–1893), frz. Historiker und Jurist 88, 103, 311

Gerson, Johannes Charlier (1363–1429), frz. Theologe und Kirchenpolitiker 261, 293, 298, 300

Gervais (um 1870), frz. Abbé 63

Getzeny, H. 280

Ghezzi, B. 105, 111

Gianelli, Pietro (1807–1881), 1858 Titulareb. von Sardi, Mitglied der Kommission für die Postulate des Konzils, 1875 Kard. 216

Gießen (Deutschland) 509

Gilbertus von Poitiers (um 1080–1154), Dialektiker und Theologe, 1142 B. von Poitiers 272

Gilg, O. 491, 509

Gill, J. 258, 259

Gillooly, Laurentius (1819–1895), 1856 Titularb. von Belle, 1859 B. von Elphin (Irland) 200, 217, 309, 310

Ginoulhiac, Jacques Marie Achille (1806–1875), 1853 B. von Grenoble, 1870 Eb. von Lyon 4, 28, 52, 61, 90, 111, 138, 144, 149, 162, 199, 210, 212, 220, 224, 233, 247–249, 252, 254, 317–319, 334, 370, 372, 377, 384, 387, 392 393, 413, 420, 438, 440, 467, 469

Gisiger, Hermann (um 1870), Sekretär Augustin Theiners 53, 107

Giusti, M. 190, 512, 524

Gladstone, Wlliam Ewart (1809–1898), engl. Staatsmann, 1868–1874, 1880–1885, 1886 und 1892–1894 Premierminister 43, 149

Glatz, Grafschaft (Tschechoslowakei) 501

Glombitza, O. 216

Gmeiner, Franz Xaver (1752–1822), Kanonist, 1787 Prof. für Kirchengeschichte in Graz 302

Gmür, Leonhard (1808–1877), St. Galler Politiker 103

Goehr, Eugen (um 1909), Redakteur der »Münchener Neuesten Nachrichten« 490

Gollmayr, Andreas (1797–1883), 1855 Eb. von Görz 199, 220, 233, 315, 319, 330, 413

Golther, Karl Ludwig von (1823–1876), 1864 Kultusminister in Stuttgart 406, 497

Gómez-Heras, J. M. G. 356

Gonella, Matteo Eustachio (1811–1870), 1850 Titulareb. von Neocesarea, 1866 B. von Viterbo, 1868 Kard. 375

Gonzague, Mère Marie sh. Marie Gonzague

Gonzales de Mendoza, Pedro (1518–1574), 1560 B. von Salamanca 294

Gooch, G. P. 363

Gori-Merosi, Carmine (1810–1886), röm. Prälat, Subdatario in der Dataria Apostolica, 1884 Kard. 433

Gortschaków (Gortschacoff), Alexander Micháilowitsch Fürst (1798–1883), 1856 russ. Außenminister 3

Gotti, Vincenzo Ludovico (1664–1742), Dogmatiker, 1728 Kard. 297

Gozze, Luca Graf (um 1870), Sekretär beim Kapitel des Malteserordens, österr. Kämmerer und Legationsrat 48

Grabowski, St. J. 236, 237

Gramont, Antoine Alfred Agénor Guiche Duc de (1819–1880), frz. Diplomat und Staatsmann, Botschafter in Wien, 1870 Außenminister 135, 149, 166

Gran (Ungarn) 413

Granderath, Theodor (1839–1902), Jesuit, Prof. der Dogmatik IX, 29, 41, 43, 50, 64, 74–76, 85, 91, 96, 106, 117, 120, 121, 153, 159, 171, 190–193, 403, 405–407, 409, 420, 422, 423, 425, 430, 433, 434, 439, 449–452, 455, 459, 468–471, 473, 475, 476, 480, 488, 502, 508, 509, 516, 517, 525

Granville, George Leveson-Gnower Earl (1815–1891), engl. Staatsmann, 1870–1874 und 1880–1884 Außenminister 145, 403, 414, 417, 419

Gratry, Alphonse J. A. (1805–1872), Philosoph und kirchlicher Schriftsteller, 1867 Mitglied der Académie Française 17, 45, 92, 93, 96, 112, 287, 288, 507, 508, 516

Grau Friedrich [Nausea] (um 1490–1552), kath. Kontroverstheologe 295

Gravez, Théodore Joseph (1810–1883), 1867 B. von Namur   75, 111, 153, 165, 328, 478

Grech Delicata Cassia Testaferrata, Antonio (1823–1876), 1867 Titularb. von Calidonia, 1868 B. von Gozo (Insel bei Malta)   214

Grégoire, J. (um 1870) Titularkanoniker von Montpellier   442

Gregor I., der Große, Hl. (geb. um 540), Papst (590–604)   269, 281

Gregor II. (geb. 669), Papst (715–731)   270

Gregor VII. (geb. um 1020/1025), Papst (1073–1085)   137, 250, 251, 282

Gregor X. (geb. 1210), Papst (1271–1276)   253, 254

Gregor XIII. (geb. 1502), Papst (1572–1585)   10, 360

Gregor XIV. (geb. 1535), Papst (1590–1591)   360

Gregor XVI. (geb. 1765), Papst (1831–1846), früherer Name: Mauro Cappellari   15, 16, 19, 129, 277, 339

Gregor von Nazianz, Hl. (330–390), Kirchenlehrer   232

Gregor von Nyssa, Hl. (um 334–394), Kirchenlehrer   206, 232

Gregor von Valencia (1549–1603), Jesuit, Theologe   294, 322

Gregoriana (Jesuitenuniversität in Rom)   342, 523

Gregorovius, Ferdinand (1821–1891), dt. Historiker, meist in Rom   36, 100, 127, 134, 135, 138, 147–149, 163, 164, 500

Greith, Johannes Baptist Karl (1807–1882), 1862 B. von St. Gallen   58, 78, 103, 169, 192, 198, 202, 219, 222, 225, 233, 293, 320, 377, 402, 404, 407, 409, 420, 423, 424, 430, 432, 435, 447, 448, 453, 454, 459, 463, 465, 470, 473, 476, 477, 482, 498, 507, 510, 520, 522

Griechenland   81

Grillmeier, A.   245

Grimardias, Pierre Alfred (1813–1896), 1866 B. von Cahors   84, 200, 385, 398, 420, 469

Grotz, H.   363

Gruber, S.   22

Guadalupi, Domenico (1811–1878), 1842 Referendar der Segnatura di Giustizia, 1872 Eb. von Salerno   34

Gual, Pedro (19. Jh.), span. Minorit   297

Gualco, Domenico (um 1870), Theologe, Generalvikar von Genua   104

Guanzelli, Giovanni Maria (1558–1619), Dominikaner, Magister Sacri Palatii, 1607 B. von Polignano   10

Guédon, F.   34, 35, 39, 52, 60, 68, 77, 93, 105, 108, 112, 123, 132, 136, 138, 139, 153, 161, 165, 166, 168, 425, 440, 451, 455, 517, 521, 522, 524

Gülzow, H.   279

Günther, Anton (1783–1863), Philosoph und Theologe in Wien   20, 114

Guéranger, Prosper Louis Pascal (1805–1875), Benediktiner, 1837 Abt von Solesmes   104, 156, 232, 290

Guettée, René François Wladimir (1816–1892), frz. Priester, Publizist   19

Gueullette, Prançois Nicolas (1808–1891), 1865 B. von Valence   420, 444

Guibert, Joseph Hippolyte (1802–1886), 1841 B. von Viviers, 1857 Eb. von Tours, 1871 von Paris, 1873 Kard.   163, 192, 255, 311, 316, 317, 439, 495, 507

Guidi, Domenico (um 1870), röm. Prälat, Minutante im Staatssekretariat   440

Guidi, Filippo Maria (1815–1879), Dominikaner, 1863 Kard. und Eb. von Bologna   32, 116, 121–125, 143, 197, 255, 289, 292, 329, 365, 374, 376, 377, 402

Guilbert, Aimé Victor François (1812–1889), 1867 B. von Gap, 1883 Eb. von Bordeaux, 1889 Kard.   199, 202, 217, 220, 226, 233, 319, 330, 457

Guilday, P.   25

Guillaume de Champeaux sh. Wilhelm von Champeaux

Guiron (um 1870), Pfarrer von Lure (Frankreich)   101

Guise von Lothringen, Karl (1525–1574), frz. Prälat, 1538 Eb. von Reims, 1547 Kard.   10

Gurian, W.   11

Gurk (Gorizia, Italien)   413, 430, 450, 473

Guttadauro di Reburdone, Giovanni (1814–1896), 1858 B. von Caltanisetta (Sizilien)   449

Haacke, W.   250

Hacquard, Augustin (1809 – 1884), 1867 B. von Verdun   415

Hadrian I., Papst (772 – 795)   212, 242, 270 – 272

Hadrian II. (geb. 792), Papst (867 – 872)   188, 208, 247, 249, 253, 286, 287, 322

Hadrian IV. (geb. 1110/1120), Papst (1154 – 1159)   272

Haffner, Paul Leopold (1829 – 1899), 1855 – 1876 Prof. für Philosophie, ab 1864 auch für Apologetik, in Mainz, 1886 B. von Mainz   157

Hagen, A.   39, 42, 423, 424, 433, 455, 466, 467, 477, 490, 498, 499, 511

Hahn, F.   209

Hais, Johann (geb. 1829), 1875 B. von Königgrätz   516

Hajjar, J.   XI, 82, 117 – 119, 121, 122, 408

Hale, John Mac (1791 – 1881), 1825 Titularb. von Maronia, 1834 Eb. von Tuam (Irland)   198, 218, 224, 229, 233, 234, 250, 254, 257, 265, 267, 268, 308, 309, 321, 367, 376, 377, 413, 447, 451

Halifax (Neuschottland)   82, 121, 451, 456, 473

– (Provinzialkonzil von 1857)   26, 187

Haller, J.   236, 279, 280

Haller, Karl Ludwig von (1768 – 1854), Prof. des Staatsrechts an der Akademie in Bern   362

Hamburg   52

Haneberg, Daniel Bonifaz (1816 – 1876), Benediktiner, 1844 Prof. für Altes Testament in München, 1854 Abt, 1872 B. von Speyer   488, 489, 506, 507

Hanemian (um 1870), armenischer Abt in Rom   84

Harcourt, Bernard Hippolyte Marie Comte de (geb. 1821), frz. Diplomat, 1871 – 1872 Botschafter beim Hl. Stuhl   435

Hardouin, Jean (1646 – 1792), Theologe und Literaturkritiker aus dem Jesuitenorden   242

Harduin sh. Hardouin, Jean

Haringer, Michael (1817 – 1887), Redemptorist, 1855 Konsultor des Ordensgenerals   131

Harnack, Adolf von (1851 – 1930), Kirchenhistoriker, 1888 – 1921 Prof. in Berlin   490, 491

Hase, Karl von (1800 – 1890), evang. Theologe, 1830 – 1883 Prof. für Kirchengeschichte in Jena   499

Hasemann, J. (um 1878), evang. Pfarrer in Arzberg bei Torgau   127, 128, 132, 134, 137, 142, 148

Hasler, A.   80

Hassun, Antonius Petrus IX. (1809 – 1884), 1842 Titularb. von Anazarba, 1846 Eb. von Konstantinopel, 1867 armenischer Patriarch, Mitglied der Glaubensdeputation des Konzils, 1880 Kard.   83 – 85, 108, 117, 321

Hatem, Paulus, 1863 griechisch-melkitischer Eb. von Aleppo   407, 408, 487

Hauzeur (um 1870), Generalvikar der Diözese Namur   165, 328

Haynald, Ludwig (1816 – 1891), 1851 B. von Transsylvanien, 1864 Titularb. von Karthago, 1867 Eb. von Kalocsa und Bacs, 1879 Kard.   69, 72, 75, 93, 94, 162 – 164, 166, 198, 315, 330, 370, 372, 404, 405, 413, 422 – 424, 430, 431, 436, 465, 470, 471, 488, 520

Hefele, Joseph Karl (1809 – 1893), 1837 Prof. für Kirchengeschichte in Tübingen, 1868/1869 Konsultor für die Vorbereitungen des Konzils, 1869 B. von Rottenburg   41, 42, 46, 55, 58, 73, 76, 110, 114, 153, 158, 159, 162, 169, 191, 194, 199, 202, 210, 217, 218, 222, 224 – 227, 239 – 242, 247, 249, 251, 253, 256, 262, 268 – 270, 285, 286, 293, 318, 319, 330, 332, 337, 346, 352, 353, 374, 377, 403 – 407, 409, 411, 413, 414, 421, 423 – 426, 430, 432, 433, 447, 454, 465 – 467, 471 – 473, 476 – 478, 481, 482, 486, 487, 490, 497 – 499, 501, 502, 506 – 508, 511, 520, 521, 535

Hegel, E.   XI

Hegel, Georg Wilhelm Friedrich (1770 – 1831), Philosoph   362

Heiler, F.   236, 237, 334

Heinrich IV. (1050 – 1106), röm. Kaiser und dt. König (1056 – 1106)   251

Heinrich II. (geb. 1133), engl. König (1154 – 1189)   272

Heinrich von Lothringen (1576 – 1623), 1593 – 1610 B. von Verdun   313

Heinsberg (Erzdiözese Köln) 430, 500

Hennesey, J. J. XI, 43, 61, 82, 153, 158, 192, 196, 407, 432, 448, 451, 468, 471, 475, 497

Henri V. sh. Chambord, Comte de

Hergenröther, Joseph (1824–1890), Kirchenhistoriker in Würzburg, 1879 Kard., Präfekt des Vatikanischen Archivs 20, 96, 338, 515

Herles, H. XI

Hermes, Georg (1775–1831), Philosoph und Theologe 20

Herzegowina 101

Herzog, Eduard (1841–1924), 1867 Prof. für Exegese in Luzern, 1876 christkath. B. der Schweiz 491, 509

Hettinger, Franz von (1819–1890), 1867 Prof. der Apologetik in Würzburg, 1868/1869 Konsultor für die Vorbereitungen des Konzils 20, 181, 201, 216, 227, 229, 231, 233, 234, 242, 246, 268, 271, 272, 277, 338

Hexham (England) 132

Heyer, F. 11, 21

Hieronymus, Sophronius Eusebius, Hl. (um 347–420), Kirchenlehrer 229, 230, 266, 307

Hilarius, Hl. (um 315–367), B. von Poitiers, Kirchenlehrer 206, 229

Hilarius (401–449), 428/429 Eb. von Arles 281

Hilarius, Papst (461–468) 268

Hildesheim (Deutschland) (Konzil von 1224) 312

Hilgers, Bernhard Josef (1803–1874), 1846 Prof. für Kirchengeschichte in Bonn 508

Hinkmar (um 806–882), Eb. von Reims 291

Hinschius, Paul (1835–1898), Kirchenrechtslehrer 333

Hipler, Franz (1836–1898), 1869 Prof. der Moral in Braunsberg, Kirchenhistoriker 458

Hippchen, J. 455

Hippo (Nordafrika) 439

Hocedez, E. 11, 12

Hödl, L. 282

Hönig (um 1870), Vorleserin beim erblindeten Kanonikus Johann Emmanuel Veith 149, 169

Hötzl, Alois Matthias Ritter von (Kloster- und Bischofsname Petrus) (1836–1902), Franziskaner, Lektor für Philosophie und Theologie, 1891 B. von Augsburg 86, 106

Hofbauer, Johannes Clemens Maria, Hl. (1751–1820), Redemptorist, Seelsorger, bes. in Wien 15

Hoffmann, P. 208, 209

Hofmann, F. 236, 237

Hofmann, G. 258

Hofmann, W. 530, 531, 536

Hofstätter, Heinrich von (1805–1875), 1839 B. von Passau 429

Hogarth, William (1786–1866), 1850 B. von Hexham 132

Hohenlohe-Schillingsfürst, Chlodwig Fürst (1819–1901), 1866–1870 Ministerpräsident in Bayern, 1894–1900 dt. Reichskanzler, Bruder des Kard. Hohenlohe 95, 157, 259, 420, 503

Hohenlohe-Schillingsfürst, Gustav Adolf (1823–1896), 1857 Titulareb. von Edessa, 1866 Kard. in Rom 20, 32, 42, 95, 97, 110, 114, 137, 143, 159, 163, 343, 419, 420, 424, 437, 449, 503, 504

Holden, Henry (1596–1662), engl. Theologe aus Lancashire, Prof. an der Sorbonne 387

Holland 13, 44, 81, 306

Holstein, H. 255

Holzhauser, Bartholomäus (1613–1658), Mystiker, 1639 Priester, 1640 Begründer der Weltpriesterkongregation der Bartholomäer 40, 134

Honorius I., Papst (625–638) 46, 91, 225, 239, 240, 245, 248, 249, 262, 269, 283–289, 297, 307, 344, 345, 359, 361, 450, 457, 467, 515, 520

Hontheim, Johann Nikolaus von (1701–1790), 1748 Weihb. von Trier 11, 298, 301

Horaz (Quintis Horatius Flaccus) (64–8 v. Chr.), lat. Dichter 218

Hormisdas, Hl., Papst (514–523) 183, 184, 188, 207, 208, 246–250, 268

Horst, F. van der 380, 381

Horst, U. 302

Hosea (um 750–725 v. Chr.), israelitischer Prophet 395, 396

Hosius, Stanislaus (1504–1579), 1549 B. von Kulm, 1551 B. von Ermland, 1561 Kard., 1573 Großpönitentiar 458

Hotepen, W. J. 356, 528

Howard, Edward George Fitzalan, first Baron Howard of Glossop, 13th duke of Norfolk (1818—1883) 354

Hrabanus, Maurus (780—856), Benediktiner, Theologe 291

Hranilović (um 1883), griechisch-ruthenischer Kanoniker von Kreutz (Jugoslawien) 427, 428

Hughes, John Joseph (1797—1864), 1850 Eb. von New York 308

Hugo von St. Viktor (Ende 11. Jh.—1141), Augustiner Chorherr, Philosoph, Theologe und Mystiker 291

Hugon (um 1870), Kanoniker von St. Denis 158

Hugonin, Flavien Abel Antoine (1823—1898), 1866 B. von Bayeux 318, 445, 469

Hugues, Marcus Andreas (1808—1887), Konvertit, Redemptorist, 1849 Konsultor des Generaloberen, 1858—1873 in Trier 131

Hulot (um 1870), Pfarrer in der Diözese Orléans 101

Hurmuz, Eduard (1798—1876), Mechitharist, 1847 armenischer Eb. von Schirak (Türkei/ Georgien) 420, 447

Huss (Hus), Jan (1370/1371—1415), tschechischer Reformator 391

Icard, Joseph Aléxandre Toussaint (1805—1893), Sulpizianer, Prof. für Kirchenrecht 3, 32—34, 40, 47, 55—57, 60—63, 66, 73, 77, 78, 80, 83—85, 90, 93, 109—111, 117, 119, 135, 136, 138, 140, 141, 144, 146—148, 153, 157, 160, 162, 163, 168, 171—173, 221, 329, 330, 444, 513, 524

Idèo, Ludovico (1811—1880), 1858 B. von Lipari (Insel bei Sizilien) 385

Iglesias (Sardinien) 38

Ignatius, Hl. (gest. um 117), B. von Antiochien, Theologe 227, 354

Ignatius, Hl. (um 798—877), 847 Patriarch von Konstantinopel 234, 253

Ildefons, Hl. (gest. 667), 657 Eb. von Toledo 307

Illyrien 307

Imola (Italien) 131, 141

Innozenz I., Papst (402—417) 234, 266, 267, 280

Innozenz II., Papst (1130—1143) 272, 291, 296

Innozenz III. (geb. 1160/1161), Papst (1198—1216) 272, 322

Innozenz IV., Papst (1243—1254) 252, 310, 322, 460

Innozenz V., Papst (21. 1. 1276—22. 6. 1276) 252, 253

Innozenz X. (geb. 1574), Papst (1644—1655) 276, 311

Innozenz XI. (geb. 1611), Papst (1676—1689) 276, 277

Irenäus (Eirenaios), Hl. (gest. um 202), B. von Lyon, Martyrer, Theologe 227, 228, 231, 235, 264, 354, 397

Irene (Eirene) (um 752—803), byz. Kaiserin 242

Irland 19, 81, 303, 305, 308—310

Isaias (um 770—738/701 v. Chr.), israelitischer Prophet 396

Iserloh, E. 363, 453, 475, 482

Isidor Mercator sh. Pseudo-Isidor

Isidor, Hl. (um 560—633), Eb. von Sevilla 290, 306, 307

Isny (Bayern) 498

Isoard, Louis Romain Erneste (1820—1901), 1866 Uditore bei der Sacra Romana Rota für Frankreich, 1879 B. von Annecy 444

Italien 7, 8, 10, 11, 27, 38, 50, 51, 103, 116, 160, 297, 301, 306, 322, 478, 506

Ivo, Hl. (um 1040—1116), B. von Chartres, Kanonist 291

Jacobini, Ludovico (1832—1887), Untersekretär des 1. Vatikanischen Konzils, 1879 Kard., Staatssekretär Leos XIII. 48, 57, 59, 60, 69, 70, 78—80, 416, 426—428, 441, 485, 502, 515, 516

Jacques, Jules (gest. 1908), Redemptorist 104

Jacquin, R. 235

Jänsch sh. Jentsch, Karl

Jakobus der Ältere, Apostel 204, 241, 264, 306

Jakobus, Hl. (gest. 338), B. von Nisibis, Theologe 229

Jánosi, Gusztáv (um 1870), Domkapitular, bischöflicher Sekretär und Korrespondent der Zeitung »Fövárosi Lapok« 521

Jansenius, Cornelius der Jüngere (1585−1638), Begründer des Jansenismus 276

Janssen, Johannes (1829−1891), kath. Historiker 507

Januarius (Gennaro), Hl. (gest. 305), Märtyrer, Patron Neapels 261

Janus (Pseudonym für I. Döllinger) 91, 134, 448

Jeantet, L. 48

Jedin, H. 10, 55, 57, 59, 259, 363

Jekelfalusy, Vinzenz Stephan Sigismund (1802−1874), 1867 B. von Stuhlweißenburg 197, 217, 243, 274−277, 307, 308, 316, 320, 422

Jentsch, Karl (1833−1917), schlesischer Kaplan und Theologe, 1870 Altkatholik 86

Jerusalem 229, 232, 241, 244, 264, 396
− (Apostelkonzil) 241, 264

Jervoise, Harry Samuel Cumming Clark Sir (1832−1911), engl. Diplomat, 1870−1874 auf der engl. Botschaft in Rom 145, 414, 417−419

Jesus Christus 93, 101, 107, 148, 182, 184, 188, 196, 200, 201, 204, 206−216, 229, 232, 236, 243, 246, 250, 252, 256, 261, 263, 267, 268, 270−272, 283−285, 294, 296, 317−319, 321, 323−325, 344, 347, 358, 364, 367, 374, 375, 378, 380, 382, 383, 385, 388, 389, 391, 394−396, 461−463, 468, 476, 485, 502, 503

Jirsik, Johannes Valerian (1798−1883), 1851 B. von Budweis 168, 202, 217, 260, 315, 425

Johannes, Apostel 204, 227, 264

Johannes (Evangelium) 188, 200−202, 204, 214−216, 356, 383, 390, 394, 395, 509

Johannes V., Papst (685−686) 285

Johannes VIII., Papst (872−882) 250

Johannes XXII. (geb. 1245), Papst (1316−1334) 274, 282, 322

Johannes I. Chrysostomus, Hl. (344/354−407), Kirchenvater, Patriarch von Konstantinopel 206, 207, 232

Johannes II. Kappadokos, Patriarch von Konstantinopel (518−520) 249

Johannes XI. Bekkos (1230/1240−1297), 1275 Patriarch von Konstantinopel 461

Johannes de Montenero (Montenigro), Dominikaner, 1432 Provinzial der Lombardei, theol. Experte auf den Konzilien von Basel und Florenz 257, 294

Johannes VIII. Palaiologos (Palaeologus) (1392−1448), byz. Kaiser 257, 259

Johannes von Paris (genannt Quidort) (gest. 1306), Dominikaner, scholastischer Philosoph und Theologe 293

Johannes de Turrecremata sh. Torquemada

Jonghe d'Ardoye, Vicomte de, belg. Diplomat, 1866 Botschafter in Wien 134

Jordá y Soler, Antón (1822−1897), 1866 B. von Vich und Solsona (Spanien) 200, 225, 373

Josef Clemens von Bayern (1671−1723), 1688 Eb. von Köln 313

Josephus, B. von Methone (gest. um 1500), 1463 Ekklesiarchos, mit der Patristik vertraut 261

Julian, Hl. (um 652−680/690), Eb. von Toledo 307

Julius I., Hl., Papst (337−352) 266

Jussef, Gregor II. Sayour (1822−1897), 1854 B. von Tolemaide, 1865 griechisch-melkitischer Patriarch von Antiochien, Mitglied der Kommission für die Postulate des Konzils 82, 116−118, 139, 143, 255, 320, 321, 467, 487

Juvenal, Hl., 422−458 B. von Jerusalem, Kirchenvater 232

Käss, Ambrosius (um 1870), Subprior des Karmeliterklosters in Würzburg 431

Kalabrien 101

Kalocsa (Colosca) (Ungarn) 162, 413, 430, 431
− (Provinzialkonzil von 1224) 307
− (Provinzialkonzil von 1858) 307
− (Provinzialkonzil von 1863) 24, 27, 162, 314, 397

Kanada 308

Karl der Große (um 742−814), 768 fränkischer König, Kaiser 271

Karthago (Nordafrika)
− (Konzil von 411) 266

– (Konzil von 418) 267

– (Konzil von 424) 280

Kasper, W. XI, 22, 338–342, 358, 362

Keane, William (gest. 1874), 1848 B. von Cloyne (Irland) 217, 261, 311, 314

Keenan, Stephen (um 1846), engl. Priester in Dundee 19

Keller, Emile (1828–1909), Politiker, 1865 Chefredakteur der »Correspondance de Clairbois« 47, 100

Kempf, F. 282

Kenrick, Francis Patrick (1796–1863), Kontroverstheologe und Exeget, 1851 Eb. von Baltimore 206, 210, 215, 227, 229, 231–233, 264, 267–269, 298, 308

Kenrick, Peter Richard (1806–1893), 1841 Titularb. von Draso, 1843 Eb. von St. Louis 2, 24, 64, 83, 158, 202, 206, 207, 210–213, 215, 217, 220, 221, 225, 228–231, 233, 243, 262, 270, 273, 276, 286, 299, 304, 305, 308, 309, 315, 318–320, 333, 373, 376, 407, 439, 446, 465, 466, 468, 471, 496, 497, 518

Keßler, E. 352, 503

Ketteler, Wilhelm Emmanuel Freiherr von (1811–1877), 1850 B. von Mainz 29, 42, 52, 75, 96, 110, 120, 153, 162, 163, 167, 168, 186, 198, 199, 202, 217, 239, 249, 253, 256, 292–295, 304, 312, 315, 330, 371, 374, 375, 377, 380, 404, 413, 426, 428, 448, 451–453, 456, 457, 462, 470, 472, 474, 475, 477, 478, 481, 482, 484, 501, 504

Khayatt, Georgios Ebedjesu (1827–1894/1897), 1860 Eb. von Amadija, 1879 Eb. von Diarbekir (Mesopotamien) 200, 216, 285

Kidd, B. J. 237

Kilmacduagh (Irland) 305

Kirchenstaat 3, 4, 38, 93, 160, 164

Klein, G. 214

Kleutgen, Josef (1811–1883), Jesuit, neuscholastischer Theologe 74, 292, 381, 382, 389–393, 396, 400

Klinkenberg, H. M. 281, 282

Klüpfel, Engelbert (1733–1811), Augustiner, 1767 Prof. der Dogmatik an der Universität Freiburg i. Br. 301

Knapp, Georg Christian (1753–1825), evang. Theologe, Prof. in Halle 215

Knauer, Vinzenz Andreas (1828–1894), Benediktiner, Prof. der Geschichte der Philosophie in Wien 502

Knöpfler, Alois (1847–1921), kath. Kirchenhistoriker, 1886 Prof. in München 490, 521

Knoodt, Franz Peter (1811–1889), 1847 Prof. für kath. Philosophie in Bonn 22, 508

Knopp, J. N. 455

Koch, H. 279

Köhler, O. 536

Köln (Deutschland) 26, 87, 313, 404–406, 414, 416, 426, 430, 431, 450, 458, 469, 500, 507, 520

– (Provinzialkonzil von 1860) 24, 26, 27, 313, 314, 458, 459

Königgrätz (Ostböhmen) 167, 516

Königswinter (Deutschland) 469

Kolumban, Hl. (um 543–615), Abt von Luxeuil und Bobbio 232, 233, 269

Kolumbus, Christoph (1451–1506), Entdecker Amerikas 274, 479

Konstantin I., der Große, C. Flavius Valerius (um 280–337), röm.-byz. Kaiser 265

Konstantinische Schenkung 334

Konstantinopel 234, 239, 242, 259, 281, 285, 461

– (1. Konzil von Konstantinopel, 2. ökumenisches, im Jahr 381) 59, 241

– (Synode von 536) 234

– (2. Konzil von Konstantinopel, 5. ökumenisches, im Jahr 553) 242, 244, 268, 307

– (3. Konzil von Konstantinopel, 6. ökumenisches, in den Jahren 678–681) 182, 203, 213, 239, 240, 242, 269, 270, 281, 284–286, 288, 289, 457

– (4. Konzil von Konstantinopel, 8. ökumenisches, in den Jahren 869–870) 183, 184, 188, 239, 240, 244–250, 253, 254, 257, 286, 322, 506

– (Glaubensbekenntnis) 263

Konstantinos VI. (Pogonatus) (geb. 770), 780–797 byz. Kaiser 242, 269

Konstanz 312

– (Konzil von 1414–1418, 16. ökumenisches) 191, 218, 243, 244, 261, 293, 297, 300, 310, 506, 507, 509

Kopp, M. 509

Korinth (Griechenland) 264

Korintherbrief (zweiter)   280, 396
Korolevskij, C.   118, 119
Kovács, Sigismund (1820–1887), 1869 B. von Fünfkirchen (Pécs)   315, 330, 370, 372, 422, 424, 465, 467, 468, 470
Kovács, E.   502, 517
Krahl, W.   159, 509
Kraljevic, Angelus (geb. 1807), Franziskaner, 1864 Apost. Vikar der Herzegowina   101
Kraus, Franz Xaver (1840–1901), kath. Kirchenhistoriker und Kunstgelehrter, Prof. in Freiburg i. Br.   149, 508, 532
Krementz, Philipp (1819–1899), 1867 B. von Ermland, 1885 Eb. von Köln, 1893 Kard.   66, 222, 240, 286, 308, 311, 313, 319, 406, 409, 414, 445, 450, 451, 456–458, 463, 470, 473, 476, 484, 519, 520
Kreutz (Kroatien, Jugoslawien)   427
Kreuzer, G.   91, 288
Kroatien   427, 445
Kruesz, Krizosztom (1819–1885), Erzabt von Pannonhalma/St. Martinsberg (Ungarn)   521
Kuchheim (19. Jh.), Verleger in Mainz   411
Kübel, Lothar (1823–1881), 1867 Weihbischof von Freiburg i. Br., Bistumsverweser   426, 478
Kümmeringer, H.   362
Küng, H.   X, XI, 171, 214, 334, 361, 484, 530, 537
Küppers, W.   176, 330, 331, 402, 403
Kuhn, Johann Evangelist von (1806–1887), 1837 Prof. der Dogmatik in Tübingen   41, 490
Kulczycki, Władisław (1834–1895), Graf, poln. Politiker und Publizist   4, 7, 32, 122, 124, 125, 135–138, 142, 145, 148, 418, 419
Kuttner, St.   246

Labbe, Philippe (1607–1667), Jesuit, frz. Kirchenhistoriker   247, 270
Lacarrière, Pierre Gervoise (1808–1895), 1850–1853 B. von Guadeloupe   262, 277, 285, 304
Lachat, Eugen (1819–1886), Mitglied der Kongregation vom Kostbaren Blut, 1863 B. von Basel   423, 430, 491, 507
Lacroix, L.   221, 475

La Cuesta y Maroto, José de (1806–1871), 1866 B. von Orense (Spanien)   385
Lagarde (um 1870), Franzose aus dem Kreis um Eb. Darboy   112
Lagrange, François (1827–1895), 1860 Generalvikar von Orléans, 1889 B. von Chartres   28, 169, 451, 522
La Haye, De (um 1870), Generalvikar von Rouen   47
Laibach (Jugoslawien)   431
Lamalle, Edmondo, Jesuit, 1975 Archivar des Generalats der Jesuiten in Rom   523
Lambruschini, Luigi (1776–1854), 1831 Kard.   142
Lamennais, Hugo Félicité Robert de (1782–1854), frz. Philosoph und Theologe   14, 15
Lamey, René, 1975 Archivar der Weissen Väter in Rom   523
Lamothe-Tenet, August (1827–1898), Generalvikar von Montpellier, 1863 Honorargeneralvikar, 1880 Rektor des Instituts Catholique in Toulouse   442, 443
Landriot, Jean Baptiste Anne (1816–1874), 1856 B. von La Rochelle, 1867 Eb. von Reims   186, 198, 200, 217, 218, 220, 221, 226, 227, 230–234, 239, 247, 249, 252, 253, 256, 257, 269, 270, 285, 290, 293, 295, 306, 318, 333, 337, 374–377, 402, 475
Lang, H.   105, 110, 117, 121, 171, 455, 486, 529
Lang, Utto (1806–1884), Benediktinerabt von Metten, Präses der Kongregation in Bayern   61, 77
Langalerie, Pierre Henri Gérault de (1810–1871), 1857 B. von Belley   119
Langen, Joseph (1837–1901), 1867 Prof. der Exegese in Bonn   87, 360, 508, 510, 518
Langlois, Cl.   283, 316, 350, 361
Lanza, Giovanni (1810–1882), ital. Staatsmann, 1869–1873 Ministerpräsident   4, 8
Larissa (Griechenland)   234
La Rochelle (Frankreich)   71
Larue, Alphonse Martin (1825–1903), Sulpizianer, 1884 B. von Langres   160
La Salette (Frankreich)   132
Las Cases, Félix François Joseph Barthélemy de (1809–1880), 1867–1870 B. von Constantine   77, 138, 158, 165, 168, 169, 211,

222, 248, 249, 252, 253, 292, 334, 439, 440, 444, 455, 467

Lateran

— (4. Konzil vom Lateran, 12. ökumenisches, im Jahre 1215) 273

— (5. Konzil vom Latera, 18. ökumenisches, in den Jahren 1512—1517) 53, 196, 242, 273

Latomus, Jacobus (um 1475—1544), 1519 Prof. der Theologie in Löwen, Kontroverstheologe und Inquisitor 296

La Tour d'Auvergne-Lauraguais, Charles Amabile Prince De (1826—1879), 1861 Titularb. von Colossi, 1861 Eb. von Bourges 219, 276, 367, 369, 375, 393, 395

La Tour d'Auvergne-Lauraguais, Henri Godefroi Bernard Alphonse Prince De (1823—1871), frz. Diplomat 89

Latreille, C. 14

Laurence, R. V. 43

Lauria, di sh. Brancati, Laurentius

Lavalette (um 1870), frz. Priester 101

Lavant (Jugoslawien) 430

Lavigérie, Charles Martial Allemand (1825—1892), 1863 B. von Nancy, 1892 Eb. von Algier, 1884 Kard. 146, 442

Laymann, Paul (1575—1635), Jesuit, Prof. für Philosophie und Moraltheologie in Ingolstadt, München und Dillingen 296

Leahy, John (1802—1890), Dominikaner, 1854 Titularb. von Aulona, 1860 B. von Dromore (Irland) 204, 208, 213—216, 223, 224, 234, 250, 254, 257, 265, 267, 268, 310, 319, 320, 367, 379

Leander, Hl. (um 540—600), 577/578 Eb. von Sevilla 290, 306, 307

Leccisotti, T. 38, 73

Lecourtier, François Marie Joseph (1799—1885), 1861 B. von Montpellier, 1873 Titularb. von Sebaste 62, 148, 150, 155, 156, 160, 163, 168, 169, 173, 197, 206, 211, 212, 222, 243, 248, 252, 256, 330, 434, 440—444, 517

Le Doré, Ange (1834—1919), 1870 Generalsuperior der Eudisten 147

Lefèbvre, H. 365

Lefebvre de Béhaine, Edouard Alphonse (1829—1897), 1882—1896 frz. Botschafter beim Hl. Stuhl 157, 164, 511

Legat, Bartholomäus (1807—1875), 1846 B. von Triest 292, 293, 377, 448

Leibniz, Gottfried Wilhelm von (1646—1716), Philosoph 87

Lemberg, E. 535

Lemoyne, G. B. 132, 133, 139

Lenhart, L. 91, 453

Leo I., der Große, Hl., Papst (440—461) 182, 206, 212, 239, 240, 242, 267, 268, 280, 281, 374

Leo II., Papst (682—683) 284, 286, 297

Leo III., Hl., Papst (795—816) 271

Leo IX. (geb. 1002), Papst (1049—1054) 271

Leo X. (geb. 1475), Papst (1513—1521) 196, 242, 273, 274, 360, 397

Leo XII. (geb. 1760), Papst (1823—1829) 127

Leo XIII. (geb. 1810), Papst (1878—1903), früherer Name: Gioachino Pecci 190, 415, 501, 513, 516

Leonardi, Cl. 246

Leonrod, Franz Leopold Freiherr von (1827—1905), 1866 B. von Eichstätt 63

Le Page Renouf, Peter Sir (1822—1897), engl. Aegyptologe, Orientalist und Theologe 91, 284, 287

Lequeux, Jean François Marie (1796—1866), Generalvikar von Soissons und Paris, Kanonist 19, 145

Leslie, S. 105

Leti, G. 34, 128, 136, 513

Leto, Pomponio sh. Nobili-Vitelleschi, Francesco

Leturia, P. 127, 128

Leuba, J. L. XI

Leuca (Zypern) 426

Levison, W. 334

Liberatore, Matteo (1810—1892), Jesuit, Mitarbeiter bei der »Civiltà Cattolica« 2, 37, 46, 65, 66

Liberius, Papst (352—366) 230, 266, 321, 322

Libri Carolini (Karolingische Bücher) 271, 310

Lichtenfels, Thaddaeus Peithner Baron von (1798—1877), österr. Staatsmann 502

Lieber, H. J. 530

Liebermann, Bruno Franz Leopold (1759—1844), kath. Dogmatiker 347, 410, 411

Liège (Belgien) 415

Liguori sh. Alfons Maria von Liguori

Lill, R.   11, 13, 17, 21, 86, 91, 348, 414, 505

Limburg-Stirum, Friedrich Graf zu (1835 – 1912), preuß. Diplomat, Attaché in Rom und Berlin 53, 77, 98, 145

Limoges (Frankreich) (Konzil von 1031) 310

Linden, Josef Freiherr von (1804 – 1895), 1852 Staatsminister in Württemberg, 1864 in den Ruhestand versetzt 466, 467, 477

Linden, Josef Wilhelm (1830 – 1888), 1862 Kanzler der Diözese St. Gallen 454

Linsenmann, Franz Xaver von (1835 – 1898), Domkapitular in der Diözese Rottenburg 486, 487, 490, 507, 508

Lipovniczki (Lipovniczky) de Lipovnok, Stephan (1814 – 1885), 1869 lat. B. von Szatmár (Ungarn) 163, 206, 255, 315, 330, 370, 372, 413, 422, 423, 467, 471

Litta, Lorenzo (1756 – 1820), Nuntius in Warschau und Petersburg, 1801 Kard. 298

Liverani, Francesco (1823 – 1894), röm. Prälat, Schriftsteller 128, 130, 136

Livorno (Italien) 86, 131

Loaysa, de sh. Garcia de Loaysa

Lodolini, A. 93, 523

Lösch, St. 41, 157

Löwe, Johann Heinrich (1808 – 1892), Prof. der Philosophie in Prag 149, 169, 501

Löwen (Belgien) XI, 289, 296, 305

Loewenberg, P. 7

Löwenich, W. von 362

Loidl, F. XI

London 37, 50, 149, 343 – 346, 416, 524

Loofs, Friedrich (1858 – 1928), 1882 Prof. für Kirchengeschichte in Leipzig, 1887 in Halle 362

Lortz, J. 455

Losana, Giovanni Pietro (1793 – 1873), 1826 Apost. Vikar von Aleppo und päpstl. Legat im Libanon, 1833 B. von Biella 75, 170, 197, 202, 206, 210, 212, 215, 217, 233, 240, 264, 266 270, 271, 274, 278, 286, 292, 305, 318, 319, 372, 376, 392, 447

Lossen, Max (1842 – 1898), Historiker in München 509

Lothringen 10,313

Louis de Giry, Madame (um 1870), Mitglied des 3. Ordens der Assumptionisten in Nîmes, Verwandte von E. d'Alzon 32, 33

Loyson, Hyacinthe (Charles) (1827 – 1912), Philosoph, kath. Priester, zum Altkatholizismus übergetreten 94, 480, 495, 508, 509, 511

Loyson, Jules Théodore (geb. 1829), Bruder von Hyacinthe Loyson, kath. Theologe, 1870 Prof. an der Sorbonne 162, 164, 165, 311

Luca, Antonio De (1805 – 1883), 1845 B. von Aversa, 1853 Titularb. von Tarsus, 1863 Kard., einer der Konzilspräsidenten 32, 33, 60, 71, 77 – 79

Lucca (Italien) 101

Lucius I., Papst (253 – 254) 333

Luçon (Frankreich) 30, 420, 436

Ludwig II. (1845 – 1886), 1864 König von Bayern 41, 45, 71, 72, 97, 99, 106, 114, 122, 139, 406, 461, 487, 497, 518

Ludwig XIV. (1638 – 1715), 1643 frz. König 289

Ludwig XVIII. (1755 – 1824), 1814 frz. König 14

Ludwig, J. 236, 237, 279, 280

Lütcke, K. H. 236, 237, 245

Lugo, Juan de (1583 – 1660), Theologe aus dem Jesuitenorden 387

Lukas (Evangelium) 113, 182, 188, 200 – 202, 204, 209 – 214, 267, 282, 294, 312, 317, 356, 378, 395, 396, 470, 509

Luther, Martin (1483 – 1546), Reformator 274, 312, 397

Lutterbeck, Johann Anton Bernhard (1812 – 1882), Philologe und Theologe, 1841 Prof. in Gießen 509

Luxemburg 306

Luzern (Schweiz) XI, 7, 87, 402, 404, 407, 421, 430, 434, 435, 437, 477, 507, 509, 516, 520

Luzerne, César Guillaume de La (1738 – 1821), frz. Theologe, 1817 Kard. 12

Luzifer 45

Lynch, John (1816 – 1888), 1859 Titularb. von Echina, 1860 B. von Toronto, 1870 Eb. 317

Lyon (Frankreich) XI, 25, 162, 227, 235, 248, 264, 438, 440

– (1. Konzil von Lyon, 13. ökumenisches, im Jahr 1245) 242, 273

– (2. Konzil von Lyon, 14. ökumenisches, in den Jahren 1271 – 1276) 184, 188, 244, 245, 249, 251 – 258, 357, 461

– (Synode von 1850) 25, 26

Lyonnet, Jean Paul François Marie (1801 – 1875), 1852 B. von St. Flour, 1857 von Valence, 1865 von Albi 186, 199, 202, 203, 217, 220, 226, 227, 230 – 233, 239, 242, 243, 247, 252, 256, 257, 290, 388, 397

Maaß, F. 301

Mabile, Jean Pierre (1800 – 1877), 1851 B. von St. Claude, 1858 von Versailles 51, 205, 209, 214, 225, 228, 255, 260, 369, 372, 375, 393, 395

Maccarrone, M. 33, 38, 65, 70 – 72, 78 – 80, 121, 133, 282, 525

Macchi, Vincenzo (1770 – 1860), 1826 Kard. 22

Maddalena, Spiridione (1824 – 1884), 1860 Eb. von Korfu 225, 238, 261, 319

Madrid 1, 2, 31 – 36, 38, 39, 55, 60, 61, 85, 95, 122, 123, 135, 138, 163, 165, 166, 174, 328, 402, 491

Magdeburg (Deutschland) (Provinzialkonzil von 1370) 312

Magnasco, Salvatore (1806 – 1892), 1868 Titularb. von Bolina, 1871 Eb. von Genua 269, 393, 395

Mahon, Marie Edme Patrice Maurice Mac, Herzog von Magenta (1808 – 1893), 1873 frz. Staatspräsident 436, 443

Mai, P. 49, 61, 62, 120, 524

Maier, Willibald Apollinaris (1823 – 1874), kath. Theologe und Publizist, Sekretär von B. Senestréy 38, 49, 62, 74, 187, 335, 336, 371, 515

Mailand 280, 413, 417

Mainz (Deutschland) 15, 87, 96, 110, 162, 312, 313, 404, 413, 452, 484

Mair, Jean sh. Major, John

Maistre, Joseph Marie Comte de (1753 – 1821), frz. Staatsphilosoph 14, 320, 348

Major, John (um 1469 – 1550), skotistischer Philosoph und Theologe 300

Majorsini, Francesco (1812 – 1893), 1854 Titularb. von Elenopoli, 1859 B. von Lacedonia, 1871 Eb. von Amalfi 198

Maldonado, Juan de (1534 – 1583), span. Jesuit, Exeget und Theologe 203

Maldonatus sh. Maldonado, Juan de

Mamachi, Tommaso Maria (1713 – 1792), Dominikaner, Kirchenhistoriker und Archäologe 11, 298, 339

Manning, Henry Edward (1808 – 1892), 1841 – 1850 anglikanischer Archidiakon von Chichester, 1865 Eb. von Westminster, 1875 Kard. 7, 19, 23, 28, 37, 39, 43, 47 – 51, 62, 63, 65, 67, 68, 152, 171, 184, 196, 216, 217, 238, 242, 246, 251, 255, 262, 294, 295, 311, 313, 316, 338, 342 – 347, 365, 373, 376, 415, 416, 454, 455, 484, 485, 524

Manuel, F. E. 7

Mansi, Ferdinando (gest. um 1870), röm. Prälat, 1860 Konsultor der Index-Kongregation 52

Maraini, Leopoldo (um 1870), Agent der ital. Regierung in Rom 8

Marchich, Georg (1815 – 1879), 1868 B. von Cattaro (Dalmatien) 368

Marcilhacy, Ch. 437, 522

Marcus, Hl., Papst (18. 1. 336 – 7. 10. 336) 229, 333

Maret, Henri Louis Charles (1805 – 1884), frz. Theologe, 1841 Prof. an der Sorbonne, 1861 Titularb. von Sura 1882 Titulareb. von Lepanto 5, 7, 17, 19, 35, 42, 46, 51, 52, 55, 57, 58, 64, 73 – 75, 81, 88 – 91, 94, 95, 103, 111, 137, 138, 140, 144, 145, 149, 157, 158, 161 – 165, 168, 170, 190, 199, 202, 206, 226, 238, 239, 253, 256, 292, 293, 318, 324, 325, 337, 375, 377, 387, 393, 404, 409, 432, 435, 438 – 440, 442, 468, 478 – 480, 492, 493, 496, 507, 514, 517, 518, 523

Margiotta Broglio, F. XII

Margeries, Amédée de (1825 – 1905), frz. Philosoph 286, 288

Marguerye, Frédéric Gabriel Marie François de (1802 – 1876), 1837 B. von St. Flour, 1852 von Autun 198, 206, 210, 212, 217, 248, 249, 252 – 254, 257, 318, 370, 372, 393, 398, 440, 444, 445, 450

Mari, C. 4, 8

Maria, Mutter Jesu Christi 22, 97, 98, 132, 133, 201, 205, 340, 342, 362, 411, 522

Mariani, Innocenzo, Pater, 1975 Archivar der Glaubenskongregation 526

Maria Theresia (1717—1780), röm.-dt. Kaiserin 301

Mariássy, Gabriel (1807—1871 ?), 1856 Weihb. von Erlau (Ungarn) 97

Marie (de la Compassion) Emmanuel (geb. Correnson), Mutter (1842—1900), Mitbegründerin und Generaloberin der »Soeurs oblates de l'Assomption« 32, 33, 39, 68, 138, 168

Marie-Eugénie sh. Marie-Eugénie de Jésus

Marie-Eugénie de Jésus (geb. Milleret), Mutter (1817—1888), Begründerin der »Religieuses de l'Assomption«, 1975 seliggesprochen 31, 68, 69, 112, 115, 134, 161, 166, 169, 328

Marie Gabrielle, Mutter (um 1870), Religieuse de l'Assomption, Oberin in Nîmes 32, 33, 36

Marie Gonzague, Mutter (um 1870), Religieuse de l'Assomption in Nîmes 115

Marietti, Pietro (um 1870), Verleger in Rom 50, 52

Marilley, Etienne (geb. 1804), 1846—1879 B. von Lausanne und Genf 37

Marinelli, Francesco (1807—1887), Augustinereremit, 1856 Titularb. von Porphyrium 231, 289, 293, 298

Marini, Marino (1804—1885 ?), 1855 Titulareb. von Palmira, 1865 Eb. von Orvieto, 1871 Titulareb. von Palmira, Substitut des Kard. Staatssekretärs, Prosekretär der S. Congregazione degli Affari Ecclesiastici Straordinari 433, 485, 487, 489

Markt Schwaben (Bayern) 131, 134

Markus (Evangelium) 396

Marschall, W. 236, 237, 279, 280

Marseille (Frankreich) 101—103, 112, 144, 157, 248, 273, 494, 521

Martimort, A. G. 300, 301

Martin I., Hl. (gest. 655), Papst (649—653) 286

Martin V. (geb. 1368), Papst (1417—1431) 391

Martin, J. 112

Martin, J. B. 427, 517

Martin, Konrad (1812—1879), 1865 B. von Paderborn, Mitglied der Glaubensdeputation

und der Kommission für die Postulate des Konzils 27, 37, 62, 103, 262, 312, 313, 319, 431, 484, 485

Martin, V. 301

Martina, G. XI, 4, 38, 61, 65, 131, 147, 403, 523

Martinez, Hyacinth Maria (1812—1873), Kapuziner, 1865 B. von S. Cristoforo von Havana 196, 202, 206, 210, 214, 215, 217, 226, 274, 277, 320, 376, 385

Martinez (Martinoz), Gregor Melithon (1813—1885), 1861 Eb. von Manila 373

Martinius sh. Martini, Antonio

Martini, Antonio (1720—1809), Eb. von Florenz, Exeget 238

Mary of the Cross sh. Mathieu-Calvat, Mélanie

Marzotto (um 1870), ital. Priester, Chefredakteur der »Unità Cattolica« 145

Maskell, William (1814—1890), Konvertit aus dem Anglikanismus, Liturgiker 465

Massari, Giuseppe (1821—1884), ital. Politiker und Schriftsteller, 1860 Abgeordneter 115

Massi, P. 302

Mastai-Ferretti, Giovanni Maria sh. Pius IX.

Mastai-Ferretti, Girolamo (1750—1833), Vater Pius' IX. 126, 129

Mathieu (um 1870), Pfarrer in der Diözese Orléans 101

Mathieu, Jacques Marie Adrien Césaire (1795—1875), 1832 B. von Langres, 1834 Eb. von Besançon, 1850 Kard. 7, 12, 17, 21, 25, 26, 33, 60, 61, 66, 110, 113, 140, 144, 149, 168, 170, 311, 413, 419, 420, 421, 425, 436, 437, 440, 443, 447, 453, 488, 492—494, 496, 522

Mathieu-Calvat, Mélanie (1831—1904), eines der Hirtenkinder, das die Erscheinung Mariens in La Salette hatte 132

Mattei, Mario (1792—1870), 1832 Kard., Dekan des Sacro Collegio 417, 420

Matthäus, Apostel 209, 231, 317

Matthäus (Evangelium) 182, 188, 200—202, 204—206, 208, 209, 236, 238, 246, 280, 291, 312, 320, 356, 378, 383, 394, 395, 464, 509

Matussek, P. XI, 151

Maupas, Petrus Alexander Doismus (1813—1891), 1855 B. von Sebenica, 1862 Eb. von

Zara (Jugoslawien) 173, 260, 261, 307, 320, 367, 374, 429

Maurain, J. 21

Mauri, Achille (1805 – 1883), ital. Politiker und Literat, 1871 Senator 54

Mauron, Nicolas (1818 – 1893), General der Redemptoristen 39, 51, 52

Maximilian II. (1527 – 1576), 1564 röm.-dt. Kaiser 312

Maximos IV. Saigh, um 1962 griechisch-melkitischer Patriarch 118

Maximos V., um 1975 griechisch-melkitischer Patriarch 118

Maximos Confessor, Hl. (580 – 662), Theologe 234

Mayer, Georg Karl (1811 – 1868), kath. Dogmatiker, Domkapitular in Bamberg 91

Mayer, Salesius (1816 – 1876), österr. Theologe aus dem Zisterzienserorden, 1875 Abt in Ossegg 56, 58, 60, 61, 73, 74, 77, 78, 134, 136, 137, 144, 153, 159, 163, 164, 194, 329, 330, 420, 431, 474, 484, 501

Mayeur, J. M. 131

Maynooth (Irland) 19

Mayr, J. 301, 302

Mazlish, B. 7

Meaux (Frankreich) 310

Mecheln (Belgien) 39, 50, 51, 288, 342, 347

Medici di Ottajano, Francesco (1808 – 1857), wirklicher Geheimkämmerer des Papstes, 1856 Kard. 137

Meglia, Pier Francesco (1810 – 1883), 1866 – 1874 Nuntius in München, 1874 – 1879 in Paris, 1879 Kard. 42, 86, 87, 103, 106, 111, 120, 348, 413, 423, 426, 428, 429, 445 – 447, 477, 485 – 489, 514, 520

Meignan, Guillaume René (1817 – 1896), 1864 B. von Châlons-sur-Marne, 1884 Eb. von Tours, 1892 Kard. 217, 226, 228, 229, 231, 243, 290, 293, 311, 313, 315, 377, 420, 468

Meinhold, P. 363

Meirieu, Marie Julien (1800 – 1884), 1848 B. von Digne 386

Mélanie sh. Mathieu-Calvat, Mélanie

Melbourne (Australien) (2. Provinzialsynode von 1869) 24

Melchers, Paul (1813 – 1895), 1857 B. von Osnabrück, 1866 Eb. von Köln, 1885 Kard.

75, 78, 114, 197, 198, 222, 226, 304, 398, 404 – 407, 414, 416, 426, 428, 429, 448, 450, 456, 458, 461, 464, 468, 486, 507, 510, 511, 520

Melitene (Armenien) 418

Mellus, Johannes Elias (1831 – 1908), 1864 chaldäischer B. von Akra (Kurdistan) 83

Menabrea, Luigi Federico Marchese di Val Dora (1809 – 1896), ital. General und Staatsmann, 1867 ital. Ministerpräsident 8

Mencacci, Paolo (gest. 1897), kath. Publizist, 1865 Direktor der Zeitschrift »Il divin Salvatore«, Mitarbeiter im internationalen Konzilspressebüro 48

Menn, M. 22, 42, 353, 404, 466, 471, 477, 498

Menna, N. 11, 38, 113, 449, 503

Mennele, G. (um 1870), Pfarrer in der Diözese Rottenburg 447

Menochius, Giovanni Stefano (um 1575 – 1655), Jesuit, Exeget und Moraltheologe 203

Menzel, Andreas (1815 – 1886), 1853 ord. Prof. für Dogmatik und Moraltheologie in Braunsberg 476, 509

Mercati, A. 258

Mercurelli, Francesco (um 1870), röm. Prälat, Sekretär der Breven 102

Meriman, Emilie (um 1870), Amerikanerin, Gattin von Hyacinte Loyson 502

Merkle, Matthias (1815 – 1881), Redakteur des Diözesanblattes von Augsburg, 1874 Prof. in Passau 445, 446

Mermillod, Gaspare (1824 – 1892), 1864 Titularb. von Hebron und Weihb. von Genf, 1890 Kard. 36, 37, 40, 47, 48, 61, 68, 154, 166, 205, 209, 214, 228, 229, 231, 238, 255, 260, 267, 296, 347, 369, 375, 393

Mérode, François Xavier De (1820 – 1874), 1866 Titulareb. von Melitene, päpstlicher Almosenmeister 34, 113, 137, 142, 145, 150, 162, 402, 417 – 419, 437

Merseburg (DDR) 167

Mertel, Teodolfo (1806 – 1899), 1858 Kard. 225, 272

Messina (Italien) 105

Meßmer, Joseph Anton (1829 – 1879), Prof. der christlichen Archäologie in München 508

Methone (Griechenland) 261

Metten (Bayern) 63

Metternich, Klemens Wenzel Lothar Fürst von (1773 – 1859), 1821 österr. Haus-, Hof- und Staatskanzler 129

Metz (Frankreich) 168
– (Konzil von 863) 312

Meulenberg, L. F. J. 282

Meurin, Jean Léon (1825 – 1895), Jesuit, 1867 Titularb. von Askalon und Apost. Vikar von Bombay 46, 62, 76, 292, 294, 369

Meyer, H. IX, X, 122

Michael Caerularius (Kerullarios), Patriarch von Konstantinopel (1043 – 1058) 272

Michael VIII. Palaeologus (1224/1225 – 1282), 1258 – 1282 byz. Kaiser 253 – 255, 460

Michaud, Eugène (1839 – 1917), frz. Theologe, Pfarrer in Paris, Altkatholik 19, 21, 25, 88, 112, 163, 494, 495, 507, 509

Michelis, Friedrich (1815 – 1886), 1864 Prof. der Philosophie in Braunsberg, Altkatholik 22, 26, 87, 91, 353, 404, 405, 428, 431, 476, 504, 509, 519

Migne, Jacques Paul (1800—1875), kath. Priester, Verleger 236, 237, 280

Miko, N. 4, 31, 404, 407, 428, 434, 455, 461

Mileve (Milevium) (Nordafrika) 232
– (Konzil von 416) 266

Miller, S. XI, 24, 60, 83, 158, 407, 447, 496, 497

Minghetti, Marco (1818 – 1886), ital. Nationalökonom und Staatsmann 2

Mirbt, C. 190, 191, 220, 246, 256, 359, 524

Misner, P. 354

Moccagatta, Luigi (1809 – 1891), 1844 Titularb. von Zenopoli und Apost. Vikar von Schantong (China) 202, 210, 260

Modena, Angelo Vincenzo (1796 – 1870), Dominikaner, 1850 – 1870 Sekretär der Index-Kongregation 519

Möhler, Johann Adam (1796 – 1838), Prof. für Kirchengeschichte in Tübingen und München 338, 339

Mohammed (um 570 – 632), Stifter des Islam 503

Mohl, Robert von (1799 – 1875) württembergischer Staatsmann 490

Molfetta (Italien) 115

Mollat, G. 259

Molitor, Wilhelm (1819 – 1890), kath. Theologe, 1868 Konsultor für die Vorbereitungen des Konzils 261

Mon, Alejandro (1801 – 1882), 1864 span. Ministerpräsident, später Botschafter Spaniens in Paris 88

Monaco La Valletta, Raffaele (1827 – 1896), 1868 Kard., Mitglied der Kommission für die Postulate des Konzils 246

Monetti, Giovanni (1817 – 1877), 1860 B. von Cervia (Kirchenstaat) 386

Montalembert, Charles Forbes René de (1810 – 1870), frz. kath. Politiker und Schriftsteller 45, 108, 109, 146, 156

Montclos, X. de 90, 192, 444, 521, 523

Montecassino (Italien) 8, 38, 66

Monte Montorio (Rom) 320

Monti, A. 127, 128

Montixi, Giovanni Battista (1798 – 1884), 1844 B. von Iglesias (Sardinien) 38

Montpellier, Théodore Joseph de (1807 – 1879), 1852 B. von Liège 256, 276, 415, 416

Montpellier (Frankreich) 101, 102, 150, 163, 168, 169, 434, 440 – 444

Monzon y Martins, Benvenuto (1820 – 1885), 1861 Eb. von S. Domingo, 1865 von Granada 210, 217, 238, 246, 251, 255, 306, 307, 319, 372, 375

Moreno, Juan Ignazio (1817 – 1884), 1857 B. von Oviedo, 1863 Eb. von Valladolid, 1869 Kard., Mitglied der Kommission für die Postulate des Konzils 217, 223, 231, 260, 285, 290, 291, 294, 295, 306, 311, 316, 319

Moreno, Luigi (1800 – 1878), 1838 B. von Ivrea (Piemont) 202, 226, 318, 392, 395, 397, 447

Moretti, Vincenzo (1815 – 1881), 1855 B. von Comacchio, 1860 von Cesena, 1867 von Imola, 1871 Eb. von Ravenna, 1877 Kard 375

Moreyra (Moreira), Joseph Franziskus Ezechiel (1826 – 1874), 1865 B. von Guamanga (Peru) 196

Moriarty, David (1812 – 1877), 1854 Titularb. von Agatonica, 1856 B. von Kerry und Aghadon (Irland) 40, 211, 215, 264 – 266, 269, 271, 272, 274, 275, 277, 286, 292, 293,

295, 305, 308, 309, 317, 321, 322, 370, 375, 386, 448

Morichini, Carlo Luigi (1805–1879), 1852 Kard. 71

Moses 200

Mourret, F. 109, 117, 171, 451, 490, 517

Moyne, J. Le 280

Mozley, Thomas (um 1870), Korrespondent der »Times« in Rom 91, 110

Mrak, Ignatius (1818–1901), B. von Sault-Sainte-Marie und Marquette (USA) 449

Muehlsiepen, Henry (um 1870), Generalvikar von St. Louis unter Eb. Peter Kenrick 2, 158

Müller, G. XI, 22

Müller, O. 509

Münch, R. 531, 536

München(Bayern) XI, XII, 7, 15, 42, 45, 63, 86, 106, 110, 114, 117, 119, 127, 158, 343, 405, 411, 413, 415, 423, 426, 428–431, 445, 446, 465, 468, 477, 485, 486, 488–490, 498, 500, 502, 505–509, 514, 516, 520, 524
– (Gelehrtenversammlung von 1863) 20, 503

Münster (Westfalen) 15, 312, 505

Muhr, Dr. (um 1870), Korrespondent der »Kölnischen Zeitung« in Rom 95

Mun, Adrien Albert Marie Comte de (1841–1914), frz. Politiker und Schriftsteller 496

Mund, H. J. X

Munkács (Ungarn) 427

Murphy, T. A. IX

Muzzarelli, Alfonso (1749–1813), Theologe aus dem Jesuitenorden 11, 12, 252, 290, 298

Namslau (Schlesien) 103

Namur (Belgien) 75, 111, 153, 165, 328, 478, 517

Nancy (Frankreich) 100

Napoleon I.,Bonaparte (1769–1821), 1804 erblicher Kaiser der Franzosen 11, 12

Napoleon III., Charles Louis (1808–1873), 1848 Präsident der frz. Republik, 1852 frz. Kaiser 154, 157, 158, 164, 165

Nardi, Francesco (1808–1877), röm. Prälat, 1862 Auditor der Sacra Romana Rota 112

Nasrallah, J. 424, 425

Natali, Raffaele (gest. um 1871), röm. Prälat 131

Natalis, Alexander (1639–1724), Historiker aus dem Dominikanerorden 285

Natoli, Luigi (1799–1875), 1858 B. von Caltagirone, 1867 Eb. von Messina 196, 200, 217, 261, 304, 306

Nau, P. 534

Nautin, P. 235

Nacouz, Elie, 1975 Sekretär des griechisch-melkitischen Patriarchen Maximos V. 118

Nazari di Calabiana, Luigi (1808–1892), 1848 B. von Casale, 1867 Eb. von Mailand 413, 417, 447, 449

Nazianz (Kappadokien) 232

Neapel (Italien) 38, 50, 97, 101, 131, 286

Nédoncelle, M. 354

Negri, Benoît (um 1870), Theologe in Turin 35, 57, 170

Nembach, U. 355

Nembro, G. da 22

Nemesszeghy, E. 326

Nemeth Joseph (geb. 1831), 1874 Titularb. von Isaura und Weihb. von Csanád (Ungarn) 428

Neuchâtel (Schweiz) XI

Neugranada (Kolumbien) (Provinzialkonzil von 1868) 27

Neurode (Tschechoslowakei) 501

Nevers (Frankreich) 436

Newman, John Henry (1801–1890) anglikanischer Theologe, 1845 Konversion zur kath. Kirche, 1879 Kard. 29, 91, 354, 356 466, 476, 504, 506, 529

Nijmegen (Niederlande) XI

Nikephoros I., Hl. (750/58–828) 806–815 Patriarch von Konstantinopel 234

Nikolaus I., Papst (858–867) 234, 238, 247, 271, 272, 282, 300

Nikolaus II., Papst (1058–1061) 253

Nikolaus III. (geb. 1210/1220) Papst (1277–1280) 282

Nikolaus IV., Papst (1288–1292) 274

Nîmes (Frankreich) 33, 36, 39, 67, 168, 442, 484

Nina, Lorenzo (1812–1885), um 1870 Assessor im Hl. Offizium, 1877 Kard. 485

Nipperdey, Th. XI

Nisibis (Ostanatolien/Syrien) 229
Nizäa (Bithynien, jetzt Türkei)
– (1. Konzil von Nizäa, 1. ökumenisches, im
  Jahre 325) 221, 229, 239, 241, 245,
– (2. Konzil von Nizäa, 7. ökumenisches, im
  Jahre 787) 239, 240, 242, 270, 271, 286, 397
– (Glaubensbekenntnis) 263
Nizza (Frankreich) 76 449
Noack, U. 352
Noailles, Louis Antoine de (1651–1729) 1695
  Eb. von Paris, 1700 Kard. 310
Nobili-Vitelleschi, Francesco, Marchese (1799–
  1885), ital. Politiker und Schriftsteller, Pseu-
  donym: Pomponio Leto 90, 96, 519
Nobili-Vitelleschi, Salvatore (1818–1875)
  1856 Titulareb. von Seleucia, 1863 B. von
  Osimo und Cingoli (Kirchenstaat), 1875
  Kard. 196, 210, 319, 377
Noe, Gestalt des Alten Testaments, vorsintflut-
  licher Urvater 230
Noidans-Calf, Hector Charles Marie Comte de
  (1835–1884) belg. Diplomat, 1869–1871
  1. Sekretär an der Botschaft beim Hl. Stuhl
  134
Nolte, J. 363, 365, 532
Nordamerika 24, 29, 308, 309, 491, 496
Norfolk, Herzog von, sh. Howard
Norfolk (England) 354
Novatian (um 250), Begründer des Novatianis-
  mus 265, 310
Nürnberg (Deutschland) 175, 469, 484, 506
Nulty, Thomas (1818–1899), 1864 Titularb.
  von Centuria, 1866 B. von Meath (Irland)
  219, 303, 307, 309 369, 370
Nyssa (Kappadokien) 206, 232

Oakly, F. 302
Obrist, F. 209
Odescalchi, Sophie, Fürstin (geb. Branicka)
  (1821–1886), verheiratet mit Livio principe
  Odescalchi (1805–1885) 72
Oer, F. von 405
Oesch, J. 455
Österreich 19, 29, 35, 129, 163, 166, 301, 313,
  411, 428, 429, 433, 434, 445, 448, 500
Olivi, Petrus Johannes (1248/1249–1298),
  Franziskanertheologe 282, 283

Olivié (um 1870), frz. Abbé, zur Zeit des Konzils in Rom 95
Ollivier, Emile (1825–1913), frz. Staatsmann,
  1870 Ministerpräsident 7, 12, 18, 19, 32,
  33, 35, 37, 40, 45, 46, 50, 52, 61, 66, 67, 72,
  75, 83–85, 96, 99, 100, 102–105, 108–110,
  134, 139, 153, 156, 157, 164, 165, 173–175,
  321, 405, 444, 456
Olmütz (Mähren) 73, 114, 312, 413, 433
Optatus, Hl. (gest. vor 400), B. von Mileve,
  Theologe 232
Orléans (Frankreich) 21, 31, 101, 111, 125,
  143, 165, 169, 408, 425, 437, 452, 496, 522
Orcet (Frankreich) 51
Orient 115, 306, 407
Origenes (um 185–254), bedeutendster Theo-
  loge der frühen griech. Kirche 229
Orrego, Joseph Emmanuel (1817–1896), 1868
  B. von La Serena (Chile) 298
Orsi, Giuseppe Agostino (1692–1761), Kir-
  chenhistoriker aus dem Dominikanerorden,
  1759 Kard. 10, 252, 260, 290, 298, 339
Osnabrück (Deutschland) 313, 423
Ossegg (Tschechoslowakei) 501
Ostroumoff, J. N. 259
Otto Truchsess von Waldburg (gest. 1573), 1543
  B. von Augsburg, 1545 Kard. 312

Pace, Nicola (1810–1889), 1857 B. von Amelia
  (Kirchenstaat) 200
Paderborn (Westfalen) 27, 103, 313, 431, 484
– (Synode von 1859) 26
Padua (Italien) 101
Pagnucci, Amato (1833–1901), 1867 Titularb.
  von Agathonia, Apost. Vikar von Schensi
  (China) 210
Palanque, J. R. 12, 19, 88–90, 103, 236, 432,
  438–440, 444, 465, 473, 494–497, 504
Pallavicino, Pietro Sforza (1607–1667), Prof.
  der Philosophie und Theologie am Römi-
  schen Kolleg, 1659 Kard. 10, 259
Palomba, Beniamino (1818–1896), Jesuit, Mit-
  arbeiter bei der »Civiltà Cattolica« 329
Palomba Caracciolo, Joseph (um 1870), österr.
  Botschaftsrat beim Hl. Stuhl 2, 417–419,
  432, 433
Panebianco, Antonio Maria (1808–1885),
  Franziskanerkonventuale, 1861 Kard., Mit-

glied der zentralen Vorbereitungskommission des Konzils 30, 32, 123

Pankovićs, Stephan (1820–1874), 1867 ruthenischer B. von Munkács (Ungarn) 425, 427, 428, 448

Pannonhalma/St. Martinsberg (Ungarn) 521

Paolesic, Johannes (gest. um 1892), 1871 B. von Belgrad, Weihb. von Zagreb 426

Papandreou, D. X

Pappalettere, Simplicio (1815–1883), Benediktiner aus Montecassino, Theologe 8, 34, 38, 58, 63, 66, 174, 329

Papp-Szilágyi de Illesfalva, Joseph (1814–1873) 1863 B. des rumänischen Ritus in Szatmár (Ungarn) 76, 230, 233, 238, 246, 261, 285, 303, 375

Paris 7, 18, 21, 25, 26, 28, 29, 31, 32, 34, 35, 40, 45, 47, 50–52, 57, 58, 63, 66, 67, 75, 81, 83–86, 88, 90, 92, 94, 96, 100, 102, 103, 105, 109, 111, 112, 117, 119, 123, 134, 136–139, 143, 148, 149, 153, 158, 163–167, 169, 174, 291, 293, 301, 326, 329, 405, 408, 409, 413–416, 421, 424, 429, 435–440, 442–445, 451, 475, 493–495, 511, 513, 514, 521, 522

– (Provinzialkonzil von 1849) 25

Paschalis II., Papst (1099–1118) 272

Passaglia, Carlo (1812–1887), Jesuit, Theologe und kirchenpolitischer Schriftsteller, 1867 a divinis suspendiert 92, 338, 340, 358

Passau (Bayern) 429

Pasztélyi, Johannes (geb. 1826), 1875 B. des griechisch-ruthenischen Ritus in Munkács (Ungarn) 427

Pásztor, L. 34, 76, 513, 526

Patrick, Hl. (um 385–461), Apostel Irlands 309

Patrizi, Costantino (1798–1876), 1834 Kard. Präsident der zentralen Vorbereitungskommission des Konzils und Mitglied der Kommission für die Postulate 64, 108, 217, 225, 238, 298, 305, 306, 308, 310, 314, 327, 438, 520

Patrizi-Montoro, Giovanni, Marchese (um 1870), Mitarbeiter im internationalen Pressebüro des Konzils 48

Paul III. (geb. 1468), Papst (1534–1549) 273, 295

Paul IV. (geb. 1476), Papst (1555–1559) 273, 322

Paul V. (geb. 1552), Papst (1605–1621) 275

Paul VI. (geb. 1897), 1963 Papst IX, 524, 525

Paulinier, Pierre Antoine Justin (1815–1881), 1870 B. von Grenoble, 1875 Eb. von Besançon 21

Paulinus, Hl. (gest. 644), Benediktiner, erster Eb. von York 234

Paulus, (um 10 n. Chr. – 64/68), Apostel 205, 264, 306, 314, 499

Payá y Rico, Michael (1811–1891), 1858 B. von Cuenca, 1875 Eb. von Santiago, 1877 Kard., 1886 Eb. von Toledo 119, 195, 200, 225, 229–231, 262, 274, 275, 277, 294, 298, 306, 317, 320, 372, 378

Pecci, Gioachino (1810–1903), 1843 Titulareb. von Damietta, 1846 B. von Perugia, 1853 Kard., 1878 Papst (Leo XIII.) 386

Pehem, Josef Johann Nepomuk (1740–1799), 1771 Prof. für Kirchengeschichte in Innsbruck, 1779 in Wien 302

Peitler, Anton Joseph (1808–1885), 1859 B. von Waitzen (Ungarn) 425, 467, 468

Peking (China) 142

Pelagius I., Papst (556–561) 212, 322

Pelagius (um 400) Irrlehrer 266

Pelegrinetti, Giacinto (um 1872), Dominikaner, Theologe des Kard. Guidi 124

Pellei, Giovanni Battista (1796–1877), 1845 B. von Segni, 1847 von Acquapendente (Kirchenstaat) 38, 186, 202, 206, 210, 215, 238, 239, 318

Pelletier, Victor (1810–1883), Kanoniker von Orléans 437

Pellico, Francesco (1802–1884), Jesuit, Mitarbeiter bei der »Civiltà Cattolica«, Provinzial von Turin 37

Pennacchi, Giuseppe (um 1870), röm. Kirchenhistoriker 285, 286, 288

Pergen, Johann Anton Graf von (1839–1902), österr. Diplomat, kath. Politiker, erster Präsident der Michaelisbruderschaft, Mitarbeiter im internationalen Pressebüro des Konzils 48

Perger, Johannes (1819–1876), 1868 B. von Kaschau (Ungarn) 202, 204, 222, 239, 240,

256, 266, 268, 270–272, 286, 308, 324–326, 371, 425, 460, 467

Peri, V.   245, 246

Perler, O.   279

Perpignan (Frankreich)   104, 112, 144, 328, 434, 440, 513, 514

Perrone, Giovanni (1794–1876), Jesuit, Dogmatiker, 1824 Lehrer am Röm. Kolleg, Konsultor der theologischen Vorbereitungskommission des Konzils   20, 181, 201, 210, 212, 219, 241, 242, 260, 284, 295, 298, 317, 319, 323, 325, 338–340, 367, 368, 374, 380, 381, 394, 396, 397

Pesch, O. H.   300

Pesch, R.   208, 209, 214

Petagna, Francesco (1812–1878), 1850 B. von Castellamare (Italien)   196, 228, 242, 251, 255, 291–293, 296, 297, 310, 311

Petavius, Dionysius (1583–1652), Jesuit, Historiker und Theologe   392, 397

Petit, Louis (1868–1927), Assumptionist, Byzantinist, 1912 Eb. von Athen   427, 517

Petitdidier, Mathieu (1659–1728), Benediktiner, Kenner der Hl. Schrift und des christl. Altertums   260, 296, 310

Petruccelli de la Gattina, Ferdinando (1815–1890), ital. Schriftsteller und Politiker   130

Petrus, Apostel   6, 27, 29, 37, 74, 101, 182–184, 187, 196, 202–217, 229–233, 236, 239, 241, 242, 246, 250, 252, 256, 261, 264, 265, 267, 272, 276, 280, 291, 296, 306, 314, 317, 320, 321, 329, 350, 367, 372, 375, 378, 394, 395, 400, 468, 499, 502

Petrus Canisius sh. Canisius

Petrus von Celle (um 1115–1183), Benediktiner, 1145 Abt von Moutier-la-Celle, 1162 von St. Remi in Reims, 1181 B. von Chartres   291

Petrus Chrysologus, Hl. (um 380–450), Kanzelredner in Ravenna, Kirchenlehrer   232, 233

Petrus Damiani (1007–1072), Benediktiner, Theologe, 1057 Kard., Kirchenlehrer   291

Petrus Martinez von Osma (gest. 1480), span. Theologe   219, 274, 306

Petrus von Olivi sh. Olivi

Petrus de Versailles (gest. 1446), 1439 B. von Meaux   310

Pettinari, Antonio Maria (1818–1886), Franziskaner, 1863 B. von Nocera, 1881 Eb. von Urbino   372, 393

Pfülf, O.   42, 455

Photius (Photios) (um 820—901), Patriarch von Konstantinopel   241, 247, 250, 271

Pianciani, Luigi, Graf (1810–1890), ital. Politiker und Schriftsteller   130

Pica, Ignazio M. (1835—1915) Barnabit, 1907–1910 General der Barnabiten   514

Picard, François (1831–1903), Assumptionist, 1880–1903 Generalsuperior der Kongregation   33, 39, 48, 138, 328

Piccirillo, Carlo (1821–1888), Jesuit, Chefredakteur der »Civiltà Cattolica«   44, 45, 48, 72, 98, 139, 508

Pichler, Alois (1833–1874), Kirchenhistoriker   87, 91

Pie, Louis Edouard Désiré (1815–1880), 1849 B. von Poitiers, Mitglied der Glaubensdeputation des Konzils, 1879 Kard.   26, 38, 40, 48, 51, 61, 63, 89, 101, 119, 190, 202, 217, 238, 366

Pietro, Camillo Di (1806–1884), 1853 Kard. Mitglied der Kommission für die Postulate des Konzils   32, 35, 76, 77, 125, 132, 164

Pigge, Albert (1490–1542), kath. Kontroverstheologe und Humanist   288, 302, 322

Pilatus, Pontius, 26 n. Chr. röm. Prokurator Judäas   107

Pincherle, A.   237

Pinerolo (Piemont)   38

Pippin der Jüngere (714/715–768), austrasischer Hausmeier, 747 fränkischer Alleinherrscher   270

Pisa (Italien)   101

Pistoia (Italien)   101

– (Synode von 1786)   277

Pitra, Giovanni Battista (1812–1889), 1861 Kard.   30, 68, 221, 261, 305, 425

Pittsburgh (USA)   162, 451

Pius IV. (geb. 1499), Papst (1559–1565)   57, 263, 275, 403

Pius V., Hl. (geb. 1504), Papst (1566–1572)   10, 273, 305

Pius VI. (geb. 1717), Papst (1775–1799)   257, 276, 277, 322

Pius VII. (geb. 1742), Papst (1800–1823)   11, 131, 322

Pius IX. (geb. 1792), Papst (1846–1878), früherer Name: Graf Giovanni Maria Mastai-Ferretti   XI, 5, 12, 16–23, 25, 28, 30, 33, 35, 36, 39, 43–46, 48, 49, 51–58, 63–72, 74, 76–80, 82–86, 92, 93, 96–153, 155, 161–170, 172–177, 180, 184, 187, 190, 191, 196, 262, 277, 278, 307, 331, 334, 342, 364, 365, 403–408, 410, 414–420, 423–425, 427, 429, 432–436, 438, 440–443, 446, 449–451, 454, 469, 472–475, 478, 485–489, 492–496, 500–504, 512, 514–516, 519, 522, 524, 525, 528, 529, 531, 532

Pius XII. (geb. 1876), Papst (1939–1958)   118, 534

Place, Charles Philippe (1814–1893), 1866 B. von Marseille, 1878 Eb. von Rennes, 1886 Kard.   82, 112, 144, 157, 202, 217, 386, 392, 395, 396, 399, 436, 451, 467, 473, 494, 521

Placidus, Hl. (6. Jh.), Benediktiner, als Martyrer verehrt   261

Plannet, W.   288

Plantier, Claude Henri Augustin (1813–1875), 1855 B. von Nîmes   3, 39, 51, 52, 61, 195, 196, 484, 486

Plon, Henri (1806–1872), frz. Verleger in Paris   88

Ploner, S.   419, 503

Pluym, Antonius Joseph (geb. 1808), 1870 Titulareb. von Tyana, Apost. Delegat für die Orientalen und »Vicario Apostolico Patriarcale« für die Lateiner in Konstantinopel   201, 225, 228

Pobládura, M. A.   503

Pogačar, Janez Slatoust (1811–1884), 1851 Domdekan, 1875 B. von Laibach   4, 431

Pogonatus   sh. Konstantinos IV. (Pogonatos)

Poitiers (Frankreich)   26, 40, 89, 101

Polen   305

Polycarp (Polykarpos), Hl. (gest. um 155/56), Martyrer, B. von Smyrna   227

Pomarède (um 1870), Kanoniker von Montpellier   102

Pongratz, L. J.   XI, 151

Ponthion (Frankreich) (Konzil von 876)   310

Popper, K. R.   531

Portogruaro Murò, Bernardino de (1822–1895), 1869–1889 Ordensgeneral der Franziskaner   106

Portugal   306

Poschmann, B.   280

Possidius, Hl. (gest. nach 437), Theologe, B. von Calama (Nordafrika)   397, 234

Posuricich (um 1870), Kleriker des griech.-ruthenischen Ritus in der Diözese Kreutz (Jugoslawien)   428

Potenza (Italien)   38

Pottmeyer, H. J.   XI, 301, 335, 340, 529

Prag (Tschechoslowakei)   41, 56–58, 60, 61, 73, 74, 77, 78, 134, 136, 137, 164, 195, 329, 330, 413, 445, 501, 505, 509, 512
– (Synode unter Eb. Berka)   313
– (Provinzialkonzil von 1860)   24, 27, 314, 315

Prato (Toskana, Italien)   101

Precht, H.   235, 258

Preßburg (Slowakei) (Synode von 1309)   307

Pressensé, Edmond Dehaut de (1824–1891), frz. Politiker und prot. Pastor   519

Preußen   133

Preux, Pierre Joseph De (1795–1875), 1844 B. von Sion, Mitglied der Glaubensdeputation des Konzils   225, 289, 366, 424

Prierias, Silvestre (1456–1523), span. Dominikaner, Prof. für thomistische Philosophie, Inquisitor   294

Pseudo-Athanasius (dem Kirchenlehrer Athanasius zugeschriebene Fälschungen)   199

Pseudo-Cyrill (unbekannter Autor vor Mitte des 7. Jh.)   299, 334

Pseudo-Isidor (Verfasser der pseudo-isidorischen Fälschungen Mitte des 9. Jh.)   212, 227, 263, 278, 299, 333, 334

Puecher-Passavalli, Luigi (1821–1897), Kapuziner, 1855 päpstl. Hofprediger, 1867 Titulareb. von Ikonium und Kapitelvikar von St. Peter   34, 112, 135, 162, 419, 425, 437, 502, 503

Pueyo y Barrayuso, Silvestre, span. Kanonist des 18. Jh. in Madrid, Kanoniker   307

Pukalski, Joseph Alois (1798–1885), 1852 B. von Tarnow (Galizien)   226, 240, 286, 293, 377

Purcell, John Baptist (1800—1883), 1833 B. von Cincinnati, 1850 Eb. 37, 49, 163, 254, 266, 269—271, 273, 274, 286, 287, 305, 308, 309, 376, 402, 404, 417, 432, 524

Pycke (Pijcke) de Peteghem, Amédée Edouard Augustin Ghislain Baron (1824—1898), belg. Diplomat, 1867—1875 Gesandter beim Hl. Stuhl 2, 135

Quaglia, Angelo (1802—1872), 1861 Kard., Präfekt der Kongregation »Vescovi e Regolari« 32, 169, 441

Quaid, Bernhard Mac (1823—1909), 1868 B. von Rochester (USA) 98, 198, 222, 226, 240, 260, 286, 290, 304, 308, 309, 311, 313, 448

Quarella, Francesco (1831—1908), Jesuit, zur Zeit des 1. Vatikanischen Konzils Studienpräfekt am Germanicum, 1876 Lektor der Hl. Schrift in Poitiers, 1881 in Cremona 96, 292, 452

Québec (Kanada)
— (Provinzialkonzil von 1851) 26
— (Provinzialkonzil von 1868, viertes von Québec) 24, 26

Quedlinburg (Deutschland) (Konzil von 1085) 312

Quesnel, Pasquier (1634—1719), frz. Theologe, einige seiner Thesen 1713 verurteilt 277

Quintavalle, F. 31, 32, 35, 45, 66, 115, 125, 136, 174, 402

Quirinus (Pseudonym für I. Döllinger) 49, 51, 96, 113, 134, 148, 194, 329, 336, 346, 351

Raab, H. 301

Rački, Franjo (1828—1894), jugoslawischer Kanoniker, Historiker und Politiker, Freund B. Stroßmayers 162, 500, 501

Radice, G. 128

Raess, Andreas (1794—1887), 1840 Titularb. von Rodiopoli, 1842 B. von Straßburg 92, 375

Ragucci, R. M. 134

Rahner, K. 537

Ramadié, Etienne Emile (1812—1884), 1865 B. von Perpignan, 1876 Eb. von Albi 52, 90, 104, 112, 115, 138, 144, 163, 186, 197, 199, 202, 217, 220, 226, 228—231, 233, 238, 241, 249, 253, 263, 293, 295, 298, 318, 320, 328, 377, 387, 434, 440, 443, 469, 513, 514, 522

Ramière, Henri (1821—1881), Jesuit, Prof. für Theologie und Philosophie in Vals, für Recht und Theologie am Institut Catholique in Toulouse 104

Ramirez y Vasquez (1807—1900?), 1865 B. von Badajoz (Spanien) 200, 225, 233, 237, 251, 261, 316

Rampf sh. Rump, Hermann

Randi, Lorenzo (1818—1887), zur Zeit des 1. Vatikanischen Konzils päpstl. Polizeiminister, 1875 Kard. 94

Ranolder, Johannes (1806—1875), 1850 B. von Veszprém (Ungarn) 197

Rauscher, Joseph Othmar (1797—1875), 1849 B. von Seckau, 1853 Eb. von Wien, 1855 Kard., Mitglied der Kommission für die Postulate des Konzils 1, 32, 46, 50, 61, 113, 137, 153, 162, 191, 198, 206, 207, 215, 217, 222, 226, 231, 232, 238, 247—249, 252, 253, 256, 262, 268—271, 274, 276, 285, 286, 292, 293, 306, 320, 321, 330, 337, 376, 377, 404, 405, 409, 411, 413, 419—421, 425, 427, 445, 455, 463, 468, 469, 481, 482, 492, 502, 517

Ravenna (Italien) 131
— (Provinzialkonzil von 1855) 27

Raynald, Oderich (1595—1671), ital. Oratorianer, Fortsetzer der Annales ecclesiastici des Baronius 461

Raynaud, Théophile (1587—1663), Jesuit, Theologe 296

Reali, Alessandro (um 1870), Dominikaner 292

Receveur, François Xavier Joseph (1808—1854), Prof. der Theologie in Paris 19

Rechberger, Georg (1758—1808), österr. Kanonist 301

Regensburg (Deutschland) 33, 37, 68, 314, 342, 347, 431, 480, 484, 515, 524

Reger (um 1870), Dompropst, Generalvikar der Diözese Regensburg unter B. Senestréy 119

Regnault, Louis Eugène (1800—1889), 1852 B. von Chartres 267, 317, 318

Régnier, René François (1794—1881), 1842 B. von Angoulême, 1850 Eb. von Cambrai,

Mitglied der Glaubensdeputation des Konzils, 1873 Kard. 61, 154, 366

Reichardt, A. 349

Reichel, Joseph Wenzel (um 1871), Stiftspropst von Zwettl 518, 519

Reiffenstuel, Anaklet (1642–1703), Franziskaner, Kirchenrechtler 297

Reims (Frankreich) 291, 402, 436
– (Konzil von 1148) 272
– (Synode von 1849) 23
– (Provinzialkonzil von 1857) 25–27

Reinerding, Franz Heinrich (1814–1880), Prof. der Philosophie und Dogmatik im Priesterseminar Fulda 287, 515

Reinhardt, R. XI, 42, 114, 352, 405, 406, 466, 467, 477, 497–499, 521

Reinkens, Joseph Hubert (1821–1896), 1853 Prof. der Kirchengeschichte in Breslau, 1873 erster B. der Altkatholiken 103, 159, 175, 406, 408, 430, 433, 496, 498–500, 508, 518

Reisach, Karl August Graf von (1800–1869), 1836 B. von Eichstätt, 1846 Eb. von München-Freising, 1855 Kurienkard. 41, 51, 61, 134

Reischl, Wilhelm Karl (1818–1873), kath. Theologe, 1867 Prof. der Moraltheologie in München 158, 488, 489, 506

Reitmayer, Franz Xaver (1809–1872), kath. Exeget, 1837 Prof. für Neues Testament in München 488, 489, 506

Reitsch, Kurt, 1975 Betreuer des Bismarck-Archivs in Friedrichsruh 167

Renaldi, Lorenzo Guglielmo Maria (1808–1873), 1848 B. von Pinerolo (Piemont) 38, 315

Renan, Ernest (1823–1892), Orientalist, Religionshistoriker und Literat 297

Reumann, J. IX

Reusch, Franz Heinrich (1825–1900), 1858 Prof. für Exegese des Alten Testaments in Bonn, 1873 altkath. Generalvikar 19, 334, 404, 466, 471, 477, 507–511, 518, 519

Reynolds, E. E. 527

Riario Sforza, Sisto (1810–1877), 1845 Eb. von Neapel, 1846 Kard., Mitglied der Kommission für die Postulate des Konzils 38, 385, 392

Riccardi di Netro, Alessandro (1808–1870), 1842 B. von Savona, 1867 Eb. von Turin, Mitglied der Kommission für die Postulate des Konzils 57, 110, 139, 413

Ricciardi, Mariano (1814–1876), 1855 Eb. von Reggio Calabria 307, 312, 369, 385, 386

Riccio, Luigi (1817–1873), 1859 B. von Monopoli, 1860 B. von Cajazzo (Süditalien) 161, 376

Richard (gest. 1907), Kanonikus, Sekretär von Eb. Place 521

Richard, François Marie Benjamin (1819–1908), Theologe, 1886 Eb. von Paris, 1889 Kard. 347

Richer, Edmond (1599–1631), gallikanischer Theologe 259, 300

Richter, G. 437

Ried, U. 453

Riegger, Paul Josef Ritter von (1705–1775), Kanonist, 1753 Prof. des kanonischen Rechts in Wien 302

Rigaux, B. 209

Rimini (Italien) (Konzil von 359) 378

Ritter, Moritz (1840–1923), Historiker, 1873 Prof. in Bonn 509

Ritzler, R. 523

Rivet, François Victor (1796–1884), 1838 B. von Dijon 99, 110, 113, 140, 168, 290, 415, 435, 436, 448, 488

Roberg, B. 255

Roccaberti, Juan Tomás de (um 1624–1699), Dominikaner, 1670 Ordensgeneral, 1678 Eb. von Valencia, 1695 Generalinquisitor 292

Rocca di Papa (Italien) 141

Rocfer, Pierre (um 1896), frz. Publizist 131

Rodez (Frankreich) 101

Rodez-Benavent, de (um 1873), Abgeordneter des »Département de L'Hérault« 442

Rodrigo Yusto, Anastasius (1814–1882), 1857 B. von Salamanca, 1867 Eb. von Burgos 200, 221, 294, 306, 307, 370, 386

Roest van Limburg, Theodorus Marinus (1806–1887), 1868 niederländ. Außenminister 105

Roetheli, E. W. 132

Rogers, Jacob (1826–1903), 1860 B. von Chatham (Kanada) 212, 226, 227, 388, 469

Rohrbacher, René François (1789–1856), frz. Kirchenhistoriker 347

Rom   XI, 3, 4, 7, 8, 11–20, 22–27, 29–37, 39, 41–43, 47, 49–52, 55, 56, 58–60, 64–66, 69, 72–75, 77, 80–84, 86–88, 90, 92–98, 100, 103, 106, 107, 109, 111, 112, 115, 116, 119, 124, 129, 132–134, 137–139, 149, 155, 157, 159, 161, 163–166, 168–170, 196, 198, 217, 219, 222, 227, 228, 231, 232, 235–237, 244, 248, 253, 254, 258–260, 262–264, 267, 272, 273, 276, 279, 280–282, 291, 306, 310, 317, 320, 328, 339, 342, 357, 404, 406, 407, 409, 413–425, 427–429, 431–438, 440–447, 450, 453, 457, 458, 460, 461, 465, 468, 471, 472, 474, 477–481, 485–490, 492, 494, 496, 497, 499, 500, 502, 506–508, 511, 512, 514–521, 523, 524, 529, 530, 532, 535–537
– (Konzil von 251)   265
– (Konzil von 313)   266
– (Konzil von 501)   322
– (Synode von 680)   242
– (Bischofsversammlung von 1862)   27, 314
– (Bischofsversammlung von 1867, Zentenarfeier des Hl. Petrus)   27, 29, 314

Rondet, H.   54

Rosati, Giovanni (1799–1884), 1855 B. von Todi (Italien)   373

Rosati, Giuseppe (1807–1881), 1867 B. von Luni, Sarzana und Brugnato (Italien)   319

Rosdy, Paul, 1974 erzbischöflicher Archivar von Estergom   522

Rosenberg, A., Baron, 1867 preußischer Gesandter in Württemberg   477, 486, 487, 489, 490

Roskovány, Augustin De (1807–1892), 1854 B. von Waitzen, 1859 von Neutra (Ungarn)   334, 422, 425, 430, 448, 451, 454, 456, 459–461, 467, 468, 470, 473, 475, 476, 498, 506, 520

Rossi, Luigi (um 1811), Soldat der Guardia Nazionale   126

Rossi, Giovanni Battista de (1822–1894), Begründer der christl. Archäologie   31, 34

Rossi, Pellegrino (1787–1848), ital. Staatsmann, 1848 Ministerpräsident des Kirchenstaates   129

Rossini, Gaetano (geb. 1796), 1855 Eb. von Acerenza und Matera, 1867 B. von Molfetta, Giovenazzo und Terlizzi (Italien)   115

Rostagno, Giuseppe (um 1891), Cavaliere   503

Rota, Pietro (1805–1888), 1855 B. von Guastalla (Italien)   195, 196, 205, 224, 272, 285, 335, 380

Rothan, G., frz. Diplomat, 1868 Botschafter Frankreichs für Hamburg, Oldenburg und Mecklenburg   52

Rothensteiner, J.   2

Rottenburg (Deutschland)   41, 46, 114, 406, 425, 426, 472, 477, 486, 487, 490, 497, 498, 507, 508, 535

Rotundo, Giuseppe (1807–1885), 1850 Eb. von Brindisi, 1855 von Tarent   329

Rouen (Frankreich)   12, 17, 25, 47, 146

Rouquette (um 1870), Chanoine aus Bordeaux   94

Ruckgaber, Aemil (1828–1905), 1869 Pfarrer in Würmlingen, 1881 Stadtpfarrer in Rottweil   515, 519, 520

Rudini, Antonio Marchese di Starabba (1839–1908), ital. Politiker, 1869 Innenminister   8

Rückert, H.   362

Ruland sh. Bouland

Rump, Hermann (1830–1875), Kirchenhistoriker in Münster (Westfalen) (in den Konzilsakten von Bischof Martin als Rampf erwähnt)   312

Rupert (um 1075/1080–1129/1130), 1120 Abt von Deutz, Theologe   291

Russell, Odo William Leopold, 1. Baron Amphthill (1829–1884), engl. Diplomat, 1858 Geschäftsträger beim Hl. Stuhl   43, 45, 49, 72, 101, 134, 139, 170, 402, 403, 411

Rustem Bey, 1862 türkischer Gesandter in Italien   83, 84

Sa, Emmanuel de (um 1530–1596), Theologe, Exeget   203

Sacconi, Carlo (1808–1889), päpstl. Diplomat, 1853–1860 Nuntius von Paris, 1861 Kard.   25

Saenz D'Aguirre, José (1630–1699), Benediktiner, 1668 Prof. für spekulative Theologie in

Salamanca, später für Bibelkunde, 1686 Kard. 294

Salamanca (Spanien) 305

Salamun, K. 532−535

Salas, Joseph Hippolyth (1812−1883), 1854 B. von Concepcion (Chile) 285, 380

Salaverri, J. 534

Salles-Dabadie, J. M. A. 258, 259

Sallua, Vincenzo (1815−1896), Dominikaner, 1870 »Commissario« des Hl. Offizium, 1871 Titulareb. von Chalzedon 110

Salviati, Scipione, Herzog (1823−1892), ital. kath. Politiker, Mitarbeiter im internationalen Pressebüro des Konzils 48

Salzano, Tommaso Michele (1807−1890), Dominikaner, 1854 Titularb. von Tanis, 1873 Titulareb. von Edessa 261, 262, 289, 291−294, 297, 298, 369

Salzburg (Österreich) XI, 77, 169, 313, 402, 429

− (Provinzialkonzil von 1418) 312

Samaria (Palästina) 204, 264

Sambin, Jules (1819−1892), Jesuit, Theologe 3

Sanguineti, Sebastiano (1829−1893), Jesuit, 1864 Prof. für Kirchengeschichte und Kirchenrecht an der Gregoriana, Konsultor für die Vorbereitungen des 1. Vatikanischen Konzils 261

Santucci, Vincenzo (1796−1861), 1853 Kard. 141

Sardi, V. 22, 340−342

Sardinien 39, 306

Sarpi, Paolo (1552−1623), Servit, Theologe 10, 43, 259

Saurer, E. 363, 364

Sauter, Josef Anton (1742−1817), Kanonist, 1801 Prof. des Kirchenrechts in Freiburg i. Br. 302

Savignac, J. De 91

Savini, Angelo (1816−1890), 1863 Generalvikar der Karmeliter alter Observanz 375

Scavini, Pietro (1790−1869), ital. Moraltheologe 20

Schaepman, Andreas Ignatius (1815−1882), 1860 Titularb. von Esborne, 1868 Eb. von Utrecht, Mitglied der Glaubensdeputation des Konzils 306

Schaetzler sh. Schäzler

Schäzler, Konstantin Freiherr von (1827−1880), kath. Theologe 484, 485, 473

Schatz, K. XI, 420, 428, 448, 450, 453, 470, 475, 481−484, 498, 504, 527, 535

Scheeben, Matthias Josef (1835−1888), 1860 Prof. der Dogmatik am Priesterseminar in Köln 87, 338, 340, 515

Schenk, M. 302

Scherr, Gregor (1804−1877) Benediktiner, 1856 Eb. von München-Freising 63, 103, 110, 351, 425, 428, 448, 449, 456, 457, 464, 465, 468, 469, 489, 490, 509, 510

Schillebeeckx, E. XI

Schirak (Sirace) (Armenien) 420

Schlesien 103

Schlette, H. R. 530

Schlözer, Kurd von (1822−1894), preußischer Diplomat und Historiker, 1871 Gesandter in Washington, 1882−1892 beim Hl. Stuhl 36, 127, 128, 130, 137, 446, 496

Schlegel, Karl Wilhelm Friedrich (1772−1829), Philosoph und Literaturhistoriker 15

Schmalzgrueber, Franz Xaver (1663−1735), Jesuit, Kanonist 297

Schmellwitz (Schlesien) 86

Schmid, Alois (1825−1910), 1866 Prof. der Dogmatik und Apologetik in München 488, 489, 506

Schmid, M. 534

Schmidlin, J. 128

Schmier, Franz (1680−1728), Benediktiner, Staats- und Kirchenrechtsgelehrter 298

Schmitz, C. 20

Schmitz van Vorst, Josef, 1975 Korrespondent der »Frankfurter Allgemeinen Zeitung« in Rom 118

Schmoeger, Carl (1819−1883), Redemptorist, Lektor für Philosophie und Theologie 53

Schmuck, F. 194

Schneemann, Gerhard (1829−1885), Jesuit, Theologe 284, 287

Schneemann, J. sh. Schneemann, Gerhard

Schneider, B. 38

Schönmetzer, A. 16, 20, 183, 206, 210, 246, 247, 252, 256, 257, 291, 300, 335, 481, 534

Schoeters, K. 44

Schottland 102

Schrader, Clemens (1820—1875), dt. Jesuit, Dogmatiker 23, 74, 97, 181, 187, 201, 210, 216, 231, 323, 338, 340, 342, 358, 368, 374, 381, 382, 394, 398

Schürmann, H. 214

Schützeichel, H. 302

Schulte, Johann Friedrich Ritter von (1827—1914), 1854 Prof. des kanonischen Rechts in Prag, 1873 Prof. in Bonn, einer der Führer der Altkatholiken 53, 110, 153, 154, 159, 163, 169, 175, 329, 404—406, 408, 423, 424, 430, 431, 433, 439, 451, 453, 458, 461, 463, 465—472, 476, 484, 490, 496—502, 505—511, 514, 515, 518—520

Schulz, W. 362

Schurr, Viktor, Redemptorist, um 1950 Pastoraltheologe und Dogmatiker in Gars (Bayern) 134

Schwaiger, G. 351, 361

Schwarzenberg, Friedrich Johann Joseph Fürst von (1809—1885), 1836 Eb. von Salzburg, 1842 Kard., 1850 Eb. von Prag 4, 41, 57—59, 111, 114, 137, 153, 159, 163, 169, 190, 191, 194, 198, 199, 202, 212, 217, 220, 222, 226, 233, 239, 243, 252, 253, 260, 273, 286, 289, 303, 305, 306, 314, 315, 317, 319, 321, 322, 324, 329, 331, 370, 372, 376, 392, 404—409, 411—413, 419—421, 426, 430, 431, 433, 434, 445, 449, 468, 471, 473—476, 480, 481, 484, 492, 494, 501, 502, 512, 516, 517, 521, 525

Schwarzenberg, Familie 521

Schwedt, H. XI

Schweiz 44, 103, 407, 423, 424, 430, 435, 448, 453, 459, 516

Sclopis di Salerno, Paolo Frederico Conte (1798—1878), ital. Staatsmann, Jurist und Historiker 38

Scotus, Johannes Duns (um 1265—1308), Franziskaner, Magister der Theologie in Paris und Köln 289

Seckau (Österreich) 66

Seckler, M. 364

Segesser von Brunegg, Philipp Anton von (1817—1888), Luzerner Staatsmann 87

Ségur, Louis Gaston Adrien de (1820—1881), frz. Sulpizianer, apologetischer Erbauungsschriftsteller 104

Seiterich, E. 347

Senestréy, Ignatius de (1818—1902), 1858 B. von Regensburg, Mitglied der Glaubensdeputation des Konzils 8, 33, 37—39, 47, 49, 51, 59, 61, 62, 65—68, 71, 72, 86, 119, 154, 155, 174, 184, 291, 292, 294, 296—298, 312, 314, 342, 347, 348, 431, 480, 481, 484, 488, 515

Senigallia (Italien) 126

Sens (Frankreich) 77, 402

— (Provinzialsynode von 1850) 24, 26

Seppelt, F. X. 281

Serafini, A. 126, 127, 131

Sergent, Nicolas Marie (1802—1871), 1855 B. von Quimper (Frankreich) 47, 242, 319

Sergios I., Patriarch von Konstantinopel (610—638) 239, 283, 288

Sergius III., Papst (904—911) 248, 271

Sergius, Patriarch sh. Sergios I., Patriarch

Serry, François Jacques Hyacinthe (1658—1738), Theologe aus dem Dominikanerorden 297, 310

Severa, Giuseppe Maria (1792—1870), 1837 B. von Città della Pieve, 1853 B. von Terni (Italien) 197, 200, 216, 262

Sevilla (Spanien) 290

Sfondrati, Coelestin (1644—1696), Benediktiner, Prof. der Philosophie, Theologie und des Kirchenrechts, 1678 Abt von St. Gallen, 1695 Kurienkard. 297

s'Hertogenbosch (Niederlande) 312

Siciliani, Giovanni Battista de (1802—1876), Franziskanerkonventuale, 1859 B. von Capaccio-Vallo (Italien) 101

Sickel, Theodor von (1826—1908), Historiker, 1867 Prof. in Wien, 1869 Leiter des Instituts für Österr. Geschichtswissenschaft 287

Sieben, H. J. 236, 237, 245

Siegfried, N. 142

Siegfried von Eppenstein (gest. 1084), 1060 B. von Mainz 312

Sigmund, Josef Hugo von (1824—1899), bayer. Beamter, 1867—1869 Gesandter beim Hl. Stuhl 45

Silvagni, David (1831–1897), ital. Patriot und Schriftsteller 141, 142, 146

Silvester I., Hl., Papst (314–335) 265, 266

Silvestre, H. 334

Silvestri, Pietro de (1803–1875), 1858 Kard., 1867 Kardinalb. von Albano 32, 96

Simeoni, Giovanni (1816–1892), 1868 Sekretär der Propaganda Fide, 1875 Kard., 1876 Staatssekretär 70, 516

Simon sh. Petrus

Simon, Jules (1814–1896), frz. Staatsmann, 1871 Kultusminister 436, 445

Simons, F. X, 537

Simor, Johannes (1813–1891), 1857 B. von Raab, 1865 Eb. von Gran, Primas Ungarns, Mitglied der Glaubensdeputation des Konzils, 1873 Kard. 59, 63, 64, 113, 140, 169, 195, 198, 243, 252, 308, 398, 399, 404, 407, 414, 420, 424, 430, 436, 457, 459–461, 469, 470, 496, 522

Sinai, Berg auf der Sinaihalbinsel 294

Sirace sh. Schirak

Siricius, Papst (384–399) 280

Sišić, F. 148

Sittich von Hohenems, Markus (gest. 1595), 1561–1589 Kard. und B. von Konstanz 312

Sixtus II., Hl., Papst (257–258) 265

Sixtus IV. (geb. 1414), Papst (1471–1484) 219, 274

Sixtus V. (geb. 1521), Papst (1585–1590) 23

Sizilien 306

Sizilien, Königreich beider Sizilien 129

Skandinavien 81

S. Maria in Aracoeli (Rom) 109

S. Maria in Traspontina (Rom) 109

S. Maria sopra Minerva (Rom) 122

Smiciklas, Georg (1815–1881), 1857 B. des griechisch-ruthenischen Ritus in Kreutz (Kroatien) 186, 198, 217, 222, 241, 304, 315, 319, 330, 427, 428, 488

Smith, Bernhard (um 1817–1892), 1868 erster Rektor der wieder begründeten Benediktinerakademie San Anselmo 456

Smyrna (Kleinasien) 29, 228

– (lateinische Synode von 1869) 24

Soares Gomes, F. 27, 33, 36–38, 46, 50, 59, 61–63, 65–67, 71, 72, 133, 169, 292, 481, 523, 524

Soderini, Graf (19./20. Jh.), Zeuge im Kanonisationsprozeß Pius' IX. 142

Soeurs Oblates de l'Assomption de Nîmes 36

Soissons (Frankreich) 432

Sola, Giovanni Pietro (1791–1881), 1857 B. von Nizza 75, 76, 200, 240, 286, 315, 318, 444, 449

Sarbonne (Universität in Paris) 289, 296, 305, 311, 409, 438, 439

Soto, Domingo de (1495–1560), Dominikaner, 1520 Prof. der Philosophie in Salamanca, 1532 der Theologie 294

Sowietunion 176

Spaccapietra, Vincenzo (1801–1878), 1852 Titularb. von Arcadiopoli, 1862 Eb. von Smyrna 76, 227, 228

Spada, Mariano (1796–1873), Dominikaner, Studiendirektor am Collegio S. Tommaso, 1867 Magister Sacri Palatii 46, 94

Spalding, John Martin (1810–1872), 1848 Titularb. von Legione, 1850 B. von Louisville, 1864 Eb. von Baltimore, Mitglied der Glaubensdeputation und der Kommission für die Postulate des Konzils 24, 43, 192, 200, 205, 209, 222, 228, 229, 238, 241, 246, 260, 265, 267, 269, 270, 277, 285, 308, 309, 316, 366, 379

Spanien 10, 44, 88, 289, 306, 307

Sparrow-Simpson, W. J. 497

Speigl, J. 349–351, 361

Speyer, W. 333

Spiletak, A. 455

Spörlein, Johann (1814–1873), Prof. der Dogmatik und Exegese in Bamberg 91

Spoleto (Italien) 131, 141

Srbik, H. Ritter von 363

Stalder, K. X

Stapleton, Thomas (1535–1598), Kontroverstheologe, 1590 Prof. in Löwen 302

St. Apollinare (Kolleg in Rom) 449

Stärk, F. 498

Stattler, Benedikt (1728–1797), Jesuit, 1770 Prof. für Dogmatik in Ingolstadt 387

St. Augustine (USA) 420

St. Bonifaz (Benediktinerkloster in München) 506

St. Brieuc (Frankreich) 99, 101, 478, 479

St. Denis (Kanonikat in Paris) 158, 440

Steccanella, Valeriano (1819—1897), Jesuit, 1862 Mitarbeiter bei der »Civiltà Cattolica« 292

Stefanian, Johann (um 1870), Generalvikar von Diarbekir unter Eb. Bathiarian 85

Steichele, Anton von (1816—1893), 1847 Domkapitular in Augsburg, 1878 Eb. von München-Freising 350, 351, 355

Steins, Walter (1810—1881), Jesuit, 1860 Titularb. von Nicopoli, 1867 Titulareb. von Bostra und Apost. Vikar von Kalkutta, Mitglied der Glaubensdeputation des Konzils 366

Stella, Giuseppe, röm. Prälat, von 1851—1870 als wirklicher Geheimkämmerer des Papstes erwähnt 131

Stella, P. 133, 301

Stephan, 531 B. von Larissa 234

Stephan I., Hl., Papst (254—257) 231, 265, 279

Stephan II., Papst (752—757) 270

Stephan III., Papst (768—772) 248, 270

Stephan IV., Papst (896—897) 271, 272

Stephan VII., Papst (928—931) 271

Stephan von Paris (gest. 1373), 1363 B. von Paris, Kard. 293

Stephanou, P. 250

Stepischnegg, Jakob Maximilian (1815—1889), 1863 B. von Lavant (Jugoslawien) 162, 393, 399, 409, 430, 448

St. Gallen (Schweiz) XII, 58, 103, 407, 409, 420, 423, 430, 432, 434, 435, 453, 463, 465, 477, 498, 507, 510, 520, 522

St. Georgen (Ordenshochschule der Jesuiten in Frankfurt) 524

Stichelen, Eudore Pirmez Van der (1830—1890), belg. Staatsmann, 1868 Außenminister 134—136

Stickler, A. M. 282, 283

Stiernon, D. 250, 251

Stieve, Felix (1845—1898), Historiker in München 509

Stirnimann, H. X, XI, 534

St. Louis (USA) 40, 83, 158, 439, 468, 471, 496, 518

St. Maître (um 1870), Pfarrer in der Diözese Orléans 101

Stockmeier, P. 287, 288, 352, 353, 467, 520

Stoecklin, A. X

St. Pölten (Österreich) 472, 484, 486

Stracmans, M. 91

Stroßmayer, Joseph Georg (1815—1905), 1850 B. von Diakovar (Jugoslawien) 1, 4, 54, 56—59, 74, 75, 92—95, 109, 113, 148, 158—160, 162, 163, 169, 192—194, 197, 220, 228, 229, 233, 239, 240, 265, 268, 311, 318, 328, 404, 408, 409, 413, 415, 430, 433, 434, 436, 445, 454, 455, 476, 480, 496, 499—501, 517

Stürmer, K. 1

Stüttgen, A. 532, 533

Stützle, J. M. (um 1870) Pfarrer von Balthausen (Deutschland) 507

Stuiber, A. 235

Stuttgart (Deutschland) 286, 406, 489, 497, 498

Stutz, U. 1

Suarez, Francisco de (1548—1619), führender Theologe der span. Scholastik 294, 295, 377

Südamerika 305

Suibhne, M. Mac 455

Suljak, A. 1, 4, 56, 58, 75, 159, 160, 162, 169, 193, 194, 329, 415, 430, 434, 445, 454, 455, 500, 501

Sura (am Euphrat) 325, 439, 478

Sweeny, John (1821—1901), 1859 B. von St. John (Kanada) 239, 240, 286

Sylvain, Charles (gest. 1885), Kanoniker, Kirchenhistoriker 115

Symmachus, Hl., Papst (498—514) 322

Szabó, Heinrich (1814—1881), 1869 B. von Savar (Steinamanger) (Ungarn) 422, 469

Taffetà (um 1811), Soldat der Guardia Nazionale 126

Taigi, Anna Maria (1769—1837), ital. Mystikerin, 1920 seliggesprochen 131

Tailetti, Pietro (um 1870), Kanoniker von St. Peter in Rom 34

Talbot de Malahide, Georges (1816—1886), röm. Prälat, wirklicher Geheimkämmerer Pius' IX. 22, 132, 137

Taliani, Emidio (1839—1907), 1869 in der Nuntiatur in München, 1896 Nuntius in Wien, 1903 Kard. 515

Tamborra, A.   4, 45, 53, 68, 76, 83—85, 93,
94, 96, 108, 111, 115, 125, 137, 140, 142—
144, 146, 148, 149, 161, 162, 164, 165, 404,
417, 485, 491

Tamraz, Johannes, 1854 chaldäischer Eb. von
Kerkuk (Kurdistan) 388, 395

Tanner, Adam (1572—1632), Jesuit, Theologe
322

Tanner, Anton (1808—1893), Propst in Luzern
103, 477, 507

Tapie (um 1870), frz. Abbé, Prof. am Kleinen
Seminar in Paris   34, 35, 39, 52, 60, 68, 93,
105, 108, 112, 123, 132, 136, 138, 161, 165,
166, 168, 440, 451, 521, 522, 524

Tardif, A. (um 1870), Chef de division im frz.
Kultusministerium 32, 47, 52, 61, 105, 442,
445

Tarent (Taranto) (Italien) 329

Tarnóczy, Maximilian Joseph von (1806—
1876), 1850 Eb. von Salzburg, 1873 Kard.
77, 169, 198, 324, 399, 402, 429, 448

Tarragona (Spanien) 268

Tauffkirchen-Guttenburg, Karl Graf von
(1826—1895), bayer. Diplomat, 1. 11. 1869
Botschafter beim Hl. Stuhl 46, 54, 73, 95,
99, 103, 106, 114, 117, 139, 147, 155, 157,
259, 411, 433, 434, 486, 487

Tedeschi, J. 523

Tejedor, M. J. 2, 16

Tennent, H. 524

Terrien, E. 64, 119, 164, 415

Tertullian, Quintus Septimius Florens (um 160
— nach 220), frühchristlicher Apologet 229

Thalhofer, Valentin (1825—1891), Liturgiker,
1863 Prof. in München, 1889 Dompropst in
Eichstätt 488, 489, 506

Tharasius (gest. 806), Patriarch von Konstantinopel (784—806) 242

Theile, Karl Gottfried Wilhelm (1799—1854),
evang. Theologe, 1830 Prof. in Leipzig 215

Theiner, Augustin (1804—1874), Oratorianer,
Historiker und Archivar, 1855 Präfekt des
päpstl. Geheimarchivs 34, 36, 53, 54, 58,
107, 124, 125, 143, 146, 277, 437, 499, 505

Theodor I., Papst (642—649) 285

Theodoretos (um 393—um 466), B. von Kyros,
bedeutender Theologe der griech. Kirche
266

Theodoros Studites, Hl. (759—826), griech.
Theologe und Abt 234, 262

Theophylakt (1. Hälfte 11. Jh. — um 1108),
byz. Theologe 212

Theresia, Hl., von Ávila (1515—1582), Ordens-
reformerin und Mystikerin 201

Thiébaud, Victor Joseph (1799—nach 1884),
Kanoniker in Besançon 17, 21, 26, 101,
149, 163, 169, 170, 445, 453, 492, 493

Thiers, Louis Adolphe (1797—1877), frz.
Staatsmann und Historiker 165

Thile, Karl Hermann (1812—1889), preuß.
Staatsmann, 1862 Untersekretär im Aus-
wärtigen Amt 3

Thils, G. XI, 332

Thomas, Léon Benoît Charles (1826—1894),
1867 B. von La Rochelle, 1884 Eb. von
Rouen, 1893 Kard. 71

Thomas von Aquin, Hl. (um 1225—1274), Dominikaner, Kirchenlehrer 119, 197, 289,
292, 293, 299, 300, 318, 320, 334, 377, 391,
399, 458

Thomas von Cantilupe, Hl. (um 1218—1282),
1262 Kanzler von Oxford, 1264 Kanzler von
England, 1275 B. von Hereford 293

Thompson, J. W. 363

Thürlings (um 1870), Kaplan in Heinsberg
(Erzdiözese Köln) 430, 500

Thurles (Irland) (Nationalkonzil von 1850)
26, 309, 314

Tierney, B. X, 282, 283, 300, 302, 355, 360,
361, 484

Timotheos, 344—381 B. von Berytos (Beirut)
266

Timotheus, Schüler und Mitarbeiter des Apo-
stels Paulus 383

Timotheusbrief (erster) 204, 382, 383, 394

Timotheusbrief (zweiter) 383

Tizzani, Vincenzo (1809—1892), 1843 B. von
Terni, 1847 Titulareb. von Nisibis und Prof.
für Kirchengeschichte an der päpstl. Universität in Rom, 1886 lat. Patriarch von
Antiochien 34, 55, 252, 316, 340, 342, 512, 513

Tkalac, Imbro I. (1824—1912), kroatischer Patriot, ital. Diplomat, während des Konzils
Agent der ital. Regierung in Rom 4, 95,
122, 125, 136, 137, 143, 162, 403, 417, 485,
491

Tobi, Luigi (um 1809) Arzt in Volterra   126
Toledo (Spanien)   307
− (Synode von 447)   306
− (15. Konzil von Toledo im Jahre 688)   270
− (Glaubensbekenntnis)   263
Tonsor, S. J.   349
Topitsch, E.   532−536
Torquemada, Juan de (Johannes de Turrecre-
    mata) (1388−1468), Dominikaner, Theolo-
    ge, 1434 Magister Sacri Palatii, 1439 Kard.
    293, 302, 322, 334
Tosti, Luigi (1811−1897), Benediktiner, Histo-
    riker, 1858 Titularabt, 1879 Unterarchivar
    im Vatikan   8, 31, 32, 38, 45, 66, 125
Toul (Frankreich)   312
Toulouse (Frankreich)   440
− (Provinzialsynode von 1850)   26, 314
Tournely, Honoré de (1658−1729), frz. Theo-
    loge   297, 302
Tours (Frankreich)   436
− (Konzil von 568)   310
− (Synode von 1849)   23, 25
Trafiletto (um 1870), Kanoniker in Rom   8
Trani (Italien)   115
Transsylvanien   308, 457
Trauttmansdorff, Ferdinand Graf (1825−
    1896), österr. Diplomat, 1869 Gesandter
    beim Hl. Stuhl   3, 34, 45, 50, 74, 80, 98, 127,
    137, 140, 147, 161, 165, 173, 404
Traversari (um 1863), Dekan der päpstlichen
    Antikammer   141
Treibel, Andreas (um 1870), Direktor des
    Braunsberger Lehrerseminars   476, 509
Trevisanato, Giuseppe Luigi (1801−1877),
    1852 Eb. von Udine, 1862 Patriarch von
    Venedig, 1863 Kard.   186, 200, 209, 246,
    251, 369, 385, 393
Treviso (Italien)   101
Tribur (Trebur, Deutschland) (Konzil von 895)
    312
Trient (Italien)   162
− (Konzil von 1545−1563, 19. ökumenisches)
    10, 18, 23, 42, 43, 54, 55, 72, 243, 244, 254,
    257, 274, 275, 300, 305, 315, 324, 335, 342,
    362, 398, 411, 413
Trier (Deutschland)   56, 60, 96, 97, 99, 112,
    113, 122, 123, 144, 147, 153, 168, 222, 298,
    312, 330, 431, 451, 458, 469, 516

Trilling, W.   208, 209, 216
Trioche, Laurent (1801−1887), 1837 lat. B.
    von Bagdad   290, 293, 377, 448
Trionfetti, Bernardino (1803−1884), 1862 B.
    von Terracina, Sezze und Priverno (Italien)
    200, 225, 289, 293, 303
Tripepi, Luigi (1836−1906), unter Leo XIII.
    Substitut im Staatssekretariat, 1901 Kard.
    513
Trnáva (Ungarn) (Kirchenversammlung von
    1682)   307
Trollope, Thomas Adolphus (1810−1892),
    engl. Schriftsteller   130, 136, 142, 146
Trombetta, Luigi (um 1870), röm. Prälat, Sub-
    sekretär der Kongregation »Vescovi e Re-
    golari«   441
Trucchi, Pietro Paolo (1807−1887), 1846 B.
    von Anagni, 1857 von Forlì (Italien)   196,
    230, 267, 291, 292, 296, 316
Tuam (Irland)   451
− (Provinzialkonzil von 1854)   26
Tübingen (Deutschland)   XI, 42, 352, 353,
    489, 490, 505, 508
Tüchle, H.   455, 499
Turin (Italien)   11, 50, 57, 305, 413, 508
− (Synode von 1873)   468
Turner, William (1790−1872), 1851 B. von
    Salford (England)   316
Turrecremata sh. Torquemada, Juan de

Ullathorne, William Bernhard (1806−1889),
    Benediktiner, 1846 Titularb. von Hetalona,
    1850 B. von Birmingham   529
Ungarn   35, 64, 140, 163, 166, 303, 307, 308,
    407, 414, 421, 422, 427, 429, 430, 433, 434,
    445, 448, 457, 459−461, 500, 521
Unger, D. J.   235
Urban II. (geb. um 1035), Papst (1088−1099)
    272
Urbino (Italien) (Provinzialkonzil von 1859)
    27, 314
Utrecht (Niederlande) (Provinzialkonzil von
    1865)   27, 313, 314

Vailhé, S.   48
Valence (Frankreich)   420
Valencia (Spanien)   294

Valerga, Giuseppe (1813−1872), 1847 lat. Patriarch von Jerusalem, Mitglied der Kommission für die Postulate des Konzils 62, 76, 83, 116, 117, 139, 195, 244, 251, 255, 257, 258, 303, 306, 311, 319
Valijavec, F. 301
Vallin, P. 403
Valsecchi, Alessandro (1809−1879), 1869 Titularb. von Tiberias und Weihb. von Bergamo 200
Vannes (Frankreich) 445
Vannuchi, Benedetto (um 1809), Arzt in Volterra 126
Vancsa, Johannes (1820−1892), 1865 B. von Armenopoli, 1868 Eb. des griechisch-rumänischen Ritus in Fogaras und Weißenburg (Siebenbürgen) 256, 267, 319
Vannutelli, Serafino (1834−1915), 1869 Titulareb. von Nizäa, 1880 Nuntius in Wien, 1887 Kard. 426−428
Varini, Paolo (um 1870), Direktor des »Osservatore Romano« 95
Vatikan 69, 94, 102, 109, 116, 134, 135, 146, 153, 160, 173, 513
Vaughan, Herbert Alfred (1832−1903), 1868 Redaktor des »Tablet«, 1872 B. von Salford, 1892 Eb. von Westminster, 1893 Kard. 105
Vaughan, William (1814−1902), 1855 B. von Plymouth (England) 318
Vecchiotti, Septimio Maria (1812−1880), röm. Prälat, 1855−1863 Internuntius in den Niederlanden, danach Consigliere di Stato ordinario 34, 415
Veccus sh. Johannes XI. Bekkos, Patriarch von Konstantinopel
Veith, Johann Emanuel (1787−1876), kath. Theologe, berühmter Prediger, meist in Wien 149, 169
Venedig (Italien) (Provinzialkonzil von 1859) 27
Vera, Carlo Maria De, 1863 Abt der Benediktinerabtei Montecassino 8, 38, 66, 402
Verardo, R. A. 299, 334
Verdun (Frankreich) 415
− (Synode von 1598) 313
Vereinigte Staaten von Amerika 19, 24, 81, 308, 446
Verheyden (um 1870), Priester 111

Verona (Italien) 425
Veronius (Véron), François (1578−1649), frz. Jesuit, Kontroverstheologe 387
Vérot, Augustin (1804−1876), 1857 Titularb. von Danaba, 1861 B. von Savannah, 1870 B. von St. Augustine (USA) 74, 198, 199, 202, 203, 206, 211, 212, 217, 218, 222, 227, 228, 230−232, 239−241, 243, 248, 249, 252−254, 261, 264−267, 269−276, 278, 286, 287, 292, 293, 295−298, 304, 305, 309, 311, 315, 320−322, 330, 332, 333, 372, 375−377, 388, 420, 475, 522
Versailles (Frankreich) 495
Verzeri, Girolamo dei Conti (1804−1883), 1850 B. von Brescia (Italien) 200, 205, 209, 216, 292, 392, 393
Vespasiani, Filippo (1812−1877), 1856 B. von Fano (Kirchenstaat) 210, 246, 251, 255
Veuillot, Eugène (1818−1905), Bruder von Louis M. Veuillot, Mitarbeiter beim »Univers« 44, 47, 92, 154, 416
Veuillot, F. 44
Veuillot, Louis M. (1813−1883), kath. Publizist, Redaktor des »Univers« 47, 49, 51, 63, 80, 92, 100, 105, 111, 145, 154, 155, 415, 416, 495, 496, 508
Victor I., Hl., Papst (um 189−um 198) 227, 264, 279
Vienne (Frankreich) 234, 248
Vigener, F. 11, 17, 87, 96, 120, 259, 453, 455, 456, 472, 498
Vigilius, Papst (537−555) 225, 268, 269, 307
Vigilius (gest. 610), 588 B. von Arles 269
Vigor, Simon (1556−1624), gallikanischer Theologe 300
Vinça (Frankreich) 115
Vincent de Paul, Pater sh. Bailly, Paul
Vinzenz von Lerin (gest. 450), Mönch, Theologe 199, 219−221, 233, 245, 348, 349, 351, 361, 506
Vischer, L. X
Visconti Venosta, Emilio (1829−1914), ital. Staatsmann, 1863 Außenminister 135, 138, 142, 403
Vivie, Emanuel de (um 1870), frz. Pfarrer 101
Vögtle, A. 209
Volterra (Italien) 126

Vorsak, Nikolaus (1836−1880), Prof. im Seminar von Diakovar, 1863−1880 Kanoniker im Kapitel von S. Girolamo degli Illirici in Rom 56, 58, 95, 430, 499, 500, 501

Vries, W. de 17, 281

Waal, Anton De (1837−1917), Archäologe, 1872 Rektor des dt. Priesterkollegs beim Campo Santo Teutonico in Rom 96

Wagner, F. 363

Walker, G. S. M. 279, 280

Wallace, L. P. 173

Wallon Jean (um 1870) frz. Priester, Altkatholik 495, 509, 519

Walter, Wilhelm (um 1876), Kaufmann in Isny (Bayern) 498

Walz, A. 124, 302

Wappmansperger, Leopold (um 1878) 127, 128

Ward, Horatio (19 Jh.), prot. Kleriker und Schulmeister, Freund Lord Actons 496

Ward, G. 105, 111

Ward, William George (1812−1882), kath. Philosoph und Publizist, Redakteur der »Dublin Review« 105, 287, 481

Ward, W. 105

Warnefried, Carl Borromäus Augustus (Pseudonym), sh. Wirtensohn, Karl August

Washington (USA) 446, 496

Weber (um 1870), Privatdozent und Religionslehrer am Gymnasium in Breslau 508

Weber, Ch. XI

Weber, M. 173

Weckherlin, de (um 1869), zeitweiliger Stellvertreter des niederl. Gesandten Du Chastel beim Hl. Stuhl 93, 96, 105

Wedekin, Eduard (1796−1870) 1850 B. von Hildesheim 78, 222, 226, 304, 456

Wehler, H. U. 6

Weiler, A. 364

Weinzierl, E. XI

Weiß, O. 39, 131, 134

Weninger, Franz Xaver (1805−1888), Jesuit, Volksmissionar und Theologe 20, 21, 104, 232, 290

Werkmeister, Benedikt Maria von (1745−1823), Benediktiner, Prof. der Philosophie und des Kirchenrechts 302

Wessenberg, Ignaz Heinrich Freiherr von (1774−1860), 1802 Generalvikar von Konstanz 352

Westermayer, Anton (1816−1894), Theologe, Stadtpfarrer von St. Peter in München 106

Westminster (London) 113, 342, 415, 416, 484
− (Synode von 1852) 314
− (Provinzialkonzil von 1855) 26

Wetherell, Thomas F. (gest. 1908), Herausgeber versch. engl. Zeitschriften, Zusammenarbeit mit Lord Acton und Richard Simpson 498

Whelan, Richard Vincentius (1809−1874), 1840 B. von Richmond, 1850 B. von Wheeling (USA) 196, 197, 202, 206, 217, 222, 239, 254, 308, 309, 311, 313, 315, 319−321, 376, 394

Wick, Joseph Lorenz (1820−1903), Pfarrer an der Sandkirche in Breslau, Kanoniker 132

Wickert, U. 280

Wien XI, 2, 4, 7, 32, 34, 35, 69, 70, 80, 124, 127, 134, 137, 140, 144, 149, 153, 159, 162, 163, 166, 167, 169, 173, 404, 405, 409, 411, 413, 415, 420−423, 425−428, 434, 445, 474, 484, 492, 500−502, 512, 514, 516, 519
− (Provinzialkonzil von 1858) 27

Wiery, Valentin (1813−1880), 1858 B. von Gurk (Österreich) 191, 324, 393, 395, 400, 430, 450, 473

Wierzchleyski, Franz Xaver (1803−1884), 1846 B. von Przemyl, 1860 Eb. von Lemberg 226, 240, 286, 450

Wiest, Stephan (1748−1797), Zisterzienser, 1781 Prof. der Dogmatik in Ingolstadt 301

Wilhelm von Champeaux (um 1070−1122), Philosoph und Theologe, 1113 B. von Châlons-sur-Marne 88

Wilhelm I. (1797−1888), 1861 preuß. König, 1871 dt. Kaiser 114, 167

Willis, Eduard Francis (um 1879) 288

Wilmers, Wilhelm (1817−1899), Jesuit, Theologe 46, 294

Winter, E. 301

Wirtensohn, Karl August (1803− nach 1877), Kaufmann in Münster, Mitarbeiter an versch. kath. Zeitungen 132

Wiseman, Nicholas Patrick Stephan (1802−1865), 1829 Rektor des engl. Kollegs, 1840

Apost. Vikar von Mittelengland, 1850 Eb. von Westminster und Kard. 298

Wittram, R. 363

Wolfsgruber, Coelestin (1848−1924), Benediktiner, 1901 k. und k. Hofprediger, 1903 Prof. für Kirchengeschichte in Wien 4, 144, 149, 153, 159, 163, 169, 405, 420, 426, 431, 434, 455, 471, 474, 484, 501, 512, 516, 517

Wollmann, Paul (1837−1909), 1863 Religionslehrer in Braunsberg, 1876 Gymnasiallehrer in Köln 509

Wolman, B. B. 6

Wolter, H. 255

Wood, Jacob Frederik (1814−1883), 1857 Weihb. von Philadelphia, 1860 Eb. von Philadelphia 230, 233, 241, 242, 244, 314

Würzburg (Deutschland) XI, 20, 151, 431, 509

Württemberg 477, 490, 497

Wyclif, John (gest. 1384), engl. Philosoph und Theologe, Reformer 319

Ximenes, José Fernandez (um 1870), span. Geschäftsträger beim Hl. Stuhl 1, 2, 7, 31, 34−36, 39, 47, 55, 95, 135, 149, 402, 491

Yabroud (Jabrud) (Syrien) 425

Zaccaria, Francesco Antonio (1714−1795), Theologe und Kanonist aus dem Jesuitenorden 11, 339

Zacharias, Hl., Papst (741−752) 270

Zacharias (um 520 v. Chr.), alttestamentlicher Prophet 396

Zagreb (Jugoslawien) 426

Zalka, Johannes (1820−1901), 1867 B. von Raab (Ungarn) 202, 204, 222, 239, 240, 256, 266, 268, 270−272, 286, 308, 324−326, 371, 425, 460, 468

Zelli Jacobuzi, Leopoldo (1818−1895), Benediktiner, 1867 Abt von St. Paul vor den Mauern (Rom) 196, 200, 206, 210, 214, 215, 238, 240−242, 246, 319

Zelo, Domenico (1803−1886), 1855 B. von Aversa (Italien) 255, 257, 292, 298, 317, 373, 375

Ziegler, Th. 499

Zinelli, Federico Maria (1805−1879), 1861 B. von Treviso, Mitglied der Glaubensdeputation des Konzils 101, 276, 366, 377, 378

Zion (Jerusalem) 396

Zirngiebl, Eberhard (um 1871), religiöser Schriftsteller 504, 518

Zosimus, Hl., Papst (417−418) 234, 266, 267

Zunnui Casula, Francesco (1824−1899), 1867 B. von Ales und Terralba, 1893 Eb. von Oristano (Sardinien) 196, 209, 229, 230, 242, 246, 267, 292, 306, 367, 368

Zwerger, Johann Baptist (1824−1893), 1867 Fürstb. von Seckau-Graz, Mitglied der Disziplinardeputation des Konzils 66

PÄPSTE UND PAPSTTUM

In der 1971 von dem Kirchenhistoriker Prof. Dr. Georg Denzler begründeten Serie erscheinen *Biographien von Päpsten in Einzeldarstellungen* und *Monographien zum Thema Papsttum*. Bei den Biographien genießen jene Päpste den Vorrang, deren Leben bisher noch keine hinreichend kritische Beschreibung gefunden hat oder deren Lebensbild aufgrund neuer Forschungsergebnisse revidiert werden muß; gegebenenfalls werden mehrere Päpste in einem Band abgehandelt. Die speziellen und übergreifenden Sachthemen der Monographien beziehen sich auf die Institution des Papsttums.

Folgende Bände sind erschienen.

1 *Marschall*, Werner: Karthago und Rom. Die Stellung der nordafrikanischen Kirche zum Apostolischen Stuhl in Rom. 1971. IX, 240 Seiten. Leinenband. ISBN 3-7772-7117-9.

2 *Moehs*, Teta E.: Gregorius V. (996–999). A biographical study. [In English Language.] 1972. X, 114 Seiten und 1 Stammtafel. Leinenband. ISBN 3-7772-7214-0.

3 *Joannou*, Perikles-Petros (†): Die Ostkirche und die Cathedra Petri im 4. Jahrhundert. Bearbeitet von Georg Denzler. 1972. IX, 309 Seiten. Leinenband. ISBN 3-7772-7226-4.

4 *Herrmann*, Klaus-Jürgen: Das Tuskulanerpapsttum (1012–1046). Benedikt VIII., Johannes XIX., Benedikt IX. 1973. VIII, 220 Seiten. Leinenband. ISBN 3-7772-7306-6.

5 *Denzler*, Georg: Das Papsttum und der Amtszölibat. 2 Bände. 1973–1976. 500 Seiten. ISBN 3-7772-7324-4.
Teil 1: Die Zeit bis zur Reformation. 1973. XII, 180 Seiten. Leinenband. ISBN 3-7772-7325-2.
Teil 2: Von der Reformation bis in die Gegenwart. 1976. VI, 302 Seiten. Leinenband. ISBN 3-7772-7602-2.

6 *Reinhard*, Wolfgang: Papstfinanz und Nepotismus unter Paul V. (1605–1621). Studien und Quellen zur Struktur und zu quantitativen Aspekten des päpstlichen Herrschaftssystems. 2 Bände. 1974. 432 Seiten. ISBN 3-7772-7418-6.
Teil 1: Studien. 1974. XV, 160 Seiten. Leinenband. ISBN 3-7772-7419-4.
Teil 2: Quellen. 1974. V, 249 Seiten. Leinenband. ISBN 3-7772-7426-7.

7 *Wermelinger*, Otto: Rom und Pelagius. Die theologische Position der römischen Bischöfe im Pelagianischen Streit in den Jahren 411 bis 432. 1975. XI, 340 Seiten. Leinenband. ISBN 3-7772-7516-6.

8 *Kreuzer*, Georg: Die Honoriusfrage im Mittelalter und in der Neuzeit. 1975. XI, 260 Seiten. Leinenband. ISBN 3-7772-7518-2.

9 *Cheney*, Christopher R.: Innocent III (1198–1216) and England. [In English Language.] 1976. XII, 433 Seiten. Leinenband. ISBN 3-7772-7623-5.

10 *Santifaller*, Leo (†): Liber Diurnus. Studien und Forschungen. Herausgegeben von Harald Zimmermann. 1976. XIII, 260 Seiten. Leinenband. ISBN 3-7772-7612-X.

11 *Schmidt*, Tilmann: Alexander II. (1061–1073) und die römische Reformgruppe seiner Zeit. 1977. IX, 262 Seiten. Leinenband. ISBN 3-7772-7704-5.

12 *Hasler*, August Bernhard: Pius IX. (1846–1878), Päpstliche Unfehlbarkeit und 1. Vatikanisches Konzil. Dogmatisierung und Durchsetzung einer Ideologie. 2 Bände. 1977. 644 Seiten. ISBN 3-7772-7709-6.
1. Halbband. 1977. XII, 400 Seiten. Leinenband. ISBN 3-7772-7710-X.
2. Halbband. 1977. V, 227 Seiten. Leinenband. ISBN 3-7772-7711-8.

Als nächstes Werk erscheint:

13 Weber, Christoph: Kardinäle und Prälaten in den letzten Jahrzehnten des Kirchenstaates. Elite-Rekrutierung. Karriere-Muster und soziale Zusammensetzung der kurialen Führungsschicht zur Zeit Pius' IX. (1846-1876). 1978. Etwa 700 Seiten mit zahlreichen Tabellen und 50 Stammtafeln.

In Vorbereitung.

Bosl, Karl: Gesellschaftsgeschichte des Papsttums in der Zeit von Konstantin d. Großen bis Karl d. Großen.

Bylina, Stanislaw: Das Papsttum und die Ketzer im Mittelalter.

Favier, Jean: Die päpstlichen Finanzen und der kirchliche Fiskalismus vom 13. bis 15. Jahrhundert.

Fogarty, Gerald: The Vatican and The American Church since 1870.

Foreville, Raymonde: Innocent III et la France.

Frank, Isnard: Das Mönchtum als Stütze des mittelalterlichen Papsttums.

Hägermann, Dieter: Die Päpste Stephan IX. (1057–1058), Benedikt X. (1058–1059) und Nikolaus II. (1058–1061).

Hennesey, James: The American Church and The Holy See 1789–1870.

Herde, Peter: Papst Cölestin V. (1294).

Kaminsky, Hans H.: Die Päpste Damasus II. (1048), Leo IX. (1049–1054) und Viktor II. (1055–1057).

Lenzenweger, Josef: Die Päpste Clemens VI. (1342–1352), Innozenz VI. (1352–1362), Urban V. (1362–1370) und Gregor XI. (1370–1378).

Maccarrone, Michele: Innocenzo III e l'Italia.

Meinhold, Peter: Die Päpste Julius III. (1550–1555) und Paul IV. (1555–1559).
– Die Päpste Pius IV. (1559–1565) und Pius V. (1566–1572).

Melville, Gert: Bedeutung und Verwendung des Liber Pontificalis im Mittelalter.

Neundorfer, Bruno: Die Päpste Gregor VI. (1045–1046) und Clemens II. (1046–1047).

Peri, Vittorio: Papst Leo III. (795–816).

Pesch, Rudolf: Apostel Petrus.

Peterfi, William O.: United States – Vatican Diplomacy in Modern Times (since 1914). A mission for Peace.
– The Vatican and International Organization.

Raab, Heribert: Die Päpste Clemens XIII. (1758–1769) und Clemens XIV. (1769–1774). Das Papsttum im Kampf mit der Spätaufklärung und dem Staatskirchentum.
– Papst Pius VI. (1775–1799).

Schlaich, Heinz-Wolf: Papsttum und Deutsche Einigung.

Schnith, Karl: Papst Hadrian IV. (1154–1159).

Servatius, Carlo: Papst Paschalis II. (1099–1118).

Strnad, Alfred A.: Die Päpste Pius II. (1458–1464) und Pius III. (1503).

Ullmann, Walter: Gelasius I. (492-496). Das Papsttum an der Wende der Spätantike zum Mittelalter.

Weinzierl, Erika: Papst Pius X. (1903–1914).

Ziese, Jürgen: Papst Martin IV. (1281–1285).
– Gegenpapst Clemens III. (1080–1100).

Weitere Bände befinden sich in Planung
Ausführlichere Informationen und Prospekte auf Wunsch vom Verlag
Anton Hiersemann, Postfach 723, D–7000 Stuttgart 1 (W.-Germany).

DATE DUE

GAYLORD			PRINTED IN U.S.A.